武田徹

つれづれ一徹人生

はじめに

「断捨離」などという言葉がちまたで言われるようになったのはいつ頃からだろうか。団塊の世代が還暦を迎え始めた平成二〇年（二〇〇八）頃からだったように思う。ダイエットと同じように、身辺にある不必要なものを整理し、身軽になることを推奨する言葉のようだ。

「歳をとればとるほど、身体が動かなくなるんだから、いらないものはいまのうちになるべく捨てちゃってよ。断捨離しなきゃ」

家内にせっつかれて、まず本棚から整理しようと重い腰を上げた。そこまでは良かったのだが、普段は背の届かない最上部の本と本との間から、図らずも何冊もの古い日記帳を発見してしまったのがいけなかった。これらの日記帳、古いといっても半端な古さではない。六〇年も前の昭和三四年（一九五九）の元旦から書き始めた日記なのである。時には欠けている部分もあるが、小学校六年生から中学、そして高校一年生の一一月まで、黄色く変色した日記帳にたどたどしい文字で書かれている日記なのだ。幼さが残る少年期から多感な時を過ごした青年期の入り口までの自分史でもある。こうなっては本の整理どころではない。興味津々、考古学者のような気分で、ページをめくり過去の自分の足跡をたどると、どんなことに興味を持ち、なにをしながら日常生活を送っていたかが、まるで記憶の宝箱のように日記に記されているではないか。

「日記は書くものとばかり思っていたが、日記は読み返すことに本当の意味があるんだ。そうだ、ならば三〇代後半から現在まで毎日書き続けている日記をすべて読んでみよう」

こう決意し、何十年にもわたって書き記した日記を読むことにした。本棚からは大学生から社会人になった数年間にわたって、断片的に書いた日記も発見できた。こうなってはもう断捨離どころではない。かくして一万三〇〇〇日もの日記を読む羽目になってしまったのである。

日記を読んで思うことは、七〇年も生きていれば、いろいろな人に出会い、様々な体験をし、その体験がまた新たな人脈を広げることにつながるのだ、ということだ。

そして人生の伴走者として、楽しみと勇気と希望をいつも与え続けてくれたもの、それが「映画」と「音楽」だったことを日記は改めて実感させてくれた。映画と音楽が人生に与えた影響ははかりしれないことを、日記は雄弁に物語っていたのだ。

幼少期から、父が好きだったこともあり、よく映画館に連れていってもらったこと。ラジオから流れる映画音楽やラジオドラマ、そして歌謡曲に興味を持ち、小学生時代はすっかり歌謡曲小僧になっていたこと。中学から高校生時代は、日活の青春映画や歌う映画スターに憧れていたこと。大学生時代はジャズにのめり込み、日本全国を演奏旅行してドラムを叩きまくったこと。信越放送に入社してジャズ番組を作ったり、世界的に有名なジャズミュージシャンが集まったイベントのテレビ番組を作ったりしたこと。唱歌・童謡の取材で全国を回ったこと。歌謡曲のスターを呼んでドキュメンタリー番組を作ったこと。そんな日々を送りながらも、映画館に足を運んでは話題作や好きな監督やスターの映画を見たことなどなど。日記は記憶の彼方にあった映画と音楽にまつわる様々なことどもを、鮮明に思い出させてくれたのである。

そしていま現在に至っても、映画と音楽は担当しているラジオ番組に新鮮な話題を提供してくれ、しゃべり手である俺にも刺激を与えるありがたい存在であり続けているのである。

幼少期から現在に至るまで、映画と音楽が自分にどうかかわり、どんなインパクトを与え、それが人生にどう影響していったのかを楽しみながら筆を進め、それを足がかりに人生を振り返ってみようと思い至って本書を出版した。

一放送人の生きざまを、とくとお読みあれ。

目次

第1部
洟垂れ小僧の南俣編

中学時代に愛犬コロと

1　歌謡曲小僧の誕生

生まれて初めて見た映画

生まれたのは昭和二一年（一九四六）九月二五日。日本がアメリカとの戦争に敗れた翌年である。兄二人の三男坊として長野市南俣で生を受けた。いまでこそ、朝夕の通勤・通学ラッシュ時にラジオの交通情報で、「長野市の南俣交差点は〇キロにわたる渋滞が続いております」と伝えられるほど、住宅が建ち並んでいるが、大学進学のため上京するまでは、集落の周りは水田が広がる田園地帯。まさに〝村〟であった。

父は国鉄、いまのJR東日本に勤めていたが、米を作り、野菜を育て、母や祖母とともに百姓仕事もしていた。当然われら男兄弟三人も、百姓仕事を手伝わされたが、これが嫌で嫌で…。

集落には当然映画館もなければ、コンサート会場もない。駄菓子屋が一軒だけ。中学生になった頃、ようやく雑貨店がもう一軒できたくらいのド田舎であった。従って当然のことながら、生粋のカントリーボーイと言えば聞こえはいいが、いうなれば田舎の鼻たれ小僧として育ったのである。

映画を見るにしても、市内の中央通り界隈《かいわい》のいわゆる街場まで行かねばならなかった。ところが具合がいいことに、父の姉妹、つまりおばさんたちが大都会である名古屋、川崎、八王子に嫁いでおり、しばしば父に連れられて都会詣でをすることができた。それもそのはず、国鉄職員である父も家族も、汽車賃はタダだったのだ。これでは国鉄が赤字になったのは当たり前である。

それはさておき、カントリーボーイである俺は、シティーボーイ、シティーガールの闊歩《かっぽ》する都会の空気に触れる機会が子ども時代から多かったのである。家族無料運賃は高校時代まで続き、その後は家族割引制となり、故中曽根元首相の勇断で民営化されるまで続いた。田舎の鼻たれ小僧はその恩恵を十二分に受けて育ったのである。


生まれて初めて見た映画は、名古屋という非日常の大都会で見たという強い印象があったためか忘れられない。しかも、カラー映画だった。その映画は洋画の『黄色いリボン』であった。『黄色いリボン』がアメリカで作られたのは昭和二四年。おそらく日本で上映されたのは、その翌々年で、まだ戦後間もない頃である。当時、長野駅から親戚のある名古屋まで中央線の夜行列車で一〇時間もかかったような時代である。

父に連れられ、夜行列車で名古屋の親戚の家へ行った。まだ五歳の頃だが、名古屋駅前

映画のおもしろさを教えてくれた父と小学生の武田少年

で見た光景はいまでも忘れられない。早朝ということもあっただろうが、駅前の広いロータリーは閑散としており、車はほとんど動いていなかった。そのロータリーのあちこちで、男たちが屈《かが》んではなにかを拾っているのである。

「父ちゃん、あの人たちなにしてるの」

「モク拾いと言ってな、人が吸い終わって捨てたタバコを拾ってるんだ」

「なんで、そんなことするの」

「捨てたタバコを集めて、ほぐしてから、新しいタバコを何本も作って、それを売って生活するためのお金にしているんだ」

先に針のついた棒で投げ捨てられたタバコの吸いがらを刺して拾い集めていたのだ。

モク拾いという言葉を初めて知った。

大都会名古屋でも就職難の時代だったのだろう。戦地から帰った男たちの中には、職もなく、日々を暮らしている人たちがたくさんいたのだ。戦後はまだ続いていたのである。

名古屋市中川区に親戚の家があった。父がどんな用事でこの家に行ったのか、またどんな話をしたのかはまったく記憶にない。

生まれて初めてカラー映画を見たのは、その親戚に別れを告げて帰りの列車に乗る前であった。

「徹、列車の発車までだいぶ時間があるから一緒に映画を見てから帰ろう」

父の言葉は不思議といまでも覚えている。名古屋駅に隣接していたのか、駅の中にあったのか場所までは覚えていないが、大きな立派な映画館であったことはいまでも忘れない。

劇場入り口のドアを開けてビックリした。どでかいスクリーンに写し出された映像に色がついているではないか！

当時カラー映画は総天然色映画と言われていた。ちなみに日本映画で初めてカラー映画が作られたのは、昭和二六年の『カルメン故郷に帰る』である。『黄色いリボン』が制作されてから二年後だった。監督は木下恵介。東京でストリッパーをしているリリィ・カルメン役は高峰秀子で、彼女が帰る故郷の村が、彼女の派手な服装ととっぴな行動で大騒ぎになるという話だ。この村のシーンは、信州の軽井沢でロケがおこなわれた。

名古屋へ行った時点で、日本初のカラー映画はまだ上映されておらず、たとえ上映されていても、ストリッパーの物語なので、父とて小学校入学前の子どもを連れて劇場に入ることはまずありえない。俺の父とはいえ、そこまで非常識な人間ではない。『カルメン故郷に帰る』を見たのは、ずっと先の社会人になってからのことだ。

さて『黄色いリボン』では、画面いっぱいに見たこともないアメリカの風景が映し出され、馬に乗った騎兵隊が、隊列を組んで疾走する。長身のかっこいい男がジョン・ウェインだと父が教えてくれた。言葉も英語なのでさっぱりわからない。日本語字幕も、小学校入学前の子どもにはまったく読めない。理解するにはほど遠い映画だったが、そのスケールの大きさと、美しい色には圧倒された。モニュメントバレーの巨大な岩山をバックにした騎兵隊の姿は、脳裏に深く刻まれたのである。そして『黄色いリボン』のあの曲だ。歌詩は英語だからなにを言っているのかはわからなかったが、あのテンポの良いリズムとメロディーには聞き覚えがあった。メロディーも覚えていた。そうなのだ。家のラジオで何回も聴いていた曲だったのだ。

「父ちゃん、この曲は聴いたことがある」

「しーっ、静かに。この曲はな、この映画の曲なんだよ。父ちゃんも好きで、よくラジオで聴いてるよ」

『黄色いリボン』のテーマソングが流れると不思議なもので、この映画の舞台と自分との距離が少し縮まったような気がした。ラジオでおなじみの曲だったからであろう。そして、映画とラジオという二つの媒体が、無縁のものではない、という漠然たる思いが幼心に芽生えたように、いま振り返ると思う。

——ラジオから流れる音楽は、映画に使われているものもあるんだ。

重大な発見だった。

ところでこの『黄色いリボン』は、ジョン・フォード監督の騎兵隊シリーズとして有名な作品で、アカデミー撮影賞に輝いている。幼い頃にそのスケールの大きさと美しさにビックリしたのも当然である。ちなみにシリーズ一作目は『アパッチ砦』、三作目は『リオ・グランデの砦』である。

名古屋の大都会で見た『黄色いリボン』は、長野市南俣という小さな田舎の農村に生まれた三男坊に、強烈なカルチャーショックを与えたのである。この体験以後、〝映画〟と音楽が流れる〝ラジオ〟、この二つの媒体にますます興味を持った。

そして、映画少年と歌謡曲小僧への成長は、次に紹介する映画を見て決定的になったのである。

映画少年と歌謡曲小僧の原点

日本は太平洋戦争でアメリカに敗れ、敗戦国となった。「太平洋戦争」という呼称は、戦後アメリカによってつけられたもので、いまはすっかりおなじみの呼称になっている。ことほど左様に、戦後の日本ほどアメリカ化された国も珍しいのではなかろうか。

昭和二〇年（一九四五）八月三〇日、トレードマークのコーンパイプをくわえ、連合国軍最高司令官ダグラス・マッカーサー元帥が厚木飛行場に降り立つ映像は、その後何回も映画やテレビで見ることになる。以後、四〇万人にものぼる占領軍が日本に進駐した。

「自由、平等、民主主義ということを考えると、日本人は一二歳から一三歳ぐらいの子ども状態である」

との内容を述べたとか。勝てば官軍なのだから日本人は文句が言えない。

「よくぞ、そんなことが言えたもんだ」と思ったのは、大学生になってジャズの歴史を知ってからのこと。アメリカで自由、平等、民主主義を謳歌《おうか》していたのは白人だけ。黒人らの選挙権を含む公民権が認められたのは、マッカーサー発言があってから約二〇年後の一九六〇年代だったのだからあきれる。

さらに「表現の自由こそ、民主主義の基本である」と日本人に説教をたれながら、日本国内でやりとりされた手紙類を検閲し、連合国に不都合な事実が記された本を没収、焚書坑儒《ふんしょこうじゅ》さながらの行為をひそかにやらかしていたのだから、これも勝てば官軍のなせるワザだ。

とはいえ、ＧＨＱ（連合国軍総司令部）は良いこともやってくれた。そのひとつが日本各地で実行された巡回映画だ。これも、日本人を民主化するための政策だったとか。そんな政治的裏ワザを知らない田舎育ちにとっては、公民館で上映される映画が楽しみで待ち遠しくて仕方がなかった。

家の立地条件も良かった。小川一本をはさんで公民館があり、家の離れのように近かったのも幸いした。公民館は四〇畳敷きほどの畳の部屋。映写機の音がカラカラする中で寝ころびながら映画を見たものだ。その中の一本の映画が、大げさに言えば映画と音楽を生涯の友とするという自分の人生に決定的な影響を与えたのだった。

その一本とは黒澤明監督の『野良犬』である。昭和二四年に作られた作品で、巡回映画で上映されたのはおそらく三～四年後のことであろう。小学校入学前のことであった。

映画は、黒い野良犬が、暑さのため口を開いて舌を出し、「ハアー、ハアー」とせわしなく呼吸をしている顔のクローズアップから始まる冒頭シーンをバックに、タイトルや出演者の名前が骨太の筆文字で紹介される。黒澤監督は最後の作品までタイトルなどは筆文字にこだわっていた。

三船敏郎演じる若い刑事がピストルの射撃訓練を終えて帰宅する途中に満員バスの中で、ポケットに入れたコルト拳銃をスラれてしまう。しかも、そのコルト拳銃で殺人を含む二件の事件が発生。志村喬演じるベテラン刑事と組んで犯人逮捕に至るまでをドキュメンタリータッチで描いている。

この作品は、その後の刑事物語に大きな影響を与えた。そして自分にとってもこの映画で音楽を強く意識するようになった記念碑的作品となっている。

小学校入学前といえども、刑事が犯人を探し出すストーリーはわかりやすい。ハラハラドキドキしながら見た記憶がある。その中には、忘れられぬ印象的なシーンがいくつもあった。刑事役の三船敏郎の野良犬のような目つき。手がかりを求め、女スリから得た情報をもとに、コルトの売人を探すためわざわざ復員者に変装し、戦後の闇市をさまよう。その刑事の鋭い目つきは脳裏にしっかりと焼きつけられた。

さらに闇市の雑踏を歩き回る刑事の耳に次々と聞こえてくる流行歌。闇市のあちこちに点在する小さく粗末な食堂に据えられたラジオから流れてくる歌謡曲が印象的だった。

——へえー、東京のラジオでは、こんなにたくさん、いろんな歌が流れてるんだ。

そろそろラジオに興味を持っていたのでビックリさせられた。

——あっ、この歌、ラジオで聞いたことがある。「東京ブギウギ」って歌だ!

聞き覚えのある曲が、映画のシーンで流されるとうれしかった。

大人になって調べると、闇市をさまよう刑事の場面だけで、「東京ブギウギ」「夜来香」「コロラドの月」「恋の曼珠沙華《まんじゅしゃげ》」「ブンガワンソロ」(この曲はのちに小林旭が歌い、中学生だった頃に一生懸命覚えた)、「ホフマンの舟歌」などの曲も使われていることがわかった。

心に残っているシーンがある。一日中刑事につきまとわれた女スリが、刑事とともに焼き鳥屋脇の枕木の上で美しい星空を眺めて言う台詞《せりふ》。

「あんたには根負けしたよ。聞き取り屋を探してごらん。あ〜きれい。お星さまがあるのはここ一〇年ほどすっかり忘れていたよ」

このシーンは、白い半袖シャツを着た男が、真夏の星空の下、近くの空き地に腰をかけハーモニカで「ドナウ川のさざなみ」を吹いている。カメラは男のショットから頭上をパン（水平方向に移動）して、その向こうにいる刑事と女スリのツーショットになる。女スリはあお向けになって、両腕を頭の下に組んで星を仰ぐ。

カメラはローアングルから星空を見ている女スリと刑事を後方からとらえ、宝石のような星が輝く夜空を入れたツーショットとなる。その二人の耳には、ハーモニカが奏でる「ドナウ川のさざなみ」が、澄んだ音色で聞こえてくる。灼熱《しゃくねつ》の雑踏を忘れさせてくれる美しいショットだ。

当時、ハーモニカという楽器は知ってはいたが、リズム奏法を入れながら、これほど美しい音色で演奏するのは初めて聴いた。ハーモニカという楽器をしっかりと意識したのは、この時だったような気がする。

このハーモニカにまつわる心打つエピソードがある。

この『野良犬』が作られる二〇年前の昭和四年、北原白秋、野口雨情らと童謡雑誌で活動していたあの西條八十《やそ》が、信州出身の中山晋平とコンビを組んで「東京行進曲」を発表した。それまでに「かなりや」「お山の大将」「肩たたき」「鞠《まり》と殿さま」など童謡運動の一角を支えていた西條八十。その彼が世に出した歌謡曲である「東京行進曲」は、映画やレコードとのメディアミックスにより空前の大ヒット曲となったのである。

その後、西條八十は早稲田大学仏文科の教授となるのだが、流行歌の作詞家としての活動は続けた。当時の大学人、特に教授らは極めて閉鎖性が強く、流行歌などの大衆音楽を芸術とは無縁の下等なものと見下していた。その証拠に、昭和七年、神奈川県の坂田山の雑木林で発見された若い男女の心中事件を題材にした「天国に結ぶ恋」を作詞した西條八十は、批判を避けるためペンネームで発表している。その後、映画化されてこの主題歌がまた大ヒットになる。その翌年に作詞した「東京音頭」が、「昭和八年の夏は、東京音頭の夏」と言われるくらいの大ヒット曲となったのだ。西條八十は以後も流行歌にこだわり続けた。そして当時の超閉鎖的で〝象牙の塔〟とも言われたエリート臭プンプンとした大学の重い扉を、大衆音楽作詞家という存在でこじ開けたのである。

西條八十がなぜ詩壇から歌謡曲の世界に移ったのか。なぜ大衆音楽の世界に軸足を移したのか。そこには一本のハーモニカの存在があったという。

時は大正一二年（一九二三）にさかのぼる。九月一日、関東一円を巨大地震が襲った。関東大震災である。死者一〇万人という大災害である。行方不明者も四万三四〇〇人を数えた。被害を大きくしたのは地震にともなう火災である。かろうじて助かった者も、家を失い、焼け出された。上野の山へ避難した者も、明日の生活もままならない中で、ただ茫然《ぼうぜん》としていたようだ。

そんな避難民の耳に聞こえてきたのが、澄んだ音色の、ハーモニカの美しいメロディーだったという。そのハーモニカを吹いていたのは一人の少年だった。その少年は無心にハーモニカを吹き続けた。すると周りの人々に精気が戻ってくるのが、その表情でありありとわかった。西條八十はこの情景を目撃していたのである。

極限状況の中にいる人々の心を癒やしたハーモニカの音色。この上野の山で、大衆音楽が持つ力の偉大さを認識する劇的な体験をしたのだという。

西條八十は戦後も「青い山脈」などヒット曲を飛ばし、昭和三六年にリリースした最後の大ヒット曲「王将」は一〇〇万枚を超え、通算三〇〇万枚となり、それまでの日本レコード史上最高の売り上げとなったのである。あの小さなハーモニカが著名な詩人の人生を変えた感動的なエピソードではないか。

さて、映画はそのハーモニカ演奏による「ドナウ川のさざなみ」のシーンである。戦後の東京の荒廃ぶりは、関東大震災に劣らぬものだったろう。その廃虚の片隅でハーモニカを無心に吹く一人の男。その音色の中で美しい夜空の星を眺める刑事と女スリ。

ひょっとしてこの場面は、西條八十が上野の山で体験したエピソードを黒澤監督が知っていて、それをモチーフにして作られたのではないか、と想像している。

『野良犬』の音楽と映像の融合はさらに続く。二人の刑事の地道な捜査で、犯人が心を寄せているダンサーが捜査線上に浮かび上がる。

そのダンサー役は当時一六歳だった淡路恵子で、芸名は将来恵まれる子になってほしいと黒澤監督がつけたという。

ダンサーは長屋の二階の一部屋を借り、母と二人で暮らしている。犯人はダンサーの彼女が欲しがっていたドレスを、ピストル強盗で奪った金で買ってやったことが判明。追いつめられた犯人は、必ず彼女に連絡してくるに違いない。若い刑事役の三船はその瞬間をこの部屋で待っている。

一方、ベテラン刑事役の志村は、犯人がこの部屋に残していったマッチ箱を手がかりにして、潜伏している安ホテルを突きとめる。

突然の雷鳴とともに大雨が降り出す。

ここでまた音楽が大きな効果を発揮する。

安ホテルのオーナーがフロントのカウンターで「ラ・パロマ」のレコードをかける。ロビー脇の電話ボックスでベテラン刑事役の志村が犯人の所在を知らせようと、長屋にいる三船に電話する。

どしゃ降りの雨の音とともに「ラ・パロマ」の音楽が受話器から流れ、志村の声が聞き取りにくい。その時、刑事のいることを察知した犯人が二階から下りてピストルを志村に向けて発射。受話器を手にした三船に、二発の銃声が響き、「ラ・パロマ」が流れるだけで、志村の応答がない。

「佐藤さん、佐藤さん！」

三船は志村が演じる刑事の名を叫ぶが応答はない。ぶら下がったままの受話器、雨の音、そして「ラ・パロマ」の明るくリズミカルな旋律。黒澤監督が得意とする、明と暗、陽と陰、画面と正反対の音楽を入れることで、劇的な相乗効果を狙う、音楽の対位法的な用法である。幼い頃に、そんな高度なテクニックがわかるわけはないのだが、強烈な印象を受けたことは確かである。

さらに、犯人逮捕のシーンでは、当時の子どもがよく歌っていた童謡を自分と同年代の子どもが歌っている場面があり、強烈な印象として残っている。

大雨の翌朝、刑事役の三船は東京郊外の静かな一軒家脇の林に犯人を追いつめる。その家からは若い女性が弾くピアノの音が聞こえてくる。追う刑事と追われる犯人。一〇メートルほどの距離で二人が対峙《たいじ》する緊迫したシーンにピアノのさわやかなメロディーが流れる。犯人役は木村功が演じている。

耐えきれなくなった犯人は拳銃を発射。刑事の腕に命中するが、かすり傷程度で致命傷には至らない。この拳銃音でピアノの音が突然止まる。

「なんの音かしら？」といった表情で窓を開けて外を見る女性。しかし、その窓から二人の姿は見えない。女性はまたピアノを弾き始める。

動揺した犯人はもう一発拳銃を発射する。しかし弾丸は外れ、さらに撃とうとするが弾丸が切れてしまう。犯人は拳銃を投げ捨て、林に続く草原へと逃げる。刑事は拳銃を拾い、後を追う。高い草花が茂る草原は、前夜の大雨でぬかるんでいる。刑事は拳銃で負傷しながらも犯人を追いつめ、格闘の末、とうとう犯人を逮捕する。手錠をはめられた犯人は、泥だらけの顔をくしゃくしゃにしながら、草むらにあお向けに倒れたまま、嗚咽《おえつ》する。犯人の目に雨上がりのさわやかな青空と、野原に咲いた可憐《かれん》な花々に舞うチョウが見える。

その時である、倒れた二人の耳にけがれのない幼い子どもの歌声が聞こえてくる。

「ちょうちょう、ちょうちょう、菜の葉にとまれ…」

捕虫網を手にした五、六人の子どもたちが、草むらに倒れている二人の側を通り過ぎていく。その歌声を聞きながら、犯人の嗚咽は激しい号泣に変わる。

公民館の畳の部屋でこのシーンを見ていたが、聞き慣れた「ちょうちょう」のメロディーをさえぎるほどの犯人の号泣は、いまもしっかり脳裏に焼きついている。

実は、刑事も犯人も復員兵で、いずれも戦後の混乱の中、列車内で盗難にあい、持ち物すべてを失って一文なしになった体験を持っていた。しかし、一人は社会正義を求めて刑事になり、もう一人は無秩序な社会に身をゆだねたまま、自暴自棄に陥って犯罪者になってしまったのである。

小学校入学前に公民館の巡回映画で見たあの『野良犬』は、映画少年と歌謡曲小僧誕生のきっかけとなった作品であった。そしていま、人生を振り返ると、この映画のおかげで現在も映画館通いをし、音楽を友としてドラム演奏やハーモニカ演奏を楽しんでいる。その原点になった記念碑的作品である。

ラジオで覚えた「お富さん」

いまの世の中、どこもかしこも映像が花盛り。家庭ではテレビを眺め、老いも若きも、男も女も、スマートフォンを持ち、ところかまわず写真を撮っては見せ合い、送り合っては楽しんでいる。小学生でさえ、スマートフォンをおもちゃ代わりに持って遊んでいる。技術の進歩は猛烈な速さで進んでいるのだ。

「スマホがなんだってんだい。そりゃ便利かもしれねぇが、映像映像で毎日暮らしてりゃ、自分の頭を使ってイメージする能力が減退するじゃねぇか。ましてや、子どもがイマジネーション世界を構築するなんてことはできねぇじゃねぇか」と、映像は街の繁華街にある映画館でたまに見るフィルム映画だけという時代に育った団塊世代は毒づきたくもなる。

あの時代、家庭での娯楽の王様はラジオだった。それも立派な木の箱でできた美しいラジオだった。磨き抜かれ渋い光沢を放っている箱型ラジオは、でーんと茶箪笥《ちゃだんす》の上に鎮座まして、そのラジオから流れ出る音声に家族みんなで耳を傾けていた。アナウンサーのしゃべる言葉に、歌手の歌声に、落語家の噺《はなし》に、浪曲師の渋い声に、目をつむっては聴き入っていたものだった。

昭和二〇年代から三〇年代にかけて、子どもたちは毎週夕方にラジオ放送されるドラマに熱中していた。シリーズで放送された『笛吹童子』『七つの誓い』『紅孔雀』などである。外で隠れんぼ、缶けり、鬼ごっこに熱中し、元気に遊び回っていても、ドラマの放送時間が迫ると、腹時計でわかったものだ。

「もうすぐ、『笛吹童子』が始まるから、おらもう、家《うち》へ帰《けえ》って聴く。じゃ、また明日な」

「萩丸と菊丸、あの兄弟さ、どうなっちゃうんかな。俺も今日の放送、朝から楽しみにしてたんだ。じゃー、バイバイ」

家にすっ飛んで帰ると、すぐに茶の間に直行して、背伸びをして茶箪笥の上の箱型ラジオに手を伸ばし、ダイヤルをオン。

「ヒャラーリ ヒャラリコ ヒャリーコ ヒャラレロ 誰が吹くのか 不思議な笛だ」

おなじみのメロディーが流れてくると一緒に歌いながら、ワクワクして物語に聴き入った。子どもながら、精いっぱいイマジネーションを働かせて聞くラジオドラマの楽しさ、うれしさは、いまになっても忘れられない。

信越放送の社員時代、ラジオまつりで信州ゆかりの偉人たちをドラマ形式で紹介する企画を考え、『ラジオドラマ 信州偉人伝』と題し、「木曽義仲」「雷電為右衛門」のドラマを作った。誰から教えられたわけでもないが、効果音と音楽を使ってのドラマは、子どもの頃に聴いたラジオドラマが原点にあったから可能だったのである。

ラジオの魅力にどっぷりとひたってしまったが、ラジオドラマとともに刺激されてしまったのが歌謡曲であった。

その記念すべき最初の曲が、昭和二九年（一九五四）に売り出された春日八郎の「お富さん」である。調子の良いリズムで、思わず手拍子をしたくなるような曲調。一度聞いただけで忘れがたい印象的なメロディー。この曲が、四六時中、ラジオから流れ、周りの大人たちも鼻歌混じりで歌っていた。

敗戦で打ちひしがれた日本が、朝鮮特需による好景気で、経済が上向きになってきた頃だった。そんな世相にマッチした曲だったのだろう。小学校二年生のガキでさえ、しっかりと虜《とりこ》になってしまったのだ。

なんとか歌詞を覚えようと鉛筆と紙を用意、この曲がラジオから流れるのを毎日待った。が、リズムは速いし、歌詞がとにかく難しい。

――「いきなくろべえ、みこしのまつに…」。「くろべえ」って人の名前か。

――「みこしのまつ」ってなんだろう。

――「あだなすがたの、あらいがみ」、え～ますますわかんねぇ。

なにしろ小学二年生、漢字も知らないし、平仮名で書き取るのも大変。悪戦苦闘の末、ようやく一番の歌詞を平仮名で書いたが、意味不明。しかし、「門前の小僧　経を唱える」とはよく言ったもの。「ラジオ聞く小僧 歌詞を覚える」というわけで、一番の歌詞を完璧に覚えてしまった。子どもというのは、不思議な能力があるものなのだ。いまでもスラスラ歌える。

歌詞の内容は、小学生にわかるわけがない。江戸時代、木更津（千葉県）で実際にあった事件をもとに、歌舞伎に仕立てられたものだそうだ。歌舞伎の世話物の名作「与話情浮名横櫛《よわなさけうきなよこぐし》」から作られた歌詞なのだとか。別名を「源氏店《げんじだな》 切られの与三《よさ》」。これでは、いくらませていたとしても、わずか八歳にわかるはずもない。意味もわからず、お経のように口ずさんでいたという次第。

ずっと長い間、謎だったこの「お富さん」の歌詞の意味がわかったのは、三十数年後のことで四四歳になっていた。

ＳＢＣラジオ『つれづれ散歩道』（毎週土曜日、午前九時～一一時放送中）を立ち上げて一年後の平成二年（一九九〇）の一〇月からスタートさせたコーナー「歌は世につれ世は歌につれ」で調べたからであった。

昭和史に輝く大ヒット曲が、なぜその時代に受け入れられたのか、その時代の世相を、当時の録音を交えながら紹介したコーナーだ。

「お富さん」が大ヒットした昭和二九年は、街頭テレビが登場、空手チョップでおなじみ力道山が大人気、オードリー・ヘップバーン主演の『ローマの休日』が大ヒットし、日本の若い女性たちの間でヘップバーンカットが流行した。怪獣映画『ゴジラ』が特殊撮影技術によって、興行的に大成功をおさめ、海外でも大ヒットした。

この『ゴジラ』は、古代の怪獣が水爆実験の放射能を浴びてよみがえり、東京に上陸して大暴れするというストーリー。当時、映画館で見て衝撃を受けたのは、鉄塔の上でこの模様をラジオで実況中継するアナウンサーが、ゴジラが近づいてくるのにもかかわらず命が尽きるまで実況を続ける姿だった。

この『ゴジラ』が上映された半年ほど前、放射能問題で日本中が揺れていた。アメリカによるビキニ環礁での水爆実験によって、付近で操業中だった日本のマグロ漁船、第五福竜丸が死の灰を浴びてしまったのである。乗組員二三人が全員原爆症となり、水揚げしたマグロはすべて廃棄処分された。

この第五福竜丸の惨事も、当時映画館で劇映画の前に上映されていたニュース映画で見ていた。「ビキニ環礁」「第五福竜丸」「放射能」「死の灰」「原爆マグロ」などの言葉は、いまに至るまで印象的な言葉で、強く記憶に残っている。

「放射能の雨が降るので、雨が降ったら、雨に当たってはいけない」

学校の先生が、教室で警告したのも覚えている。それ以後、「お富さん」の最後の歌詞「エッサオー　地獄雨」という歌詞を聞くと、放射能が連想された。

『ゴジラ』が大ヒットした背景には、唯一、原爆投下による被爆国である日本で、またしても放射能汚染の被害者が出てしまった、という事実も影響していたのかもしれない。

こうした暗い世相であったにもかかわらず、日本は昭和三〇年代に向かって着実に経済が復調していった。街頭テレビに代表される電気製品も出現し、戦後の荒廃から立ち直りつつあるという明るい希望があった。そのため「お富さん」のあの調子の良い、手拍子で歌い出したくなるテンポと曲調が、難解な歌詞にもかかわらず、多くの人々の支持を集めたのであろう。

こうした内容をラジオでしゃべりながら、「お富さん」の歌詞を調べ、ラジオ聴取者に伝えることによって、長い間気になっていた「お富さん」問題に、ケリがついたというわけなのだ。

それにしてもである。「お富さん」大ヒットの年から五七年後の平成二三年、今度は東日本大震災によって、福島原子力発電所の事故が発生し、大規模な放射能汚染に見舞われた。なぜ日本はこれほどまでに、放射能汚染に見舞われるのか、言葉を失う。

春日八郎ショーにカルチャーショック

「お富さん」を大ヒットさせた春日八郎が、翌昭和三〇年（一九五五）に歌った「別れの一本杉」はまたまた大ヒット。当時、小学三年生であったが、この曲の歌詞も覚えようと夜な夜なラジオに耳を傾けていた。

「泣けた、泣けた」、おなじみのイントロが始まり、春日八郎の歌声が聞こえると、急いで鉛筆で走り書きをする。「お富さん」に比べるとテンポも遅いし、歌の内容も難解ではない。文字もスラスラ書けるようになっていた。時々鉛筆をなめなめ書いたものだ。なめると濃く書けるような気がした。なぜかあの当時、鉛筆をなめながら文字を書くことがはやっていた。

――春日八郎って、どんな顔の人なんだろう。歌っている姿、見てみてぇなぁ。

なにしろ歌手の写真が掲載されているような雑誌など、お目にかかったこともない。テレビもない時代だ。ラジオから流れる歌声から想像するしかない。声の感じから、「スラッと背の高い、かっこいい人なんだろう」と想像を巡らせていた。

ところがなんと、生の春日八郎の歌う姿を、自分の目で見て、その歌声を聞くことができる機会がやってきたのである。

盲腸の手術で入院していた母が退院してから、しばらくたったある土曜日の昼だった。いつものように学校から帰り、母と祖母三人で食事をしていた。

「徹、春日八郎の歌、よく歌ってるな。あの『泣けた、泣けた』って歌さ」

「あの歌は『別れの一本杉』っていう歌だよ。おらぁ、やっと覚えたんだ」

「その春日八郎がな、父ちゃんの勤めてる国鉄職員の慰安会で、長野にやってくるんだって。父ちゃんその日、都合が悪くて行けないんだ。徹はいつも春日八郎の歌をラジオで聞いてるから、連れてってやれって父ちゃんが言うんだが、母ちゃんと一緒に行くかや」

「おらぁ行く、行く！　絶対行く！」

夢のような話ではないか。生まれて初めて体験する歌謡ショー、それが「春日八郎歌謡ショー」だったのである。

当時の国鉄では、しばしば職員のための慰安会が催されていた。それにしても、歌謡界のトップスター、「春日八郎歌謡ショー」を都会でなく、田舎の長野で開催できるとは、国鉄の存在はたいしたものだったのだろう。

その歌謡ショーは長野市の映画館、いまは閉館となっている商工会館で開催された。当時の映画館では、ショービジネスの先進国アメリカと同じように、映画館でも歌手たちが出演してショーがおこなわれていたのである。商工会館には大きな舞台があり、二階の座席は畳敷きであった。

いよいよ当日、母はおめかしして和服。あの頃の母親たちの正装は和服であった。運よく商工会館の一階の真ん中あたりに座ることができた。ということは、早めに会場に着いたということだ。

なにしろ歌謡ショーは俺にとっても母にとってもこれが初めての体験である。

しばらくすると座席は満席となり、壁ぎわにもぎっしりと人が立ち並び、身動きもできないほどだ。熱気ムンムンの中、楽団の演奏の音がしたかと思うと、正面の幕が左右に開き、きらびやかなステージが目に飛び込んできた。

背広姿の楽団員、そう当時はバンドマンなどとは言わなかった、その楽団員が演奏するトランペット、サックス、ドラムなどを見るのも聴くのも初めてだ。その音の迫力といったらどうだ。ラジオで聴く音の何百倍もの大きさだ。きらびやかなモールなどで飾られたステージ脇に立った司会者が、楽団員の奏でる演奏をバックに口上を述べる。すると純白のスーツ姿の春日八郎がさっそうと上手から登場。割れんばかりの拍手の中、聞き覚えのある歌声が鼓膜を震わす。

悪ガキを温かく見守ってくれた母

——この人が本物《ほんもん》の春日八郎なんだ。すげえなぁ。かっこいいなぁ、この曲聴いたことある。
まるで身体全体に、電流が走ったかのような感覚に襲われながらステージに見入った。
——東京じゃ、いつもこういうショーをやってんかなぁ。東京ってやっぱりすげえとこなんだ。

いつか東京に住んでみてぇ。

東京への憧れが芽生えたのは、この時だった。

ワンコーラスが終わると拍手の中、センターマイクの前で観客に向かってニコッと笑みを投げかける春日八郎の頬にえくぼが見えた。隣の席の母が言った。

「徹、春日八郎は男前じゃないか。うちの父ちゃんもいい男だと思ってたが、こんないい男を見るのは初めてだ」

母はこれまで見たことのない、うっとりとした表情で言う。

聞いてはいけない言葉を聞いてしまったような気分になった。そして子ども心にも、この母の言ったことは、絶対父には言わないでおこうと決心した。父が知ったら気の毒だと思ったからである。

一曲歌うごとに会場は盛り上がる。何曲か歌った後、司会が一段と声を張り上げた。

「さあ、お待ちかねの曲です。愛する乙女を村に残し一人、東京に旅立った男の哀愁と悲しみを、しみじみ歌った大ヒット曲。そうです、おなじみの『別れの一本杉』！」

一生懸命にラジオを聴いて歌詞を覚えた曲、その曲を本物の春日八郎が目の前で歌う。客席から、何本ものテープがステージに向けて投げられた。春日八郎はそれを両手で器用に受け取りながら、遠くを見つめるような眼差しでしっとりと歌う。

もう六〇年以上も前、長野市の映画館、商工会館で見た「春日八郎ショー」は、まさに小学三年生の田舎坊主にとっては、ドラマチックで素晴らしい一大カルチャーショックであった。このショーをきっかけに、ますます歌謡曲小僧への道を突き進むべく、ラジオの歌謡曲番組にのめり込んでいったのである。

あじゃぱー事件を起こす悪ガキ

「お富さん」の難解な歌を歌えるこましゃくれたガキだったが、学校では注意深く、先生が近くにいる時は決して歌謡曲は歌わなかった。

当時の小学校は、いまと違って、歌謡曲なぞは口ずさんではならぬ、という不文律のようなものが存在していた。なんと窮屈な場所だったことか。

春日八郎と言えば、「お富さん」の大ヒットから三年後、昭和三二年（一九五七）に「あン時ゃどしゃ降り」という奇妙なタイトルの曲がヒットしていた。小学校五年生の頃だ。

その日も、授業の合間の休み時間に廊下に先生がいないことを確認して、大きな声で気持ち良く歌っていた。

「あン時ゃ～どしゃ降り～、雨ン～なぁか～…」

次のフレーズを口にしようとした時、突然後ろから担任の先生の聞き慣れた怒号が聞こえるではないか、

「武田ぁ！　なんて歌を歌ってるんだ。そんな歌を学校で歌うんじゃない！　そんな歌より、学校で習った歌を、教室でしっかり歌いなさい！」

不覚にも、廊下の角から先生が現われる可能性をまったく考えていなかった。大誤算であった。

かくして次の授業の時、廊下に立たされる羽目になってしまったのである。

悪ガキだったから、先生から叱られることは日常茶飯事だった。廊下に立たされることも数えきれない。おかげで、この歳になって講演の時に立ちっぱなしでいても、ハーモニカ演奏で長時間立ったまま吹き続けてもまったく気にならぬ。それは、あの小学生時代、廊下にしばしば立たされ、それに耐え抜いた体験の賜物《たまもの》である。

廊下に立たされるばかりでなく、ビンタ（平手打ち）を食らったことも何度かある。そのうちのもっとも強烈なビンタには、ラジオが深くかかわっていた。

歌謡曲を聞きたくてラジオに耳を傾けていれば、当然ながら、人気喜劇役者たちの流行語も覚えてしまう。花菱アチャコの「むちゃくちゃでござりまするがな」、ソロバンを打楽器のごとく、チャカチャカ鳴らしながら口上混じりでインタビューをするトニー谷の「あなたの〜お名前、なんてーの」、そしてヌボーっとした表情で、驚いたり、意外なことがあったり、意にそぐわぬことがあるとボソっと言う、伴淳三郎の「あじゃぱー！」。

こうした流行語は、大人はもちろん、子どもたちにも人気があった。というよりも、子どもたちをも沸かせるようでないと、流行語にはならないのは、いまも昔も同じことだ。

さかのぼって小学三年生のある日の午後。学校での授業が終わり、担任の先生が教壇でいつものように、児童に一日の締めくくりの挨拶をした。

「今日も一日、みんな仲良く勉強できたようだね。明日もまた、今日のように一生懸命に、学習に励むんだよ」

ここまではいつもと同じ、先生の優しい言葉。それに続く先生の一言に、大声で伴淳三郎の流行語を発してしまったのだ。

「それではみんな、帰る前に清掃するので、机と椅子を静かに後ろの壁に寄せましょう」

教室には五三人もの児童がいた。みんな戦後のベビーブームで誕生した子どもたちだ。その子どもたちが一瞬シーンと静かになって、さあ、これから机と椅子を動かそうとする直前、大声でみんながよく知っている流行語を発してしまったのだ。

実にそれは絶妙なタイミングだった。

「あじゃぱー！」

教室内は大爆笑。意外な大ウケに、言葉を発した俺自身がビックリしたほどだ。ところが、おだやかだった先生の顔が一瞬にして険悪になったかと思うと、怒鳴り声が教室中に響いた。

「武田！　いまの言葉はなんなんだ！」

教室内は水を打ったように静まり返った。

「机と椅子の片づけが終わったら、武田だけ前に出ろ！」

先生の声は怒りで震えている。ラジオで聞き慣れていた流行語を、たまたまこのタイミングで口にしただけなのだが、おそらく先生にしてみたら、自分が小学三年生のガキにバカにされたと思ったのかもしれない。

あるいは、ずっと後になって心理カウンセラーの講義を受けて知ったことだが、当時の俺は精神的不安からわざわざ目立つ行為をしており、それをたしなめようとした先生も、つい本気で頭に来てしまったのかもしれぬ。いま、思い返してみると、確かに精神的な不安要素となることがあったのだ。

机と椅子が後ろの壁に寄せられ、教室半分ほどの空間ができた。

「武田！前へ出なさい‼」

これからなにが始まるのかと、固唾《かたず》を呑んで見守っているみんなの視線を後ろに感じながら、仁王立ちしている先生の前に進み出た。

「歯を食いしばれ！」

先生の言葉が耳に入るやいなや、いきなり左頬に強烈なビンタがさく裂した。

先生の身長は俺のほぼ二倍、平手の面積は顔全体を覆うほどの大きさである。手加減したとはいえ、もろにその圧力が左頬に集中したのだからたまったもんじゃない。生まれて初めて、目から星が出るという体験を味わった。

その衝撃で、気を付けの姿勢が崩れ、身体は教室の中央から窓際までよろけ、かろうじてそこで体勢を立て直すのがやっとであった。

――男が泣いたら、恥だ。泣いちゃいけねぇ。

そう心に言い聞かせていたが、この時ばかりは、意に反して涙が出てしまった。あっけにとられて俺を眺める仲間たちの姿が、まるで雨に濡れたガラスの向こうにいるように見えた。涙がポロポロ頬を伝って落ちるのがわかった。

仲間の列に戻った後も流れ出る涙と、止まらずにシャクリ上がる肉体の運動に抗することができずにいた。

その日の夜のこと。勤務が終わり、母を病院に見舞いに行って帰った父が、顔を見るなり言った。

「徹、左の頬、赤く腫《は》れてるが、どうしたんだ」

今日学校であったことを父に説明した。父はなるべく平静を装いながら（そう思えたのだが）、おだやかな口調で言った。

「そうか、先生に叱られてビンタもらったのか。それはしょうがないな。ほかの子どもたちも、徹のようになったら先生、困っちゃうだろ。いまも痛むか？　痛くない、そうか痛くなけりゃあ大丈夫だ。このことは母ちゃんには言わんどくからな。母ちゃん、徹のことで心配するといけないからな」

実はこの時、母が盲腸の手術で入院中だったのだ。

一般論として、子どもは家庭環境に極めて敏感である。いつもと違った状況が家庭に生じた場合、もっともそのことに反応するのが子どもである。家庭環境の変化は、大人が考える以上に子どもに大きな影響を与えるのである。たとえば母の不在が長く続く場合、たとえそれが入院であっても、子どもは心配する。母がずっといなくなってしまうのではないか、このまま母が帰らなかったらどうしよう、と情緒不安定になるのである。その心の不安定な感情を補うために、子どもはしばしば無理に目立った行動をとったり、ウケを狙ったりして、心の均衡を保とうとする。

こうした子どもの心の動きを、五〇代の時、心理カウンセラー上級の資格を取得して初めて知ることになる。

小学三年生の時に、教室で叫んだ「あじゃぱー」事件には、母の入院で情緒不安定状態になっていた、その不安を追いやろうとする心の動きが関係していたのかもしれない。

隣家の蓄音機でヒートアップ

その当時からＳＢＣのラジオ番組には『歌の玉手箱』という歌謡曲番組があった。毎日、昼ニュースの後から午後一時まで放送していた。「春日八郎ショー」で歌謡曲にはまってしまい、土曜日午前の授業が終わると、すっ飛んで帰宅（当時は土曜日も通学、午前だけの半日授業があった）、質素な昼ご飯を食べながらよく聴いたものだ。まさにラジオは、この番組のタイトルのように、玉手箱のような存在であった。『歌の玉手箱』は長寿番組で、将来まさか自分がこの番組の選曲をすることになるとは思ってもみなかった。

日曜日の昼時は、父の好きなＮＨＫの『のど自慢』を聞いた。カラオケもない時代、歌好きな人たちが一生懸命にヒット曲を歌っていた。「高原列車は行く」「あなたと共に」「月がとっても青いから」などなど、いつも聴いているから自然にメロディーを覚えてしまった。

当時、箱型ラジオは家庭に一台の貴重な電気製品。日曜日に父が家にいる時のチャンネル権ならぬダイヤル権は当然父のもの。同じ時間帯の『歌の玉手箱』を聴きたかったが、我慢せざるを得なかった。

その父は、盆も正月も三六五日、毎朝六時には必ず俺たち兄弟三人を起こして掃除をさせた。真冬でも雨戸を開け、居間の障子を開け払って、父は竹ぼうきで居間の掃き掃除、兄弟三人は分担して廊下や縁側の雑巾がけと庭の掃除だ。居間の茶簞笥《だんす》の上の箱型ラジオからは、いつも『歌のない歌謡曲』が大音響で鳴っていた。嫌々ながらの掃除も、ラジオから流れる歌謡曲を口ずさみながらすると、はかどったような気がした。

これが毎朝の日課なのだから、小学校の五年生の頃には、それはそれは立派な歌謡曲小僧に成長していたのである。

かくして、すっかり歌謡曲小僧になっていたので、自分でラジオのダイヤルを回しては好きな歌謡曲番組を聞くようになっていた。昭和三〇年頃、日曜日の夜に『今週の歌謡ベストテン』という番組が放送されていた。司会はピアニストでもあった市村俊幸だったと記憶している。

当時の録音技術はレコード盤に刻む方法しかなかったので、ほとんどの番組は生放送だった。ベストテン入りした歌手たちも、スタジオに入り、トーク部分はすべて生放送だったに違いない。美空ひばり、島倉千代子、三浦洸一、春日八郎、三橋美智也といった大スターたちのヒット曲がランキングされ、彼らのトークとともに歌がラジオから流れる。テレビのない時代、歌手たちにとってもラジオは重要なメディアだったのだろう。

ラジオから様々な歌手のトークと曲が流れてくる。その中でも春日八郎の顔は歌謡ショーの時に生で見ているから知っていた。美空ひばりも出演している映画を見ていたので知っていた。細く絹の糸のような美しい高音で歌う島倉千代子は「この世の花」がヒットしていた。

——この美しい声で歌う姉ちゃんはどんな人なんだろう。きっと映画の時代劇に出てくるお姫さまのような人なんだろうな。

歌声を聞きながら想像するのも楽しかった。

島倉千代子をはじめ、そのほかの歌手の顔を知るようになるのは、テレビが登場してからのことである。

とにかく日曜日の夜の『今週の歌謡ベストテン』が待ち遠しかった。

——今週は誰が一位なんだろう。

娯楽と言えば春と秋のお祭りぐらい。当時はラジオの歌謡曲番組を聞くことが楽しみでならなかった。

そんな歌謡曲小僧が、のちに信越放送に入社して、小学生の頃に熱中していたベストテンものと同じ番組、『ＳＢＣ歌謡ベストテン』を立ち上げ、そのディレクターになるなどとは予想もしなかった。

ラジオですっかり歌謡曲小僧になったが、春日八郎の次に夢中になった歌手は三橋美智也だった。

その三橋美智也熱をより高めてくれたのが蓄音機だった。

蓄音機とはよく言ったもの。音を蓄積する機械。まさにその通りである。昔の人は偉い。横文字の外来語を見事にその意味を込めて日本語にした。音楽には関係ない言葉だが、大傑作は次の漢字四文字だ。

「貯庫麗糖」

「ちょこれいとう」と読める。そう、あのお菓子のチョコレート。漢字に込められている意味もまさにチョコレートそのものだ。

「麗しい糖分を倉庫のような型に蓄える」

なんと粋な訳語ではないか。

それはさておき、蓄音機だが、わが家に入ったわけではない。しかし、当時小学五年生だった武田少年にとって、それは大変うれしい事件だったのである。

夏休みが終わり、空の青さが一段と濃くなり始めた初秋のある月曜日の朝のことだった。朝六時、いつものように父に起こされラジオから流れる『歌のない歌謡曲』を聞きながら庭の掃き掃除。それが終わると卓袱台《ちゃぶだい》を囲んで家族の朝食。朝食の後は、毎日過酷な競争が展開される。父は通勤、俺たち兄弟三人は通学するのだが、その前にしておくことがある。大便をすますことだ。当時、わが家の便所は外にあった。その順番を巡って激しい争奪戦が毎日おこなわれた。

その日も同じような戦いの後、ようやく便所に入ることができた。と、その時だった。突然、大音響で歌謡曲が耳に飛び込んでくるではないか。

――あれ、この曲、昨日の夜のラジオ『今週の歌謡ベストテン』で聞いたばかりの三橋美智也という人の曲だ。

テンポの良い前奏に続いて、鼓膜を心地良く振動させる澄みきった高音。歌詞の内容は田舎少年の憧れの大都会、東京である。戦争が終わって一〇年余り。戦争で長男を亡くした母を連れ、弟が兄に代わって東京見物の親孝行をする、という内容の曲だ。

歌詞とメロディーを覚えたいと思っていたその曲が、大音響で聞こえてきたのだ。

――ノロノロと便所でウンコをまってる場合じゃねぇや。

一番の歌声が終わる頃には、急ぎに急いで用をすませ、便所から飛び出た。

――あれ？ うちのラジオから流れてるんじゃねぇな。

聞こえてくる音の方向が違う。わが家の庭に隣接した、隣の家からではないか。まだ暑さが残る初秋のこと、雨戸と障子を開け払った部屋から、三橋美智也の歌声が流れている。

庭木の奥、隣の家との境には、音をさえぎる塀《へい》がない。ダイレクトに歌声が流れてくる。

三番まで聞き終え、歌詞を覚えようと復唱しているとどうだ、またしても「東京見物」のあの前奏が、空気を震わして耳に飛び込んでくるではないか。それにしてもバカでかい音でラジオをかけていると思っていたが、ラジオではなかったのだ。

――蓄音機だ！ 噂で聞いていたあの蓄音機でレコードを聴いてるんだ。

それまで見たことも聞いたこともなかったが、蓄音機に違いないと確信した。

――すげえー！ 隣んちで蓄音機を買ったんだ。

当時、蓄音機はまだまだ高嶺の花。街の電器屋に行けば見ることができたかもしれぬが、悲しいかな、住んでいた長野市南俣は水田が広がる集落で村には電器店は一軒もない。ましてや一般家庭に蓄音機が入るのはまだまだ先のことであった。

隣の家にはすでに社会人になった兄弟姉妹がおり、誰かが、あるいはみんなでお金を出し合って購入したのであろう。この日から毎朝七時台に二〇分ほど三橋美智也の曲、「リンゴ村から」「哀愁列車」「おんな船頭唄」などが大音響で流れてきた。隣の兄さん姉さんたちもうれしくて、出勤前のひとときを三橋美智也の曲を聴いて、楽しんでいたのだろう。

歌謡曲小僧にとっても願ってもないことだ。「東京見物」ほか、三橋美智也のヒット曲を毎朝聴けるのだから。ラジオのリクエスト番組やジュークボックスはまだ登場していなかったが、隣の蓄音機はジュークボックスのようなもので聴きたい曲が毎朝聴ける喜びにひたっていた。かくして隣家の蓄音機のおかげでますます歌謡小僧ぶりに磨きがかけられていくことになった。

いまでも、昭和三〇年代前半の三橋美智也の曲はほとんど歌うことができる。ハーモニカコンサートでも、あの当時の曲が定番になっている。なぜか気分よく演奏できるのだ。

不思議なことに、小学校時代に覚えた歌謡曲は、七〇歳を過ぎたいまでも忘れることがない。

両親のおかげで映画好きに

小学校時代に書いた日記を読んで驚いたのは、映画館に通う回数の多さだ。住んでいる長野市南俣の集落から街の映画館に行くには、もっとも近い映画館でも子どもの足で三〇分から四〇分はかかる。バスに乗って映画館へ行った記憶はほとんどない。健さんの映画を見に行った時も、その翌日の善光寺の豆まきに生の健さんを見に行った時も、歩いて映画館に行っている。

――よくもまぁ、ズクを出して映画館通いをしたもんだなぁ。

幼い頃の自分を褒めてやりたい気分になる。たとえば、小学六年生の一月から三月まで、健さんの映画も含め、三か月でなんと一一回も映画館に通っているのだ。

当時の映画館は、ほとんどが二本立てであった。従って小学六年生の三学期だけでも、二〇本以上の映画を見ているのだ。

当時の日記には律義に映画のタイトルも書かれている。小学生時代はチャンバラ映画が好きだったので東映作品が多い。大友柳太朗主演の『丹下左膳』、市川右太衛門主演の『喧嘩太平記』、里見浩太朗主演『満月かぐら太鼓』などのほか、現代劇では東宝映画でフランキー堺主演の『グラマ島の誘惑』、池部良、雪村いづみ主演の『こだまは呼んでいる』などというタイトルの作品も見ている。

日記の記述は平仮名が圧倒的に多いのだが、こと映画のタイトルと主演者になると、ほとんど漢字で書かれている。おそらくメモ用紙と鉛筆を持って映画館に行ったと思われる。いかに映画に熱中していたか、われながら感心してしまう。

あの当時、小学生だけで映画館へ行くことは、学校で禁じられていたはずじゃないか。よくも親が許していたもんだ。こう思われる方も多かろう。ごもっともなご指摘である。

父は映画好きで国鉄職員、農業もやっていた。問題はその農業である。サラリーマンをしながら農業も営むという二足のわらじは、半端じゃない重労働を父に強いた。その結果、母や祖母ばかりでなく俺たち兄弟三人も助っ人に駆り出されたのである。

当時は二毛作、一年の間に麦と米を収穫し、それと自宅で食べる野菜も作っていたのだから、その多忙さといったらない。

小学生になると、春にヒバリがさえずり始める三月には麦踏みから始まり、秋の稲の収穫までひと通りの農作業の手伝いをさせられたものだ。そのかわり、農作業の手伝いの褒美《ほうび》として、父は俺たち兄弟を映画館に連れていってくれたのだ。

「麦の脱穀が終わったら、また映画に連れていってやるからな。ちゃんと手伝うんだぞ」

この言葉にもっとも従順だったのが三男坊の俺だった。農業の手伝いは土曜日の午後か日曜日。多忙な農作業の手伝いが終わる頃に上映される映画をチェックしに、学校が終わって家に帰るとテクテクと歩いて、または兄たちが使っていない時は自転車で映画館の看板を見にいく。映画館の前には、これから上映される映画のポスターが貼られていた。

大好きなチャンバラ映画、そのスターである大川橋蔵や大友柳太朗などの主演映画を上映する商工会館のプログラムをチェックすることが圧倒的に多かった。

――再来週から大友柳太朗の『快傑黒頭巾』だ！ よーし、この映画にしよう。

こうして多忙な農作業が一段落すると、父が映画館に連れていってくれた。父が一緒に行けない時は、お小遣いをくれたので、兄と劇場に行ったこともある。見たい映画が兄と違う場合は、一人でも映画館に足を運んだ。

映画好きの父は、時には母と二人で映画館へ行くこともあった。もちろん農閑期である。小林正樹監督、仲代達矢主演の『人間の條件』を話題に両親が茶を飲んでいる姿を覚えている。

「徹、いい映画だから、大きくなったら見た方がいいぞ」

父は言った。その言葉通り、大学生になった時に池袋の人生座という映画館でシリーズ六部すべてを一夜で上映するという、いまでは考えられないオールナイト興行で見た。大学生になって父母が話題にした理由がようやく理解できた。

また、母に連れられて映画を見にいったこともあった。小学二、三年生の頃だった。七瀬映画劇場で上映された稲垣浩監督、三船敏郎主演の東宝映画『宮本武蔵』である。カラー作品で、斬られた身体から真っ赤な鮮血がほとばしる映像に強いショックを受けたのを覚えている。アカデミー賞の外国映画賞に輝いたことは、社会人になって知った。

七〇歳を過ぎてから開かれた小学校の同級会で、男女二人の旧友からこんなことを言われた。

「武田君は小学校時代、よく映画の話をしていたが、あの当時、田んぼばかりだった芹田小学校に通う地区から、映画館に行く子どもなんかほとんどいなかったよ。親父さんが映画好きで連れてってくれたおかげだぜ。武田は恵まれてたってことだよ」

「五年生の時だったかしら。席が隣になった時のこと覚えてる? 武田さん、ノートの表紙に東映スコープってよく書いてたよね。これなにって聞いたら、画面が横に大きく広がった東映の新しい映画のことだって、自慢気に言ってたわ。へえー、よく映画を見てるんだって思ったものよ。それによく歌謡曲も歌ってたわね」

こう小学生時代の友人から言われてみると、わが家は映画や歌謡曲に対して非常に理解があったのだと改めて思う。この両親のおかげで、小学生時代から、その虜《とりこ》となった映画と歌謡曲を含めた音楽が、七〇過ぎたこれまでの人生を楽しく豊かに彩ってくれているのだから、こんなにありがたいことはない。

すでにこの世にいない父母に言いたい、「親父、おふくろ、本当にありがとう」。

高倉健と善光寺の豆まき

あまたいる映画スターの中でも、高倉健ほど最晩年まで老けず、凛《りん》としていた役者は珍しいのではなかろうか。

健さんが東映ニューフェイス第二期生としてデビューしたのが昭和三一年（一九五六）である。健さん二四歳。石原裕次郎、裕ちゃんほどデビュー当時から人気スターだったわけではない。

しかし、デビュー間もない頃から健さんのファンだった当時小学校六年生の俺にとって、忘れられない大事件があった。

それは昭和三四年二月三日のこと。健さんが善光寺でおこなわれた節分会のゲストで、豆まきに参加したのである。フィアンセの江利チエミと善光寺に来たのだ。

寒中休みが始まって三日目のことである。当時の日記がある。「一九五九年 当用日記・普及版・定価一三〇円」と印刷され、紙質はザラザラの粗末な日記帳にたどたどしい鉛筆書きで記されている。誤字もあるがそのまま転載する。

二月三日　節分火曜　天候　晴

節分なので善光寺へおれと宮と清しんと一男ちんで行った。高倉健と江利チエミそのほか二、三人の映画スターが来た。東映のスター高倉健は始めて見た。また東宝の江利チエミも始めて見た。

この二人は、結こんするのだ。おれは、泥だらけになった。

とにかく生の健さんを見ようと、近所の幼友だち四人を誘って善光寺へ行ったのだ。すでに記したように、家は長野市の南俣という集落で、周りは水田と畑が広がる田園地帯。善光寺までは四キロほどの距離である。友だちの迷惑もかえりみず寒風の中、善光寺まで歩いていった。この年は一月三一日に雪が降り（日記に記されている）、道がぬかっていて、みんな長靴を履いていった。

「善光寺の豆まきに行けば、豆だけじゃなくて、お菓子もミカンも餅もまかれるから、うんと得するんだ」

親から聞いた話を、さも自分が体験したかのように友人たちに話して、誘ったのだ。生の健さんを見たいという欲求は、映画少年だった俺だけのもので、ほかの四人には興味があるはずもなかった。まさにお菓子というアメで誘ったのだ。

善光寺の境内は大変な混雑だった。天気は良かったが石畳以外は三日前に降った雪が解けてグチャグチャ、長靴は正解だった。

やがて大きなどよめきとともに、善光寺本堂の外廊下に健さんと江利チエミが現われた。ひときわ長身の健さん。初めて見る生の健さんが、人垣の向こうにいるではないか。

――うわぁー、かっこいい！　映画で見るより、実物の方がよっぽどかっこいい。

その健さんが、ニヤッと照れ笑いのような表情を浮かべながら節分の縁起物をまき始める。

「鬼は～外！　福は～内！　鬼は～外！　福は～内！」

昭和三〇年代は、まだまだモノのない時代。お菓子、ミカン、落花生、餅、縁起物は貴重品である。皆、われ先とまかれたものに群がり、小学生が拾うには一苦労、おかげでズボンは泥だらけになってしまった。

当時、江利チエミは「テネシーワルツ」などの大ヒット曲を歌い、健さんより人気のある大スターだった。しかし、この日の節分会に参加したスターたちの中でもっとも輝いて見えたのは高倉健、その人であった。

善光寺の豆まきで生の健さんを自分の目でしかと見た。実は節分前日の二月二日、健さんを見る心構えをしっかりしようと、健さん主演の映画をわざわざ見にいっていたのである。学校ではしたこともない予習をしていたのだ。

『空中サーカス　嵐を呼ぶ猛獣』である。共演は佐久間良子。二人はサーカスの団員で空中サーカスのシーンあり、健さんが逃げた猛獣を、危険をかえりみずにもとの檻《おり》に戻すシーンあり、小学六年生ではあったがハラハラ、ドキドキのおもしろい映画だった。

しかし、この作品は添えもので、メインは私も好きだったスター、大川橋蔵主演の『濡れ燕　くれない権八』であった。その証拠に『くれない権八』は総天然色、いまで言うカラー作品、それに比べて『空中サーカス 嵐を呼ぶ猛獣』はモノクロ作品であった。当時の映画館は二本立てか三本立てであり、健さんといえども大スター扱いではなかった。

これら二本の映画は、「春日八郎歌謡ショー」を見て衝撃を受けた、あの商工会館で見た。菓子メーカーのカバヤキャラメルを買うと、クーポン券がもらえ、八枚貯まると無料で映画を見られたのである。そのクーポン券を一生懸命に貯めて、同級生の青沼君を誘っていったのだ。青沼君の分までクーポン券があったのかどうかまでは覚えていない。

小学校六年生当時、健さんへの思いが尋常でないことがおわかりいただけたろう。いま思い返しても、そのけなげさにわれながら感心する。この情熱を学習面に向けていたなら…と思うこともあるが、それは後の祭り。

さて健さんのことである。

健さんはこの後も何度か善光寺を訪れていたという。知名度が上がるにつれ、深夜にお参りするようになる。

「善光寺に行かなければ、なんだか気持ちが落ち着かない。寒風の中でお参りするというだけで、気持ちがいいのです」

健さんはエッセイ集に書いている。

驚いたのは平成元年（一九八九）、アメリカのニューヨークでハリウッド映画『ブラック・レイン』撮影中にもかかわらず、善光寺参りのためだけに、日本に舞い戻って、善光寺を訪れているのだ。ちなみにこの映画は松田優作の遺作となった作品。リドリー・スコット監督で共演はマイケル・ダグラス、アンディー・ガルシア。健さんは刑事役でニューヨークの二人の刑事と協力してアメリカから大阪に護送されるも逃亡した犯人の松田優作を追うという設定。健さんがカラオケバーで、レイ・チャールズの曲を歌うというサービスまでしている。

撮影中であるにもかかわらず、アメリカからわざわざ善光寺にやってくる。なぜなのかと疑問に思う。その答えは、健さん本人の体内を流れている血だ、と言うのだ。

健さんの本名は小田剛一。九州筑豊の炭鉱町に生まれた剛一少年は、小学校入学直前に肺浸潤という病になってしまった。虚弱体質だったそうで一年間休学したという。そんな剛一少年に母親は、兄妹三人の食事とは別に、一年間一日も欠かさずにうなぎを食べさせ続けた。だから大人になってても健さんは、魚の姿も見たくなく、視界に入っただけでも途端に食欲がなくなったそうだ。しかし、その母親のおかげで元気になり、身体も丈夫に成長した。このこともあり、健さんはもっとも強い影響を母親から受けたのだ。映画人生の支えとなったのも母親の励ましの言葉だったという。

「何事も辛抱ばい」

母親の言葉通り辛抱して、大スターに上り詰めた健さん。実は健さんの五代前の小田宅子という女性が、実家のある北九州から善光寺まで旅をし、参詣していたのである。江戸時代のことだ。歩きに歩いて北九州からわざわざ信州善光寺までやって来たのである。田辺聖子著『姥ざかり花の旅笠』で道中が詳細に再現されている。五代前の宅子という女性の血が健さんに受け継がれ、節分会で善光寺を訪れて以来、その血が健さんを善光寺へと誘ったのだろう。

健さんの信州へのこだわりは善光寺ばかりではない。健さんは坂城町の刀工の宮入小左衛門行平さん（本名・恵）とも親交があり、何度も訪れている。健さんは刀が好きで、恵さんの作品も手に入れていた。自宅で心静かに刀の手入れをしている時が、日常から離れられる特別な時間だったようである。

恵さんのお宅にうかがった際に健さんとのツーショット写真がありビックリした。

「健さんは善光寺に来る時は、いつも刀を見に寄ってくれるんですよ。私もそれがうれしくてね」

恵さんのことを、うらやましく思ったものだ。

「恵さん、今度健さんが来る時に連絡してよ。健さんに会いたいんだ」

のどから出かかったが我慢した。お忍びで来る健さんに申し訳ないと思ったからだ。

健さんが遺《のこ》した刀剣や関連の書籍類は、坂城町の鉄の展示館に寄贈されている。ここにも、健さんと信州の不思議な縁を感じる。

小学校六年生の善光寺の節分会で、生の健さんに会った昭和三四年二月三日より半月ほど前の一月一四日、第二次南極観測隊が置き去りにした樺太犬《からふとけん》一五頭のうち、タローとジローが一年間生きのびていたことが判明、日本中が感動に包まれた。当時、家でコロという雑種犬を飼っていたのでこのニュースはよく覚えている。それから二四年後の昭和五八年に、当時このニュースをもとに自分の主演で『南極物語』が作られるとは健さんも想像もしていなかったであろう。この作品は配給収入五七億円を上げ、邦画の新記録を打ち立てたのである。もちろん俺も劇場に足を運んだ。

中学生になった頃、健さんは中村錦之助主演のシリーズ『宮本武蔵』で佐々木小次郎役をこなし、ニヒルな美剣士ぶりが際立っていた。

大学時代はジャズクラブの演奏旅行で網走へ行き、当時大ヒットしていた健さんの『網走番外地』を地でゆくような、網走のヤクザにからまれ、あわやという寸前までいったこともあった。

社会人になりＳＢＣラジオで『つれづれ散歩道』を立ち上げ、番組のスタート時から映画コーナーを設けた。長野市の千石映画劇場友の会リーダーだった飯島力さんに依頼し、レギュラー出演してもらった。邦画、洋画を問わず、映画を話題に語り合うコーナーだ。大の健さんファンだと知った飯島さんが願ってもない提案をしてくれた。

「高倉健主演の最新作『あ、うん』の試写会を、この番組主催でやりましょうよ。監督は松本出身の降旗康男だし、番組の景気づけにはもってこいの映画だと思う」

かくして、長野東宝中劇の宮崎支配人にも、協力してもらい、平成元年一〇月二八日同劇場で、ラジオ番組としてはおそらくSBC始まって以来となるだろう試写会をおこなった。

向田邦子原作、一七年ぶりにスクリーンに復帰した富司純子、そして板東英二が脇をかため、健さんを中心にした三人の人間模様を描いた作品だ。

もちろん劇場は満員。あれから三〇年が過ぎ、試写会に尽力してくれた飯島さんは亡くなり、長野東宝中劇も姿を消した。

その後も健さん主演の映画は欠かさず見続けた。俺の人生は健さんの映画とともに歩んできたと言っても過言ではない。

野球熱が高じて帽子のマークを作る

映画と音楽だけでなく身体を動かすことも大好きで、根っからのスポーツ少年でもあった。後に音楽をやるようになって楽器を選ぶにあたって、ドラムに魅力を感じたのも、ドラムは両手両足をフルに動かしてプレーするスポーツ的要素が一番濃厚だったからかもしれない。

小学校、中学校時代は同世代の少年たちと同じで、野球に興味があった。巨人軍の長嶋選手がデビューしたのは小学校上級生の頃だった。国鉄スワローズのエース、金田投手との対戦をテレビ中継で見てはワクワク胸を躍らせたものだ。

芹田小学校六年生の時、クラスで野球チームを作ったことがある。せっかくなら同じマークをつけた帽子をかぶろうと仲間に提案し、その図柄を一生懸命考えた。芹田小学校なので、アルファベットの頭文字〝S〟を中心にして、そこにクラスである三組の〝三〟を組み合わせて、目立つように色をつけ、苦心してデザイン化したのである。

同じロゴマークの記章をチームの人数分作るため、長野市の中央通りに面したスポーツ店「オリムピック」が相談に乗ってくれる、と言うので自転車に乗って出かけた。

「君のチームは中学生なのかい？」

店のおじさんが聞くので、かくかく、しかじかと正直に話した。

「そうかい、小学生にしてはよくできたマークだね。一二個同じものを作ればいいんだね。来週には作っておくから、お金はその時でいいから」

値段は覚えていないが、一個あたりにすればそれほど高価な値段ではなかった。

その一週間が待ち遠しかった。

――あのマーク、どんな仕上がりになってるか楽しみだ。チームのみんなも喜ぶぞ。

ウキウキしながら翌週「オリムピック」へ行くと、まだできあがっていないとのこと。がっかりし、次の仕上がり日を聞いてむなしく帰った。クラスのチーム仲間もできあがるのを楽しみにしていたので、面目は丸つぶれだ。

驚くことに、こういうことがその後二度も続いた。三度目の正直という言葉があるが、三度目もダメだったのである。相手は小学生だと思って甘く見ていたのだろう。小学生が大の大人に強く抗議などできるわけがない。

「いつになったらできるんですか。クラスのみんなも楽しみに待ってるんです。今度こそはぜひお願いします」

さすがに腹が立った。タダで作ってもらおうというのではない。金は払うと言っているのに、この不誠実さ。大人って、この程度なのかと不信感がますます募って四度目に訪れた。

「いやー、本当に申し訳なかった。何度も何度も店に来てもらっちゃって。今日はちゃんとできあがってるから、持ち帰ってクラスのメンバーに喜んでもらってくれ。お金はいらない。君が何度も何度も来てくれたお詫びといっちゃあなんだが、君の真剣さに対するプレゼントにさせてほしい。だからお金はいらないよ」

正直、驚いた。

父親よりも年齢が上と思われる大人に頭を下げられたのは、この時が最初であった。不信感と怒りはたちまちにして消えうせた。その出来事から、誠実に真剣に物事に対処すれば、いつか人は必ず理解し、わかってくれるという教訓を学んだのである。

クラスのみんなも大喜びである。世の中広しといえども、小学校のクラス野球チーム全員が、そのクラス独自のマーク、記章をつけた帽子をかぶってプレーしているところなど、どこにもありはしない。しかも、その記章も無料なのだから。約束の日時より一か月ほど遅れてしまったが、俺の面目も大いに立ったのである。

2　大自然が遊び場だった子ども時代

ほとんどが農村だった善光寺平

四方を山に囲まれた善光寺平は、見渡す限りの田園地帯が広がっていた。この善光寺平の風景の記憶はいまでもしっかりと脳裏に焼きついている。

昭和四〇年（一九六五）の五月、東京オリンピック開催翌年のこと。大都会東京での大学生活が始まった年、ゴールデンウィークで帰長し、母と長兄と三人で桜の花見に善光寺へ出かけた。この年、桜の花の見頃は例年より遅く、ゴールデンウィーク期間中だったのだ。善光寺周辺はゴールデンウィークとあって花見客で混み合っていた。当時このあたりのソメイヨシノはどの樹木も元気いっぱいで、それは見事な花を枝いっぱいにつけていた。いまは老木となり、今昔の感がある。桜並木が続く坂道を、善光寺から雲上殿まで歩いた。さわやかな五月晴れの空は、やや花曇りではあったが、雲上殿からの眺望は見事の一語に尽きた。

見渡す限り田んぼが広がる善光寺平。長野駅から善光寺まで通じる市街地だけは家屋が密集していたが、それ以外は田んぼ。所々に集落が点在するだけであった。

あの時に眺めた善光寺平、それはまさに農村風景そのものであった。過去から長い間続いてきた、水田を中心としたいわゆる農村風景、さらには林業を中心とした山村風景は、この頃までは変わらずに持続していたのである。

そして、こうした農山村生活の中で人間と共存してきた生き物たちもこの頃までは健在だった。こうした農山村風景が激変するのは高度経済成長時代からである。水田地帯の激減や、山村生活の激変によって生き物たちも姿を消してしまったのである。

団塊世代は、稲作や林業を中心とした農山村風景の中で子ども時代を過ごすことのできた最後の、幸運な世代だったのかもしれない。

善光寺平のほとんどが農地、そこに点在した集落のひとつが長野市南俣、生まれ育った農村だ。父は国鉄職員のかたわら、米、麦、野菜を作って出荷もしていたのでかなりの重労働だったに違いない。が、こうした兼業農家は南俣でも多かった。

当然子どもたちも農作業やら、家のこまごまとした仕事を手伝いながら学校に通い、遊ぶ生活がごく当たり前だった。平成、令和時代の子どもたちには想像もできないほど、子どもたちの存在が家族にとっても重要な時代だったのである。

働き方改革とかで、なるべく労働時間を減らそうと減らそうという昨今の風潮では考えられないほど、大人も子どもも労働や仕事と密接に関わり合いながら暮らしていた。家の手伝いは当たり前のことと思っていた。手伝いは好きではなかったが、子どもの自分でも家族のためになっているんだという自負のようなプライドもあった。

昭和二〇年代、三〇年代、団塊世代が農村集落で過ごした子ども時代がどんな日常生活であったのかを綴ってみよう。


春、田んぼに何条もの緑の筋が整然と列をなす。麦の芽が数センチに成長したのだ。

当時住んでいた長野市南俣集落では、ほとんどの田んぼが麦と稲の二毛作だった。その麦の根が、春とはいえ厳しい寒さの霜で浮き上がってしまう。そのままでは当然その後の麦の成長に大きな影響を与えてしまう。そこで子どもにも簡単にできる麦踏みの作業が必要になってくる。田んぼに青々と列をなす麦を踏み踏み、カニの横歩きよろしく歩を進めるのだ。踏み残しのないように丁寧に均等に体重をかけながら移動するのがコツである。

大人は地下足袋《たび》を履き、子どもたちは長靴か短靴を履いての作業だった。この短靴、すべてが黒色のゴムでできていて、当時子どもの靴と言えば短靴と相場が決まっていた。ゴムなので汗をかきやすく、脱ぐと悪臭を放つシロモノであった。靴下などないので素足で履き、ヌルヌルとして気持ち悪かったが、そんな感触にはおかまいなし。これしかないのでそれほど気にはならなかった。

当時の田んぼの肥料は家族全員の排泄物、そう人糞《じんぷん》だ。麦の成長を願って、父が便所から桶で運搬、田んぼ脇の肥溜めで熟成させた天然肥料である。それを小麦にもまいたのだ。いまのようにチリ紙などなく、新聞紙を切って利用していたので、所々にそれとおぼしき残りかすがこびりついていたが、そんなことも気にもせずに麦踏みをした。

麦踏み仕事は日曜日の午前中が多かった。天気が良く、暖かい日はヒバリが真っ青な空高く、ピーチク、パーチクとさえずっていた。

ヒバリの巣は、麦畑のどこかにあるはずだ。小昼の休憩中、ヒバリのヒナを手に入れようと、ヒバリの舞い降りたあたりを探すのだが、巣にたどり着いたことは一度もなかった。どうやらヒバリは天敵に見つからぬよう、舞い降りた地点からかなりの距離を移動しているようだった。

父と母と祖母、それに男兄弟三人、家族総出でヒバリの鳴く声を聞きながらの麦踏み。なんとのどかな家族の姿だったことだろう。

「おっ見ろ！　あの東の山の上、カリが飛んでゆくぞ」

父が大きな声で言いながら指を差す。

何十羽ものカリの群れが、整然と列をなして南から北へ向かって飛んでゆく。春になるとよく目にする渡り鳥たちの姿だ。

トビもハヤブサもモズも、善光寺平ではおなじみの野鳥だった。ツバメもいまとは桁違いに多かった。それもそのはず、善光寺平はそのほとんどが農地で、化学肥料もなく、農薬散布もほとんどされなかったのだから、昆虫や小動物、それらを捕食する野鳥、その野鳥を捕らえる猛禽類《もうきん》をも十分養うことのできた盆地だったのだ。大げさに言えば、農耕文化が始まった弥生時代から営々と受け継がれてきた人間と生物たちの共生、自然生態系が保たれていた最後の時代だったのだ。

そんな生活環境を特にありがたいとも思わず、当たり前のこととして、生物たちと共生しながら子ども時代を過ごせた団塊世代は、なんと貴重で幸せな体験をしたことか。

ニワトリとヤギがもたらした恩恵

農家ではどの家も家畜を飼っていた。ニワトリはもっともポピュラーな家畜だ。貴重な動物性タンパク、卵をほぼ毎日産んでくれるのだからありがたい。家の庭の脇、物置小屋の横にニワトリ小屋があった。

「コケーコッコー、コケーコッコー」

卵を産むと必ず鳴き叫ぶ習性を持っていた。

飼っていた十数羽のニワトリを毎朝庭に放すのが日課だった。庭木や石などのある日本風庭園で、食料用のニラやノビル、掃除に必要なホウキの木なども隅に植えられていた。ニワトリたちはわれ先にと地中の虫を求めて探し回る。これがいい運動になるのだろう。

その間、ニワトリの餌《えさ》を用意するのは自分たち子どもの仕事だ。菜っ葉を刻んで水を加えて、粉ぬかに混ぜる。時には、朝食で食べたアサリやシジミの貝殻を金づちで細かくしたものを混ぜ込んだりもした。その容器は鉄兜《てつかぶと》で、父が兵隊に駆り出された時に使ったものだった。ガッチリと重く、餌を混ぜ合わせるには都合が良かった。その鉄兜を戦後二〇年間も使った。ものを大切にするのが当たり前の時代だったのだ。

「トートートートー！　トートートートー！」

ニワトリ小屋から庭に向かって叫ぶと、ニワトリたちが一斉に小屋の中に飛び込んでくる。

このニワトリたち、卵を産まなくなると、お盆や正月を見計らって命を絶たれ、貴重な動物性タンパク源として、家庭の食卓を飾るのである。

「徹、ヒネのニワトリを料理するんで、マサおっさんに解体お願いしますって言ってきてくれや」

母に言われると喜んで使いにいった。久しぶりに肉が食べられるのだ。歩いて三～四分の距離にある長屋の一部屋を借りて、そのマサおっさんは独りで住んでいた。五〇代の年齢だったと思う。

ニワトリの解体には、いつも声をかけて頼んでいた。

「マサおっさん、いるかい？」

毎度のように板の引き戸を開け、声をかける。畳一枚ほどの土間の奥にある部屋には窓がない。暗がりの中で、不思議なことにマサおっさんはいつも横になっていた。何度も訪れたが電灯がついていたことは一度もなかった。家族もおらず、いま思い返すとなにか病気があったのかもしれない。

「武田ですけど、今日夕方四時頃、ニワトリをぎょってくんない。都合つくかい？」

「ああ、わかった。四時頃だな。熱湯用意して待っててくれって母ちゃんに言っといてくれ」

用を足すと、近所の遊び仲間にニワトリ解体のことを告げた。みんなも解体ショーを見たいのだ。

マサおっさんは頭に手ぬぐいの鉢巻きをして、手には大型のナイフを持ってやってきた。家の裏にはポンプ井戸があり、コンクリートの洗い場もあった。解体するにはもってこいの場所だ。

ニワトリの両足を左手に持ち、頭を下にすると羽根をバタバタさせる。マサおっさんのスゴ技が発揮されるのはこの時だ。バタつくニワトリの首を、右手に持ったナイフで素早く切り裂くと血抜きをする。ニワトリの苦痛をなるべく少なくしようとする温情だ。熱湯の入った釜に絶命したニワトリをどっぷりとつける。すると羽根がいとも簡単に抜けるのだ。

まな板に横たわったニワトリは、マサおっさんの慣れたナイフさばきで次々に解体されていく。取り巻く俺たちから声が出る。

「すげえー！　マサおっさんのナイフ、なんであんなによく切れるんだろう。見ろ！　内臓の中に小さな卵がいくつもある」

マサおっさんは、この時ばかりは英雄に見えた。そんな俺たちには欲しいものがあった。ニワトリの二本の足である。足の骨の内部にある筋を引くと､鋭い爪指が動くのだ。おもちゃのない時代、このニワトリの指を動かして遊んだのである。

卵を産んだニワトリは、その用が足せなくなると、最後の最後まで家族のためになってくれた実にありがたい生き物だった。

残酷だの、かわいそうだ、などと言う感覚はまったくなく、それが当たり前であった。むしろ、命を粗末にしないこと、家畜や動物の死を無駄にしないこと、それらを実体験で教え込まれたのである。

と、ここまで書いて感動した俳句を思い出した。コロナ禍騒ぎ以前のことだから、令和元年

(二〇一九)の夏だった。

SBCテレビでも放送されている人気番組、『プレバト!!』の俳句コーナーで紹介された一句だ。出演した芸能人が幼少期に体験した情景を描いた一句だった。

鎌で切る 鶏の首 盆支度

鎌で切る、鶏の首…、ここだけ読むと、なんと残酷な句なのだろうか、と誰もが衝撃を受けるだろう。農家で飼育されているニワトリが、農具の鋭い鎌で首をチョン切られるというのだ。が、末尾の単語ひとつで、残酷さとは真逆な句に大変身する。

質素な日常生活の中で迎える農家のお盆。このハレの日に、都会に出ている息子や娘が久しぶりに帰省するのかもしれない。少しでもおいしいものを食べさせてやりたいという親心。卵を産んで家族全員に恩恵をもたらせてくれたニワトリだ。その命を無駄にせず感謝しながら家族全員、ご先祖さまをもお迎えしていただこうと準備をしている。そんな一農家の様子が、ほのぼのと伝わってくるいい俳句ではないか。

この句を作った芸能人の故郷の農村でも、信州と同じような暮らしをしていたに違いない。その芸能人とは東国原英夫。宮崎県都城市出身の彼は昭和三二年生まれだ。俺より約一〇年後に生まれているが、善光寺平と同じような農村風景が都城盆地でも、さらに日本全国で見られていたことだろう。昭和四〇年代の高度経済成長時代までは、大都会を除いて、日本列島のほとんどの地域は、水田や畑が一面に広がるのどかな農村地帯だったのである。

こうした農村地帯で飼育されていたニワトリは、わが家のニワトリと同じように、庭で自由自在に餌をあさり元気に動き回っていたことだろう。その名の通り、ニワトリだったのだ。が、いまのニワトリはと言えばどうだろう。ほとんどの時間狭い狭いゲージの中に閉じ込められ、自由に動き回ることすらめったにできずに一生を終わる。まさに卵生造機のような扱いである。しかも何千羽も何万羽も一か所に集められて…。だからであろうか。鳥インフルエンザが大流行し、何万、何千というニワトリの殺処分があちこちでおこなわれている。

大自然の生態系の中で、人間が不自然なことをしでかすと、そのしっぺ返しは必ずやってくる。ひょっとして、全世界に蔓延している今回のコロナ禍も、大量生産、大量消費、都市の過密化など、人間が営む文明社会への警告なのかもしれない。

あの時代、ニワトリばかりでなく、どこの農家でも何種類かの家畜が飼われており、その世話は子どもたちに任されていた。

春の訪れとともに伸びるのが雑草である。その雑草を餌とする家畜がヤギだ。ヤギの世話も三兄弟に任されていた。集落を流れる小川の土手に雑草が繁茂していた。その雑草を鎌で刈り、竹で編まれたざるやぼてと呼ばれる容器に集めるのである。雑草の名前などまったく知りはしないが、様々な植物が青々と土手を覆っていた。その後の三面コンクリートと化した小川では想像もできぬほどの植物の楽園であった。

当然、様々な生き物たちも生息していた。草を刈っていて驚かされるのはヘビだ。シマヘビがもっとも多く、アオダイショウ、そして毒があるとはまったく知らずにいたヤマカガシにもしばしば出くわした。小川の水もきれいで、川底には水草が繁茂していた。メダカ、フナ、ドジョウ、ナマズはおなじみの魚だ。

ヤギ小屋は五～六畳ほどの大きさで、空腹のヤギは刈り取ったばかりの新鮮な草をうまそうに食べた。米のとぎ汁も捨てずにヤギにやると、ツーツー音を出しながら吸い込むように飲んだ。

空腹を満たしたヤギ、いよいよ乳搾りだ。兄弟三人の役割は決まっていた。

ヤギ小屋に入りヤギの乳を搾るのは長兄と次兄。首輪の縄を小屋の柱にしばりつけ、ヤギが自由に動けぬようにはしてあるが、後足で容器を蹴り、搾った乳がこぼれることがしばしばある。これを防ぐために俺はヤギの後方に座らされ、二本の後足を左右の手でしっかり握り締めるのだ。目の前には、ヤギの短い尻尾と肛門があり閉口した。

二人の兄はと言えば、それぞれ右手で乳房を握り締め、「ジュージュー」と容器に真っ白な乳を搾り出す。毎日のこととはいえ、二人の兄たちとて子どもだ。手が大人のようには大きくない。時には力まかせに搾るものだから、ヤギもたまったものではない。痛がり両足を動かそうとする。

「徹！　しっかり両足を押さえろ！　器がひっくりけぇーるじゃねえか」

兄たちの罵声を浴びながら情けない乳搾りとなることもあった。弟の宿命である。が、どうしても兄たちのように乳搾りをやりたかった。

「たまには俺にも、乳を搾らせてくんねかい」

時々お願いして搾らせてもらった。

ヤギの乳房は温かく柔らかでいい感触だ。だが乳を搾り出す作業は握力が必要で、見た目よりも難儀であった。それでもたまには兄たちと同じことをやりたい、これはどの兄弟においても、弟の共通の願望であろう。

乳搾りでは損な役割だったが、乳を飲むことでは得をした。

「徹は一番下で、これから丈夫に成長しなけりゃならないので、余った乳は徹にやれ」

父はしばしばそう言ってくれた。

ヤギの乳は温めると、薄い膜が表面を覆う。油分がたっぷりでこの膜もうまい。ご飯に乳をかけて、お茶漬けのように食べるのが大好きだった。この乳のおかげなのか、小学校時代は一度も病気で休んだことはなかった。

ヤギの乳さまさまである。

捨て犬コロが最高の相棒に

同じ家畜と言われている動物だが、わが家で飼っていた犬は、かけがえのない相棒のような存在だった。

コロという名も自分でつけた。そもそもコロを家に連れてきたのも俺だった。小学校三年の春だった。

麦踏み作業も終わり、農作業もやや一段落した五月初め、連休を利用して、父と兄二人は四日間ほど川崎の親戚の家へ行っていた。

母と祖母は家にいたものの、一人で家に残され、火が消えたような寂しさを感じていた。六人家族の半分がいなくなってしまったのだ。

家にいてもつまらない。近所の悪ガキを誘って遊ぼうと家を出ると、田んぼ脇の肥溜めの周りに彼らが集まっているではないか。

近づくにつれ、悪臭があたりに漂っているのがわかる。

声をかけた。

「なにしてるんだ？」

「子犬がいるんだけど、肥溜めん中に落ちたらしくて震えてるんだよ」

子犬が一匹、肥溜めの横にかがんで、身震いしている。どこの家の犬か誰も知らないと言う。汚れて悪臭を放っているので、さすがの悪ガキどもも、誰一人として犬に手を触れる者はいない。

「この犬、今朝捨てられたんじゃねえかな。昨日の夕方にはいなかったから」

肥溜めにもっとも近い家の一男君が言った。捨て犬と聞いて、チャンス到来と思った。というのも子犬を主人公にした『コロの物語』というラジオドラマを聞いていたので、どうしても犬を飼いたかったのである。父にせがんではいたが、ニワトリもヤギも猫もいるからこれ以上動物を飼っても世話ができないだろうと、父から色よい返事はもらえずにいたのである。

――父ちゃんは、川崎へ行ってる。その間にこの犬を家で飼い始めれば、許してくれる。いまは汚れてるけど可愛い顔をしてる。洗ってきれいにすれば、父ちゃんもきっと気に入ってくれる。既成事実さえ作ってしまえば、もうこっちのものだ、という悪知恵が働いたのと、悪臭まみれになっている子犬があまりにも哀れであったからである。

「この犬を飼うことに決めた。うちへ連れてって井戸水で洗ってやる」

生後三か月ぐらいだったのだろうか、もう歩くことができる。悪臭を放つ子犬を両手で抱くと、手のひらに子犬の震えと温もりが伝わってきた。この瞬間、子ども心にも、なんとも言えない、いとおしい感情がわいてきた。

――気の毒だな。助けてやるからな。おまえは俺のものだからな。安心しろ。

家に連れ帰り、母に湯を沸かしてもらった。母もこの子犬に同情したのであろう。文句ひとつ言わずに手伝ってくれた。井戸端で子犬を洗い、乾いた手ぬぐいで何度も子犬の身体を拭いた。すると子犬は見違えるほどピカピカした毛並みとなった。全身は茶色の短毛なのだが、四本すべての足の先と尻尾の先が純白という特徴があった。

するとどうだ、汚れている時は誰一人として子犬に手を触れなかった悪ガキどもが、次々に抱かせてくれと言うではないか。勝手な奴らだ、と思いながらも抱かせてやった。

「とんちゃん（徹の名前からこう呼ばれていた）、犬の名前はなんてつけるんだ？」

この犬を飼おうと思った時から決めていた。

「この犬の名前はコロ。顔も身体も丸っこくてコロコロしてるだろ」

もちろん、ラジオドラマ『コロの物語』の少年のような気分になっていたからでもある。

ミカン箱に藁《わら》を敷いて即席の犬小屋とした。

ご飯に味噌汁をかけてコロにやると、ガツガツと食べた。よほど腹が減っていたのであろう。満腹になると盛んにあくびをする。かなり疲れてもいたのだろう。悪ガキどもに別れを告げ、家の縁側廊下の下にミカン箱を置き、コロを休ませてやるとすぐに眠ってしまった。

その夜のことである。父と二人の兄もいない。夕飯を食べて、気になっていたコロの様子を見ようと縁側の下をのぞいた。すると小さい目玉が二つ、こちらを見つめている。ミカン箱からコロを出すと、尻尾を振りながらペロペロと手をなめてくる。

三男坊の自分は、いつも兄二人の庇護《ひご》のもとにいたが、コロを抱いて新たな感情が芽生えた。

——そうだ、コロは俺の弟だ。こいつは俺が面倒を見てやらなきゃいけねえ。

五月上旬は、まだ夜になると冷気が漂う。コロを抱いてやると温もりが伝わってくる。

「コロ、ミカン箱がおめの小屋だから、ゆっくり朝まで寝るんだぞ。わかったな」

コロをミカン箱に戻し、自分も寝床に行って布団にもぐり込んだ。

——明日からの毎日が楽しみだ。コロがいつもいるんだから。ゆっくり眠ろう。

そう思ったが、玄関の外から悲し気なコロの鳴き声が聞こえてくる。先ほど抱きかかえたことで、コロは母親の温もりを思い出してしまったのかもしれない。

「クーン、クーン。クーン、クーン」

か細いコロの泣き声は止むどころか、ますます大きくなる。

親戚の子どもの子守をしたことはあったが、小さき者からこれほど切実に慕われたことは初めてであった。いつもは一緒の部屋で寝ている兄二人はいない。

——このままではコロがかわいそうだ。一緒に寝てやろう。

玄関の戸を開けると、暗がりの中からコロが尻尾を振り振りやってきた。

「おー、よしよし。寂しかったんか」

顔を近づけると、ペロペロと顔をなめる。そのままコロを抱きかかえて、布団に入れてやった。

コロはようやく安心したのだろう、すぐにぐっすりと眠ってしまった。

完全に乳離れする前の哺乳類の赤子は、その親でなくても、人間の心臓の鼓動音を聞くことで安心し、落ち着きを取り戻すと知ったのは大人になってからである。きっとこの夜のコロがそうだったのであろう。

この夜から三日間、コロにとっては至福の時であった。昼間は日中、遊び戯れて、夜になると一緒の布団でぬくぬくと深い眠りについたばかりでなく、昼間も家に上がり込んで過ごしたのである。が、そんな居心地のいい状況は、長続きはしなかった。当時家の中で犬を飼う農家などなかった。しかも捨て犬で、雑種犬である。コロの快適な生活は打ち切られることになる。

そう、父と兄二人が家に帰ってきたのである。夕方、庭でコロと遊んでいた時だった。

家に帰った三人の視線はコロにくぎづけとなった。

果たしてコロをこのまま家で飼えるのかどうか。父が賛成してくれるのかどうか。胸のドキドキが高まった。

「徹、この犬どうしたんだ?」

父がけげんそうな顔つきで言った。当然、そう聞かれると思っていた。兄二人はすぐにコロのところにやってきた。

「可愛い子犬じゃねえか。日本犬と洋犬の雑種みたいだな。よーし、よし、よし」

二人して抱きかかえている。

父にコロのこれまでのいきさつをたどたどしく説明していると、母が庭へ出てきた。ありがたいことに母が強力な応援隊になってくれたのである。

「徹はコロを一生懸命に介抱してやって、ようやく元気になったんだよ。父ちゃん、コロを飼ってやってくんない。徹はコロの面倒を全部見るってせってるし」

母もコロと呼んでくれていた。

兄二人も応援団に加わった
「もう名前もつけたんか。コロか、いい名前じゃねえか」

「コロはきっといい番犬になるんじゃねえかな」

こう応援団が増えると、父も賛成せざるを得なくなる。

「わかったわかった。じゃあ飼うことにしよう。ただし、犬の面倒は徹が責任を持ってみるんだぞ。これは約束だからな」

かくしてコロはわが家の一員となり、俺にとっては弟でもあり、またとない相棒となったのである。

ところがその後一〇日間ほど、コロにとっては厳しいしつけが待っていた。

コロは頻繁に家に上がり込んでくる。これまでの三日間がそうだったので当然である。コロには屋外と屋内の区別がつかないのである。家の中に入ってはならぬ、人と犬とのこの厳然たる規則を教え込むのには苦労した。

父は清潔好きで、毎朝家中を掃き清め、子どもたちも決まった持ち場、縁側や庭の掃除が日課となっていた。それなのに雨の日など、コロが泥足で縁側や畳の部屋を走り回るので大変な事態となる。そのたびに、コロは父から叱られる。コロにはなぜ叱られたのか理解できないので、また同じことをしでかして叱られるを繰り返した。

しばらくして、コロはようやく叱られる理由を理解し、一〇日ほどで家に上がり込むことはまったくなくなった。コロが叱られる原因は、自分がコロと一緒の布団で三晩も過ごしてしまったからである。コロが叱られるたびに、申し訳ない気持ちでもあった。

しかし、いまにして思えば、コロが彼の一生でもっとも不安だった三晩を、俺と一緒の布団で抱き合って過ごしたことが、コロとの絆を確固たるものにし、コロが絶大なる信頼を寄せてくれる原点になったに違いない。コロと一緒に過ごした三晩は、大正解だったのである。

コロは順調に成長し短毛の中型犬となった。やはり雑種であった。当時、犬専用のドッグフードなどないので、朝と夕方に余りご飯に味噌汁をかけたものを与えただけである。それでもコロは病気ひとつしなかった。

また、運動不足を解消するための散歩もまったく必要なかった。なぜなら、飼い犬のほとんどは、犬舎に閉じ込められたり、ひもでつながれたりすることはなかったからだ。犬は自由自在に動き回ることができた時代だったのだ。そう、子どもは風の子、そしてコロも風の犬だったのである。飼い犬とわかるように、首輪はつけられてはいたが。

だからコロとはいつも一緒だった。行くところに常にコロがいた。神社の境内で野球をした時、母に言われ自転車で街におかずを買いに行った時、田んぼや畑で農作業を手伝った時、兄弟喧嘩をして田んぼの土手で悔し涙を流した時、いつもそこにコロがいた。まさに苦楽をともにしてくれたのである。

そんなコロも、学校へ通う時は一緒に行ってはいけないことをよく知っていて、決してついてはこなかった。また、犬同伴ではまずい映画館などへ行く時に「ダメ、ついてくるな」と一声かけるだけで、コロは完全に理解した。

実に賢い犬であった。

そんなコロを、バカ犬呼ばわりをした大人に腹が立ったことがあった。

小学生の頃は、しばしば南俣神社の境内で野球遊びをした。遊び仲間にもコロはすっかりなじんでいた。ゲーム中は、ホームベース近くに座っていたり、巨大なケヤキの根元に顔を

四六時中一緒だった相棒コロ

乗せ、居眠りをしたりしていた。

そんなある日、打順を待ちながらコロの頭をなでていると、見知らぬ大人が境内横の道を歩きながら言った。

「珍しい犬がいるなあ。その犬は、尾先四つ白って言ってな、バカなんだぞ。尾の先も四本の足の先も白いだろ。そんな犬をよく飼ってるなあ。おまえの家の者は、なにも言わねえのか。変わった家だなあ」

コロへの暴言を吐いたまま男は去っていった。実に腹が立ったので、夕方家に帰ってから、台所で夕食の支度をしている母と祖母にそのことを告げた。母がまず同情してくれた。

「よけいなことを言ったもんだ。コロは言うことをよく聞く利口な犬じゃねえか。田んぼじゃネズミも捕まえてくれるし、家の役に立ってるいい犬だ。コロのことなにも知らねえで、よくそんなこと言えたもんだ」

祖母も口を添えてくれた。

「尾先四つ白の犬はバカだとか、不吉だとか言われてるけど、そりゃ、迷信だから気にしねって、いいんだぞ」

「ばあちゃん、不吉ってなんだい？」

「不吉って縁起がよくねえ、悪いことが起きるかもしれねえって意味だ。カラスも真っ黒で不吉だってよく言うが、カラスは鳥ん中じゃ、一番利口なんだ。カラスの色をよーく見てみろさ。陽が当たると真っ黒に輝いて、そりゃきれいなもんだ。不吉だとかなんとか言うが、犬のこともカラスのことも、みんな迷信、嘘っことだから、徹、気にしねえでいいんだぞ」

このことがあって、これまでモヤモヤしていたことがわかった。なぜコロが捨てられたかの理由だ。くだらぬ迷信を信じていた家で生まれたのでコロは捨てられたのだろう。コロにとってはなんの罪もない。コロは不運だったが、そのことがかえって幸運だった。だって俺と出会い、飼い犬になったのだから…。

尾先四つ白のことを知っていながら、コロを飼うことに賛成してくれた家族に改めて感謝した。

小学三年生のゴールデンウィークに初めて出会ってから、大学生として上京するまで、コロは良きパートナー、相棒であった。特に小学生時代には、どこへ行く時でも常に一緒だった。常に忠実についてきた。遊び仲間がいない日も、コロが一緒だったので寂しい思いをしたことがなかった。

そのコロが死んだのは大学生になって上京中のことだった。ネズミを駆除する毒を口にしたのが死因だったようだ。コロの死に立ち会えなかったのは、返す返すも残念であった。

麦の脱穀事件と楽しみだった夏休み

麦と稲、二毛作農家がもっとも多忙となるのは、麦の脱穀と田植えを次々とやり遂げなければならない、五月下旬から六月中旬にかけてである。家族総出の農繁期で、まさに猫の手も借りたい忙しさであった。

当時の農作業は、ほとんどすべてが人力に頼っていた。

実った麦は長いイガで覆われている。一本一本が真っすぐなのだが、これが曲者で、それぞれにギザギザした突起がある。だから麦刈りの時など、手首や襟首《えりくび》に入るとチクチクして痛いのなんのったらない。

コロがわが家にやってきた年の初夏のことだった。生涯忘れることができぬ大事件があった。麦の脱穀の時に麦束を一か所に集める作業をしていて、三時の小昼時にその事件は起きた。ニラせんべいを早めに食べた後、その麦束の山を目指して、水泳選手のジャンプよろしく勢いよく飛び込んだのである。顔が麦束と麦束の間にはさまった瞬間、息を吸ったのがいけなかった。あの曲者のイガがのどに刺さってしまったのである。チクチク、ズキズキして痛いこと痛いこと。大声でゲーゲーとやっていると母が心配してやってきた。

「徹、のどにイガが刺さったのか。そりゃ痛えだろう。ばあちゃんが家にいるから、ご飯出してもらって、噛まずに飲み込め。そうすりゃイガが取れるからな」

急いで家に帰ると、母に言われたようにご飯を噛まずに何回も飲み込んだ。大きなイガは取り除かれたのか、痛みはかなり軽くなった。しかし、わずかなイガはのどに刺さっているらしく、すっきりとしない。その後も四六時中、違和感があった。いつもは腹が減ってうまかった食事が苦痛だった。

正常に戻るまでには、一週間かかった。長く苦しい一週間の教訓は、食べる楽しみがなくなることほどつまらないことはない、ということであった。

麦の脱穀が終わると、田植えの準備だ。麦の根が広い田んぼ一面を覆っているので、農具でひと掘り、ひと掘りして根を掘りおこすのである。そして、それらの塊を、これまた専用の農具で砕き、稲の苗を植えやすいように平らにするのだ。

これがなかなかの力仕事で、小学校四年生ぐらいから父や兄二人とともに、朝ご飯前にやらされた。何枚も田んぼがあったので、大変な作業だった。ちょうど小・中学校の農繁休みもこの頃で、子どもが家の手伝いをするのが当たり前の時代だったのだ。

田んぼに水が入ると代掻きだ。土を細かく砕いてかきならす作業だ。これも専用の農具で手伝わされたが、牛や馬に頼ることもしばしばであった。そうしなければ田植えに間に合わないからである。

牛や馬の飼い主は慣れたもので、人力の何倍もの速さで代掻きが進む。すると、土の中にいる小さな虫、オケラなどが一斉に水面に浮かんでくるので、これらの虫を狙ってムクドリが何十羽となく集まってくる。あちこちの田んぼで、同じ光景が繰り広げられるので、それは壮観であった。

この頃になると、わが家にも毎年早乙女《さおとめ》さんが一人やってきた。戸隠や牟礼の山村に住んでいる娘さんだった。一〇代後半、彼女らは見知らぬわが家に一週間ほど寝泊まりしながら、早朝から夜の食事の後片付けまで、一心不乱に働いていた。同じ娘さんが翌年もやってくることもあったが、多くの場合、毎年新顔だった。

わが家は男兄弟三人、この時ばかりは若い娘さんが毎日一緒だったので、なんだか恥ずかしいようなうれしいような、妙な胸騒ぎを覚えたものだ。

田植えは家族総出で、田んぼに入り、苗一株一株を丁寧に植えていく。小学生低学年の時は、苗を運ぶ仕事だ。田んぼで植えている家族の側まで運び、苗束を田んぼに投げ入れた。早く苗の植えつけをやりたいものだと思った。が、いざ高学年になってやってみると、これがなかなか難儀で疲れる作業なのだ。泥で足場も悪く、常に腰を曲げての作業は実に重労働なのだ。見るとやるとでは大違い、ということがよくわかった。

田植えが終わった水田にはカエルが待ってましたとばかりに集まり、ゲロゲロ、ゲロゲロと大合唱だ。ミズスマシ、ゲンゴロウ、ホウネンエビなども姿を現わし、まさに小動物たちの天国であった。

梅雨に入ると水田や小川周辺にはホタルが乱舞し、それを捕まえては蚊帳《かや》の中に放ったものだ。

雨戸を開け放ったまま夜を過ごしても泥棒などの心配はなかった。軒下に吊るした風鈴の音が耳に入る。時たま涼しい風が吹き、蚊帳の中へも忍び寄る。その中でホタルが淡い光を明滅させる。それを目で追いながらいつしか深い眠りについた。なんだかおとぎの国のような光景を思い出す。

待ちに待った夏休みは七月下旬から八月のお盆まで。春と秋の農繁期に一週間の休みがあったので、都会に比べると短い夏休みだ。

セミやカブトムシ、クワガタなどは、家の周りにあった空き地の林や神社境内でおもしろいほど捕まえることができた。名前は知らぬが、様々な種類のチョウが庭の池の周りにもやってきた。虹のような美しい輝きを持ったタマムシやギンヤンマ、オニヤンマも子どもたちにとってはおなじみの虫であった。

特に多かったのは、お盆近くになると空一面に飛び交う、いわゆる赤とんぼだ。草の先に止まった赤とんぼ、その大きな目の前で人さし指をクルクルと回して注意を引きつけながら、もう一方の手で羽根や胴体を押さえると容易に捕まえることができた。子どもにとって、遊び場は常に野外、生き物たちと触れ合うことが遊びであった。

生き物たちが激減した昨今、学校では生き物の生息場所を確保しようと、池などのビオトープ空間を敷地内に設けることが多い。そうでもしなければいまの子どもたちは生き物に触れる機会がないのである。米作りが当たり前だったあの時代まで、善光寺平はもとより日本列島すべてが巨大なビオトープそのものであった。

夏休みのもうひとつの楽しみは水泳だ。といってもプールで泳ぐのではない。川で泳ぐのだ。近所の悪ガキ連中を誘っては自転車で約三〇分、むろん愛犬コロも一緒に長野市川合新田の犀川《さいがわ》へ行った。犀川と千曲川の二本の川がこの地域で合流、そこに新田開発をしたので川合新田と呼ばれるようになったのだろう。堤防道路を越すと広大な河川敷が広がり、ヨシ原が続く。その先に犀川が西から東へと流れている。下流でさらにその南を潤しながら流れる千曲川に合流する。千曲川は大河となって小布施町、飯山市そして新潟県に達し、日本海に注いでいる。

その犀川で泳ぐのだ。泳ぐというより、川下りだ。水泳パンツではなく、みんな裸だ。俺は青フンだった。泳ぎ方を仲間から学んだのも、この犀川である。流れに逆らわずに横泳ぎで水流に乗るのだ。すると、驚くほどの速さで川下に向かって進む。伸ばした左手を下に、右手で水をかく動作をするだけ。まったく力を入れずとも猛烈なスピードで下流に向かって突き進む。この快感はやった者のみが知る爽快さだ。一度体験したらやみつきになる。

何度も何度も川を下り、その都度ヒリヒリするほど熱くなった岸辺の石コロを歩いては上流に向かう。身体が冷えたり、疲れたりすると、岸辺の砂地で腹ばいになり休む。

砂利《じゃり》の採掘でできたくぼ地のあちこちに水溜まりがあった。浅いくぼ地の水は真夏の強い日差しで、ぬるま湯のような温度になっている。そんな浅い水溜まりを見つけると、その中で身体を温めた。コロも喜んで仲間に加わり、正真正銘の犬かき泳ぎを披露しながら、俺たちと遊んだ。

深いくぼ地には、たくさんの魚が泳いでいた。水の透明度が高く、深い底まで見渡すことができた。周りのヨシ原では盛んにヨシキリが鳴いている。時には河川敷の道なき雑木林を、探検隊員になったような気分で歩き回った。そんな時はコロがいると心強かった。コロも野性の本能がよみがえるらしく、喜々としてあたりを嗅ぎ回って先導役を務めた。

川下りや探検遊びをして帰る頃にはのどが渇く。自動販売機などまったくない時代だ。犀川の堤防道路近くにあった農家の庭に釣井戸《つるべ》があり、いつもここで水を飲ませてもらった。

「水飲ましてくんなーい！」

声をかけると、家の中からじいさんらしき人が返事をくれた。

「いくらでも飲んでいけやれ！」

井戸をのぞき込むと、ひんやりとした冷気が顔に伝わる。桶を三〜四メートル下の水面に落とすとポチャーンという水の音が響く。のどはカラカラだ。桶の縄を滑車で引き上げる。満々と溜まった冷たい水を、桶から直接飲んだ時のあのうまさといったらない。水がうまい、あの時の味に勝るものはない。

あの時代、どこの家でも井戸水を飲料水として利用していた。家でも井戸水を飲んでいた。釣井戸ではなく、ポンプ式の井戸が台所にあった。飲み水はむろんのこと、風呂の水もその井戸水を使っていた。

風呂をいっぱいにするには大量の井戸水が必要だ。風呂場は台所に隣接していた。台所の井戸と風呂場の湯船をつなぐ、トタン製の円柱のトヨが四～五メートル台所の窓際に取り付けてあった。井戸ポンプを上下して水をこぎ出すと、その水がトヨを流れて湯船に注がれる仕組みになっている。父が考案したものだ。この装置を使って、湯船に水を入れるのは兄弟三人の仕事であった。

兄二人がそれぞれ五〇回、俺が三〇回、これを二度繰り返すと風呂の水はほぼ満杯になったが、かなりの重労働だった。

夏にはスイカやトマト、マクワウリなど、畑で収穫した果物や野菜を冷やすのも井戸水だった。たらいに井戸水を満たし、その中で冷やすのである。冷蔵庫のない時代、冷たい井戸水はありがたかった。

水道がわが家に登場したのは、中学生になってからである。なんとまずい水なのだ、水道の水を最初に口にした時の感想だ。そのため、しばらく飲み水は井戸水だったが、残念なことに昭和四〇年代に入って地下水も汚染されて飲むことができなくなった。

うまい、うまい井戸水が飲めたあの時代、なんと贅沢《ぜいたく》な自然環境であったことか。人間ばかりか、生物が生きてゆくために必要な水。井戸水が飲めたあの時代の日本がいまもあったならば、間違いなく日本列島は世界遺産となったであろうに。

家族総出の稲刈りと脱穀

秋になると農家の子どもたちは、またまた田んぼの仕事の手伝いに駆り出されるようになる。稲が黄金色に実ると稲刈りと脱穀が待っている。秋の農繁休みも始まる。

稲刈りは専用の稲刈り鎌を使う。刈られた稲株を集め、脱穀の時に手で握るのにちょうどいい太さの束にする。稲束をしばるのには同じ稲が使われた。父や母はいとも簡単にその作業をするのだが、小学生にとってはなかなか難しい仕事だった。

時には鎌で手を切ってしまうこともあった。稲刈り鎌は鋸《のこぎり》のようにギザギザした刃なので、切り傷は深く痛いのである。

稲刈りが終わると、稲束を天日で干すためのはぜかけだ。雨が降ると田んぼに置かれた稲束が濡れてしまうので、なるべく早く干さねばならない。

父とともに早朝に起き、家の軒下に収納されているはぜかけ用の木材を何本も田んぼまで運ぶのだ。縄で結んだ三本柱を何か所かに立て、そこに稲束を吊るす長木を設置するとできあがりだ。その長木に稲束を一束一束吊るすのだ。これにもコツがあり父がやった。その父に稲束を渡す者、そして稲束を集める者と、役割分担があり、兄弟三人は具合良く、その作業を手伝わされたというわけだ。

わが家には田んぼが六枚ほどあったので、稲刈りから始まるこれら一連の作業にはかなりの手間と時間がかかった。父は国鉄に勤務しながらの農作業なので、それは大変だったに違いない。

天日干しの稲穂が十分に乾燥すると脱穀である。その時期を決めるのは父である。はぜかけの稲の実を口で噛《か》んで判定するのだ。十分に乾燥した稲の実はカリッと音がする。

「うん、十分に乾燥している。これはうまい米になるぞ」

父は歯が自慢で、虫歯が一本もなかった。甘いものが好きで、酒も飲んだが、毎日しっかりと歯を磨いてもいた。その後、七〇代の時には歯の健康コンクールで、長野県一位に輝いたほどである。その歯で米を測定したのだから間違いはない。

脱穀は家族総出でおこなわれた。リヤカーで足踏み式の脱穀機を田んぼに運びこもを敷いた上に設置する。まず、はぜかけの稲束を外して脱穀機の周りに集める。時には稲束のすき間に、ちゃっかり野ネズミが巣を作っていることもある。そんな時は愛犬コロの出番だ。

「コロ！ネズミがいるぞ、こっちへ来い」

コロもよくわかっている。巣に近い稲束をはずすと何匹もの子ネズミが田んぼに逃げ出す。待ってましたとばかりコロは子ネズミを次々に捕獲するのだ。中には長木からはずされ、積まれた稲束に隠れる子ネズミもいるが、コロの嗅覚は鋭い。それらを探索しては捕獲する。

「コロ、よくやった。よーし、よーし！」

褒められたコロは、尻尾を勢いよく振って喜々としていた。自分も役に立っていることをよく理解している賢い犬であった。

足踏み式脱穀機は、横に置かれた長さ一メートルほどの円筒に大きな爪のような金属が何本も埋め込んであり、その円筒を足踏みで回転させ、そこに稲束を差し込んで脱穀する機械である。二人が並び、調子を合わせ、足踏み台を上下に動かしながら脱穀するのだ。

小学校低学年の頃は稲束を運んだり、脱穀したりしている父や兄に稲束を手渡す役目ばかりさせられていた。大きくなって自分も稲こきをしたいと思ったものだ。しかし、見た目は楽そうだがいざやってみると、これがなかなかに疲れる作業なのである。足腰が強くなければ長い作業はできない重労働だった。二人が同時に新しい稲束を円盤に差し入れた時など、かなり踏み足に力を入れないと、円盤はスムーズに回転しない。しかも一束の稲を完全に脱穀するには、何度も何度も踏み台を上下させねばならない。その作業を二〇〜三〇分続けては交代でやるのだ。二人の兄や俺も、この脱穀でかなり足腰が鍛えられた。

秋の陽は釣落《つるべ》とし。日が暮れるのが早い。夜は露《つゆ》も降り、稲が濡れるのでその日のうちに脱穀をすませねばならない。

暗い中での作業は、自転車のライトを照らしながらやった。その照明係をやらされた。脱穀機にライトが当たる位置に自転車を置く。当時の自転車にはスタンドがあり、それを立てると後輪が空回りする。

自転車は大人用なので、サドルに腰かけても、ペダルに足がうまく届かない。そこで、自転車の脇にしゃがみ込み、手でペダルを回すのだ。空回しなのだが手作業となると、これも結構しんどい作業だった。

「徹！もっと速く回せ。暗くて手元がよくわからねえぞ！」

父や兄たちから叱咤《しった》の声が飛ぶ。回転が遅くなると当然明かりが弱くなるからだ。近くで寝そべっているコロがうらやましかった。

すべての田んぼの脱穀が終わるまで、こんな体験を何回もした。

脱穀した稲束は専用の業者に売り出された。トラックで買いにくるので、道路脇に山積みにする。田んぼからリヤカーで運ぶ作業も手伝わされた。

このように農家の子どもたちはどこの家でも農作業の手伝いをした。農繁休みがあるくらいだから当然のことだ。このおかげで、毎日食べる米や麦や野菜がどのようにして作られるのか、その作業がいかに大変なことなのか、体験を通し自然に知ることができた。また、農業ばかりでなく、大人の仕事の大変さも推測することができた。

そして、なにより子どもながらも、自分は家族の一員として役に立つ存在なのだ、必要不可欠な価値ある存在なのだ、という自負、自信、自覚が芽生えるのである。これこそがその後の人生を歩む上で、極めて重要になったのである。

田舎ミュージシャンだった叔父

忘れられない思い出がある。それは祖母のことだ。

祖母は三人兄弟の末っ子である俺を特別に可愛がってくれた。年の差がある兄との兄弟喧嘩に負けると、いつも和歌を口ずさんでは慰めてくれたものだ。

「『朝顔の花に変わりはなけれども 遅く咲くほど哀れ増すかな』って和歌にあるように、徹も一番遅く生まれたんで、つらいこともたんとあるが、我慢するだぞ」

風邪をひきそうになって、布団にもぐり込んでいると、村に一軒だけある八百屋からバナナを買ってきて、そっと枕元に置いてくれた。当時、バナナは超高級果物で、めったに食べることなどできない時代だったにもかかわらずだ。

祖母が可愛がってくれたことの裏には、祖母の深い深い喪失感があったようなのだ。

昭和二〇年（一九四五）一月、先の大戦の末期、祖母の二番目の息子（父の弟、叔父にあたる）が戦死したのである。

信州からはるか彼方の沖縄へ出征する途中、叔父の乗った輸送船は鹿児島県薩摩半島の西南端に位置する坊ノ岬付

いつも可愛がってくれた祖母

近で、米軍の魚雷攻撃で沈没し戦死したのだ。二〇代の未婚青年であった。その叔父の戦死の翌年、生まれたのが俺だった。

祖母はしばしば、幼少期の俺を背中におぶって家の近くの小川へ行って、流れる水を眺めてはつぶやくような口調で背中の俺に言ったものだ。

「徹、おまえの叔父さんはな、遠い遠いところでな、水の中に投げ出されて死んでしまったんだ。ドボーンてな。その翌年生まれてきたのが、おまえだ。徹はな、連之介（叔父の名前）の生まれ変わりなんだよ。連之介のな」

背中の温もりを感じながら、祖母の言うことを聞いていた。

やや背中を小川に傾けては、俺が水の流れをしっかり見つめることができるような動作をしながら言ったことが、妙に印象深く記憶に刻まれている。幼少期に祖母の心情がわかるはずもなかったが…。

戦死した叔父は大の音楽好きだったのである。戦前、善光寺平の一農村である南俣で、バンドを組んで演奏活動をしていたのだから驚きである。六人ほどの青年とともにバイオリンを持った叔父の写真がある。

どんな曲を、どうやって練習し、どんな演奏をしたのかは知る由もない。俺は大学でジャズクラブに入り、ドラムを演奏することになるのだが、ある時帰省して出会った年配の隣人から言われた。

「バンド演奏をしてるんだってね。そう言えば、亡くなった連之介さんも音楽仲間集めてバンドを組んでたなぁ。ハイカラな人だったよ、連ちゃんは。連ちゃんの血は引き継がれているんだね、きっと」

小さい時から音楽に興味を持ち、大学生からジャズバンドのドラマーとして、いまも演奏活動を続けているが、祖母の言ったことは本当だったのかもしれない。

「徹、おまえはな、連之介の生まれ変わりなんだよ」

しかし残念なことに、祖母は俺が大学生になる前、中学一年生の時に、六四年の人生に幕を閉じてしまった。

大学生でバンド演奏を始めて以来、連之介叔父のことは常に頭の片隅にあった。叔父が戦死した海へ祈りを捧げたかったからである。

そのチャンスがやってきたのはバンド演奏を初めて二〇年後の昭和五九年三月のことだった。

南さつま市坊津の慰霊碑を訪れたのだ。父は碑が建立された数年前に一度訪れていたが、弟の連之介叔父のことがよほど好きだったようで、もう一度お参りしたいと言うので一緒に行くことになったのである。

慰霊碑は戦死した兵士が多数打ち上げられたという久志湾の浜辺を見下ろす高台にあった。慰霊碑に刻まれた「武田連之介」の文字を父とともに指でなぞった。そして、おだやかな春の久志湾を眺めながら二人で合掌した。

叔父が米軍の魚雷で輸送船から海に投げ出されたのは、厳寒の一月。南国とはいえ、さぞ寒くて無念だったことであろう。

ふと父の横顔を見ると、閉じた父の瞼《まぶた》からは涙があふれ出ていた。父の涙を目にしたのは、この時が最初で最後であった。

3　日活のスターに憧れた中学時代

『ALWAYS 三丁目の夕日』の世界

小学校高学年から中学生生活を送った昭和三〇年代は、敗戦から立ち上がった日本が奇跡的な復興を遂げ、その成果が徐々に日常の暮らしにも浸透し始めた時代だった。

たとえば洗濯。それまでわが家では悪ガキ兄弟三人が汚しに汚した山のような衣服も含め、母がたらいで洗濯板を使い、ゴシゴシと手洗いしていた。冬などは赤切れができたが、その傷を糸で結んでは洗濯を続けた。温水などはまったくなく、冷たい井戸水である。水道水よりは温かいが、大変な作業だったことは間違いない。それでも不平ひとつ言わずゴシゴシ、黙々と洗濯をしていた。これはどこの家の母も同じだ。昔の母はこれひとつとっても、実に偉大であった。いまの母、否ママが、指の爪にネイルファッションだのと色をつけることにうつつを抜かしている姿を見るにつけ、「おめえたち、俺の母ちゃんの爪の垢《あか》でも煎じて飲め」と毒づきたくもなる。

世の母ちゃんたちは、その難儀な洗濯から解放されたのである。電気洗濯機の登場だ。また三度三度の食事に、少しでも健康に良いものをと、気を遣っていた母ちゃんに力強い助っ人が登場した。電気冷蔵庫である。家庭の主婦はどれほど助かったことか。

そして、お茶の間に居ながらにして、エンターテインメントを楽しむことが可能になった。テレビが登場したのである。といっても、テレビは一般家庭に普及するまでには時間がかかった。わが家もテレビが入ったのは遅く、昭和三六年（一九六一）の中学三年生頃だった。

これら三つの電気製品は当時「三種の神器」と言われたものだ。主婦にとっては、洗濯機も冷蔵庫もありがたい〝神の器〟であったことだろう。そしてテレビは、春と秋のお祭り以外、いまのようにイベントやフェスティバルがまったくなかった時代においては、驚くべきエンターテインメントぶりを発信してくれた。まさにテレビはアラジンの魔法のランプに匹敵するそれこそ神器であったのだ。

この昭和三〇年代を見事に再現してくれた映画がある。松本市出身の山崎貴監督による『ＡＬＷＡＹＳ 三丁目の夕日』だ。同名の人気コミック漫画が原作である。

舞台は昭和三三年の東京タワーが建設中だった東京の下町だが、長野の善光寺平の町部でも同じような生活ぶりだった。

竹ひごに紙を張って作った飛行機を飛ばす子どもたちの群れ。フラフープに竹馬。元気いっぱいに遊ぶ子どもたちが駆け回る横丁。その横丁に並ぶ商店や家々のたたずまい。そこに住む人々の服装。それらがすべて、田んぼの広がる村落から町の映画館に通った時に目撃したあの時代の町の風景そのものであった。

人情味あふれる人々が生き生きと暮らす「三丁目」。この映画の主人公である子どもの一平は、なんと自分と同年齢だから、よけいに親近感がわいてくる。東京タワーの建設は田舎住まいでもよく知っていた。なにしろ世界一高い塔ができると評判だったのだ。その東京タワーが完成するこの年、やんちゃな一平（小清水一揮）の父親・則文（堤真一）の経営する鈴木オートに星野六子（堀北真希）が集団就職の働き手としてやってくる。

〝集団就職〟なんとなつかしい言葉であることか。信州から東京へ働きにいった中学生もかなりいたことだろう。彼らは金の卵と呼ばれ、日本の高度経済成長の土台を築いてくれた恩人だ。俺の数年先輩から同世代にかけての人たちだ。遊びたい盛りに、都会の片隅で、額に汗して働き続けていた人たちがいたのだ。ただ感謝あるのみ。

いまは働き方改革だかなんだか知らんが、休むことばかり奨励している。国民の祝日でさえ、連休を作るためと称して勝手に変更しまくっている。まるで働くことが、悪のような昨今になっている。なにをか言わんやである。

六子が住み込みで働きにやってきた鈴木オート、短気な父親の則文と心優しい母親のトモエ（薬師丸ひろ子）一家に新しいドラマが始まろうとしていた。

その向かいの駄菓子屋の店主、茶川竜之介（吉岡秀隆）は売れない小説家だ。竜之介が恋心を抱く飲み屋の女将のヒロミ（小雪）が、ある日引き取り手のない少年、淳之介（須賀健太）を連れてくる。こうした三丁目の人々を軸に、時にはユーモラスに、時には涙を誘いながらドラマは展開していく。

鈴木オートの小型三輪車のミゼットはもちろんのこと、八百屋、理髪店、雑貨屋、薬屋など、庶民の生活に欠かせない店も再現されている。

子どもたちが遊ぶ空き地には、電気冷蔵庫の登場で捨てられたいかつくでかい氷箱が放置されている。そして東京タワーがひときわ高く遠望できる三丁目で、最初にテレビ受像機が設置されたのが、一平が住む鈴木オートの居間なのだ。力道山が活躍するプロレス、若ノ花、栃錦が激突する大相撲、それらの中継を一目見ようと、町の人々は鈴木オートの居間はおろか、店先まで群がって盛んに声援を送るのである。このシーンは、東京の下町である三丁目ばかりでなく、信州の各町、そして日本中の町々で繰り広げられた昭和三〇年代の光景であったろう。テレビの絶大なる影響力を示すこうしたエピソードは日本中で見られたのである。ラジオに代わりテレビ時代の華々しい幕開けだ。この『ＡＬＷＡＹＳ 三丁目の夕日』が作られたのは、平成一七年（二〇〇五）のこと。昭和三九年生まれの山崎監督は、この時代を知らない。

この映画に心温められて、山崎監督に連絡して担当しているラジオ番組『つれづれ散歩道』に出演してもらった。そこで自ら脚本も共同執筆した山崎監督の口から、うれしい言葉を聞いた。

「いままでになかった昭和の映画を作ろうと苦心しました。当時子ども時代を過ごした団塊世代の人たちが、この映画を見てなつかしみ、温かい気持ちになっていただければ、とても幸せです」

自分もまさに団塊世代であるので、まんまと山崎監督のワナにはまってしまったというわけだ。

「実はあの映画の主人公の一平と同じ年齢なんだよ。とにかくなつかしかった。オープニングのシーンで、竹ひご製の飛行機が三丁目の街並み上空を旋回する長いワンカットがあるでしょう。あれは秀逸な映像だったなぁ」

「そう思っていただけました？　うれしいなぁ。あのシーンは一番苦労して作ったCGのシーンなんです。わかってもらってうれしいです」

「うれしいと言えばさぁ、ヒロミが経営しているカウンターの飲み屋で、ラジオから三橋美智也さんの歌謡曲がかかってたよね。テレビ時代が始まるというのに、わざわざラジオの音を流し、それも大好きな三橋さんの曲なんだよ。これもうれしくなっちゃってねぇ。なぜ三橋さんの曲を選んだの？」

「実はうちの親父さんが、三橋さんの大ファンで、僕が小さい頃、いつもラジオを聴いては三橋さんの曲を歌ってたんです。で、親父さんに喜んでもらえるだろうと思って、あのシーンでラジオから聞こえる音楽には三橋さんの曲を使ったんです」

よくぞ言ってくれた山崎監督。この映画にほれ込んだのはもちろんだが、山崎監督の父親思いにもぞっこん参ってしまった。

「監督、この映画はこれ一本で終わらず絶対にシリーズ化すると思うよ。明日から一一月だけれど、今年これまでで見た映画のベスト3に入る傑作だよ。ぜひがんばってよ。同郷として信州から応援しますよ」

予想は見事に的中、四年後の平成一一年に『ALWAYS 続・三丁目の夕日』が作られたのである。続編の物語は前作のラストから四か月後の昭和三四年。五年後の東京オリンピックの開催が決まり、日本が高度経済成長時代に突入し始める頃のエピソードが描かれている。

売れない小説家の茶川は、引き取り手のない少年を預かり、その少年の激励で再び純文学の夢に向かって挑戦。なんと彼の作品が芥川賞にノミネートされたので、さあ大変。三丁目の人々は大騒ぎ。そんな茶川の前に少年の実の父親が現われる。実業家の父親は息子を引き取りたいと言う。一方、鈴木オートでは事業に失敗した娘を預かることになり、一家に大きな変化が訪れる。

ホロリとさせたり、笑わせたり、山崎監督は二作目もさえている。この二本で山崎監督は若手のホープとして、以後次々と大作に挑むことになる。信州松本出身の実力派監督がまた一人、日本映画界を牽引することになるのである。

テレビの登場と石原裕次郎の衝撃

わが家が暮らしていた、「三丁目の夕日」ならぬ「長野市南俣の夕日」に戻る。昭和三四年（一九五九）、農村部の集落である南俣でテレビが最初に設置されたのは、村で一軒だけ食品も扱っていた雑貨店、倉石商店の二階であった。テレビが入るというのは村の大ニュースになった。なんてったって、南俣集落にお目見えした第一号のテレビなのだ。

日記にもしっかりと書かれている。六月八日の月曜日のページにそのことが記されていた。

倉石商店は俺の家から徒歩四〜五分の場所にあった。翌日、早速夕飯を食べてからテレビを見に出かけている。テレビが置かれているのは二階の八畳間だった。もちろん当時はまだモノクロテレビだ。近所の人たちも子どもを中心に集まってきた。八畳間はたちまちにしていっぱいになる。

倉石商店で最初に見た記念すべき番組は『お笑い三人組』と日記に書いてある。それまでこの番組は、わが家の居間に家族全員が集まって、ラジオで聞いていた。江戸屋猫八、一龍斎貞鳳、三遊亭小金馬らが毎週出演するドタバタお笑い喜劇だ。ＮＨＫは長年にわたってラジオ中継をしていたが、テレビ中継もするようになっていたのだ。

翌水曜日は、プロ野球の巨人・阪神戦を見にいったが、雨で中止、おそらくほかの番組を見たことだろう。二日おいて土曜日は半日授業、家の麦刈りを手伝い、夜はまたしても倉石商店へ行ったと書いてある。そして日曜日、麦刈りの手伝いをし、やはり夜は『月光仮面』、そしてプロ野球の大洋対巨人戦を見ている。

プロ野球中継をよく見るようになったのは当時の少年たちがみんなそうであったように野球に熱中していたからである。中学生になるとすぐに野球部に入部した。特に長嶋選手が好きで巨人戦の中継があると欠かさず見にいったのだ。

こうして週に三、四回は、倉石商店通いをし、武田少年はすっかりテレビの虜《とりこ》になってしまったのである。三種の神器と言われるだけのことはあって、特にテレビは子どもにも大人にも絶大なる影響力を発揮し続けるのである。


テレビの出現は、歌謡界にも大きな影響を与えた。歌手は歌がうまいばかりでは人気者になれない時代に変化したのである。これまでにない個性的な一人の歌手がテレビで話題になっていた。水原弘である。

倉石商店のテレビで初めて見て、そして聞いた水原弘の「黒い花びら」にカルチャーショックを受けた。

太い眉に眼光鋭い眼差し、かすれ気味にうなるような低音の声、悪の微臭が漂う身のこなし、彼はこれまでの人の良い、善良な歌手というよりは、魅惑的な不良大人が歌っているようなまったく別世界の歌手であった。

「黒い花びら～、静か～に散った～…」

隣にはブラウン管に写し出された水原弘を、まばたきもせず、うっとりと凝視している近所の女子高校生。

「…だからだから、もう恋なぁんか～、したくないのさ～」

歌い終わってもなお水原弘を見続けた彼女の口から出た言葉を、いまでも鮮明に覚えている。

「うぁー、かっこいい。しびれるー」

言ってくれたもんだ。

――そうか、こういう歌手が姉ちゃんたちは好きなんだ。しびれる歌手って、こういう歌手なんだ。女心の一端がわかったような気がした瞬間であった。

若き女性たちの心を震わした水原弘は、その年、昭和三四年の暮れに初めて開催された第一回のレコード大賞を獲得した。

テレビの出現はラジオ時代と違って、ルックスや見栄えの良い歌手、つまり視覚的要素に訴えかけ、それを十二分に満足させる歌手の時代を作り出していくのである。

橋幸夫は和服姿でブラウン管に登場、「潮来笠」で大ヒットを飛ばした。橋に続けとばかり松島アキラ、北原謙二、そして「高校三年生」を歌った舟木一夫らがテレビの歌謡番組に活気を与えていった。

中学生になっても変わらず、倉石商店へ行っては歌番組を見て、彼らの歌を口ずさんではいたが、一方で映画館通いも相変わらず続いていた。小学生の時の東映チャンバラ映画から、若手俳優がめじろ押しの日活現代劇により興味を持つようになっていった。

中学生と言えば、顔にはニキビも出始め、声変わりもする。大人の階段を上り始める直前である。美男美女、かっこいい青春スターたちが繰り広げる日活の現代劇に親近感を抱いてゆくのも当然のことだったろう。

日活でもっとも話題となったスターと言えば、石原裕次郎である。昭和三一年、兄の石原慎太郎が芥川賞を受賞した『太陽の季節』が、日活で映画化され、主人公（長門裕之）の友人であるボクシング部員役というチョイ役でデビューしたのだった。ところがその大胆な行動とずばぬけたスター性で一躍トップスターに躍り出て、日活全盛時代を築く大立役者となるのである。

小学生高学年頃には立派な歌謡曲小僧だったので、当然ラジオで裕ちゃんの曲は聴いていた。裕ちゃんの映画では必ずといっていいほど、裕ちゃん本人が主題歌を歌っている。その主題歌をスタジオで録音するのだが、これも前代未聞の〝歌手〟ぶりだったと報じた新聞記事を読んだことをいまでも覚えている。『鷲と鷹』だったのか『俺は待ってるぜ』だったのか定かではないのだが、わが家で講読していた産経新聞の社会面左下に写真入りで、ビール片手にマイクの前で歌う裕ちゃんの姿が写し出されていた。

「ビールを飲みながらレコーディングに臨む、驚くべき若者スターの誕生！」

そういう内容の、やや批判を込めた記事だった。普段は新聞など開かない小学生だったが、よほど裕次郎という新人スターが気になっていたんだろう。その裕ちゃんが日本映画界の大スターとなり、テレビ界をも牽引してゆくことになるのである。小説の『太陽の季節』が話題になり、〝太陽族〟なる言葉が流行になる。それまでの常識や道徳観にとらわれない無軌道な反社会的な若者たち、という意味が込められた言葉だ。その太陽族の権化のような存在が石原裕次郎というスターだったのだ。

若者たちに大人気だった石原裕次郎を、一躍国民的なスターに押し上げた映画が『嵐を呼ぶ男』である。昭和三二年に作られたこの映画の大ヒットにより、これまで赤字経営だった日活が再建を果たしたのである。いかに裕次郎という存在が、日活にとって大きかったかは、この年の興業ベスト5のうち、二本が裕次郎の主演作品で、このほかにも配給収入が二億円以上あった作品が三本もあった事実が明確に証明している。

『嵐を呼ぶ男』のドラマーぶりが、とにかくかっこいいのである。大学生になって入部したジャズクラブでドラムという楽器を選んだのも、この映画がきっかけとなったのだ。七〇歳過ぎたいまもドラムを叩いている自分にとって、この『嵐を呼ぶ男』は感謝してもしきれないほどありがたい映画なのである。

　裕ちゃんの役は、銀座で評判の暴れん坊、国分正一。正一の弟はそんな兄を売り出そうと考え、女性マネジャー福島美弥子に頼み込む。美弥子役が後に裕ちゃんの良き伴侶となる北原美枝だ。ジャズドラマーを目指し、正一は厳しい練習の日々が続く。そんな中で、二人は互いにひかれるものを感じ始める。ライバルのドラマーはチャーリー・桜田、こちらは本物のジャズヴォーカリスト笈田敏夫が演じている。そのチャーリーとのドラム合戦の前日、正一はトラブルに巻き込まれ、右手にけがをしてしまう。ドラマーにとって、右手は命といってもいいほど大切なものだ。ドラム合戦当日、右手の痛みで苦境に立った正一。さあどうするのかとハラハラドキドキしながら銀幕に見入った。すると、裕ちゃんは突然マイクを握り、歌を歌い始めるではないか。

「俺らはドラマー、やくざなドラマー…」、歌い終わると満場の拍手。会場の客は正一を取り囲んでしまう。屈辱を受けたチャーリーは、美弥子に横恋慕する芸能界の黒幕とともに、正一の右手を完全につぶしてしまう暴挙にでる。

　――おい、そこまでやるか。きたねえじゃねぇか！

　武田少年は真剣に思ったものだ。

『嵐を呼ぶ男』のレコードも大ヒットした。歌の間に入る台詞《せりふ》にもしびれた。

「こ〜の野郎、かかってこい。最初はジャブだ」、このレコードでドラム演奏をしているのは、人気ジャズドラマーの白木秀雄である。映画でも裕ちゃんにドラム指導している。その白木が雑誌でこんなことを言っていた。

「一言にして言えば、裕ちゃんのドラマーぶりは申し分なかったですね。映画に映った裕ちゃんのドラムは、われわれのような玄人が飯の食い上げになってしまうのではないかと思われるほど巧みでした。特に秀逸だったシーンはドラム合戦の時でした。教えたはずの私でさえ、バックに自分の音の入っていることを忘れ、生の裕ちゃんの音と錯覚したくらいでした」

実はこの映画の大ヒットから数年後、高校生になった時、長野市民会館で開かれた白木秀雄クインテットのコンサートに行き、白木がドラムを演奏しながら歌う「嵐を呼ぶ男」を聞くことになる。またドラム合戦でチャーリー・桜田のドラムのアテレコをしているのは、当時のジャズドラマー界で白木と人気を二分していたジョージ・川口である。ジョージさんには三十数年後、お会いしてドラムクリニックまでしていただくことになるのだから人生はおもしろい。

影響を受けた小林旭の『渡り鳥』シリーズ

昭和三〇年代、日活スターで石原裕次郎と人気を競っていたのが小林旭だった。小林は第三期ニューフェイスとして昭和三〇年（一九五五）日活に入社、三年間いわゆる大部屋生活を経験した。石原はデビュー当初から別格的存在で、大部屋体験がない。大部屋とは、スターとしてはいあがっていくために用意された教室のようなものだったと、小林は著書の中で記している（小林旭著『さすらい』）。大部屋役者は、ニューフェイスという幹部候補生だろうが、主役を張るまでに出世していようが、最低三年は大部屋生活を我慢しなければならないシステムになっていた。

小林は多くのスターがそうであったように大部屋からのスタートだった。ここで挨拶の仕方から、先輩のくだらない愚痴まで聞かされ、たとえ自分にいい役が回ってきたとしても、いい芝居をして評価を得たとしても、自分のことは一切なにも言えない厳しい世界だったと述べている。

なかには二〇年、三〇年と抜け出せずにいる先輩役者もいる。二〇〇人ほどがひとつの部屋に詰め込まれており、様々な人間模様を見たと言う。

「俺は生意気だったし、イジメの対象としては格好の標的だったんじゃないかな。耐えるしかないよ。主役をもらった時だって、それが大部屋の新人なら、イジメの対象さ」

昭和三〇年と言えば戦後一〇年しか経っていない。軍隊生活の悪しき風潮が残っていたのだろう。映画の本番中も気が抜けなかったという。特に日活お得意の乱闘シーン。ここぞとばかり本気で殴りかかってくることが何度もあったらしい。そんなイジメをしていた連中が、小林旭が日活の看板スターになった途端「アキラちゃん、アキラちゃん」ってゴマをすってくるのを目の当たりにして、人間の生きざまの勉強をさせてもらったとも小林は記している。

この著書に書かれた小林の生きざまから、どこの世界も似たりよったり、イジメにあおうが苦しかろうが、自分の力と根性ではいあがらなければ人生の栄光は手に入らぬ、叩かれ強くなければ夢の実現などありえぬということを学んだ。

小林旭にそんな苦労があったとは思いもよらなかったが、最初に小林旭主演の映画を見たのは昭和三四年、中学一年生の一〇月下旬であった。

当時は春と秋の農作業の忙しい時期に、農繁休業という四、五日の休みがあった。秋は稲穂が実り、脱穀の頃である。

わが家でも家族総出で脱穀が終わり、田んぼの土起こしをした翌日のことだった。手伝った褒美《ほうび》としての映画鑑賞であることは言うまでもない。武田少年は、よく家の手伝いをしていたのだ。

長野市の繁華街、南石堂町にあった日活映画専門の活動館に行ったのだ。そこで見たのが『ギターを持った渡り鳥』だった。ギター片手に馬に乗り、渡り鳥のようにフラリと地方都市にやってくる主人公。昭和三〇年代の日本は、地方の都市開発が進んだ。その開発を巡るトラブルをモチーフにしたのがこのシリーズである。旭はその土地の悪人たちを懲らしめてはまたどこへともなく消え去るという『渡り鳥』シリーズの第一弾だ。この流れ者に、ほのかな恋心を抱く美しい乙女役が浅丘ルリ子である。その乙女の前で、ギターを弾きながら歌う旭がかっこいいのだ。

「赤い～夕陽が～燃え～落ちて～」

中学生にはまぶし過ぎるこのシーン。旭の高音がまた刺激的！

映画を見てから一生懸命に歌詞を覚え、高音で歌おうとするがダメだった。変声期なのだから、どうしてもぎこちない歌い方になってしまう。が、この曲、練習に練習を重ねた結果、大人になっても自分のカラオケの定番になっている。

小林旭はこの映画が大出世作となり、裕次郎との二枚看板役者として日活青春アクション路線をドル箱にしていくことになる。

ここで興味あるのは、旭と裕次郎のキャラクターがまったく違うことだ。旭はカントリーで野性人。裕次郎はシティーガイの都会人。役柄でいうと、旭は新興地方都市で暴れ回るヒーロー、裕次郎は不良っぽさが売り物の都会の英雄。しかも歌う声も、高音が魅力の旭、低音が心にしみる裕次郎。日活は期せずして、まったくタイプの違う二人の青春スターを生み出し、興業的にも全盛期を迎えるのである。当時のマスコミも二分され、『明星』が小林旭に、『平凡』が石原裕次郎について、いやがうえにも二人の競争をあおった。

俺はと言えば、このご両人の映画、分け隔てなく好きで見まくったのである。

封切りの日活映画を見るには活動館へ行き、それが不可能だった時は七瀬劇場へ行った。七瀬劇場はわが家からもっとも近くにあり、入場料も安かったので実にありがたい映画館だった。入部していた野球部の練習が早く終わった時や、教師の研修会で午後の授業がない日などを選び、自宅から歩いて三〇分ほどの七瀬劇場へ行った。

中学二年生の五月下旬、教師の研修会で学校が半ドンの日にも、見逃していた小林旭の『南国土佐を後にして』を見にいった。この映画の成功で『渡り鳥』シリーズが始まることになった、旭の記念すべき作品なのだ。

運よく三年で大部屋を抜け出すことができた旭は、昭和三三年に『絶唱』で新人賞を総なめにした。浅丘ルリ子と共演した純愛メロドラマだ。当時中学生だったので興味がなく、見たのは大学生になってからだった。『絶唱』で頭角を現わしてきた旭に割り当てられたのが『南国土佐を後にして』だった。日活はペギー葉山が歌って大ヒットしていたこの曲に飛びつき、昭和三四年に同名タイトルで映画化したのである。

刑務所を出所したヤクザの原田譲司（小林旭）は、故郷の高知へ帰り、恋人（浅丘ルリ子）と堅気に生きようとする。しかし、彼女に横恋慕する地元ヤクザのボスに、ことあるごとに痛めつけられてしまう。最後は、恋人のために出直そうと決意し、警察に自首する、というストーリー。

この映画で、ダイスなるゲームを初めて知った。旭のダイス勝負の画面が強く印象に残ったのだ。

二本柳寛と西村晃の二人が見ている前で、旭がテーブルにダイス五個を横に並べ、右手で持ったカップでそのダイスをワンシェイクで拾って、振ってから五個を垂直に立てたのだ。

——えー⁉ 本当かよ、こんな技できるんかよ。なにかトリックがあるんだろうけど、かっこいいなぁ。

中学生にもなれば映画でトリックが使われることは知っていたが、この場面ワンシーンでカットなしの映像なのだ。どうやってダイス五個を立てたんだろう、と実に不思議だった。ところがこのシーンはトリックなしだったと知ってなお驚いた。

旭演じる主人公の譲司はダイスを操る名手ということで、その場面ではダイスのプロが吹き替えをやることになっていたという。それが嫌で、旭はダイスを家に持ち帰り、夜な夜な特訓に励んだ。いよいよその場面の撮影に臨んだ時、斎藤武市監督が言ったそうな。

「ここにフィルムが二〇〇〇フィートあるけど、一本丸ごと旭さんにあげたぜ。たとえＮＧになっても構わないから、やるだけやってみようじゃないか」

なかなか太っ腹な監督のこの言葉に、旭は意気に感じたという。本番の一回目。残念ながらダイスが倒れてしまう。そして二回目、カップでダイスを拾った時に一瞬「パッ」という音を立てたが、スーっと手前にカップを戻した時、静寂が走り、開けたら、ダイス五個が縦に一直線になって立っていた。これには居合わせた役者の二本柳も西村もビックリ仰天、台詞《せりふ》を忘れてしまった。本来ならＮＧだが、逆にその驚く表情のリアル感がいいということでＯＫになったのだという。

大スターになる男は、そこまで徹底して役になりきるのかと尊敬の念を抱いたことは言うまでもない。この『南国土佐を後にして』は昭和三四年夏に封切りとなり、大ヒットした。そして、その夏のうちに『ギターを持った渡り鳥』がクランクインした。こうして『渡り鳥』シリーズ、さらには『流れ者』シリーズへと小林旭の快進撃が続くことになるのだ。

『南海の狼火』も中学二年生の正月、七瀬劇場で見ている。大人がこれらシリーズものを見ると、「アメリカの西部劇じゃあるまいし、日本でこんなことあるわけないじゃないか」と眉をひそめたかもしれない。

馬に乗って地方都市に現われ、ダイスを振っては悪を倒し、ギターを片手に歌を歌い、去ってゆく。荒唐無稽な、と思うかもしれない。が、大人への階段を上り始めた中学、高校そして青春時代の若者たちに、現実的でないからこそ、架空の物語だからこそ、旭の映画は夢を見させてくれたのだ。事実、中学生の俺は、これらの映画に影響を受け、貴重な経験をすることになる。

急逝した赤木圭一郎とブルージーンズ

日活青春映画で、もう一人触れなくてはならない悲劇のスターがいる。赤木圭一郎である。中学生の頃、石原裕次郎、小林旭とともに、もっとも魅力を感じ、映画館に足を運ばせてくれた男だ。中学二年生になる直前の春休みに、初めて赤木圭一郎の存在を知った。家から一番近い映画館で見た石原裕次郎主演の『鉄火場の風』に出演していたのだ。脚本は松本出身の熊井啓。組長殺しの罪を着せられ服役した裕次郎が出所後、組長殺しをたくらんだ男の賭場《とば》に乗り込み、居並ぶ親分衆の前でイカサマを暴くのだが、この賭場で存在感を発揮していたのが赤木圭一郎だった。裕次郎と堂々と渡り合う赤木をすっかり好きになってしまった。

この作品を見てから、赤木圭一郎主演の映画を極力見るよう心がけるようになった。特に『拳銃無頼帖』シリーズはおもしろく、一番館の活動館で見逃した時は、料金も安い七瀬映画劇場で必ず見ることにした。

赤木はトニー・カーチスに似ているというので「トニー」とあだ名され、その都会的なマスクが、田舎に住むカントリーボーイにとっては憧れの的であった。このシリーズは昭和三五年（一九六〇）一年間で四本も作られた。赤木扮する拳銃遣いが、宍戸錠扮するライバルの拳銃遣いと対立しながらも、悪党どもをやっつけるというストーリーなのだが、シリーズが進むにつれ、赤木と宍戸のかけ合いや決闘シーンが話題を呼んで、「トニーとジョー」などという曲まで作られた。早速、ソノシートと呼ばれたペラペラのレコード盤も買って、よく聞いたものだ。

シリーズ一作目『抜き射ちの竜』は、麻薬の禁断症状で息も絶え絶えの赤木の決闘シーンから始まる。赤木は細身のピッタリしたブルージーンズをまとって、よろけながらも銃を構える。そのジーンズ姿が実にかっこいい。〝抜き射ちの竜〟と呼ばれ、ブルージーンズをはいて相手を殺さずに肩を射ち、利き腕を失わせることで有名な男。麻薬密輸団のボスの用心棒となり、同業者の〝コルトの銀〟こと宍戸と対決するというストーリー。

この映画に刺激され、田舎少年、カントリーボーイの俺は、なんとか都会風な、いまで言えばシティーボーイに変身したくて、赤木がはいていたようなジーンズを買い求めようと決意した。ところがこのジーンズは、本場もの、つまりアメリカで作られたもので、とても長野市などで買えるシロモノではない、ということが判明。幸いにして、四歳上の高校生のいとこが川崎市に住んでいて、赤木圭一郎と同じジーンズをはいていたことに思い至った。すぐにどこで買えるのかを聞いてみると、上野駅に隣接する商店街、アメ屋横丁に行けば、新品より味わい深い中古のブルージーンズがよりどりみどり、山ほど売っているという。

こうと決めたら、絶対目的を果たす、という性格がここでも発揮されることになった。一人で列車に乗って、はるばる上野駅を目指した。父が国鉄職員、ありがたいことに乗車賃はタダである。あの当時、長野～上野間は、急行でも四～五時間かかったように思う。昼頃に上野駅に着いて、駅構内でパンを買って食べた。

「アメ屋横丁へ行きたいんですが、どう行ったらいいんですか」

「この駅の構内を出ると、大きな通りがある。その通りを渡れば、もうアメ横の店が並んでるから、すぐわかるよ。今日は日曜日で混んでるから、スリに気をつけなよ」

スリという店員の言葉を聞いて、改めて大都会にたった一人でやって来た孤独を感じたものだ。

アメ横に近づくにつれ、人、人、人。大混雑である。表通りでは魚などが売られており、目指すジーンズは線路下にズラリと並んだ、間口が一間半、奥行き二間半ほどの小さな店。その店に山のように陳列されていた。いずれも中古の、ユーズドのジーンズだ。

「えーいらっしゃい！　いらっしゃい！」

渋い声で店員が呼びかける。その声に圧倒され、どこの店に入ろうかと迷ってしまう。店員にすれば俺を見て思っただろう。

——田舎坊主がよくまぁ、一人でこの大都会へ…。

が、自らを叱咤激励《しったげきれい》した。

——この期に及んでどうした徹！　勇気を出せ！

おずおずと目の前の店に足を踏み入れた。待ってました、とばかりに店員がやってきて慣れた様子でピッタリのジーンズを数点選んでくれた。しかし、どれも丈が長過ぎる。三〇センチも切らねばならない。

——アメリカ人はなんて足が長いんだろう。

そう思ったものだ。店員は親切だった。丈を測ると、店の奥、その片隅にあるミシンで、身長が高くなっても大丈夫なように、やや長目に裾を切って縫ってくれた。せっかくなので、一本買った。値段は忘れたが、中古にしては高かった記憶がある。

アメ横にはジーンズ屋のほか、たくさんの店が並び、まるで祭りのようなにぎやかさだ。精巧なモデルガンや皮製のガンベルトを売る店、小林旭が『渡り鳥』シリーズで着ていた黒い革ジャンパーを売る店等々。同じ商品を販売する店が何軒も続いている。見るだけでワクワクするが、長居はしていられない。長野駅までは四〜五時間もかかるので、二時間ほどアメ横の店々を回って上野駅に向かった。

帰りの列車内では、買い求めたブルージーンズを袋から出してじっくりと眺めた。中古ジーンズには独特の美がある。両膝あたりの藍色が薄らいでやや白っぽくなっているその色合いがいい。ジーンズ全体もほど良く色落ちしていて柔らかく、はき心地も良いに違いない。このジーンズをはいた姿をイメージしながら列車に揺られていた。

当時の長野には、こうしたコットンのブルージーンズは売られていなかったので、そのうれしさといったらない。

もともと藍色のジーンズは、アメリカのカウボーイのユニホームのようなものだった。藍で染めたのには理由があって、猛毒のガラガラヘビが嫌う匂いがするそうな。それにコットンの織り方に工夫を凝らし、ジーンズは極めて丈夫で長持ちするように仕立てられている。このいわゆるブルージーンズは、労働着として作られたのだが、ジョン・ウェインの映画や、テレビドラマ『ララミー牧場』などによって、広く世界に知られるようになり、やがて若者たちのファッションとして人気を博すことになるのだからおもしろい。労働着がファッション化した珍しい例だろう。

この時以来、ジーンズにぞっこんほれ込んでしまい、七〇歳を過ぎたいまでも、普段着として、また舞台でのジャズ・ドラム演奏やハーモニカ演奏でも身につけている。最初はアメリカ製ジーンズだったが、日本でも作られるようになってからは、はき心地も良いので、いまは日本製ブルージーンズをもっぱら愛用している。特に好きなのがエドウィンだ。実にいいネーミングではないか。エドとは江戸、つまり日本をイメージしている。ウィンは勝つ、という意味の英語。つまり、本家のアメリカをしのぐ日本製のジーンズなんだと自己主張しているのが気に入った理由でもある。同じエドウィンのブルージーンズでも、やや色合いが異なるものや、デザインが違うものなど一〇本ほどを、日替わりで愛用している。ブルージーンズさまさまである。

このブルージーンズ偏愛ともいうべきルーツは、赤木圭一郎の影響なのである。『拳銃無頼帖』シリーズ二作目は『電光石火の男』である。異性に興味を持ち始めた頃で、女優へ憧れたという意味でこの映画は自分の記念すべき作品となる。「サユリスト」なる言葉さえ生まれたあの吉永小百合の日活映画デビュー作なのだ。吉永は昭和三五年春、都立駒場高校へ進学すると同時に日活へ入社し、ヒーローの赤木に心を寄せる少女として出演。

まだ一五歳で喫茶店のウエートレス役なのだが、初めて見る小百合の容貌と初々しい仕草にイチコロで参ってしまったのである。

同じシリーズの第三作『不敵に笑う男』は金沢が舞台だ。早射ちの竜（赤木）は出獄して恋人のいる金沢へ帰ってくるのだが、彼女はすでに事故で亡くなっていた。町では二つのヤクザ組織が対立、赤木は恋人の妹（笹森礼子）の安全と引き替えに一方のヤクザの用心棒になる。金沢へ向かう列車の中、赤木とコルトの謙（宍戸）の出会いが印象的だ。二人はこのシリーズの看板として絶大な人気となっていた。吉永小百合はこの作品にも赤木の妹役として出演、笹森礼子に次ぐヒロインとなり注目を集めつつあった。

吉永はこの映画のロケのため、上野駅から午後一一時発の夜行列車に乗ったが、初めての経験でなかなか眠れなかったそうだ。一〇日ほどのロケのため三〇〇〇円ほどの金を持参し、その金を二等寝台の三段ベッドの一番下段のシーツ下に隠して横になった。朝、洗面所で顔を洗い戻ってくると、財布ごと三〇〇〇円は盗まれていたという。茫然《ぼうぜん》としてロケ隊に合流した彼女に明るく声をかけてくれたのが、赤木と宍戸だった。しかし、事情を話してお金を貸してもらう勇気がなく、家に電報も打てず、電話もかけられないままだったという（関川夏央著『昭和が明るかった頃』）。

そんなこととは露ほども知らずに、華やかな映画業界はさぞかし楽しい世界なんだろうなと、吉永を見ていた。考えてみれば、一五歳で社会に出て大人たちと仕事をこなしていたのだ。勤労女子などというイメージはまったく持てなかった。事実、小さい頃から吉永家の家計を支えていたのは彼女だったのである。その吉永小百合と五～六年後に同じ大学に入学し、学部は違うが同期生となることなど、当時中学生の自分には想像もできなかった。

その吉永小百合は赤木について、「初デビューの時、ウエートレス役でコーヒーを出した時、映画スターという星が、これほどまぶしいものだとは知りませんでした。私の二メートル先にいる赤木さんは、同じ人間でなく、神様のように見えました」（吉永小百合著「夢一途」）と述懐している。

赤木圭一郎は、『拳銃無頼帖』シリーズ四作目『明日なき男』のほか、『霧笛が俺を呼んでいる』でも主演。主題歌も歌い、石原裕次郎、小林旭とともに日活の看板スターとして成長した直後、大悲劇に見舞われたのである。

昭和三六年二月一四日、昼休みに撮影所内をゴーカートで乗り回していた時、鉄扉に激突して、意識不明の重体となってしまったのだ。『激流に生きる男』の撮影一〇日目のことであった。慈恵医大病院に入院、事故の七日後の二月二一日朝、二一歳の若さでこの世を去ったのである。

中学二年生だった俺の日記にも、赤木の事故と死亡については記されている。

二月一五日（水）雪

日活三大スターの一人の赤木圭一郎が、自動車事故で重体、脳内出血で命が危ない。俺はこの新聞を読んであせった。絶対死ぬな。しかし、死ななくても、映画には再びでられないであろう。悲しいことだ。

二月二一日（火）晴

夜、兄さんが「徹、驚くな、赤木圭一郎が死んだぞ！」と言った。俺はガックリきた。両兄貴も悲しがっていた。俺も、もうあの豪快な笑い方して、男らしい赤木圭一郎がこの世にいないと思うとさみしい。

二月二四日（金）晴

夜九時からテレビで「赤木圭一郎特集」を放送した。これを見て、俺は泣きたいような感じがした。あの豪快な笑い顔は、一生忘れることができないであろう。

赤木の死以後、長野市内の映画館で彼の映画が再上映も含めて、何回か上映された。『錆びた鎖』は赤木入院中の二月一八日に、『明日なき男』は三月一〇日、『俺の血が騒ぐ』と『紅の拳銃』は四月九日、『霧笛が俺を呼んでいる』は六月一日、『男の怒りをぶちまけろ』は六月一九日、そして六月二二日はテレビで放送された『思い出のトニー』を見ている。そして夏休みの七月三〇日、『抜き射ちの竜』と小林旭の『風に逆らう流れ者』を、二番館の七瀬映画劇場で見てから、三日後に後述する戸隠キャンプに出かけたのであった。

赤木圭一郎が日活に入社したのは、昭和三三年、第四期ニューフェイスとしてであった。初めて撮影所に姿を現わした時、誰もが〝スター〟という言葉を思い浮かべたという。石原裕次郎の登場以来のことだった。商船大学の入試に失敗して、成城大学に入学して一年目であった。

「拳銃を構え股《また》を開いて立つと、実にスマートだった」

小林旭の言葉通り、入社一年半後の昭和三五年の初頭から、あれよ、あれよという間に日活の屋台骨を支える大スターに成長したのであった。日活での出演作総数は二四本、主演作は一三本であった。

六〇年安保闘争と厄介な国際関係

赤木圭一郎が大活躍した昭和三五年（一九六〇）はいわゆる六〇年安保と重なり、戦後もっとも激しい政治闘争に突入した年となった。戦後世界を二分したアメリカとソ連の対立は日本にも大きな影響を与えた。日米安全保障条約改定を推進しようとする保守派と、これを阻止しようとする革新派の対立は、学生をも巻き込んだ大闘争となった。この年の五月から六月にかけて、都心を中心に大規模な反対デモが繰り広げられた。

当時は田舎の中学生だったが、赤木圭一郎や小林旭の映画を見にいき、ニュース映画でその激しいデモの映像をたびたび目にしたものだ。全学連なる言葉もラジオニュースでしばしば語られていた。

大衆運動がもっとも盛り上がった六月一五日には国会周辺のデモシーンを取り込んだ映画が翌年日活で作られるほど、国民的関心を呼んだ政治闘争だった。その映画は昭和三六年一月、志賀高原のスキー場で複雑骨折をして休養していた石原裕次郎の再起作『あいつと私』である。思春期の入り口に差しかかっていたので、都会の大学生を描いたこの作品をまぶしい思いで見た記憶がある。

この映画は当時の流行作家、石坂洋次郎の同名小説の映画化であるが、いかに日米新安保条約が国民的関心を集めていたかをうかがわせる。

しかし、六〇年安保闘争は、六月一五日をピークにして、あっという間に終息に向かった。保守陣営である自由民主党はこの年一一月の総選挙で安定政権となり、池田勇人内閣は所得倍増政策を掲げ、日本は高度経済成長時代をまい進することになる。

あの安保騒ぎは、一体なんだったのか。安保条約改定の条文すら読まずに、反対闘争に加わった学生が大半だった、と後になって知った。言葉を失った。まさに付和雷同《ふわらいどう》的なカラ騒ぎと言われても仕方ない。こういった輩《やから》が、社会を大混乱にさせるのだ。その後も現在に至るまで、この種の付和雷同人間がのさばっている現状に閉口せざるをえない。

あの六〇年安保闘争で明らかになったように、アメリカの自由陣営を支持する保守層と、共産党の一党独裁であるソ連の陣営を支持する左派革新層は以後もことあるごとに対立し、世界の東西冷戦が、日本にも大きな影を落とし続けた。まったくもって、迷惑な話だ。おかしいではないか。両国は、日本を共通の敵として戦った連合国の仲間同士だったのではなかったのか。国家というものの厄介なところ、不可解なところである。

不可解と言えば、日本の保守層も左派革新層も、これまでほとんど問題にせず、いまもしていないが、そもそもソ連は第二次世界大戦の正真正銘の戦勝国であったのかどうか、ということだ。戦後、そしてソ連崩壊後の現在も、ロシアは戦勝国として振る舞ってはいるが実は、ソ連は第二次世界大戦の開戦に深く関与していたということをご存じだろうか。

「えぇー⁉ 第二次世界大戦は、ドイツのヒトラーによるポーランド進撃で始まったんでしょう」

その通りなのだが、ドイツとともにポーランドに進撃した国がもう一国あったのである。ソ連である。極めて重要なので、ぜひ歴史の真実を知ってほしい。すでに戦後の巡回映画に関連し、アメリカの身勝手さを批判したので、ここではソ連の欺瞞《ぎまん》を知ってほしい。

第二次世界大戦は一九三九年九月一日、ドイツのヒトラーによるポーランドへの電撃作戦で始まったとされている。そのドイツとともに同じポーランドに進撃したのがほかならぬソ連なのだ。ソ連は前月にドイツと条約を締結しており、その条約に基づいての侵略であった。ドイツは瞬く間にポーランドの西半分を占領、ソ連も一七日には東ポーランドを占領してしまった。ポーランド人にとってはたまったものではない。わずか半月余りの間に、自国がドイツとソ連に分割されてしまったのだから。さらにソ連は一一月、フィンランドに侵入、翌昭和一五年六月には、フィンランドの南、バルト海に面しバルト三国と呼ばれている小国、エストニア、ラトビア、リトアニアにも軍を進め、この三国をソビエト連邦に組み込んでしまったのである。やることがひどい。

国際連盟はこうした暴挙を看過できず、ソ連を除盟処分にしてしまう。当然であろう。ところがドイツは、条約を破りソ連軍を奇襲するという驚きの行動に出たのだ。昭和一六年六月のことである。かくして独ソ戦が始まった。

そして独ソ戦の六か月後の一二月、アメリカによる経済封鎖で追いつめられた日本はとうとうハワイの真珠湾攻撃を挙行、対米戦に突入してしまう。すでに日本はドイツ、イタリアと三国同盟を結んでいた。アメリカにとって、日本もドイツも敵国である。アメリカは敵国ドイツと戦っているソ連は、〝敵の敵は味方〟という論理で、ソ連に大規模な軍事援助をする。世界大戦のきっかけを作り、他国を侵略し、国際連盟から除盟されたソ連に対してである。

結局、ドイツは日本、イタリアとともに敗戦国となる。そのドイツと戦火を交えたという理由だけで、ソ連は大手を振って、戦後世界に君臨することになるのである。これではマッチポンプそのものではないか。自分のマッチで火をつけて火事を起こし、自分のポンプで水をかけて火事を消し、わが国は立派なことをした、と胸を張っている。そのうえ、火事場泥棒的なこともやって恥じるところがない。降伏し、武装解除した日本に対し、戦争が終結したにもかかわらず武力侵攻して、北方領土を占拠、六〇年以上経ったいまでも居座り続けている厚顔無恥さ。ソ連崩壊後のロシアもそのＤＮＡはまったく変わっていない。これも、勝てば官軍ということなのだろうか。

誠に国家は、特に大国は腹黒い。しかも、勝った勝ったと大手を振っていた大国のアメリカとお仲間のソ連は、こともあろうに、戦いが終わるか終わらぬうちに、敵対関係になり、世界を二分した東西冷戦時代の主役になるのだから、いやはや国際政治というものは厄介なものである。

しかしこれだけは言える。六〇年安保で日本の国論が割れたとはいえ、日本がアメリカの自由陣営に属していて良かったと。だって好きな映画も音楽も、自由自在に楽しむことができるのだから。

こうして文章も自由に書けるのだから。

結局、ソビエト連邦は二一世紀まで持たなかった。平成三年（一九九一）に崩壊してしまったのである。因果応報と言うべきか、自業自得と言うべきか。

ところが旧ソ連のDNAはいまもしっかりとロシアに受け継がれているのである。

令和三年（二〇二一）、ロシアはプーチン大統領の主導によって第二次世界大戦に関する旧ソ連とナチス・ドイツの行動を同列に扱うことを禁じる新法を発効させたのである。

第二次世界大戦のきっかけが、ナチスとソ連の密約にあったとの事実を封じ込め、ソ連を「ファシズムからの解放者」「偉大なる戦勝国」とする国定史観の徹底を図るためである。

法律を作ってまで過去の事実をねじ曲げるロシア。ロシアのこの行為こそが、彼らにとって不都合な真実は歴史の事実であることを雄弁に物語っているのではないか。

いやはや、腹黒い国家は変わらない。

そして令和四年二月二四日、そのプーチン大統領はこともあろうに隣国ウクライナに軍事侵攻を命じ、ロシア軍は無差別攻撃を始めた。それもプーチン大統領自身が、歴史的にも社会的にも兄弟国と言っていた同胞のウクライナにである。

翌月の三月四日、世界はさらに驚くべき事態に直面した。なんとウクライナ南部にある欧州最大級のザポリージャ原子力発電所に砲撃を加えたのである。これにより火災が発生、放射線量や安全性に直ちに問題はなかったが、かつてチェルノブイリ原発事故で近隣国も含めて大惨事を引き起こしたにもかかわらず稼働中の原発を攻撃するという蛮行に世界中が震撼した。

これらの所業を見るとプーチン大統領は狂っているとしか思えない。ウクライナの人々は故郷を逃れ、他国に避難民として流入し大混乱に陥っているのだ。

こうしたウクライナ侵攻は日本にとっても対岸の火事ではない。日本海の対岸には、ロシアと相似形、瓜二つの国が二か国も存在しているのだ。北朝鮮と中国である。

前者の独裁者は、中世でもあるまいに金王朝三代目を世襲、ウクライナ危機の最中でも複数回にわたってミサイルを日本海に発射してはばからない金正恩総書記。後者はウクライナ侵攻の直前におこなわれた北京冬季五輪開会式に、侵攻命令を下した張本人であるプーチン大統領を迎え、平和の祭典と言われるイベントを最大限に政治利用したばかりでなく、ウクライナ危機の最中に開催された全国人民代表大会で前年度比七・一パーセントにものぼる国防費を増額し、さらなる軍事大国を目指す独裁者、習近平国家主席である。

戦後七五年以上、平和を享受してきた日本には、こうした弱肉強食さながらの国際情勢を直視しようとせず、平和を唱えさえすれば戦争が起こらず、平和が実現すると錯覚している人たちが少なからずいる。反戦や平和の表明は大事ではある。しかし、それだけでは独裁者の横暴は阻止できない。この事実はウクライナ侵攻だけでなく、数々の歴史的事実が証明しているではないか。

他国による軍事侵攻を思い留まらせ、戦争を未然に防ぐにはどうしたらいいのか。それには外交努力はもちろんだが、侵攻してきた国にそれ以上の被害を与えるぞという、いわゆる軍事的抑止力が欠かせない。日本の地政学上、いまこそ真剣に抑止力を検討し実行に移さねば明日はわが身になりかねない。

それにしてもである。ロシア、北朝鮮、そして中国、これら三国の独裁者がなぜかくも長きにわたってトップに君臨し続けられるのだろうか。かの国々の政治風土はどうなっているのだろうか。とりわけ独裁者本人とその独裁者に唯唯諾諾《いいだくだく》と付き従っている側近者たちの精神構造はどうなっているのか。病理学的見地から分析が必要なのではなかろうか。今後、狂気の独裁者がこの地球上に二度と出現しないためにも…。

一人の独裁者の狂気が引き起こした今回の横暴極まりない侵攻だが、本書が出版される頃にウクライナやヨーロッパ、そして世界がこの事態にどう対処しているのだろうか。深い憂慮とともに一縷《いちる》の望みを抱きたいのだが…。

ハプニング続きの戸隠キャンプ

男の旅立ち、なんていうとやや大げさかもしれない。少年時代に親や先生つまり大人の庇護《ひご》のないところで過ごす、それが二日三日でもいい、そんな体験は生涯忘れられない。

当時はそんな気負いもなかったがあの時が一人の男として、人生の第一歩を踏み出したんじゃないだろうか、と思う出来事があるのではなかろうか。かっこ良く言うと、少年から男への旅立ちの第一歩である。その男への旅立ちの背を強く押したのが、自分の場合は小林旭の映画『渡り鳥』シリーズであった。

「知らぬ他国を流れ流れて…」

ギター片手に馬に乗り歌を歌いながらどこへともなくさすらう旭の『渡り鳥』シリーズに強く憧れた。映画の中では拳銃による決闘シーンが必ずある。拳銃にも興味がわき、おもちゃのピストルも小遣いを貯めて購入した。馬にも乗ってみたくなった。そしてなにより、毎日毎日、親兄弟と一緒に暮らしている日常生活から離れ、二、三日でいいからまったく別世界で過ごしてみたい、という願望がムクムクと心にわいてきた。とはいえまだ中学三年生、親の許可がなければ夢はかなえられぬ。さあどこがいい、どうしたら許してもらえるだろうか。一人旅もいいが、三日も泊まり歩くとなると、親も心配して許可は出ないだろう。まだ成熟しきっていない脳細胞をフルに使って考えに考えた末に達した結論は、クラスの友人を誘い、夏休みを利用して戸隠キャンプ場へ行くことだった。これなら親も承諾してくれるに違いない。案の定、親からＯＫが出たのは中学三年生の七月上旬であった。

――早速準備に入る。誰を誘っていくか。

通っていた長野市立南部中学校の生徒数は尋常でない数だった。団塊世代なので、日本中どこの中学校も同じ状況だった。一年生に入学した時は、一クラス五〇人で一三クラス、一学年だけでざっと六五〇人の生徒がひしめきあっていた。二学年の時、長野市では裾花中学校が新設され、生徒数は半減して六クラスとなった。が、新たに入学した一年生は八クラス、四〇〇人だ。昼休みの運動場は生徒でいっぱい。雨の日の体育館はまさにイモを洗うような混雑ぶりであった。

中学生時代は、クラスメート以外の交流はそれほどない。そのためキャンプに一緒に行くとなるとクラスの男子生徒二十数人の中から選ばねばならない。できたら日活映画に興味がある級友がいい。当時は映画館に出入りするような生徒は不良扱いされていた。であるから、俺なんぞはクラスでも指折りの不良、ワルと見られていたに違いない。でもワルと言われようが、まったく気にしなかった。むしろ、優等生面《づら》して、先生に気に入られるような生徒には金輪際ならぬ、と心に決めていた。これは中学生時代の美学でもあった。おそらくこの美学もいまにして思えば映画、それも日活青春映画の影響からだったのであろう。

日活映画で盛り上がるクラスの仲間数人に、計画を持ちかけた。幸いＫ君、Ｔ君、Ｍ君の三人が話に乗ってきた。日程を協議し、早速キャンプ場に予約を取らねばならない。二泊三日のキャンプでなにが必要なのか、食料はどうなのか、行きのバスは何時で、どこに集合するのか、言い出しっぺの俺がすべて段取りした。親が、先生が、大人がまったく介入しない、初めての男だけの旅。三日間にわたる、自由気ままな男の旅である。胸は高鳴った。

その男の旅立ちは、昭和三六年（一九六一）八月二日水曜日からであった。当初は四人の旅の予定だったが、M君が風邪をひいてしまい前日にキャンセルとの電話があり、三人旅となった。ルンルン気分の当日の朝、待ち合わせ場所の長野駅へ行った。バスの発車は九時半、K君は定刻までに来たが、T君が来ない。いまのように携帯電話がない時代、彼が来るまでひたすら待った。待つこと五〇分、ようやくT君が現われる。

「歯が痛くて、準備が遅れちゃってゴメン、ゴメン」

M君のキャンセルといい、T君の遅刻といい、物事は予定通りに進まないことをまず学ぶ。服装は三人とも、日活映画の影響でジーパン姿だった。かっこいい写真を撮ろうと思ったからだ。日本の若者たちが、ジーパンをはき始めたのも、日活青春映画全盛期の昭和三〇年代からである。中学生でジーパンをはく生徒は、映画館に通う生徒と同じく、不良と呼ばれていた。

長野駅から戸隠キャンプ場行きのバスに乗った。マイカー時代ではない。夏休みとあって、親子連れの客も多く、混んでいた。

ところが、ここでもまたまたハプニングが起きた。バスのタイヤがこともあろうにパンクしたのである。中村メイ子の歌のようだ。

「田舎のバスは、おんぼろバスで、タイヤは継ぎだらけ…」

まさか継ぎだらけのタイヤではなかったのだろうが、舗装はしてないし、山道で狭く、石コロだらけの道である。それこそ歌のように凸凹道をガタガタ走り、あげくの果てにパンクしてしまったのだ。どうやら、タイヤのはき替えがうまくゆかなかったらしく、乗客は次のバスが来るまで待たされる羽目になってしまった。ここでもまた、物事は予定通りに進まぬことを学ぶ。

それでもお客は文句も言わず、次のバスが来るまでおとなしく待った。歌詞のように、車掌さんが美人かどうかは覚えていない。一時間ほど待って、次のバスがやってきた。そのバスもそこそこ混んでいた。そのバスに、パンクしたバスの乗客全員が乗り込んだのだから、その混雑といったらない。冷房などという装備もない。真夏の車内はムンムンムレムレ。が、乗客からは大きな不満も出なかった。万事人々は、我慢強く、のんびりとしていたいい時代であった。

目まいがするほどの人いきれのするバスに揺られ揺られ、戸隠の中社に到着。予定より、二時間も遅れてしまった。中社からキャンプ場まで歩くことにし、大自然の新鮮で涼しい空気に触れてシャキッとした。が、T君はバスを呪《のろ》って言った。

「歯が痛くてしょうがねえ。あんな暑いバスん中で、よけい歯が痛くなっちまった、チクショー」

すでに午後一時を過ぎている。腹が減ったので、俺とK君は持ってきたおむすびを食べながら歩いた。T君は気の毒にまだ歯が痛くておむすびどころではなかった。

キャンプ場へ歩いていく途中、またしてもハプニングが起きた。キャンプ場の入り口付近で腕時計を拾ったのだ。この腕時計がもとで、とんでもない刺激的な体験をすることになるのだがそれは翌日のこと。当時、腕時計は極めて貴重なものだった。自分が初めて腕時計を持てたのは、大学受験に合格して、両親からプレゼントされてからだった。

「おい、どうするこの腕時計。俺たちのものにするには、ちょっと高価過ぎるよな」

「それもそうだなあ。でも、この時計を警察に届けるたって、警察署なんかねえぞ」

思案しながらキャンプ場に向かうと、テントやバンガローで泊まる客の受付小屋が目に入った。

「受付係の人に届けようぜ。俺たちと同じように戸隠キャンプ場に来た人が落としたと思うんだ。きっと困ってるはずだから」

俺たち三人は不良呼ばわりされていたが、それほどワルではなかったことは、この一事でもご理解いただけるだろう。

受付小屋は茶店も兼ねていた。拾った腕時計を正直に届けたことで、係の若い男は好感を持ったようで、テント泊まりの説明やキャンプ場内の注意点などを気さくに話し、毛布も貸してくれた。そこで彼のことは「毛布課長」と呼ぶことにした。

そうこうしているうちに、雨が降りだした。テントに入るのは雨が止んでからにした。

Ｔ君の歯痛は相変わらずのようだった。

「歯が痛くて、熱いお茶が飲めねえ。のどが渇いてるが冷めるまで待たなきゃなんね」

それを聞いた毛布課長が親切にも、痛み止めの薬を無料でくれたのだ。このことで毛布課長により親しみを感じた。その毛布課長の笑顔は、あるスターを思い出させた。

「俺、日活映画好きでよく見るんですけど、二谷英明さんに似てますねえ」

「君ら、中学生なんだろ。日活映画を見てるんだ。そうかい、二谷英明に似てるなんて初めて言われたよ」

毛布課長、まんざらでもなさそうだった。それもそのはず、毛布課長も日活映画をしばしば見ているというので、会話はいっそう弾んだ。

「小林旭が馬に乗ってるシーン、大好きなんです。馬に乗ってる写真を撮りたいんですけど、そういうことってできますか」

「戸隠牧場には牛はいるけど、馬はいないんだよ。残念ながらそりゃ無理だな」

この旅の目的のひとつは無残にも消えた。がっかりしたが、ジーパン姿のかっこいい写真は撮れるはずだ。

「おもちゃのピストルを持ってきてるんです。牧場の柵の前で、ピストルを撃ってるような写真を撮りたいんですけどいいですか」

「やっぱりピストルに興味があるんだ。火薬の玉を鳴らすと、牛が驚くのでそれはダメだけど、音を出さなければ大丈夫だよ。どんなピストルなの？　ちょっと見せてくれないかな」

通信販売で購入した黒色のプラスチック製ピストルをリュックサックに忍ばせていた。そのピストルを毛布課長に見せた。コルト・ピースメーカーをモデルにした六連発のリボルバー（回転式）拳銃だ。毛布課長もピストルに興味があり、話がさらに盛り上がった。

それにしても拳銃にピースメーカーとはいかにもアメリカ人らしい命名ではないか。殺傷能力が極めて高く携帯にもってこいの武器を、〝ピースメーカー〟つまり平和創造者と名付けたのだから。

ピストルに興味を持った中学生時代から五〇年後、回転式六連発のいわゆるコルト・ピースメーカーを発明したサミュエル・コルトが生まれたアメリカの地を訪れることになるのだから人生はお

脚の長さを強調している中央が武田

もしろい。

平成二八年（二〇一六）一〇月、あのトランプ大統領が登場する直前、岡谷・諏訪地方で興隆を極めた生糸産業の歴史をテレビ番組にするため、大正八年（一九一九）、諏訪にある片倉工業の今井五助らも訪れたアメリカのパターソンに足を運んだ。首都ニューヨークの北に位置するニュージャージー州パターソンは、アメリカにおける産業革命の先進地。今井の訪米に先立つ明治九年（一八七六）、すでに日本の製糸技術者たちは、産業新興都市だったこの地を訪れ、紡績工場などを視察している。この街で蒸気機関車も製造された。一九一四年（大正三）に完成したパナマ運河の工事で中心的な役割を果たした地域でもある。パターソンには大きな歴史博物館があり、そこにサミュエル・コルトが発明した拳銃もたくさん陳列されていたのである。生糸産業がもたらした様々な技術は、拳銃という武器をも生み出していたのだ。

さらにアメリカ取材で訪れたコネチカット州マンチェスターでも同じような生糸産業と武器の関係を知った。一八六〇年代、日本で言えば幕末から明治の初期にかけて、マンチェスターのチェイニー・ブラザーズ社は、全米第一位の紡績会社となっていた。経営者のフランク・チェイニーは、江戸末期はるばる日本にもやってきて、日本の絹は世界最高の品質だと太鼓判を押した。彼のこの称賛が日本の絹の世界における地位を高め、日本からアメリカへの輸出が増え、明治から昭和初期にかけて岡谷・諏訪地方の生糸産業を飛躍的に発展させたのである。いわばフランク・チェイニーは、日本の生糸産業の大恩人と言ってもいい人物なのだ。そのチェイニー・ブラザーズの大繁栄時代に建てられた赤いレンガ造りの巨大な建物が幾棟も整然と残されていた。工場はとっくに閉鎖され、現在は市民のアパートや公共施設に使われている。

この一族であるスペンサー・チェイニーが六連発銃の開発者である。彼はリンカーン大統領の側近の軍人と親しくなり、南北戦争ではいわゆるスペンサー銃を大量に北軍に売りつけ、北軍勝利へと導いたのだ。

さらにスペンサー銃は日本にも大きな影響を与えることになる。南北戦争後、使われなくなった大量のスペンサー銃は、長崎のグラバーによって幕末の日本に輸入される。そのグラバーと交渉した坂本龍馬は、これらの銃を薩摩藩と長州藩に売りつけ、明治維新を迎えるのだ。

生糸と銃を巡る、日米の奇妙な関係である。一方、岡谷・諏訪地方で繁栄した生糸産業は、その後精密機械工業へと受け継がれ、この地域の産業として発展、現在のエレクトロニクスへと至るのである。

マンチェスターにも歴史博物館があり、そのスペンサー銃が何丁も展示されていた。

――少年の頃に日活映画を見て、ずいぶん銃に興味があったよなぁ。

遠く太平洋を隔てたアメリカの博物館で銃の展示を見て、まさか中学時代のことを思い出すとは思ってもみなかった。

さて、戸隠キャンプである。

ピストルを構えた写真を牧場入り口で撮るというこの旅の目的のひとつは、毛布課長の言によって実現可能であることがわかった。

このピストルを巡る毛布課長との対話、そして例の拾って届けた腕時計がもとで、翌夜に信じられないような体験、願ってもない幸運が訪れようとは想像もできなかった。

夕方近くなって雨も止んだ。

戸隠牧場の入り口へ通じる道の両側に、いくつものテントが張られていた。それらのテントの奥、林のあちこちにはバンガローが点在している。バンガローは居心地がいい分、使用料金が高い。俺たち三人が二晩にわたって過ごすのは、当然料金の安いテントである。

毛布課長の案内でリュックサックを背負いテントに向かった。

「牧場に牛がいるだろう。あの牧場の後ろに、天気がいいと戸隠連峰が見えるんだが、今日は霧で見えないな」

「小学校五年生の時、学校でキャンプに来たんで知っています。鋸《のこぎり》の歯のようにギザギザの峰が続いてて、すげえ山だと思いました。あの時も晩ご飯はみんなで飯盒《はんごう》炊さんしたんです。小川の水でご飯を炊いたんですが、いまも川の水は使えるんですか」

「いまは水道も完備してるし、食器洗いもその水道を使ってやってもらうことになっている。戸隠高原もあちこちに宿泊施設が建てられてきたので、もう川の水でご飯を炊くのは無理だよ。どうしても川の水にこだわるんなら、腹痛を覚悟してやってもいいけど。腹痛と言えば、君の歯が痛いのは治ったかい」

毛布課長はT君に話を向けた。

「あっ、忘れてました。歯が痛かったのを。あの薬のおかげです。ありがとうございました」

T君が元気に答えた。いつの間にかT君の歯痛は治っていたようだった。T君もK君も俺も、長野市立芹田小学校の出身だった。五年生の時、小川の水で飯盒炊さんをした二泊三日の戸隠キャンプを体験している。あれからわずか四年で、牧場近くを流れていた小川の水質は、開発によって悪化していたのだ。が、中学になった俺は、というより日本の誰もが、環境汚染など考えてもいなかった時代。レジャーなどという言葉もあちこちで使われ始めたのも中学生になってからだ。自然開発に反対する世論もまったくなかった。むしろ自然は開発すべきものと多くの人たちが思っていた。もしもあの頃、日本の山村や山里、高原などの小川で水が飲めたあの頃の水質が、いまも保たれていたならば、日本列島そのものが、間違いなく世界遺産に登録されていることだろう。信州で自然保護が叫ばれるようになったのは、この時から三十数年後の長野冬季五輪以降である。

炊事場の周りのテントでは、すでに夕飯の支度が始まっていた。

「君らのテントはここだ。注意事項は守ってくれよな。ランプの火の扱いには気をつけてな。じゃ、楽しくやれよ」

張られたテントの周囲には、雨水が内部に入らぬよう浅い溝が掘ってあった。さらに、テント内部の土の上には、スノコ板が設置され雨対策はバッチリだった。

借りた毛布を床に敷き、三人が二泊する住まいを整えた。

夕飯を作るため薪に火をつける。さすが戸隠高原、真夏といえども夕方は肌寒いくらいの涼しさだ。焚き火の炎がありがたい。協力しながら飯盒で飯を炊き、定番のカレーを作った。焚き火にあたりながらの晩飯はうまかった。T君の歯痛もすっかり治ったようで話が弾んだ。いつまでもそうしてたかったが、薪は有料である。以後も何食か作らねばならぬので、早々にテントに入り、ランプの明かりを頼りにトランプ遊びに興じた。ランプの照明は、なぜか俺たちを興奮させた。

「ランプ生活なんて映画の西部劇みてえだな。ババ抜きなんて、ガキのやるトランプだ。西部劇でよく見るポーカーをやろうぜ」

ポーカーのルールを知っていたので、二人に教えてキャラメルを賭けた。ワン・ペア、ツー・ペア、スリーカードぐらいにはなるが、フルハウスは難しい。

「一番高い位が、ローヤルストレートフラッシュというやつだ。これがなかなか揃わねぇんだ。テレビで『パラディン』という西部劇をやってるだろう。リチャード・ブーンがやってる西部劇だよ。

そのパラディンが、時々ローヤルストレートフラッシュを出して勝つんだ。これがかっこいいんだ」

この頃には、俺の家にも彼らの家にもテレビが入り、盛んにアメリカで作られた西部劇が放送されていた。『パラディン』『ライフル・マン』『幌馬車隊』『ブロンコ』、そして『ララミー牧場』等々。当時は西部劇も大好きだった。映画『黄色いリボン』とは違って、モノクロだったが。

ポーカーに勝ったか、負けたかは覚えていない。どこかのテントの周りでは、花火を楽しんでいるのか、パン、パン、パンという音が聞こえたり、焚き火を囲んで歌を歌ったりしているグループもいた。

ポーカーにも飽きて、三人は毛布にもぐり込んだ。この日一日をずいぶんと長く感じながら深い眠りに落ちていった。

戸隠キャンプ二日目の大事件

戸隠牧場は小鳥のさえずりから夜が明ける。テントを張った木立の中は、小鳥たちの楽園でもある。空気が澄んでいるせいか、さわやかに響き渡る。

食事作りも結構楽しい。飯盒《はんごう》でご飯を炊き、サラダを作った。これだけでは寂しいので買ってきたサバの缶詰を切る。三人とも食欲は旺盛。飯盒も皿に盛ったおかずも瞬く間に空になる。中学三年生は食べ盛りである。

Ｋ君は身長、体重ともに三人の中ではもっとも勝っていた。街にあるコンクリートの集合住宅の官舎に住んでいた。当時コンクリートの建物は、モダン住宅でもあった。父はサラリーマン、母は専業主婦で一人息子だった。俺とはまったく逆の品行方正の坊っちゃんタイプである。一度だけ彼の家へ泊まりにいったことがある。モダン住宅の内部は、きれいな部屋ではあったが意外に狭かった。Ｋ君の部屋は四畳半、大きな声で話もできず、夜は二人分の布団を敷くのがやっとで閉口した。自分は田舎の家なので、離れの部屋もあり、友人が数人泊まることもしばしばだった。親に干渉されず、夜遅くまで起きていてもまったく問題なかった。

Ｋ君は、なりはでかいのだが、やや運動神経が鈍かった。バスケットボールのランニングショットをする時の足の運びと、ボールを受け取るタイミングがよくわからないと、しばしば聞いてきた。それでいてテニスクラブに入部して、そこそこ活躍していた。それが不思議だったが、正直な性格で好感が持てた。

「アルキメデスの原理の問題がよくわからないんだけど教えてくれない」

しばしば休み時間に教科書を持っては聞きにきた。クラス仲間に教えてくれ、などとそうできることではない。その問題で苦労したポイントを示しながら説明したものだ。

俺はワルだったが成績は良い方だった。あの頃の高校入試は九科目もあった。クラスには秀才タイプの男が一人いて、どうしても彼を抜くことができなかった。彼はワルでもなく、教師のお気に入りでもなく、中学三年生にしては妙に大人びていて日活映画など見るタイプではなかった。そのうえスポーツはからっきしダメだったので、成績で負けても、さほど気にはならなかった。そこへゆくと、K君はスポーツや映画にも興味があり、良き話し相手でもあったのだ。しかし、彼の家で一泊してから思ったことがある。もう中学三年生、高校入試も迫っている。両親は品行方正な息子が俺のようなワルと付き合っていることに、内心は心配しているのではないか、ということだ。そして、戸隠キャンプをよく許してくれたものだ、と。それとなく聞いた。

「K君は一人息子だろ。俺もT君も兄弟がいる。K君の親は、今回のキャンプを心配してるんじゃねえのか」

「全然大丈夫！　兄弟がいないからこそ、こうやって友だちとキャンプ生活したかったんだよ。親が反対しようが、こんなチャンスめったにないもの。親もわかってくれたんだ」

その言葉を聞いて安心した。

三人の中で一番小柄なT君は、俺と同じように田舎の集落に住んでいた。中学時代から眼鏡をかけた愛嬌者で、クラスの誰からも好かれていた。誰かを押しのけようとか、誰かの上に立とうという競争心を出さぬタイプだった。クラスでは目立たなかったが、潤滑油のような存在で、彼がいると座が丸くおさまることが多く、貴重な存在だった。

自分はと言えば、やりたいと思ったことは相当な困難があっても、あれこれ工夫をしながら、やらなければ気がすまない、という性格だった。だから校則などはほとんど気にしたことがなかった。それに、教師に気に入られたいと思ったこともまったくなかった。なので、教師お気に入りの、いわゆる良い子、なかでも教師に好かれたいがために、やりたいこともやらずに我慢しているような奴はむしろ軽蔑していた。だからお勉強ができて、教師お気に入りの良い子から見たら、俺なんぞは校則破りの不良生徒でロクなもんじゃない、と思われていたに違いない。

家庭環境はもちろん、性格も体格も違う三人だったのだ。

そんな俺たちのテントからもっとも近いバンガローに泊まっていた同じ三人組の大学生がいた。当時、大学生の数は非常に少なかった。住んでいた南俣でも、大学生は三軒隣の信州大学の学生が一人、精米所の明治大学の学生ぐらいなものだった。

昭和三〇年代、中学を卒業してすぐに就職する者も少なからずおり、上京して都会で働く彼らは、

〝金の卵〟などと言われていた。高校進学が可能なのは、恵まれた家の子どもたち、ましてや大学進学など選ばれた者だけという時代だった。

そうした大学生にも興味があった。これも映画の影響が大きい。東宝映画、団令子、山田慎二主演の『大学のお姐ちゃん』や、日活映画で赤木圭一郎主演の『大学の暴れん坊』を見て、大学生に憧れを抱くようになっていたからだ。高校生になって加山雄三の『若大将』シリーズを見てからは、ますますその思いが強くなるのだが、それは後のこと。

この日、たまたまバンガローに三人組の大学生と、例の毛布課長のいる受付小屋で顔を合わせたのだ。その中の一人が、当時デビューして人気者になっていた歌手の佐川満男に似た都会風のマスクをしていた。大学生などと話したことは一度もない。いいチャンスだと思い、昨日の毛布課長へのアプローチと同じ手を使った。

「あのー、俺、歌謡曲が大好きなんですけど、『無情の夢』歌っている佐川満男によく似てますね」

案の定、乗ってきた。アプローチ成功である。

「えっ！ 僕のこと？『無情の夢』知ってんの。あれはリバイバルソングで大人の歌だよ。驚いたなぁ。君たちいくつなの？」

「中学三年生です。昨日からここのテントに泊まってるんです」

「中学生だけで泊まってるんだ。で、どこから来たのよ」

「長野市です。夏休み中なんで、クラス仲間の三人で、二泊三日で来たんです」

するとその大学生が仲間の一人に向かって言った。

「おい長田、この中学生、君と同じ長野市に住んでるんだってよ。僕、やっぱり佐川満男に似てるんだ。彼らもそう言ってるじゃないか」

まんざらでもなさそうな佐川大学生、タバコを吹かしているもう一人の大学生に声をかけた。

「君たち長野市の中学生だって。で、どこの中学校？」

「南部中学です」

「えっ！　南部中学！　俺の母校だよ。驚いたねー。こんなこともあるんだ」

これをきっかけに、生まれて初めて憧れの大学生、それも都会の大学生と親しく話をする機会を持ち、さらにその大学生の一人と、長い長いお付き合いをすることになるのだから、人生はなにが起こるかわからない。

三人は学習院大学に通っていて、やはり、夏休みを利用してこの戸隠牧場のキャンプ場にやってきたという。長田なる長野出身者がいるので、戸隠を選んだのだそうだ。そして以下は、このキャンプの七年後、信越放送に入社してから聞いて知ったことなのだが、このキャンプの最大の目的は、大失恋をした仲間の一人の心の傷を癒やすために長田さんら二人が計画した旅だったのだ。そう、この長田さんなる人物は、信越放送で大活躍されたアナウンサー、あの長田清さんである。

まさか戸隠キャンプで初めて会って、会話を交わし、一緒に写真まで撮ってくれた大学生の一人と入社した信越放送で一緒に仕事をするなんて、実に不思議な巡り合わせである。

俺は早稲田大学を卒業し、信越放送に入社するのだが、大学時代は東京に下宿していたので信越放送のテレビもラジオともほとんど無縁であった。だから、アナウンサーの顔も名前もまったく知らなかったのである。ところが入社して、初めて長田さんの顔を見た時、どこかでお会いした顔だなぁ、どこで会ったんだろう、ひょっとしたら戸隠キャンプで会ったことのある大学生かもと思ったのだ。

その日、家に帰って早速アルバムを引っぱり出して確認した。果たして、写真に写っている顔は、まぎれもなく長田清さんその人であった。翌日、長田さんに報告した。

「ええ！ あの時の中学生が武田君だったんだ。奇遇だねー。実はあのキャンプは…」

長田さんもなつかしそうに大失恋仲間の激励キャンプの思い出を話してくれたものだ。その後、長田さんとはＳＢＣラジオ『ワイド大作戦』という番組で一緒になり、俺はディレクターを担当することになるのだから、人と人との巡り合いは、実に不思議なものである。この長田さんとの出会いと、その後の嘘のような信越放送での巡り合いも、旅に出なければ決して起こりえない貴重な体験であった。

年上の人との会話にも慣れていた。というのも当時、高校生の兄と社会人になったばかりの兄がいて、よく友人たちを家に連れてきていたからだ。だから見ず知らずの年上の人たちと話す機会も多かった。だが、大学生と話すのは今回が初めての体験だった。なんだか少し大人になったような気がした。一人息子のK君にとってはなおさらだ。

「大学生っていいよな。東京からだって、長野へ来ようと思えば来られるんだもん。僕も大学生になって日本のあっちこっちを自由に旅したいなあ」

するとT君が口をはさんだ。

「それより、高校受験が先だよ。半年で入試だからなあ。武田君は志望校が決まってるからうらやましいよ。俺、成績それほど良くねぇから、どこを受けるか迷ってるんだ」

眼鏡のT君が進学のことを口にした。この夏休みが終わると、高校進学組は本格的な進路指導を受けることになる。俺の志望校は決まっていた。夏休みが終わったら、気分も新たに受験勉強に熱を入れようと思っている。だからこそ、中学生最後の夏休みを楽しもうと思って戸隠キャンプを計画したのだ。

「まだ半年もあるじゃねぇか。気合を入れて勉強すれば、かなり成績は上がるよ。せっかくの戸隠キャンプだ。勉強の話より、今回のキャンプの目的、写真を撮ろうよ。ジーパン姿で拳銃持ったかっこいい写真。こんなチャンスはめったにねぇからさ」

そう言うと二人も賛同してくれた。

麦わら帽子をテンガロンハットにみたて、腰にはガンベルトとおもちゃのピストル。まずは牧場入り口の柵をバックに、カウボーイよろしく様々なポーズで被写体になり、おのおのの写真を撮った。しょせんおもちゃのピストル、弾丸など飛ぶわけはないのだが、なんとかリアルな写真を撮れないものかと思案した。結果、俺にアイデアが浮かんだ。

「流れが静かな小川があるよな。被写体となる一人はあの岸辺に立って、水面に向かってピストルを撃つポーズをとる。一人は後からピストルの方向の水面に石を投げて水しぶきを上げる。もう一人は水しぶきが上がった瞬間にシャッターを押す。そうすれば、実際に銃を撃ったような写真が撮れると思うよ」

「武田君、それおもしろい！ 僕の写真も撮ってくれよな。絶対うまくゆくよ」

「やっぱり、しょっちゅう映画を見てる奴にはかなわねぇな」

二人は喜んで同意してくれた。早速、小川の岸辺に行き、映画撮影よろしく拳銃を片手にポーズをとる者、川面に石を投げる者、写真機のレンズをのぞきながらシャッターを切る者、それぞれリハーサルをしながら一人一人の写真を撮影した。

――きっとかっこいい写真が撮れる。

三人は確信した。どんな写真ができあがるのか、実に楽しみであった。写真の現象は街に住んでいる一人息子のK君が担当することに決まった。夏休みが終わったら、写真を手渡すことになった。

果たしてこの写真の出来はと言えば、実に見事なものだった。イメージ通りの写真になっているではないか。

「やったぜー‼」

思わず快哉《かいさい》を叫んだ。この写真は、戸隠キャンプの貴重な思い出の一枚として、いまでも大切に手元に置いてある。

写真撮影を終えた三人は、ルンルン気分で受付小屋へ行った。すると毛布課長が警察官と話をしている。俺たちが小屋に入ると毛布課長が警察官に言った。

「腕時計を届けてくれたのは、この中学生たちです」

「いま、腕時計の件について聞いていたんだけど、ちょうどいいところに来てくれた。あの腕時計を拾った場所と、時間を詳しく教えてくれないか」

警察官から声をかけられて、緊張した。警察官と話をするのは生まれて初めてのことだ。映画やテレビで見た警察官の尋問シーンを思い出したのだ。K君もT君も顔がこわばっている。しかし、なにか悪いことをしたわけではない。むしろ良いことをしたのだ、と心の中では思ったが、なかな

苦心のワンショット

かリラックスできない。

「三人とも、そんなにかたくならなくていいんだよ。腕時計を失くした人は、きっといま頃、困ってると思うよ。昨日の今日なんで、まだこの受付小屋にも届け出がないようだけれど、君たちはいいことをしたんだから。で、昨日の何時頃なの、腕時計を拾ったのは？」

こうした遺失物は、たとえ持ち主と主張する人が現われても、本当の持ち主かどうか確認するために、拾った場所や時間、どんな状態で落ちていたかなどを詳しく調べなければならないのだ、と警察官は説明してくれた。その口調も優しく、おだやかで、年齢も二〇代半ばくらいなのでちょっと年上の兄貴といった感じだった。毛布課長もうまく仲介してくれたので、ありのままを話すことができた。警察官も仲の良い後輩と気軽に話をしているといった態度で接してくれたので、緊張感もほぐれ、会話が進むうちむしろ警察官という仕事への好奇心の方が強くなっていった。

「交番らしきものがなかったんですが、いつもキャンプ場に駐在してるんですか」

「警察官になるには、柔道も剣道も強くなくちゃなれないんですか」

「泥棒を捕まえたことあるんですか。そんな時、おっかなくないですか」

K君もT君も打ち解けて質問。その都度、気軽に受け答えしてくれた。歌謡曲小僧だった俺は曽根史朗が軽快に歌う「若いお巡りさん」を思い出していた。小学生の時、ラジオでよく聴いた曲である。

「もしもしベンチでささやくお二人さん早くお帰り夜が更ける……」

こうした歌詞で始まるあの歌のモデルもきっとこのような警察官なのだろう。すると目の前の若いお巡りさんは、俺が腰に下げていた拳銃を見て聞いた。

「キャンプをするのになぜピストルなんか持ってきたのよ」

「ピストルを持ったかっこいい写真を撮ろうと思ってわざわざ持ってきたんです」

「へえー、やっぱり男の子はみんなピストルに興味があるんだ。で、いい写真は撮れたの」

「ええ。牧場の柵の前で撮ったのは、カウボーイのような写真になると思います」

俺が答えるとT君がすかさず言った。

「小川の岸辺でも撮ったんですが、この写真はピストルを撃ったように工夫して撮ったんです」

「へえー、どんな工夫してピストルの写真を撮ったの。聞きたいなぁ」

若いお巡りさんは、俺たち三人の話を聞いてから、思いもしないことを言った。

「みんな、今日はありがとう。腕時計の件を処理しなくちゃいけないので、ここでバイバイするけど、今夜君たちのテントに遊びに行ってもいいかな。迷惑じゃなかったら、もっと君たちと話がしたいんだ」

願ってもないことだ。K君もT君も目をパチクリさせている。考えていることは同じ、この若いお巡りさんからピストルの話を聞きたかったからである。このお巡りさんならきっと話してくれる、そう思ったのである。もちろん大歓迎の意向を伝えた。かくして、この戸隠キャンプ最大の事件、信じられない体験をすることになるのだ。

夕方のキャンプ場は活気がある。あちこちで飯盒炊さんが始まると、焚き火のパチパチとはぜる音や煙がテントの周りに漂《ただよ》う。焚き火を見たり、煙の匂いを嗅いだりすると元気になる。遠い遠い縄文時代、狩りが終わり、夕餉《ゆうげ》の支度をする先祖の高揚感が、ＤＮＡを呼び覚ますのかもしれない。この日の高揚感は特別であった。食べ物もうまく感じた。

夕食をすませた俺たち三人は、スペシャルゲストを迎えるための準備をした。車座になれるよう、乱雑に置かれたリュックサックや毛布を片づけた。二泊三日のキャンプで、まさか見ず知らずだった大人の、しかも警察官がテントに訪れるなどと想像もしなかった。それだけに、三人とも脳からドーパミンがドッと出ていたに違いない。

ランプの明るさが目立つようになった頃、テントの外で声がした。

「こんばんは。遠慮なくやってきたよ」

あの若いお巡りさんだ。

「どうぞ、どうぞ、テントに入ってください」

俺たちが言うのと、お巡りさんが黒い警察官用の革靴を脱ぎ始めるのが一緒だった。立ったままでは脱ぎづらいので、テント入り口の床に腰を下ろして、ピカピカの黒革靴を脱いだ。制服姿のまだ。なぜか小さな鞄をひとつ下げていた。

――これはいいぞ。いよいよその時がきた。

心臓は高鳴った。お巡りさんは腰かけたまま、ぐるりと身体を回転させこちらを向くと、自然に車座状態になった。制服の右腰のベルトには、黒い革のケースに拳銃がおさまっている。グリップだけ顔をのぞかせた重々しい拳銃である。

「おお、意外にきれいに片づいてるじゃないか。もう夕飯はすんだのかい」

「ええ、早めにすませて、待ってました」

「昼間はありがとう。腕時計の持ち主はまだ名乗り出てないけど、きっと君たちの正直な行為に喜ぶと思うよ。キャンプ場には県外の人も多いだろ。落とし物を届けるような善良な人はなかなかいないんだよ」

お巡りさんは改めて感謝の言葉を述べた後、戸隠キャンプ場の治安状況を語った。たまに若者同志の喧嘩などもあるらしい。ひと通りの説明をすると、俺たち三人にも興味があるらしく、なぜ中学生だけでキャンプに来たのか、三年生と言えば高校受験前の夏休み、二泊三日もキャンプ場で遊んでいて大丈夫なのかなど、自分の中学生時代のことも話しながら聞いてきた。

俺たちも素直な気持ちで答えた。中学生最後の夏休みの思い出となるよう、気の合う三人で戸隠に来たこと、三人とも日活映画のファンで拳銃にも興味があること、おもちゃの拳銃を持ってかっこいい写真を撮ること、このキャンプが終わったら高校受験に向けて真剣に勉強すること、などを正直に語った。

「君らはよほど拳銃に興味があるらしいね。腕時計をわざわざ届けてくれたし、中学最後の夏休みの思い出に、それじゃあ拳銃を見せてあげるよ。でも、絶対に手を触れてはいけないよ。約束できるかい」

万が一にも、こんな機会が訪れるのではないか、と期待していたが、とうとうその時がやってきたのである。ほかの二人も、この言葉を待っていたに違いない。

「約束します。手は出しません！」

三人は興奮しながら答えると、先ほどから気になってチラ、チラ盗み見していた拳銃のグリップを、今度は安心して見つめた。

お巡りさんは、持ってきた小さな鞄を開けた。まず白い布を取り出し、車座の中央に置いた。そうなのだ、鞄の中には拳銃を手入れする道具が収納されているのだ。それから、おもむろに右手で拳銃のケースに手を触れ、ホックのようなものを外し、グリップを握り締めると、ゆっくり拳銃を抜き出した。

――おー！　これが本物の拳銃なんだ！

心の中で叫んだ。

その拳銃は真っ白な布の上に座を占めた。薄暗いランプの明かりに、鈍い光を放ち、黒々と横たわる拳銃。本物、正真正銘の拳銃である。そのズッシリと重い黒光りする物体は、俺たち三人を圧倒した。その存在感は映画で見るものとは月とスッポン、なんという迫力か！

「この拳銃はリボルバー式という拳銃なんだ。西部劇にも登場するような形なんで見たことがあるだろ。この丸い部分が弾倉《だんそう》といって、弾丸《たま》を入れるところだ。後で見るとよくわかるけど、蓮根《れんこん》のように穴が開いていて六発弾丸を込めることができる。引き金、トリガーっていうんだけれど、その引き金を引くたびに、この弾倉が回転して連続して弾丸を発射できる仕掛けになってるんだ」

言いながら、鞄からドライバーや、ピンセットのようなものや、油のしみた布などを取り出した。

「銃はいつも手入れをよくしておかないと、いざという時に役に立たないからね」

驚いたことに目の前で、拳銃を分解し始めるではないか。

――こんなチャンスは二度とねえ。

俺たちは目を皿にした。お巡りさんはゆっくりと左手で拳銃を持ち上げ、右手にドライバーをつかんだ。そして、小さなネジを回したりするうちに、弾倉が銃身から分離された。機械油の匂いが鼻をついた。

「これが弾倉だよ。蓮根のような形をしてるだろ。この六つの穴に弾丸を入れるんだ」

手慣れた様子で、次々と分解し、それぞれの部品を布で丁寧に磨きながら、理科の教師よろしく言った。

「拳銃はあくまで護身用、みだりにケースから出したりしてはならない。犯人に襲われ、命の危険が生じた場合のみ使用が許される。その肝心な時に、手入れが悪く銃としての役割が果たせなかったならば、命を落とすこともありえる。従って、そういうことがないよう、常に手入れを怠ってはならぬ。拳銃は警察官にとって、命と直結している大切な道具。どんな道具でも、使いたい時に、本来持っている能力をフルに発揮できるように、常に手入れをしなければならない」

小さなテントは、中央に敷かれた布の上に分解された銃の部品が置かれ、学習塾さながらの空間と化した。塾生三人も真剣である。

「君は自分でなにかをするための道具を持ってるかい？」

目の前五〇センチもの近くで、まばたきするのも惜しいほど拳銃を見つめていると突然質問が飛んできた。

「えーと、道具と言えば、野球部に入っているんで、グローブが道具と言えば道具だと思います」

「グローブの手入れは、いつもしっかりやっているかね」

「はい、それはしっかりやってます。下級生にもそのことはちゃんと言ってます」

これは本当のことだ。グローブは当時、高価で貴重なもの。学校に所属するものでも、個人のものでも、それはそれは大切にしていた。汚れると、グローブ専用の油をつけて、いつもピカピカに磨いていた。三年生になって主将にも選ばれていたので、下級生にも口うるさく言っていた。

「グローブも野球選手にとっては大切な道具だよね。ここ一番という時、グローブの調子が悪くて、エラーでもすれば、チームは負けるだろう。僕ら警察官が負ける、ということは命を失う、ということにもつながりかねないからね。拳銃の手入れは、いつも気合を入れて入念にやってるんだよ」

西部劇や日活アクション映画でも、銃撃戦の場面はやたらにあるが、その銃を丁寧に磨きあげるシーンはめったにない。若いお巡りさんの、にわか拳銃塾で、映画の世界とはずいぶんと違う、世の中の現実の世界を垣間見た気がした。

警察官が中学生に拳銃を見せるなんて、と眉をひそめるご仁もおられるだろう。が、これは六〇年も前のこと。まだまだ日本は豊かではなかったが、人と人との結びつきには、温もりがあった。そして大人と子どもとの間にも温もりがあった。大人は本気で子どもを叱りもすれば、子どもといえども本気で信頼もしてくれた。向こう三軒両隣、助け合いの精神もあった。実にのびのびとした寛容さにあふれる社会だったのだ。

警察官のレクチャーを受けた翌日、戸隠は朝から雨が降っていた。興奮も冷め止まぬ俺たちは、毛布課長にも報告したくて朝飯は受付小屋で食べ、昨夜の大事件を説明した。すると、塾頭役を務めたあのお巡りさんがやってきて、今度はお菓子をおごってくれたのだ。人生の兄貴のようなかっこいい素敵な警察官だった。

　バスのパンクと乗り換えのハプニング。腕時計を拾って届け出たこと。そのことで親しくなった毛布課長と若いお巡りさん。信じられないような警察官の拳銃講座。そして東京の大学生と長田さんとの出会い。

　いまにして思えば、中学生三人だけで行った二泊三日の戸隠キャンプは、人生のそれこそ宝物のような体験だった。

映画『スタンド・バイ・ミー』と男の旅立ち

男には少年時代、俺たちがキャンプ場で体験したような、大人への第一歩を踏み出す出来事があるのではなかろうか。

アメリカ映画『スタンド・バイ・ミー』もその一本である。昭和六二年（一九八七）日本で公開されたスティーブン・キング原作、ロブ・ライナー監督の作品だ。

死体を探して町の英雄になろうという四人の少年の物語である。俺たち三人が戸隠キャンプに行ったとほぼ同じ時代の、アメリカの少年による一泊二日の物語なのだ。彼らも拳銃に興味があり、家からこっそり持ち出した拳銃一丁を手に、みんなで旅をする。

オレゴン州キャッスルロックという小さな田舎町に生まれた四人の少年たち。一二歳のゴーディ（ウィル・ウィートン）は、フットボール選手で両親自慢の兄が突然事故死して以来、父からつらくあたられている。クリス（リヴァー・フェニックス）は、アルコール依存症の父にグレた兄という家庭環境で、町の者からも冷たい目で見られている少年。テディ（コリー・フェルドマン）は、かつて第二次世界大戦の英雄だった父を尊敬しているが、その父は精神を病み、テディの耳にやけどをさせ入院中。バーン（ジェリー・オコンネル）はドジでノロマだが、憎めない少年。それぞれが家族の問題や悩みを抱えている。

卒業間近のある夏の日、耳よりの情報を得る。ブルーベリーを採りに出かけて行方不明になり、ここ数日間町の話題になっている少年が、実は列車にはねられ死体が野ざらしになっているというのだ。死体を発見したら町の英雄になれると考えた少年たちは、身支度を調えて森林鉄道のレール沿いを歩きながら旅に出かける。

「パラディン、パラディン、パラディンロー」

おなじみのテレビドラマ『パラディン』の曲を歌いながら少年たちは旅を続ける。キャッスルロックという小さな世界しか知らなかった少年たちにとって、口論はするものの、野宿しながら友情を深めるこの旅は、初めて体験する外の世界への第一歩であった。

物語は作家になったゴーディが、〝弁護士クリス・チャンバース刺殺される〟という新聞記事を目にし、過去の死体探しの冒険旅行を回想するという構成になっている。性格も家庭環境も異なる四人の少年たち。ゴーディは進学し作家に、クリスは猛勉強をして弁護士に、ほかの二人も就職をする。この映画でクリスは喧嘩の仲裁に入り、刺殺されるという設定だが、クリス役のリヴァー・フェニックスはその後、薬物の大量摂取で急死するという悲劇で人生の幕を閉じる。フェニックス二三歳という若さだった。

ぜひ見ていただきたい映画である。この映画は何回も見ているが、その都度自身の戸隠キャンプとダブって見えてしまう。年を重ね、はるかな昔の少年時代を回想するきっかけになる傑作である。

さて、戸隠キャンプへ行った仲間二人のその後である。愛嬌者だったT君は高校進学後、大手の観光会社に就職し、ホテルマンとして活躍。現在は引退して地域の役員などをして人生を楽しんでいる。同級会などでも顔を合わせればいまも話が弾む。

一人息子だったK君とは、中学卒業後に一度会ったきりである。それもT君が自分の勤めているホテルで開催した、T君自身の結婚披露宴でのことである。高校へ進学したことまでは知っていたので、その後どうしているのかをK君本人から聞きたかったのだが、目で挨拶を交わしただけであった。話をすることさえ苦痛らしく、座席についても目を伏せたままでいた。よほどつらい事態に直面していたのだろうか。少年時代、あの二泊三日の戸隠キャンプで一緒に過ごしたT君と俺に、一目だけでも会いたい、と勇気を出して披露宴の席に臨んだのかもしれない。その後のK君の消息はまったく不明である。

映画『スタンド・バイ・ミー』の最後に写し出される言葉が胸にしみる。

「もう二度と、あの一二歳の頃のような友だちはできない」

野球部の主将、ピッチャーとして活躍

長野市立南部中学校に入学したのは昭和三四年（一九五九）である。喜び勇んで野球部に入った。いまと違って、当時少年たちの野球人気は断トツであったのだから、一学年に一三クラスもあったので、一年生だけでも野球部員は五〇人ほどいた。

授業が終わると毎日野球部の練習がある。ユニホームを着るのは試合の時だけで、練習時はといえば、野球帽はかぶるものの、スポーツシャツとトレーニングパンツ姿だ。しかも全員が裸足《はだし》。いまの野球少年には想像すらできないであろう。しかも新入生は、ランニングとキャッチボールはするものの、大半の時間はグラウンドの周りに等間隔に立って、上級生のバッティングやらフィールディングやらの球拾いであった。なんとも情けない姿だが、当時はこれが当たり前と思っていた。

野球部らしい練習はようやく三年生になってからであるが、そこは体育系クラブ、一年生時代に先輩に対する礼儀作法や言葉遣い、グローブなど用具の扱いはみっちり教育させられた。

授業のある日は毎日六時近くまで練習があった。だから好きな映画を見にいったのは土曜日や先生の研修会で練習が早く終わった日、そして日曜日であった。

長嶋選手に憧れていたので、守備はサードを目指していたが、ピッチャーに選ばれた。二年生の時から、しばしば三年生打者を相手に投げさせてもらった。そんなこともあって、三年生になると主将にも任命され、打順も三番か四番という上位打線に選ばれていた。

柳町中学や西部中学など、他校と対戦して思ったことは、優れた選手がどこのチームにもいるということ、そしてチームが勝つには全員のレベルを向上させなければ困難であるという、極めて当たり前のことであった。野球部に入ってなにが収穫だったかと言えば、視野が大きく広がったことである。負け試合でいつも突きつけられたのは、主将、ピッチャーで四番打者という、いわばお山の大将的な思いでいては、世間では通用しない、という事実であった。世の中には常に上がある、ということを身を持って知ったのである。

野球部での練習、土・日はしばしば映画館通いという中学時代、時間を持て余すなどということはまったくなかった。当然、自宅での勉強時間は十分とは言えない。だから学校での授業には集中した。三年生は一学期の夏休み前まで、クラブ活動があった。二学期からは高校進学のための受験勉強である。夏休み、友人三人で行った戸隠キャンプの後は、勉強一筋だった。高校入試は九科目もあった。半年間の計画を立てて、日々計画通りにこなしていった。翌年、昭和三七年三月、志望校である長野県立長野高校に合格したのである。

長野市営野球場で上級生と。最後列左から２人目

オートバイを乗り回すドラ息子

男三兄弟なので兄貴の行動を真似ることも多かった。

それで思い出すのは、一台のオートバイだ。中学三年生の初夏だった。長兄が社会人となり、どでかいオートバイを購入した。しかも外車で、アメリカ製の二五〇cc、オレンジ色の超ド派出なものだ。このオートバイ、当時テレビドラマで人気のあった月光仮面が乗っていたものと比べものにならぬ大きさ、まさに月とスッポン、堂々とした重厚なオートバイだった。あの頃は車の免許を取得すると、自動二輪車、つまりオートバイの免許も同時に許可される制度になっていた。兄貴は社会人になると同時に車の免許を取り、給料を貯め、おそらく父からも援助を受けて、念願のオートバイを中古で買ったのだった。新品のアメリカ製のオートバイなど高価過ぎて買えるわけがない。

仕事が終わり家に帰った兄貴は、ピカピカに磨かれたその巨大なオートバイにまたがっては、重低音を響かせながら愛車を乗り回していた。少年は誰でもスピードに憧れる。ある日曜日、兄貴にお願いして、後部座席に乗せてもらうことにした。兄貴の腹にしがみつきながら乗ったオートバイの快感にしびれた。その後も何回か乗せてもらったが、とうとう我慢できなくなって兄貴に懇願した。

「オートバイのスピードは、自転車とは比べもんにならねえくれぇ速い。注意深く、注意深く運転し、ちゃんとピカピカに磨く手伝いもするから、運転の仕方を教えてくんねえかい」

兄貴にとっては、大切な宝物のオートバイだ。そう簡単に頼みを聞いてはくれなかったが、粘りに粘ってとうとう俺が勝った。

「徹、約束だぞ。おまえは免許がないんだから、早朝、誰もいない南部中学校のグラウンドで乗るだけなら教えてやってもいい。約束を守れるな」

うれしかった。日曜日の朝、兄貴と早起きをして南部中学校のグラウンドに乗りつけた。兄貴はエンジンのかけ方から、アクセル、ブレーキ、クラッチの役割などを教えてくれた。複雑そうに思えたオートバイの運転だが、実際にレクチャーを受けるとそれほどでもなかった。兄貴の朝の講義だけで、オートバイを自在に運転できるようになっていた。

ちょうど夏休み中でもあったので家から毎朝のようにグラウンドへ向かった。クッションの効いた大きな黒い皮製のサドルにまたがる。エンジンを始動するために、右足で始動用ペダルを強く踏み込み、同時に右手ハンドルのアクセル用グリップを回すと、ドドドド、ドドドドという重々しい音とともに車体が小刻みに揺れる。その振動が身体全体に伝わり、オートバイと一体になる。そして、左足のクラッチを踏み込みながら、アクセルを吹かすとオートバイはゆっくり始動し、次第に速度を上げる。慎重に慎重に家の門口から道路に出て、グラウンドに乗りつける。グラウンドに入ると、気が大きくなる。巨大なオートバイを支配し、自由自在に乗り回すこの快感は、体験した者のみの特権であろう。その特権を、中学三年生の時に味わってしまったのだから始末に悪い。こうなると、兄貴と約束した校庭の中だけの運転などで我慢できるわけがない。またまた悪い虫がささやき始める。

――こんな早朝だ。道路を走っても誰もいねえ。大丈夫だ。

――同じグラウンドをぐるぐる回ってもつまらねぇだろ。

――朝の空気を切りながら、道路を走れ！

――気分爽快、天下を取った気分にひたれるぞ！

この誘惑に抗しきれず、家からグラウンドには入らずそのまま道路を走り続けた。

「おい！ ちょっと待てよ。それって無免許運転だろうに」

おっしゃる通り。だがこの頃の道路事情は、いまとはまったく別。メイン道路でさえ自動車が通るのはまれで、せいぜい一時間に一台、定期バスが通るかどうかという程度だった。マイカー時代の到来で道路に車があふれるのは一〇年先のこと。だからどの道路も未舗装で石コロだらけの道だった。自動車免許を取得すれば、おまけのようにオートバイ免許も取れたのは、こういう道路事情にもよる。道路を走るものと言えばほとんどが自転車であった。

自転車に小さなエンジンを取り付けて走る、原動機付自転車なる乗り物もたまに見かけた。パン、パン、パン、パンと恐ろしく大きな音と煙を吐きながら、その騒音に似つかわしくない速度でしか走れないシロモノだ。こうした自転車や原付自転車を見かけるのも、朝の通勤時間帯のみで、普段はどの道路も静かで人の姿はなかった。

ましてや早朝である、道路に人影はまったくない。土埃《ぼこり》を上げながら、でかいオートバイを走らせるのは最高の気分だった。しかし、集落を巡る道路はどれも細く曲がりくねっているため、スピードは出せない。ところが幸運にもこの頃、国道一八号線バイパスの用地買収が終わり、舗装工事が始まっていたのである。このバイパス道路は家からオートバイでほんの二～三分の距離で、上・下二車線、それぞれ歩道つきの道路である。当時としてはとてつもない広さのバイパス道路が、一直線に延々と続き、舗装工事がおこなわれていたのである。すでに舗装工事が終了した道路、未舗装の道路も路面は平らに整備されている。早朝は誰もおらず、工事車両が整然と道路脇に置かれている以外なにもない。まさに、飛行場の滑走路そのものである。

オートバイを走らせる場所として、これ以上の環境はない。一人だけが占拠するオートバイ専用の天国道路だ。

「こりゃすげえや。ここならスピードを上げても誰の迷惑にもならねえ。オートバイを走らせるために作られたようなもんだ」

かくして武田少年は毎朝のようにバイパス道路に向かった。そのバイパスの入り口交差点が現在は交通情報で毎朝のように放送される渋滞常習地域なのである。

「国道一八号線バイパス、南俣交差点付近は〇〇キロの渋滞」

六〇年前には想像もできなかった大変貌である。あの当時は、青々と稲田が広がる水田地帯に、一本線を引いたようにバイパス道路が浮かんでいた。道路両側には建物はまったくない。稲田のあちこちに集落が点在しているだけである。

夏の真っ盛りとはいえ、朝の空気はすがすがしい。南俣からバイパス道路を北へオートバイを走らすと、右方向のはるか彼方には須坂の扇状地が広がり、志賀高原の山々も視界に入る。道路左側は一面の稲田。その先には、市街地の建物が目に入る。

オートバイを南へ向けると、北アルプスの山並みが遠望できる。善光寺平の眺望を一人占めにしたような贅沢《ぜいたく》な気分でオートバイを走らせる。重々しいエンジン音のリズムが車体を小刻みに揺らし、その振動が身体に伝わってくる。オートバイの魅力にすっかり取りつかれ、オートバイに乗っている自分の勇姿を見せたくて、夏休みが終わる頃に戸隠キャンプに一緒に行ったT君の家を訪れたことがあった。

「どうしたんだ武田君、そんなでかいオートバイに乗って。オートバイの運転できるんか。すげえじゃねえか」

T君は心の底からビックリしたらしい。兄貴のオートバイを借りて乗り回してるんだ、と説明した。このオートバイでの突然の訪問は、よほど印象に残っていたらしく、T君は昨年の同総会で六〇年も前のこの日の朝のことを口にした。

「あの時は本当に驚いたよ。だって中学生だよ。あんなビッグなオートバイを見たのは初めてだし、そのオートバイに武田君が乗ってきたんだもの。家の者もみんなビックリしてたよ」

目立ちたがり屋の性格は、あの頃にはすっかり芽生えていたということか。

その後間もなく、長兄は転勤で県外へ行ってしまったので、オートバイ運転はやりたくてもできなくなってしまった。

再びオートバイに乗ったのは、およそ一〇年後、大学を卒業して信越放送に入社してからだった。車とは別に自動二輪車の免許を堂々と取得した。あの中学生時代の感覚が功を奏したのか、楽勝一発で免許皆伝とあいなった次第である。マイカーを持てるようになるまでの五～六年間は、もっぱらオートバイを乗り回していた。

ところで、なぜオートバイの思い出をくどくど記したか、というと、世の弟は兄の影響を強く受けながら成長するものだということを言いたかったというのがひとつ。そしてもうひとつ、ある演奏中に突然わかったことなのだが、オートバイに乗る感覚と、ドラム演奏をする感覚に共通するものがある、という事実を伝えたかったからである。

最近のオートバイのことは知らないが、当時乗り回していた兄貴のアメリカ製オートバイは、両手両足を器用に使いながらでないと、運転ができなかった。ドラム演奏もまったく同じで、両手両足をフルに使いながら演奏する。そんな共通点が、ある感覚を呼び覚ましたのかもしれない。

それはドラム演奏をするようになってから、何年もたったある舞台で体験したことだった。〝ジャミング・キャッツ・ダンディー〟なるギター、トランペット、ベース、そして俺のドラムの四人編成バンドでの演奏中に起こった。テンポの速いジャズナンバーはメンバーの気分がひとつになると実に気分がいい。全員が乗りに乗ってゴキゲンに演奏している時だった。突然、俺の頭をよぎったものがあった。

——あれ？ この感覚、遠い遠い過去に、何度か体験したことあったよなぁ。

両手両足でバンド全体のリズムを牽引しながらドラムを叩いている時、突然ある感覚に襲われたのだ。いわゆるデジャビュ（既視感）というやつだ。それも快適で爽快で、極めて気分のいい既視感なのだ。

——そうだ、この感覚は、あの滑走路のようなバイパス道路を、どでかいオートバイで疾走している時に味わったあの感覚と同じだ！

ドラム演奏中に、何十年も前の体験、早朝のさわやかな空気を切って、誰もいない、広く長い一直線に続く道路を突っ走った時の、あの感覚がよみがえったのである。ジャズのリズム感と、オートバイのリズミカルなエンジンの重低音とそれに付随する小刻みな震動には、共通するなにかがあるのだ。これは新鮮な発見であると同時に、驚きでもあった。あの中学三年生のオートバイ体験が、それまで無意識だったとはいえ、ドラムという楽器選択につながる目に見えない糸で結ばれていたとは…。オートバイを乗り回すドラ息子と未来のドラマーは糸でつながっていたのかもしれない。

人生を振り返って気づかされることは、こうした透明な糸が無数に張り巡らされていて、運命へ導く糸と糸が結ばれた時、なにかが起こるのではないかということである。

翌年、高校一年生の秋に行った「西田佐知子歌謡ショー」でドラマーを注目するようになったことや、その後ドラマーになることを決意した二度のコンサートに行ったことも、この運命の糸のなせるワザだったのかもしれない。

「西田佐知子ショー」でドラマーに憧れる

六〇年安保闘争の年に大ヒットしたユニークな曲があった。哀愁あふれるトランペットの前奏に続きこれまでの女性歌手とはまったく違った鼻にかかったような透き通るような声、バイブレーションのない、直接的でやや投げやりでありながら、悲しみのこもった歌い方。歌詞もいままで聞いたこともないような内容だ。

「アカシアの雨に打たれて、このまま死んでしまいたい」

――えっ！ なんだ、この歌詞は！

中学二年生の時、初めてこの曲をラジオで聴いた時の印象はいまでもハッキリと覚えている。

「それはベンチの片隅で、冷たくなった私の脱けがら…」

――自分が死にたいっていうだけじゃなくて、自分が死んだ後のことまで歌ってるんだ。なんていう歌手なんだろう。

異性に興味を持ち始めていた頃で、この曲を聴いて大人の男女の恋の恐ろしさ、とりわけ女心のすさまじさをまざまざと感じたものである。

西田佐知子の「アカシアの雨がやむ時」である。

その後、大学生になって知ったのだが、この曲は六〇年安保闘争に燃えた大学生や若者たちの共感を得て、彼らの支持もあってヒットにつながったのだとか。

つまりこういうことだ。昭和三五年（一九六〇）六月一五日を頂点として、安保闘争は連日抗議デモや集会がおこなわれた。しかし六月一九日午前〇時、新安保条約は自然承認され、六月二三日には条約批准書が交換され発効となった。その直後に当時の岸信介首相が退陣を表明したのだ。だが学生らは新安保条約を阻止することができなかった。意気消沈した彼らは、自分の心情を西田が歌う「アカシアの雨がやむ時」の女主人公にダブらせてこの曲を聴いたというのだ。

本当かどうか真偽のほどは知らぬが、もしそれが本当ならなんという甘ったるいナルシシズムなのだろう。反対の意思表示をするのもいい。デモ行進するのもいい。だが、多くの人たちに大迷惑をかけ、東京を大混乱に陥れるような過激なデモを繰り返して国会突入を試みて、機動隊との乱闘の中で不幸にも一人の女子学生が亡くなってしまった。にもかかわらず、自分たちの政治的主張は実現できなかった。その無念さを女子学生の死とダブらせてこの曲を聴いていたとしたなら、おかど違いの自己憐憫《れんびん》、単なるナルシシストではないか。大学生になっていた俺はそう思ったものだ。

大学生の頃も、学生運動は盛んだった。が、あれほど大学当局に反対し、資本主義社会に反対した連中の多くが、何くわぬ顔で就職活動をして、企業、資本主義の権化である企業に入り、モーレツ社員に変身するのだからあきれる。

やや脱線したが、この曲「アカシアの雨がやむ時」が大ヒットしたのは、安保反対の連中というより、もっともっと大多数の、それこそサイレント・マジョリティー、声なき声の大多数派の支持があったからであろう。

女心のすさまじさを、まざまざと中学生の自分に教えてくれたこの曲の作詞者は、以外なことに男であった。水木かおるである。水木かおるは、昭和三五年に日活の屋台骨となって大活躍した赤木圭一郎の「霧笛が俺を呼んでいる」など、日活の映画スターたちの詞もかなり書いている。


ところで、昭和三〇年代の中頃から、コーヒーなるものが出回るようになっていた。それまでは、わが家でも緑茶が主流であったが、ガラス瓶に入ったインスタントコーヒーが卓袱《ちゃぶ》台に載るようになった。最初は木製のさじで湯飲み茶碗にコーヒー粉と赤砂糖を入れて飲んでいた。父は甘いものが大好きで、赤砂糖をたくさんコーヒー粉に混ぜるので、コーヒーはお菓子のように甘い飲み物である、と思っていた。

そのうちに、コーヒー・カップとスプーンがわが家にも登場するようになる。なんだか卓袱台がモダンになったような気がしたものだ。そして長野市街地に喫茶店が次々と誕生し、若い男女は喫茶店でコーヒーを飲みながら、逢い引き、デートを楽しむようになる。長野駅近くには「紫苑」「モナ・リザ」、権堂には「巴里苑」「奈良堂」「田園」「白鳥」などが開店し、喫茶店全盛時代がやってくる。

しかし、中学生や高校生は喫茶店への出入りは禁止されていた。理由は不良化防止というものだった。喫茶店に一緒に行くような彼女は残念ながらいなかったが、こっそり彼女と喫茶店へ行く友人に言ったものだ。

「どうせ町へ行くなら、一人で映画館へ行く方がましさ」

負け惜しみであった。本音は、そんな彼女がいたらなぁ、ハイカラなコーヒーを彼女と一緒に飲んでみてえなぁ、というものだった。

そんな時代背景の中で大ヒットしていたのは西田佐知子が歌う「コーヒー・ルンバ」である。

この曲がテレビやラジオで盛んに放送されたのは昭和三六年のことで、高校一年生になっていた。

当時の高校生はいまと違って、制服着用が義務付けられていた。学生服姿で堂々と彼女同伴で喫茶店に出入りする猛者《もさ》もいた。

詰め襟《えり》の学生服は着心地が悪かった。襟に白いセルロイドのカラーを着けるため、季節が夏に近づくと首の汗がベトつくし、冬は冷たいカラーが首に触れ、寒気がした。

その学生服の専門店が長野駅近くの西側にあった。「倉石寛三商店」だ。なんでも、この店を開業した初代の名字と名前を店名にしたのだそうだ。略して「倉寛」と呼んでいた。ほかの店でも学生服は売られていたが、「倉寛」で買うことにしていた。それには大きな理由があった。

「アカシアの雨がやむ時」に次いで「コーヒー・ルンバ」が大ヒットしていた時である。西田佐知子は歌謡界の売れっ子で大スターだ。昭和三七年初春の頃だった。ある日の朝、新聞を開くと、「西田佐知子ショーご招待！」という広告欄の活字が目に飛び込んできた。

——えー?! あの西田佐知子が長野へ来るんだ!

その広告欄にくぎづけになった。小学生以来の歌謡曲小僧は、高校生になっても健在であった。よく読むと、長野駅周辺の商店街組合の広告で、倉石寛三商店も加盟店になっている。「〇〇円以上お買い上げの皆さんに、西田佐知子歌謡ショーの補助券一枚進呈、〇枚以上で招待券プレゼント」とある。こんなチャンスは二度とない。どのようにして両親を説得したのかは覚えてはいないが、とにかく「倉寛」で学生服を買って何枚かの補助券を手に入れた。ありがたいことに両親も協力してくれ、くだんの商店街で買い物をし、招待券をものにしたのである。

その日以来、新聞のテレビやラジオ欄をチェックし、西田佐知子が出演しそうな番組はなるべく見たり、聴いたりした。

待ちに待ったその日は、昭和三七年一一月四日の日曜日であった。早朝五時半に目が覚め、まず宿題をすませるべく机に向かった。歌謡ショーなどは、小学生の時に行ったあの春日八郎ショー以来である。ましてや今回は若く美しい女性歌手なのだ。胸が高鳴り、宿題に身が入らぬ。しかも初めて入る、できたての長野市民会館での歌謡ショーだから無理もない。

——恋する女の人とデートする日って、こんな気持ちになるのかなあ。

宿題とはまったく関係のない妄想が、朝っぱらからわいてくる。思春期真っ只中だったのだ。

歌謡ショーは一二時開場なのだが、会場の長野市民会館へは、二時間前に着くよう家を出た。青空が広がり、太陽はまぶしかったが一一月上旬の陽気は肌寒かった。驚いたことに気の早い熱心なファンが、すでに三〇人ほど受付の入り口ドア付近に列になって並んでいる。

高校生は一人だけ。なんだか場違いな感じがしたが、何か月間も待ちに待った歌謡ショーである。どうせなら特等席でじっくりと楽しみたいと思って、寒い中を早く出たのだから遠慮などする必要はまったくない。列に加わった。

新しい長野市民会館は入り口近くに立つと、その威容さがわかる。赤レンガを施した外観は実にモダンでハイカラであった。以前の第一市民会館は善光寺に近い長野市立城山小学校の体育館、第二市民会館は通っていた長野市立南部中学校の講堂であった。これら二つの会場で様々なイベントがおこなわれていた。できたてピンピカの市民会館は、これまでのものとは比べものにならないぐらい巨大で、その造形美は見る者を圧倒する迫力があった。靴のまま入れるのも、以前の市民会館とは違う。しかもパンや飲み物が買える売店まで完備されている。客席の面積も広く、天井も高い。客席も座り心地満点であった。

――すげえー会場だ！　テレビでよく見るのと同じだ。長野市民会館は東京に負けてねえ。

早く来たかいがあって、二列目の真ん中の席を確保できた。本当は最前列に座りたかったが、なんだか恥ずかしくて二列目を選んだのだ。

舞台をさえぎっている緞帳《どんちょう》がこれまた半端じゃない大きさだ。描かれている図柄に見覚えがあった。

――これ、中学の美術の教科書に載っていた尾形光琳の『燕子花図屏風《かきつばたずびょうぶ》』と同じだ！　教科書で習ったことを、現実の社会で目にしたりするのはうれしいものだ。歌謡ショーそのものが身近に感じるから不思議である。

ブザーが鳴り終わると、緞帳が静かに上がり始める。

軽快なバンド演奏の音が、緞帳の動きとともに大音響となって会場を震わす。華やかなフルバンドの演奏だ。立体的に組み立てられた舞台は、上段にトランペット陣、中段にトロンボーン陣、そして下段にはサックス陣が、それぞれ三〜四人ずつ横に並び、メロディーに合わせ、立ったり座ったりしながら演奏する。舞台左側、いわゆる下手には、ピアノ奏者、ギター奏者、そしてベース奏者が身体を思い思いに揺すりながらリズムに乗っている。

そして舞台中央、もっとも高い台上で全身を使って演奏しているのはドラマーだ。右手に握ったスティックで、ピカピカに輝く何枚ものシンバルを叩きながらメインのリズムを刻み、左手のスティックではアクセントをつけるためにスネアを叩く。ドラムセット中央のもっとも大きいバスドラムは、右足でペダルを踏むことによってドスの利いた低音のアクセントになる。そして左足首を上下に動かし、ハイハットでアフタービートを作り出す。ドラマーは両手両足をまったく異なった使い方をしながらも、一体感あふれるぶ厚いリズムの基調を作り出している。もちろんこの時は、ドラムの技術的なことや各部品の名称など知る由もなかったが、とにかくドラマーに圧倒されたのである。

西田が登場する前、前歌と呼ばれる新人歌手が二人、それぞれ二曲ほどフルバンドのバックで歌った。しかし、ドラマーの動きと彼の叩き出す音の数々にすっかり魅了されていた。とにかくバンドマンの中で、もっとも派手で目立つのがドラマーなのだ。石原裕次郎主演の映画『嵐を呼ぶ男』を見てドラムという楽器に興味はあった。あれは映画、目の前では本物のプロのドラマーがいま演奏している。その音を聞き、その仕草を見ているうちに、舞台上のドラマーと自分とをダブらせながら夢想していた。

――いつかドラマーとして、こんな華やかな舞台で演奏できたらかっこいいだろうなぁ。

この五年後にはドラマーとして同じ舞台で演奏することになるのだが、それは後のこと…。

「さあお待ちかね、いよいよ西田佐知子さんの登場です。大拍手でお迎えください」

舞台下手から司会者の甲高い声が聞こえたかと思うと、真っ赤な襟《えり》のついた純白のドレスに身を包んだ女性が上手から登場し、マイクを片手に歌い始めた。鼻にかかった透明感のある声が広い会場に響き渡る。まぎれもなく西田佐知子その人であった。

――こんなきれいな女の人、見たことがねえ。テレビで見た感じよりちょっと小柄だ。でも輝いていて、彼女が一番目立っている。あんなにたくさんバンドマンがいるのに。テレビや映画で見る歌手やスターって、みんなこんなに美人で目立つ人なんだろうな。

田舎少年には、衝撃的な美しさであった。まさに透き通るようなその容姿に感動した瞬間であった。テレビ画像はなぜか女性を実物よりも大きく映し出すという特性がある。見た目で均整のとれた女性がテレビで映し出されると、やや太って見えてしまう。従って、ブラウン管で見てスタイルのいい女性は、かなり細身なのである。西田を最初に見て小柄だと思ったのは、そういう理由からだ。

西田の歌は何曲か続いたが、小学生の時、商工会館で初めて味わった春日八郎ショーと違って、このショーの時は、西田の容姿や歌と同じぐらい引きつけられたのが、バックバンドの演奏とドラマーの存在であった。小学生だった歌謡曲小僧は、中学、高校と成長する過程で、ラジオや映画、そしてテレビなどで様々な音楽を聴きながら成長してきた。その証しに、歌手だけでなくバンド演奏やバンドマン、つまりミュージシャンへと興味の対象が多様化していたのだ。

大ヒットした「コーヒー・ルンバ」の歌と演奏を生で聞いた時は、日本の演歌や歌謡曲にないエキゾチックなメロディーとリズムに、ますます音楽の持つ奥深さを感じた。

――こうした外国のリズムの曲になると、ドラマーの演奏が、ますます目立ってかっこいいなぁ。

西田の最後の歌は、あの「アカシアの雨がやむ時」だった。トランペットのイントロから始まり、西田は虚空を見つめながら、しっとりと歌う。スポットライトに浮かぶ西田はまるで人形のように美しい。席は二列目の中央、すぐ目の前で歌う西田の瞳が、ライトに反射しキラキラ輝く。テレビで見るのとは雲泥の差である。あまりの至近距離に、ウブな俺はドギマギしてしまった。

——やっぱ、テレビ出演している売れっ子の女性歌手は違うなあー。きれいだし、歌声もすげえや。

これが偽らざる、歌手西田佐知子に対する印象であった。

そして、このコンサートで、漠然としていたドラマーへの憧れがより強くなっていった。しかし、どうやったらドラマーになれるのか、どうしたらドラムという楽器に触れることができるのか、そのドラムでどんなジャンルの音楽を演奏したいのか、この時は憧れのまま、夢のままで会場を後にした。

だが、女神はこのショーから一年も経たぬうち、ドラマーへの筋道をさし示してくれるコンサートへと導いてくれたのだ。幸運の女神に感謝である。

4　ドラマーに憧れ、バスケに燃えた高校時代

邦画・洋画問わずの映画館通い

西田佐知子歌謡ショーが長野市民会館で開催された同じ年、昭和三七年（一九六二）四月、長野県立長野高校に入学していた。

志望校への入学はやはりうれしかった。受験勉強が報われたのである。正門から仰ぎ見る興亜型と呼ばれる重々しい木造二階建て校舎は、堂々たる威厳を保っていた。この校舎はいまも、同窓会館として残されている。

――さあ、どんな高校生活を送るか、まずは自分がやりたいことを見つけることが一番だ。

中学時代は野球部に入り、クラブ活動をしながらも、時間を見つけては映画を見まくった。さて、どのクラブにしようかと迷った。長野高校には、よりどりみどり、たくさんの部活があったのだ。まずは運動部。

文化祭の金鶏祭で仮装

長野高校の野球部は、平日も休日も練習に明け暮れ、広岡監督の精神をも鍛え上げる厳しい指導が有名で、「広岡野球」として県内でも知られていた。中学野球の延長ではついていけない。

——一年三六五日毎日練習、とてもじゃないけど、これじゃ学園生活、まったく楽しめねえじゃねえか。無理だ。

野球部は諦めた。たまたま兄貴が同じ長野高校の三年生で柔道部に入っていた。三段であった。そんなこともあって、柔道部で三～四か月絞られたが、やはり熱が入らない。

音楽に関係した部活はどうだろうと考えた。もともと歌謡曲小僧だったし、それにポップスにも興味を持ち始めていた。中尾ミエ、伊東ゆかり、園まりらポップス三人娘が人気を博している頃だった。テレビでは彼女らが、スマイリー小原が率いるバンドで、ツイストを踊っている音楽番組もしばしば目にしていた。

実は長野高校に入学して、高校生になったことを初めて実感したのは昼休みに流れる放送研究会による校内放送であった。入学早々、四時間目の授業が終わり、さて弁当を食べようかと、弁当を開いたその時である。

テンポのいいあの耳慣れたリズムとメロディーが教室のスピーカーを通して耳に飛び込んできた。

——おっ！　この曲、中尾ミエの「可愛いベイビー」だ。高校ではポップスを校内放送で流してるんだ。さすが、高校だ！

いま考えると、どうということはないのだが、あの頃は歌謡曲もポップスも小・中学校ではご法度でまったく聞けなかったし、音楽の発表会でも演奏することはなかった。それだけに、この「可愛いベイビー」の校内放送は、自分にとって高校生になったとの自覚の第一歩であったと同時に、自由な校風を体感した時でもあった。

で、音楽クラブは、というと、合唱班や吹奏楽班、ギター・マンドリンクラブぐらいなもので、ジャズやロックなどの部活はまだ存在していなかった。吹奏楽班は講堂でおこなわれる式典の時に校歌を演奏したり、高校野球の応援をしたりして大活躍している。楽器も様々である。西田佐知子の「アカシアの雨に打たれて」以来、トランペットの音色にも興味を抱いていたので、トランペットをやろうと吹奏楽班を訪ねたこともあった。

「えっ！　君もトランペットをやりたいの？　希望者が多くて、困ってるんだよ。もう空きがない。吹奏楽班に入りたいなら、クラリネットをやりなさいよ。クラリネットなら大歓迎だよ」

三年生の部長の言。しかし、クラリネットにはまったく興味がなかったのである。

愚かにも、あの当時はクラリネットに関する知識がなさ過ぎた。大学でジャズクラブに入り、北村英治やベニー・グッドマンの演奏を聞き、初めてクラリネットという楽器の素晴らしさを知ったのだから無理もない。ドラムセットなど吹奏楽班にはなかったのでドラマーという選択肢は初めからなく、トランペットを希望したがこれもダメ。

結局、どのクラブ活動にも入らなかった。そうなると時間に余裕がある。当然のように映画館に通うことになるのである。

高校生になり見る映画の幅も広がった。邦画では加山雄三主演の『若大将』シリーズ、勝新太郎と田宮二郎の『悪名』シリーズ、さらに勝の『座頭市』シリーズ、市川雷蔵の『眠狂四郎』シリーズ、吉永小百合、浜田光夫の『赤い蕾と白い花』などの青春もの、さらには洋画の青春ものでトロイ・ドナヒューの『二十歳の火遊び』『サーフサイド６』、キャロル・リンレーの『青春の旅情』、西部劇ではジョン・ウェインの『リバティ・バランスを射った男』、そして、ショーン・コネリーの『００７』シリーズ、ナタリー・ウッド、ジョージ・チャキリスの『ウエスト・サイド物語』などなど。邦画、洋画を問わず映画館に足を運んだ。

チャンバラ映画も『座頭市』や『眠狂四郎』シリーズなど大映の作品に興味が移り、小学生の頃あれほど見ていた東映のチャンバラ映画からは次第に遠ざかっていった。東映と言えば高倉健の『人生劇場　飛車角』が印象に残っている。

ところで、その東映株式会社、設立した中心人物が信州人であることをご存じか。一代にして、巨大な東急グループを創り上げた男、五島慶太がその人である。戦前から日本各地に鉄道を敷設、渋沢栄一のいわゆる田園都市構想を実現した辣腕《らつわん》家だ。その五島、実は小県郡青木村の出身なのだ。

昭和二六年（一九五一）、五島が戦前から設立していた東横映画ら三社を合併させ、東映株式会社を新設、社長に大川博を就任させたのである。小学生の頃、よく大川橋蔵の『新吾十番勝負』などを見て、橋蔵ファンになっていたので、映画のオープニングで、出演者やスタッフが紹介される最後に「製作 大川博」と大きく映し出される名前を見て、「この人は大川橋蔵とどういう関係があるのかなあ」と不思議に思ったことが何度かあった。

戦後、東横映画は慢性的な赤字に見舞われていた。しかし、大衆が喜ぶものを提供するのが事業家の務めだ、との思いで、五島慶太は再建の賭けに出て設立したのが東映だったのだ。東映の社長にと白羽の矢が当たったのは、五島がオーナーの東京急行電鉄で役員を務めていた大川博であった。いやがる大川を五島は強引にねじふせ、社長に任命したという。大川が新社長として出勤した日の机には、不渡り寸前の手形が山のように積まれていた。制作現場である京都の撮影所には、五島が自ら足を運びスタッフ全員を集めて叫んだ。

「このぐらいの赤字は、船一艘沈めたと思えばたいしたことはない。みんな一生懸命になって働いてくれ。この撮影所が天下一になるまでは、五島慶太、再びこの門をくぐらないであろう」

カツドウ屋と呼ばれるプロ集団、三度の飯より映画作りが好きな連中である。五島のこの言葉に燃え上がった。こういう打てば響くようなものづくり精神が大好きだ。令和のいまはどうだ。働き方改革だのなんだのと、屁理屈をこねて、働くことがまるで悪のようなイメージ作りが盛んだ。休むことばかり推奨している。これじゃ、プロの職人は絶対育たぬと思う。

東映の再建は、五島家が破産するかどうかのイチかバチかの賭けだったという。ところがこの年、日本は講和条約が締結され、これまで自粛されていた時代劇の制作が始まったのだ。さらに、大映が打ち出した芸術映画路線に反発した市川右太衛門や大友柳太郎といった大物スターたちが東映に移籍してきたのである。この二人の主演作が、月一本のペースで制作されていくことになる。かくして東映は活気づき、破産寸前から松竹を抜き、東宝を追い越し、大映をも引き離して、とうとう配給収入日本一となった。昭和三二年のことだった。小学生時代に楽しませてもらった市川右太衛門の『旗本退屈男』シリーズ、大友柳太郎の『快傑黒頭巾』シリーズ、片岡千恵蔵の『多羅尾伴内』シリーズは慶太翁のおかげだったのだ。そして支払った入場料は微々たるものではあるが、東映再建、ひいては青木村出身の慶太翁への助けになっていたというわけだ。

しかし昭和三三年、一一億二七四五万人という観客動員数を最後に、日本映画は衰退の道を歩むことになる。特に、昭和三九年の東京オリンピック開催でカラーテレビが一般家庭にも普及すると、世の中の娯楽はかつての王者映画からテレビへ変わっていった。栄枯盛衰とはいえ、小学生から中学生、そして高校生になったわずか七年間の大変化であった。映画は粗製濫造から質が問われる時代に突入したのである。

ますます磨きがかかる映画熱

そんな日本映画の斜陽化に危機感を抱いていた一人の監督が作った映画が、大きな話題を呼んだ。小学校入学前、その後の人生に絶大な影響を与えた映画『野良犬』のメガホンをとったあの黒澤監督の社会派娯楽サスペンスとも言える『天国と地獄』である。

高校時代に見たもっとも印象に残っている映画の一本だ。というのも、高校二年生の時、国語担当の武井佳朝先生が、授業時間すべてを使ってこの映画を熱っぽく語ったからでもある。俺が映画好きだったということもあるが、武井先生の国語授業の思い出は、『天国と地獄』を語ったこの授業である。

『天国と地獄』が封切られたのは昭和三八年（一九六三）の春だ。東京オリンピック開催の前年だった。この作品最大のクライマックスは、東京五輪に向けて作られた特急こだま内での、身代金の受け渡しシーンである。このため、特急こだまを借り切って撮影されたことも大きな話題となった。

身代金と記した通り、この映画は誘拐の卑劣さを暴いた作品である。

高台に豪邸を構えている靴製造会社社長の権堂（三船敏郎）の子どもと間違えられて、お抱え運転手の子どもが誘拐されてしまう。犯人は三〇〇〇万円の身代金を要求するが、権堂には払えぬ事情がある。会社が乗っ取られる瀬戸際であり、それを防ぐために大金が必要なのだ。権堂は悩みに悩んだ末、他人の子どものために全財産を投げ出して身代金を払い子どもを救い出す。

その身代金受け渡しのシーンは迫力満点である。特急第二こだまのトイレのわずかに開く窓から、鞄に入れた金を指定された鉄橋に差しかかったら外に投げ出せというのが犯人の要求である。

極秘に乗車している戸倉警部（仲代達也）らは八ミリカメラを列車の各所に配置して、外部を撮影、手がかりを得ようと努力する。このシーンはリハーサルなしの本番一発撮りということもあって、役者の緊張感が功を奏し、映画史上類を見ない名場面となっている。

ドラマの後半は、地道な警察の捜査がまるでドキュメンタリーのように展開される。捜査線上に浮かんだのは、若いインターン（山崎努）である。医者の卵はなぜ大胆な誘拐事件を企《くわだ》てたのか…。

武井先生は五〇人の生徒を前に、この映画のストーリーを語った後、こう締めくくった。

「身代金を払った権堂は、会社を追われ無一文になったが、また一人の靴職人として人生をやり直そうと決意する。ここが偉い。一方、犯人のインターンは、権堂が職人からコツコツと築きあげ、ようやく社長になったことなどまったく知らずに、金を奪おうとした。監獄につながれてさえ、まだ権堂を憎んでいる。それも、自分は豪邸に住むことができないみじめな境遇にいた、という理由だけで憎んでいるんだな。ここに大きな人格というものの差が出るんだ。権堂は社長の地位も失い、金がなくなってもまたイチからやり直そうという地道な心を持ち続けている。しかし、犯人の心は、最初から最後まで権堂とは正反対、いわば彼は地獄にいるのと同じなんだな。人生を歩む上で、もっとも大切なことは、どのような心を持って生きていくかなんだ。それによって人生は大きく変わる、ということなんだ」

まるまる授業をつぶして、武井先生は熱く語った。これから長い人生を歩む高校生にとって、人間のあり方を教える格好の教材が『天国と地獄』に示されていると先生は思ったに違いない。こんな授業は中学生時代にはなかった。大人に一歩近づいたような気がした。


高校二年生の時、すぐ上の兄貴が映画監督になりたいと言い出した。兄貴は大学の受験勉強をしている最中だった。勉強部屋の机の前の壁に、「打倒！ 黒澤明監督」と書いた紙を張り、自分を鼓舞していた。いま思うと、ずいぶんと大胆な目標を掲げたものだ。世界のクロサワを打倒するとは。

「徹、映画は監督で見るものだ。人気スターが出演していても、監督がイモならば、その映画は決しておもしろくはならないんだ。映画の良さは監督で決まるんだ」

兄貴は、俺が小学校入学前に見た『野良犬』が黒澤監督の作品であることも教えてくれた。『天国と地獄』はもちろんのこと、その前には時代劇の概念を根底からくつがえしたリアリズムあふれる『用心棒』『椿三十郎』を世に送り出した監督であることも教えてくれた。

その兄貴が話題にした『天国と地獄』は、高校の国語教師も絶賛していた。そうなれば見ないわけにはゆかない。早速その日、下校のチャイムが鳴ると、自転車に飛び乗って長野高校から権堂にある東宝中劇を目指した。

長野高校は善光寺平の北の高台にあり、当時は眺望が極めて良かった。高校西側の通学路は、かなり急な坂道が延々と続き、ちょうど舗装工事中であった。登校する時は自転車を引っぱりながら歩かねばならぬほどの坂道、逆に帰り道は、ブレーキをかけながら注意深く下らなければスピードが出過ぎる危険な道でもあった。東宝中劇は行き慣れた映画館、ワクワクしながら劇場に入った。七〇歳を過ぎたいまでもそうなのだが、あの高校生の頃から、いい映画に出合えた時は、この世に生を受け生きていて本当に良かったなぁ、そうしみじみ思う。高校二年生の時に出合った『天国と地獄』、二時間半近い長い映画を見終わった時に思った。

——生きていて本当に良かったなぁ。

この頃から監督を意識して映画を見るようになっていった。おもしろい作品、感動した映画は、その監督の名前を覚えるよう努力したのである。ちなみに『座頭市』シリーズは三隅研次、森一生、田中徳三らが、『眠狂四郎』シリーズは田中徳三、三隅研次、安田公義らが監督を務めている。いずれも時代劇映画の巨匠である。

ところで、「打倒！　黒澤明監督」を目指した兄貴は、京都の同志社大学へ入学、映画班に入部し一本作品を作ったが、映画監督の夢は実現できなかった。

兄弟の場合、弟は兄の影響を受けることが多い。三男坊である俺は、二人の兄貴の生活ぶりを見ながら成長する。時にする兄弟喧嘩も、体格、体力ともに劣るので絶対に勝てない。これは弟の宿命と諦めざるをえない。

そのかわり、兄たちの行動をよく観察しながら暮らすことになる。当然の帰結として、両親に対する立ち居振る舞いはうまくなる。どうしたら褒められるのか、どうしたら叱られるのか。二人の兄貴はいわば、俺にとっては都合のいい反面教師的存在でもあったわけである。兄貴たちの失敗はなるべく避けるようになる。兄貴たちのすることで、自分にもできるおもしろそうなことはやる。結果、兄や姉がいない同僚たちに比べ、耳学問はもちろん、行動面でも有利になる。小学校、中学校、高校を通じて、クラスの中であまりみじめな思いをしなかったのは、二人の兄貴のおかげだと感謝している。

「映画は監督で見るものだ」という、兄貴のこのアドバイスのように、高校時代、周囲に監督を意識して映画を見ていた者は、知る限り一人としていなかった。すぐ上の兄貴の貴重なアドバイスだ。このアドバイスはいまも俺の中で生き続けている。

武田三兄弟

前代未聞の大秘策でインターハイへ

長野高校に入学して、映画を見たり、コンサートに行ったりと自由気ままに暮らしていたのだが、あまりに自由過ぎると自由が不自由に感じるという奇妙な感覚に襲われた。自由を持て余すという不自由に遭遇したのである。

そんな一年生の秋、全学年対抗のバスケットボールのクラスマッチが開催されたのだ。景品は、大きな四角のアルミニウム一斗缶に詰まったカリン糖であった。

クラスには中学時代にバスケットの経験者が三、四人いて、昼休みには一緒にゲームを楽しんでいた。ド近眼の老教師、〝オズー〟こと徳竹先生の社会科の授業中には教師が黒板に字を書いている時を見計らって、こっそり教室を抜け出し、バスケットに興じたこともあった。

そんなわがクラスは、クラスマッチで七クラスある中で学年優勝、さらに二学年の優勝クラスをも敗って決勝進出。残念ながら三年生の優勝クラスには敗れたものの全校第二位、準優勝に輝いたのである。

中学の野球部以来、久々にいい汗をかき、改めてスポーツはいいものだと思った。勝利の美酒ならぬ勝利のカリン糖を頬張りながら話は弾んだ。

「やっぱ、バスケットはおもしろい。籠球班《ろうきゅう》に入って精いっぱい暴れてみてえな」

当時、長野高校の運動部名はすべて日本語表記であった。庭球班、卓球班、そしてサッカーは蹴球班《しゅうきゅう》と呼んだ。

　俺の言葉を聞いて、同じ南部中学でバスケットクラブに入り、高校では卓球班に籍を置いていた金子君が言った。

「武田、籠球班はいま、メンバーが少なくて困っているようだぜ。練習は厳しいようだけど、武田が入れば喜ぶぞ」

　さらに同じ卓球班の横尾君もつけ加えた。

「中学で野球をやってたんだろ。武田も運動部に入れよ。身体を鍛えてあるから、籠球班でも十分やってけるよ」

　高校生活を勉学一筋、勉強、勉強、勉強で過ごすことなど、頭の隅にこれっぽっちもなかった。中学卒業以来、久しぶりにいい汗を流した後だけに、籠球班も悪くないと思った。

　しかし、高校の運動部の練習はかなり厳しいこともよくわかっていた。果たしてその練習に耐えられるだろうかと、尻込みしていたある日のことだった。

　昼休みに、いつものようにクラス仲間とバスケットを楽しんでいたら、同じ一年生で籠球班の松岡君が声をかけてきた。

「武田君、籠球班に入って一緒にプレーしようよ。クラスマッチであれだけプレーできれば大丈夫、やっていけるから。俺たちの学年は三人しかいないんで、ぜひ入ってもらいたいんだ」

聞けば四月に何人かが入部したが、勉学を理由に次々と退部してしまい、残っている一年生は、松岡君と尾身君と小口君の三人だけだという。これでは自分たちが三年生になった時、長野県代表でインターハイ出場はおろか、地区大会でもいい成績は残せない。

長野高校はバスケットボールの名門校で、毎年インターハイに出場していたが、今年の三年生はそれがかなわなかった。文武両道の長野高校の籠球班がこれではまずい。自分たちが三年生になった時も栄光ある伝統は守りたい。そのためにぜひ力を貸してほしい、と懇願されたのである。

そこまで言われて断るのは男がすたるというもの、かくして籠球班で青春のエネルギーを発散させることになったのである。

とはいえ、本格的にバスケットをやるのは初めてである。苦労、苦労の連続であった。

幸い翌年の昭和三八年（一九六三）、わが籠球班は長野県で優勝。その夏に新潟県で開催されたインターハイに出場を果たすことができ、伝統を復活させることができた。

夏休みが終わると、三年生は引退、いよいよ俺たち二年生が主体となって、翌年のインターハイを目指さねばならない。ところが俺たちの戦力ときたら、誠に心もとないものであった。主力となる二年生のメンバーは四人だけ。身長も小口君が一七九センチ、尾身君、松岡君、それに俺はいずれも一六〇センチ台。一年生も二、三人だけ。マネジャーとして同学年の岡田君が参加してくれたが、ゲーム形式の五対五もままならぬという最悪の状況であった。

これを打開するための唯一の方法は、小口君と同じような長身で、すぐにも試合で通用するメンバーを勧誘するしかない、との結論に達した。幸い、この条件を満たしてくれる男が同学年に一人いたのである。身長一八一センチ、毎年秋におこなわれる恒例の全学年対抗、バスケットボールのクラスマッチでこの秋も大活躍した錦織君である。昨年俺を勧誘したように、松岡君が彼に白羽の矢を立てたのである。そこで昨年秋から中途入部した俺と松岡君がスカウト係となったのだ。

しかし、そこには大きな高い壁が立ちはだかっていた。その壁とは、錦織君はすでに一年生から卓球班に所属しているばかりでなく、この秋からキャプテンとして活躍していたのである。いわば卓球班の顔である。その彼を籠球班に引き抜こうというのだから簡単ではない。下手をすれば卓球班と大喧嘩に発展する恐れが十分あった。

そこで策を練った。まずは錦織君への説得である。と同時にたとえ錦織君が内心は籠球班に移りたいと思ったとしても、キャプテンとしての立場から、自分から卓球班の仲間に言い出すことはできないだろう。そのためには卓球班の主要メンバーを説得し、錦織君の恵まれた身長とセンスを生かして、バスケットで活躍することこそが、彼本人のためにも籠球班のためにも、ひいては長野高校のためにもベストである、ということを彼らに理解してもらう。そして次に、その彼らに班の世論をその方向に誘導してもらい、錦織君が移籍しやすい環境を作ってもらうこと。これら二つの説得を同時に成功させようという戦略を練ったのである。

——俺のプレーはまだまだ未熟だ。メンバーに迷惑ばかりかけている。こんな時こそ、役に立たないでどうする。

覚悟を決めた。

「俺が卓球班のメンバーを説得するから、松岡君は錦織君の交渉をしてくれ」

「武田君、そっちをやってくれるか。インターハイに出場するには、錦織君は絶対に欠かせない。今年中にはなんとしてもケリをつけようぜ。錦織君を絶対に落とす」

時はすでに秋。三か月で新春恒例の県大会新人戦が開催される。急がねばならない。

持つべきものは友、実は目算があった。一年生の時、バスケットのクラスマッチで全校二位に輝いた時のチームでともに戦った金子君と横尾君が頭に浮かんでいた。籠球班入りを勧めたあの二人である。金子君は小学校と中学校が同じ旧知の間柄、横尾君は大の親友であった。その二人がいまや卓球班の有力メンバーになっていた。

この二人とは二年生の時のクラス替えで、クラスは別であった。しかし幸いなのは、運動部の部室が体育館脇に長屋のようにズラリと並んでいて、各班のメンバーはこの部室を拠点に学園生活を送っていたのだ。授業のない時、昼休み、そして放課後などは、部室で過ごすことが大半であった。しかも部室長屋は食堂にもっとも近いので、二人とは毎日のように顔を合わせていた。

俺と松岡君は、それからというもの、この昼休みを利用してスカウト活動に専念した。

「そんなこと無理だよ、だって錦織はキャプテンだよ。あいつだって絶対ノーって言うに決まってるよ。武田、諦めな、無理、無理」

二人は最初、口を揃えて言った。この返答は折り込みずみである。この根回しが、簡単に成就するとは最初から思っていない。だが俺もしつこい。こうと決めたからには、断固引き下がるわけにはいかぬ。長身の錦織君の持つ運動センスを生かすにはバスケットボールが最適で、籠球班入部は本人のためでもあること。その錦織君がメンバーに加われば、長野県一位への夢が実現すること。そして、錦織君自身も籠球班入りを拒絶しておらず、キャプテンという立場上、本人からは言い出せないでいること。同じことを言って、毎日二人に会っては説得し続けた。

実は松岡君は錦織君に別の場所で会って口説き続けており、錦織君の情報も得ていた。

「金子、おめえは実力も人望もあるんだから卓球班のキャプテンをやって、錦織を解放してやれよ」

とうとう卓球班の人事にまで口を出してしまった。執拗《しつよう》な説得と熱意が功を奏したのか、あるいは彼らが根負けしたのか定かではないが、二人は同意してくれたのであった。

一方、松岡君も説得工作を毎日続けていた。彼は、伝統ある籠球班に入部し、インターハイに出場することだけを夢に見て長野高校に入学したというバスケットボールおたくなのだ。

「松岡、金子と横尾は同意してくれたよ。後は錦織本人を落とすだけだ。頼んだぜ」

「それがさ、本人はウンと言ってくれねえんだよ。絶対ダメだ、とも言わねえんだ。とにかくがんばるしかねえな」

その錦織君もついにわが籠球班入部を決意してくれたのだった。季節はすでに一二月になっていた。卓球班内部でどのような会合がもたれたのかは知らぬが、前代未聞のキャプテン移籍劇はこうして無事に決着したのであった。後任のキャプテンには金子君が就任、おそらく彼と横尾君が卓球班内を丸くおさめてくれたのであろう。二人には大感謝である。

錦織君の加入でわが籠球班は活気づいた。キャプテンの尾身君、ポイントゲッターの小口君、ミドルシューターの松岡君、そしてまだまだ未熟な俺、それに長身の錦織君と二年生が五人揃い、マネジャーの岡田君ともども気分も新たに練習に励んだ。

翌春の新人戦では、準決勝で敗れ三位という結果に終わってしまった。危機感を持ったチームは三月の京都への修学旅行も返上して合宿をした。

三年生になった四月、新潟国体の出場権をかけた試合では、決勝まで勝ち進んだが長野吉田高校に敗れ、残念ながら二位。

福井県でおこなわれた北信越大会では、決勝戦まで進出し、日本でも有数の強豪チーム、新潟県の三条高校と対戦し、敗れはしたが堂々の二位であった。

そして迎えたインターハイ。なんとしても県大会で優勝せねばならない。新一年生が加わったとはいえ、メンバー全員で十数人という少人数だ。それだけに、頭を使ったプレーを徹底的に追求した。また人数が少ない分一人一人の練習量も他チームに比べ格段に多いことも自信につながった。決勝戦では再びあの長野吉田高校と対戦することになった。が、今回は雪辱を果たした。見事に長野県一位、優勝に輝いたのである。

昭和三九年（一九六四）八月、長野県代表として臨んだインターハイは静岡県でおこなわれた。

第一回戦、対する相手は四国の中京商業。予想外に相手が弱く、長野高校は一・二年生も出場させて楽勝した。二回戦は東京代表の強豪都立北野高校だった。ところが試合当日は、運悪く錦織君の特別奨学金のための受験日と重なってしまったのだ。静岡県で受験できるよう調整してはもらったのだが、受験時間までは変更できない。錦織君は試験の合間に試合会場に駆けつけ、前半の途中からゲームに参加、一八点差の劣勢を八点差まで追

長野県代表でインターハイ出場。前列左から錦織、小口、松岡。後列左から岡田、武田、尾身の選手と中沢監督

い上げた。しかし、前半が終わった時点で、錦織君は再び試験会場へ行かねばならず、結局負け試合となってしまった。フルメンバーで戦えなかったことは残念であったが、全力で戦ったが及ばなかったのである。対戦した都立北野高校は、このインターハイで三位まで勝ち進んだ。

かくして籠球班三年生の活動はこのインターハイですべてが終わったのである。

苦しい練習を重ねた仲間である。試合に敗れてともに涙した仲間である。勝利を目指し、ともに励まし合った仲間である。長野県で優勝し、ともに喜び合った仲間である。インターハイでともに戦った仲間である。いまでも彼らと一緒にプレーできたことに感謝し、彼らと一緒に汗を流したことを誇りに思っている。

ありがとう、尾身君、小口君、松岡君、錦織君、そして岡田君。

俺はドラマーになるんだ！

高校二年生の時、街角に貼られた一枚のポスター、ドラム演奏中の大きな写真が目に入った。よく見ると、ドラマーがリーダーのジャズコンサートが長野市民会館で開催されるＰＲポスターだった。

——リーダーがドラマーなら、きっとドラムソロも多いし、ドラムのことを詳しく知ることができるに違いない。

西田佐知子歌謡ショーで、ドラマーのかっこ良さに憧れていたので、早速チケットを買い求めた。ジャズコンサートは初めて、それもリーダーがドラマーというのでその日が待ち遠しかった。なにしろ当時は、楽器店にも、ドラムセットなど置いてない頃なので、なるべく前の席で、ドラマーの手の動きなどをよく見ようと早めに長野市民会館に出かけた。

緞帳《どんちょう》が上がり始めると舞台中央に設置された純白に輝くドラムセットに座ったドラマーが、いきなりソロを展開するではないか！

猛烈に速いスティックさばきで、キレのいいスネアの音が聞こえたかと思うと、ドラマーの周りに林立する何枚ものシンバルが、リズムに合わせて心地良い金属音を発しながら揺れる。それらの音と同時に、強いアクセントの重低音が腹に響く。両手両足を駆使しながら、やや口を開き平然たる表情でスネア、中タム、バスタム、バスドラム、さらに何枚ものシンバルを叩き続けるドラマー。

一人の人間が発しているとはとても思えぬほど複雑でリズミックな音、音、音。のっけから強烈なドラムソロの洗礼を受け、圧倒されているうちに、舞台上手から登場したミュージシャンが、ドラムセットの脇に置いてある大きなベースに手をかける。するとドラマーはハイハットでフォービートを刻み始める。

「チィーチャッカ、チィーチャッカ、チィーチャッカ、チィーチャッカ……」

そのリズムに乗って、ベーシストが鈍く弾む音でソロをはじき始める。

「ブ・ブンブンブン、ブブンブンブンブン…」

今度は、下手から舞台中央の左に置かれているピアノに座るミュージシャン。ピアニストの登場だ。真珠が転がるようなピュアな音でメロディーが奏でられる。

すると最後は、舞台両脇から、ひときわ若い二人のミュージシャンが同時に、舞台中央へ進み出る。トランペット奏者とサックス奏者だ。二人は頃合いを見計らって、この曲のテーマを同時に吹き始める。全員が折り目正しいスーツ姿である。なんとも都会的でかっこいいのだ。会場はすっかり、ジャズの醸し出す、グルービーな世界に包まれる。

このコンボグループこそ、当時日本ジャズ界が誇る人気実力ともにナンバーワンだった白木秀雄クインテットだったのだ。

ジャズコンサートに初めて足を運んだので、人気グループだということを当時は知る由もなかったが、歌謡曲とはまったく異質なジャズなる音楽にぞっこんほれ込んでしまったのである。

しかも驚いたのは、リーダーの白木が司会を務めながら言った言葉だ。

「石原裕次郎、そう裕ちゃんの映画『嵐を呼ぶ男』、会場でも見た人が多いと思いますが、実は、裕ちゃんのドラムを実際に演奏したのは僕、白木秀雄なんですよ」

この時、会場からどよめきが起こった。

「裕ちゃんがドラマー役をやってから、僕らドラマーの人気も上がって、今回長野にも呼んでもらえるようになったんですよ。ここで一曲やりますか、『嵐を呼ぶ男』」

もちろん会場は大拍手、俺も映画の裏話を聞いてビックリ仰天。中学生でこの映画を見た時は、ドラム演奏者がほかにいたなどということにはまったく気が回らなかった。

「俺らはドラマー、やくざなドラマー…」

白木はドラムを演奏しながら「嵐を呼ぶ男」を歌って大喝采を浴びた。

そしてもう一人、強烈な印象を与えられたミュージシャンはトランペッターだった。猛烈に速いテンポの曲を、後ろに倒れるのではと思うほど身体をのけぞらせながら、高音域のフレーズを次々と連発しながらトランペットを自在に吹きまくる。ソロが終わり、サックスやピアノ奏者が演奏している時、時折タップダンスを踊るトランペッター。そう、このトランペッターは後の日本のジャズ界をリードし、アメリカでも人気者になったあの日野皓正、弱冠二〇歳過ぎの姿であった。

この時のトランペッターが日野その人であったことを知ったのは、大学時代に入ったジャズライブハウス「ピット・イン」での彼のライブを聞いた時だった。彼の顔と、のけぞるような演奏スタイルに接して、あの時のトランペッターが日野皓正だったとわかったのだ。

高校生の自分にとって、日野は忘れられぬミュージシャンの一人だったのである。

その日野さんと、何年か後に「ニューポート・ジャズ・フェスティバル・イン・斑尾」でのテレビ中継で、一緒に仕事をすることになるなど、想像もできなかった。これも運命という不可思議な糸のなせるワザなのかもしれない。

ちなみに白木秀雄クインテットのほかのメンバーは、ピアノ世良譲、ベース栗田八郎、サックス村岡建であった。

この白木クインテットのジャズコンサートで、ドラマーへの憧れはいっそう燃え上がった。

ラジオ「トリス・ジャズ・ゲーム」とアート・ブレイキー

最初にジャズという言葉やジャズという音楽に接したのは、歌謡曲に興味を持ち始めた小学生の頃だった。

春日八郎の「お富さん」の歌詞を覚えようとラジオに耳を傾けるようになってからだ。SBCラジオの夜の番組から、歌謡曲とまったく違う、ハイカラな音楽が流れてくることに気がついた。小学二年生の時だった。

まずロイ・ジェームスという司会者が、番組タイトルを大きな声で告げる。

「洋酒の壽屋提供、トリス・ジャズ・ゲーム！」

するとすかさず、軽快なジャズ演奏が始まる。そのリズムに乗って、バンドメンバーを一人ずつ紹介するのだが、外国人のロイのしゃべりに独特の味わいがあるのだ。

「ピアノ、中村八大」

ロイの紹介とともに、ピアノが短いソロをとる。

「ベース、上田剛」

今度はベースのソロだ。

「テナーサックス、松本英彦」

テナーの豪快にブローする演奏の後、ひときわロイの声が高まる。

「ドラムス、ジョージ川口」

派手なドラムのソロが、箱型ラジオを震わす。このオープニング、なんともかっこいいのだ。いまだに耳の底にこびりついている。

文化放送が昭和二九年（一九五四）一二月から、壽屋、現在のサントリーをスポンサーとしてスタートさせた公開録音番組だ。ロイが客席からリクエストを募り、どんな曲でもバンドのビッグ・フォアがジャズ風に演奏して、大人気を博した日本ジャズ史に残る有名番組だったのだ。

東京ヴィデオ・ホールで収録された公開放送を、日本全国の民間放送がネットワークし、ＳＢＣラジオでも放送していたというわけである。

この放送で、ジャズバンドのビッグ・フォアは有名になり、いまでいう、超人気アイドルのような存在になったという。ビッグ・フォアは地方巡業もおこなった。当時の人気ぶりをジョージ川口はある雑誌のインタビューで次のように話している。

「後にも先にも、ジャズバンドで、俺の率いたビッグ・フォアほどモテたバンドはないね。巡業先で支払われるギャラは現金なんだ。札束をぎっしり、ジュラルミンの箱に詰め込んで移動したもんだよ」

長野市でも公開録音をした、という話を聞いたことがある。市民会館として使われていた城山小学校の体育館でおこなわれたらしい。おそらく、その時の放送だったのであろう。たまたまこの放送をラジオで聞いていた。

会場からのリクエストが、「木曽節」であった。

――あの盆踊りの「木曽節」が、どんな演奏になるんかなぁ。

興味津々、耳を傾けた。メロディーは確かに「木曽節」なのだが、まったく違ったイメージの曲がリズミックに即興で演奏された。

――へえー、ジャズで演奏すると、「木曽節」がこんなに変わっちまうんだ。

魔法にかけられたような不思議な思いがしたものだ。

そしてサッチモことルイ・アームストロングの歌を、聞くともなく聞いたのもラジオからであった。「聖者の行進」は、おそらく何度もラジオで放送されたのであろう、メロディーはすっかり覚えてしまった。それでも、サッチモの独特なダミ声で歌う歌の良さは理解できなかった。

――こんなひどい声の人が歌手だなんて、アメリカってどんな国なんだろう。

ルイのトランペットのすごさも、深い味わいのあるヴォーカルも、子どもにはとても理解できなかったのだ。ルイ・アームストロングが、ジャズという新しい音楽の中心的な役割を担った巨人であることを知ったのは、大学でジャズクラブに入ってからのことである。歌謡曲小僧にとってジャズ音楽は、別世界のものであり続けた。

しかし、白木秀雄クインテットのライブに接してから、不思議なことにジャズが意識しないうちに身近な存在になってきたのである。

高校三年になる直前の三月、黒澤明監督に心酔していた二番目の兄貴が同志社大学に合格し、なぜか一枚のドーナツ盤のジャズレコードを購入したのだ。それも、リーダーがドラマーのレコードであった。

アート・ブレイキー&ザ・ジャズ・メッセンジャーズの「危険な関係のブルース」である。このコンボ・ジャズバンドは、その三年ほど前、日本各地でライブコンサートを開き、日本のモダンジャズブームの火つけ役となったグループだったのだ。アート・ブレイキー来日を機に、次々と本場アメリカのジャズミュージシャンが来日し、コンサート会場はどこも満員。都会にはジャズ喫茶が登場、学生を中心にジャズファンが増え、その波は一般市民をも飲み込み、空前のジャズブーム到来となったのである。

長野ではまったくその気配はなかったが、京都という都会で学生生活をする兄貴にジャズはまばゆいばかりの光芒《こうぼう》を放って、兄貴を虜《とりこ》にしたのかもしれない。

「徹、このアート・ブレイキーのドラムソロ、長くてすげえかっこいいから聴いてみな」

ちっぽけなプレイヤーがわが家にもあった。

兄貴が慎重に針を下ろすと、ブレイキーのドライブ感あふれるリズムに乗った演奏が耳に飛び込んできた。

リー・モーガンのトランペットとベニー・ゴルソンのテナーサックスがテーマを奏で、二人のソロが終わると、ブレイキーの長い長いドラムソロが始まった。ブレイキーのドラムソロを聞くのはもちろん初めてであった。骨太な、荒々しいドラムソロはいまも強く印象に残っている。

リーダー以下、全員が黒人のグループ、アート・ブレイキー&ザ・ジャズ・メッセンジャーズを知ったのはこの時が初めてであった。

白木秀雄クインテットのライブを聞いてドラマーに憧れていたので、このレコードを何度も聞いて、ますますドラマーとジャズに魅せられていった。

しかし、四月になると兄貴はレコードを持って京都へ行ってしまったため、ブレイキーの演奏は聞けなくなってしまった。

それから四か月後、兄貴が夏休みで帰長した時には驚かされた。兄貴は同志社大学のジャズクラブに入ったとかで、スティックを持って帰ってきたのである。本を何冊も重ね、その上に布を敷き、スネア代わりに練習をしていた。まさか兄貴もジャズドラマーを目指していたとは知らなかった。

「徹、スティックでトコトコ叩くのは、簡単そうでなかなか難しいんだ。速く叩こうと思うと、右手と左手が一緒に動いちゃってな。おまえもやってみな」

生まれて初めてスティックを握った。兄貴はまず、スティックの握り方を教えてくれた。右手と左手では、違う握り方をするのだ。

「なんかぎこちねえ持ち方だけど、それで右、左、右、左と叩いてみな」

見ていると簡単そうだが、実際にやってみるとなかなかうまくいかない。特に左手が思うように動かぬ。ドラマーになるには、相当練習を重ねなければならないのだ、と思ったものだ。

兄貴の帰省からしばらくして、ジャズクラブの先輩で、レギュラーグループのドラマーとして活躍しているというエディ近藤なる兄貴の先輩がわが家に二、三泊した。

――へえ〜、大学生のジャズバンドのメンバーも、プロドラマーのようにエディ近藤なんて芸名で演奏してるんだ。大学生ってすげえなぁ。

夏のことである。夜になると部屋の窓やガラス戸を開け、吊った蚊帳《かや》の中で、ウイスキーを飲みながら深夜までジャズや大学生活などを楽し気に語り合う二人の会話を聞いて、ますますドラマーに憧れ、大学生活への夢を膨らませたのである。

その夏、同志社大学のジャズクラブでは近く合宿があるとかで、かの先輩ドラマーが帰った後、兄貴は時間がありさえすれば、トコトコ、トコトコ、練習を続けていた。ところがその直後不幸にも、自転車事故で兄貴は足に大ケガをしてしまった。歩くのも難儀なために、合宿参加を断念せざるを得なくなってしまったのである。やむなくその後、兄貴はジャズクラブを退部し、映画研究会に入った。映画作りに没頭し、創り上げた作品のＢＧＭにエディ近藤ドラマーのグループの音楽を使用したという。

さて、エディ近藤というニックネームの「エディ」の由来は、大学でジャズクラブに入って知ることになったが、有名な白人ジャズギターリストで親分肌のプロデューサー、エディー・コンドンから拝借したものだとわかった。さすが近藤とコンドンをかけたうまいニックネームである。

そのエディー・コンドンがアメリカのニューヨークで開いたジャズクラブへ信越放送の社員時代に訪れることになるのであるが、それは後のこと。

ところで、このエディ近藤ドラマーがわが家を訪れた時、大学進学を目指してはいたものの、どの大学を選ぶかはまだ明確には決めていなかった。とにかくどこか東京の大学へ行きたかった。

「それなら早稲田大学へ行きなよ。いいジャズクラブがいくつもあるし、校風もバンカラで地方出身者もなじみやすい大学だから」

兄貴もドラマーも異口同音に勧めてくれた。勧めてくれるのはいいが、早大の試験はかなり難しいということは知っていた。入学試験まで半年しかないのだ。

そんな折、早稲田大学進学を決定づけてくれたコンサートが長野市民会館で開催されたのである。まさに運命的といっても過言でないコンサートであった。このコンサートを機に、早稲田大学を目指し、猛勉強をスタートさせたのである。

進路を決定づけたジャズコンサート

兄貴のスティックを借りて、トコトコ、トコトコとぶ厚い本の束を叩いていた夏休みにそのコンサートは開催された。

長野学生稲門会が主催した「早稲田大学軽音楽コンサート」である。

早稲田大学には全国から学生たちが集まってくる。学生たちは、各地域で稲門会なる組織を作って親睦を深め、活動をしている。ＯＢの長野稲門会もある。それらの稲門会が、夏休みや冬休みにコンサートを催して、母校の軽音楽部や合唱部を呼んでくれるのである。早稲田にはいくつもの軽音楽部がある。ナレオ・ハワイアンズ、オルケスタ・デ・タンゴ早稲田、早稲田ハーモニカ・ソサイエティー、そしてジャズクラブが三団体、ニューオルリンズ・ジャズ・クラブで通称ニューオリ、ハイソサイエティ・オーケストラで通称ハイソ、そしてモダンジャズ・研究会で通称ダンモ。

高校三年生の夏、長野市民会館にやってきたのは、ナレオ・ハワイアンズ、オルケスタ・デ・タンゴ・早稲田、それにジャズバンドが二つ、ニューオリとフルバンドのハイソだった。

長野市民会館は、学生はもちろん、大人たちで満員の盛況だった。当時はアマチュアバンドがなく、学生バンドはプロと同じか、それ以上に人気があった。

とにかく、ドラマーに憧れていた自分にとっては、ドラマーのいるバンド、ニューオリとハイソに興味があった。アート・ブレイキー＆ザ・ジャズ・メッセンジャーズのレコードを聞いたこともあり、少しだけジャズという音楽に親しみを持ち始めていた頃でもあった。

演奏が始まると、それぞれのバンドのメンバーは、揃いのユニホーム姿で登場。これまで目にした歌謡ショーなどと比べても遜色がまったくない。

――これが大学生のバンドなんだろうか。プロと同じじゃねえか。大学のバンドって、すげえーや。

これが初めて目にし、耳にした大学生バンドの印象だった。

バンドごとに司会者が替わり、ユーモアたっぷりにバンド紹介や曲目の解説、そしてメンバー紹介をする。実にあか抜けていて、これにも驚かされた。放送研究会なるクラブもあり、それぞれのバンドの専属司会者となっているということもこの時に知った。

――やっぱり、大学は高校と違って、司会する人もラジオやテレビでしゃべっている人と同じようにスマートだ。

早稲田大学への夢がますます広がっていった。

そして待ちに待ったドラマーが登場するジャズバンドだ。トリを務めたのはビッグバンドのハイソだった。圧倒的な音量はド迫力に満ちていた。最上段のドラマーはスティックさばきもあざやかで、トランペットやトロンボーン、サックス奏者よりも断然目立っていた。当時流行していたマンボの曲も演奏し、会場は沸きに沸いた。

しかし、一番気に入ったのは、ハイソより前に登場したニューオリの演奏だった。

舞台の緞帳《どんちょう》が上がると同時に始まった演奏曲が、親しみやすく、温かく、思わず手拍子をしながら踊り出したくなるような曲調なのだ。トランペット、トロンボーン、クラリネットの音色がからみ合ってメロディーを作り、ドラムを中心にベース、バンジョー、ピアノがわかりやすいリズムを刻んでいる。しかも、全員が舞台映えするユニホーム姿だ。ブルーの色地に赤のストライプ模様のスーツをまとい、カンカン帽といういでたちなのだ。その姿にも目を奪われてしまった。

ほとんどが初めて聴く曲だったが、中には聞いたことのある「セントルイス・ブルース」や「太郎ちゃんの赤ちゃんが風邪ひいた…」のメロディーでよく歌っていた曲（後に「リパブリック讃歌」という曲だと知った）もあって、その陽気で明るい演奏に魅せられてしまった。

このコンサートで初めて聞いた「タイガー・ラグ」という曲は特に印象的だった。猛烈に速いリズムに乗って、トロンボーンがまるで虎が唸《うな》り声を上げるような大きな音を出すのである。その唸り声は、曲の進行とともにますます大きくなり、演奏者は身体全体でトロンボーンを上下に大きく揺らし、吼《ほ》えたてるような音を連発するのだ。

トランペットが挑発するかのようなフレーズを吹くと、そのたびにリズムが止まり、虎のトロンボーンが吼える。それが何回も繰り返され、演奏はさらに盛り上がる。ドラマーも派手な仕草でそれに乗る。かくして演奏は大いに盛り上がり、客席からは大きな拍手がわき起こる。

――うぁー、すげえなあ。みんな汗だくで演奏してる。トロンボーンが吼えてる。これってまるでトランボーンじゃねえか。

初めて聞いた「タイガー・ラグ」にド肝を抜かれた。

かと思うと、クラリネットで寂し気で哀愁たっぷりのバラードが演奏された。クラリネットという楽器を見直したのはこの時だ。バンジョーの陽気な音も、このコンサートで初めて知った。

そしてドラマー。このステージの最後の曲は「聖者の行進」だった。よく知っているおなじみの曲だ。まずはドラムの行進曲風のマーチから始まった。トランペットが主旋律を吹き始めると、クラリネットが高音部を、トロンボーンが低音部を奏でながらこれにからむと、会場からはリズムに合わせて手拍子が起こった。トランペット、クラリネット、トロンボーンとソロが続く。

いよいよドラマーのソロだ。舞台が暗くなり、ほかのメンバーは上手と下手へと姿を消す。中央の一段と高い所作台に陣取ったドラマー一人だけが舞台を支配する。やや抑え気味のドラムの音量が次第に大きくなるに従って、スティックの動きが激しくなる。右手と左手を大きく動かしながら、スティックでヒットさせるシンバルの音が、耳の鼓膜を刺激する。その刺激音と連動して、左右のシンバルが大きく揺れ、その揺れがスポットライトを乱反射させながら、ドラマーは最高潮へと観客を導いてゆく。ここがドラマーの見せどころ、聞かせどころなのだろう。

——やっぱりドラマーは、ミュージシャンの中でも一番目立って、かっこいい。俺もいつか、あんなドラマーみたいに舞台で演奏してえなぁ。

ドラマーのソロを聞きながら本気でそう思っていた。早稲田大学に入学し、ジャズクラブに入って真剣に練習すれば、いつか夢は実現するに違いない。そうなのだ、俺はこのニューオリのステージを見て、早稲田大学入学を決意したのである。

さて、このステージでもっとも印象に残ったトロンボーン奏者とドラマーの二人はその後の人生でも深いかかわりを持つことになる。運命のジャズの糸はここでも働いたのだ。

トロンボーン奏者は高山幸好さん、ドラマーは弟子丸千一郎さん。翌年、早稲田に入学し入部した時に二人は卒業していたが、ニューオリの大先輩として名前を知った次第。

高山さんは、長野市でおこなった俺の結婚式の披露宴で呼んだ同期のバンドのメンバーに加わり、東京からわざわざ来長し、演奏してくれた。そればかりでなく、その日はメンバーと一緒に長野市南俣の実家に泊まり、みんなとドンチャン騒ぎをしたのであった。

ドラマーの弟子丸さんは、ＴＢＳに入社し、歌謡曲番組のディレクターの後、有名な『ザ・ベストテン』のプロデューサーとして敏腕を振るった。俺がＳＢＣラジオで『ＳＢＣ歌謡ベストテン』を立ち上げた時期だった。同時期に『それいけ!!ドドド』のディレクターも担当していて、そのパーソナリティーを務めていたのが歌手の水沢有美さん。デビュー曲は、西郷輝彦とのデュオ「兄妹の星」であった。そこで、このレコードを長野県限定で再発売しようと思いたったのである。レコード会社に交渉して一〇〇〇枚限定で発売、これが当たりたちまち売り切れてしまったのだ。

この話を弟子丸さんに伝えたところ、こんな返事がきた。

「それはおもしろい話じゃないか。『ザ・ベストテン』の話題として放送しよう。水沢さんには長野から、スタジオの久米さんと黒柳さんにからんでもらう。水沢さんと長野の手配はそちらで頼むよ」

さすが大先輩の弟子丸さん、かくして長野市権堂町のイトーヨーカドー前の広場からテレビ中継することになったという次第。

運命のジャズの糸のつながりは、おもしろい。

早稲田大学目指し猛勉強

高校三年生の夏休み前半、インターハイ二回戦で敗れ、高校でのバスケ生活は終わった。後半は大学受験である。合格を目指し、猛勉強にかじを切らなければならない。どの大学にしようか迷っていた。そんな時に、長野市民会館で聞いたのが、早稲田大学ニューオルリンズ・ジャズ・クラブの演奏だったのだ。ジャズドラマーになりたいと考え、このコンサートをきっかけに早稲田大学に目標を設定した。

入学試験までおよそ半年しかない。早稲田大学に合格するために必要な参考書や問題集を本屋に行って調べた。大学の学部別に分類された棚があり、たくさんの書籍が並んでいる。政治経済学部と商学部に的を絞って半年でマスターできそうなものを選んだ。

それらの参考書や問題集を、試験日までの日数で割ると、一日あたりの学習ページ数が明らかになる。それらを毎日しっかりとこなしてゆけば必ず合格できるが、一日かなりな分量になる。しかし自分に言い聞かせた。

――バスケットボールの厳しい練習にも耐えることができた。その結果インターハイにも出場できた。粘り強い精神力と集中力が備わっているはずだ。厳しく苦しい毎日だが、わずか半年のことではないか。やってやれないことはない。絶対やれる。

バスケットボールでの猛練習は、入試勉強の自己暗示に大きな効果を与えたのである。スポーツも勉強も、要は集中力なのだ。英語、国語など試験科目となる学校の授業は、それ以前とは比べものにならぬほど真剣に臨んだ。家でもテレビなどほとんど見ずに、日々のノルマをこなしていった。友人から、いい問題集が売られていると聞けば、本屋に寄っては買い求めチャレンジもした。

そんな日々の中、世界中が注目した東京オリンピックが開催されたのである。敗戦から約二〇年、日本が力強く復興した事実を世界にアピールした一大イベントであった。

聖火は長野県内でもリレーされ、長野高校からも何人かがランナーに選ばれた。籠球班からはキャプテンだった尾身君が参加した。開会式は昭和三九年（一九六四）一〇月一〇日、秋晴れの東京代々木の国立競技場でおこなわれ、様々なスポーツ競技が実況中継された。日本の家庭にカラーテレビが普及したのはまさにこの時からである。

受験勉強真っ只中といえども、この時ばかりは日本選手の活躍ぶりをテレビで観戦した。東洋の魔女といわれた女子バレーボールの活躍、重量上げの三宅選手の大奮闘などなど、これまであまり興味のなかったスポーツのおもしろさを知ることになった。

そんなテレビ中継の中で、四か月後の大学受験を目指していた俺をもっとも勇気づけたのは、開会式の最終聖火ランナー、早稲田大学の坂井義則選手の堂々とした姿であった。その坂井選手が競技場の最上壇へと駆け上り、聖火台に火を灯した瞬間に、大きく燃え上がった炎をテレビ中継で見ていた時に、自分に言い聞かせたのである、

――絶対、早稲田大学に合格するんだ！

年が改まり、大学入試は一か月後に迫った。私立大学の入試はほとんどが二月から始まった。ラストスパートに入っている冬休みのある日のこと、大学受験の腕試しに、東京の予備校でおこなわれる模擬試験に参加することになった。誰が言い出したのかは忘れたが、卓球班で親友の横尾君と、籠球班で一緒にプレーした小口君と三人で上京したのである。

模擬試験とはいえ、一泊二日の東京への小旅行だ。連日の受験勉強の気分転換には絶好の息抜きになった。

模擬試験会場がどこであったのかは忘れたが、試験問題に対しては、そこそこの手応えがあり、安堵した。強く記憶に残っているのは、模擬試験のことより、試験が終わったその夜のことである。東京の職員寮に住んでいる横尾君の義兄さんが粋な人で、大学受験合格の前祝いにと、三人を浅草の老舗《しにせ》割烹《かっぽう》に招待してくれたのである。もちろん俺たちは生まれて初めて訪れる。それも本場東京浅草の割烹である。映画やテレビで見たことはあったが、初めての体験に興味津々、模擬試験のことなど頭の隅からすっ飛んでしまった。

手入れの行き届いた和風庭園の飛び石を踏んで玄関に入ると、突然大きな和太鼓が響いた。

「ドン、ドン、ドーン、ドン、ドン、ドーン」

和太鼓の音で迎えられるとはビックリである。いく棟もの和室が独立して並んでおり、和服姿の品の良いお姉さんが案内してくれたのは、屋形船を模した和室であった。

「いつも弟がお世話になってるようだね。今夜は合格前祝いだ。試験のことはしばし忘れよう。おいしい料理がたくさん出るので、ゆっくり食べて英気を養うといいよ」

眼鏡をかけて人の良さそうな横尾君の義兄さんが、緊張している俺たちを気づかってくれた。見たこともないような料理が、次々とそれぞれの膳に運ばれてくる。ことに魚類が新鮮でうまかった。食べ盛りの俺たちは、すべての皿を空にするほど食欲が旺盛であった。

その夜は、ご馳走してくれた義兄さんの宿泊先である職員寮に泊まった。一泊二日の模擬試験は、予想もしなかったおいしく豪華で大きな福袋がついたような旅であった。

三人の大学入試はその一か月後であった。横尾君は法政大学、小口君は慶応大学と、それぞれ志望大学に合格した。

以下はその後のことだが、横尾君は法政大学の放送研究会に入部、カントリー・レンジャーズという法政大学の名物バンドの名司会者として活躍。演奏旅行などで一緒になり、酒を酌み交わすなど濃密な付き合いが続くことになる。横尾君の義兄さん夫妻はその後、西ノ宮に転勤となり、大学二年生の春に兄貴が下宿していた京都へ行った折に大阪で会い、またご馳走していただくことになる。小口君は慶応大学のバスケットボールクラブに入り、六大学の得点王に輝くなど大活躍。社会人バスケットボールの選手、監督としてバスケット一筋の人生を歩むことになるのである。

いざ受験！　缶ビールで合格前祝い

いよいよ早稲田大学の入学試験である。政治経済学部と商学部、実はそのほか上智大学経済学部も受けることにした。幸いこれらの受験日は、五日ほど東京に滞在するとすべて受験できる日程だった。

東京での宿泊場所は、西武新宿線沿線の新井薬師前駅から歩いて数分のところにある炭屋の一室であった。昭和四〇年（一九六五）には、東京の繁華街の一角に炭屋が存在し、商売になっていた時代だったのである。

なぜ炭屋なのかと言えば、この家の娘さんが結婚し、夫婦で長野市に転勤、たまたまわが家の貸し屋を借りていたのだ。貸し屋に風呂のある時代ではなく、週に何回か夫婦で家に来ては入浴していた。その折、茶の間で一緒に茶を飲んでは世間話をし、親しくなっていた。そこで早稲田大学受験を知った奥方は、親切にも実家の炭屋に泊まりながら、受験会場に行くことを提案してくれたのだった。

受験日前に、炭屋から早稲田大学、上智大学への交通手段と、どのくらいの時間がかかるのかをしっかり頭に叩き込んだ。あの時代、すでに東京のラッシュアワー時の混雑ぶりは有名であった。万が一にも遅刻は許されない。食事も炭屋のおばさんが作ってくれた。

早稲田大学の政治経済学部の試験は、難問であった。英語なども知らない単語がいくつもあり、手こずった。試験が終わり、キャンパス内を歩いていると、同じ長野高校生で、中学も南部中学で一緒だった山口義憲君と出会った。

「よう武田。武田も政経を受けたんだ。難しかったなぁ」

「俺も自信ねえんだ。まあ運は天に任せるとして、次の商学部は何としてでもがんばらなきゃならねえ。山口の次の試験はどこなの」

「俺も一緒、商学部だ。お互い商学部は絶対合格しようぜ」

人生とはおもしろいものだ。この時の会話がきっかけで、山口君とは大学時代、そして社会人になったいまでも、ジャズ好きという共通の趣味で結ばれるようになるのだから。

「商学部の試験が終わったら、一緒に長野に帰ろうぜ」

山口君の提案で、商学部の試験が終わったらキャンパス内の大隈重信侯の銅像の前で会う約束をして別れた。

次なる試験は上智大学経済学部である。場所は四谷にある美しく品のあるキャンパスだ。問題はそれほど難しくなく、手応えがあった。

最後は早稲田の商学部の入試だ。政治経済学部は不満足なできだったので、商学部は何としてでも落とせない。試験会場は二〇〇ほどの座席が、教壇に向かってなだらかに傾斜している大きな教室であった。こうしたマンモス教室のいくつかで、同じ商学部の試験がまさに始まろうとしていると思うと身が引き締まる思いがした。なにしろ倍率は二〇倍を超えているのだ。この教室の受験生二〇〇人の中で、合格できるのはたったの一〇人程度なのだからビビるのも当然だ。が、自分に言い聞かせた。

――この試験に合格できたら、憧れのジャズドラマーになれるんだ。華やかな学生生活を送ることができるんだ。底力を発揮しろ、徹！

問題用紙が配られる前、深呼吸をしながらこう心の中で自分に語りかけると、不思議に落ち着いた気分になれた。

英語、日本史、国語と三教科の試験が終わった。それぞれの教科の問題を、頭の中でもう一度思い返すことができた。その問いに対する答えも明快に覚えていた。こうしたことが可能な時の試験結果はいい、ということは体験的に知っていた。

上野駅から乗った帰りの列車は山口君と一緒であった。ほぼ満席だったが幸い座ることができた。二人で試験問題を思い出しながら、答えを整理したところ、どうやら二人とも商学部合格は間違いなし、との結論に達したのである。それほど自信があったのだ。その時ちょうど、車内販売のお嬢さんがやって来る姿が目に入った。あまりのうれしさに二人で乾杯したくなった。

「山口、合格発表の前祝いだ。缶ビールで乾杯しようぜ」

「よう！ それがいい。合格前祝いといこう」

乗りやすい山口君も即同意した。

プシュっと缶ビールの栓を抜き、二人は乾杯したのであった。そのビールのおいしかったこと。忘れられぬ味である。

眉をひそめる方もおられるであろう。大学受験生が、こともあろうにビールを飲むなんて、それも学生服姿でと。確かに昨今の時代風潮では許されることではない。が、半世紀以上も前のことである。世の中はいまとは比べようもなく、寛大で寛容な社会であった。いまのようにマスコミが世の中のこまごましたことまで、個人のささいなことまで監視し、記事やニュースにするようなギスギスした時代ではなかったのだ。その証拠となるようなエピソードが、この乾杯直後にあった。

当時の列車の座席は、特急もボックス型で座席の二人がそれぞれ対面するように配置されていた。俺と山口君は窓際に座り、顔を見ながら缶ビールを飲んでいた。すると山口君の隣の中年男性が声をかけてきたのである。

「君たちの話が自然に耳に入ってきてしまったのだが、ちょっと聞いていいかな。君たちはどこの大学の試験を受けたの」

二人で試験問題の話をしていた時、この男性が興味深そうにしていたのを感じていた。彼の息子もひょっとして受験生なのかな、などと頭の片隅で思ったりもしていたのである。

「二人とも、今日、早稲田大学商学部の入学試験を受けて、これから長野へ帰るところなんです」

応じると、山口君も口を添えた。

「どのぐらい問題に答えられたか、二人で確認していたんです」

「だいぶ試験結果が良かったようだね。乾杯するぐらいだから。で、社会科はどんな問題が出されたの」

かなり具体的な質問になってきたので、できるだけわかりやすく説明した。説明しながら、気になり始めていた。この人は塾の先生なのか、それとも高校の先生なのか。だとしたらビールなぞ飲んでまずかったかな、と。話しながら思っているうちに列車は軽井沢を過ぎ、次の停車駅は上田という車内アナウンスが耳に入った。するとこの男性が言う。

「やぁ、ありがとう。ずいぶん参考になった。私は次の上田駅で降りるけれど、いい大学生活を送れるといいね」

下車の準備を始めたので、気になっていることを思い切って聞いてみた。

「すみません、聞きたいんですが、教育関係のお仕事をされておられるんですか」

「うん、そうだよ。私は上田高校の社会科の教師をしているんだよ」

ガーン！　こりゃ、まずい。高校教師だったんだ。ビールで乾杯した事実をすっかり目撃されてしまっている。しかも、長野高校在学中の身であるということまでも。山口君も同じ思いだったろう。

が、次の教師の言葉は予想外のものだった。

「君たちは二人とも、間違いなく合格するよ。あれほどしっかり問題を覚えているということは、そういうことだ。おめでとう。私も乾杯したいぐらいだよ。元気で大学生活を送りなさい。それじゃね」

教師の言葉に感動した。ビールのことを責めるどころか、合格を確信し、乾杯したいぐらいだと祝いの言葉までくださったのだから。

あの当時、教師も教条主義的な規則だけでなく、その場その場に応じた寛容な精神で生徒に接していた良き時代であったのだ。

結果はまったくその通りになった。二人とも早稲田大学商学部に合格した。政治経済学部はやはりダメだった。山口君も同じく落ちた。

上智大学経済学部は合格したが、上智大学はカントリーボーイが学ぶ大学にあらず、と受験中から思っていた。なので、早稲田商学部の合否の結果前に、入学金納付日が設定されてはいたものの、親に無駄金を使わせたくないとの思いもあり、払わずじまいであった。

かくして四月からは、故郷長野を離れて上京し、早稲田大学で青春時代を謳歌することになったのである。

第2部
怒涛の早大ジャズ三昧篇

大学で念願のジャズドラマーに

1　念願のジャズドラマーへの第一歩

早大ジャズクラブ入部と型破りな歓迎会

口をへの字に結んで、はるかな虚空を射るように見つめる大隈重信侯の銅像。屈強な精神と独立自尊を地でいくような面構えである。その視線の先には、早稲田大学のシンボルである大隈講堂、その高い時計塔が聳えている。

――俺もとうとう早稲田マンになったんだ！　新しい人生が始まるんだ。

昭和四〇年（一九六五）四月、一八歳の俺は早稲田大学構内でもっとも目立つ位置にある大隈侯の銅像を見上げていた。

真新しい学生服に、これもキャンパス近くの店で買ったばかりの角帽をかぶり、憧れの早稲田大学に通う生活が始まったのである。

とはいえ、信州の田舎からはるばる来た東京、見るもの、聞くものすべてが新鮮で、軽いカルチャーショックを覚えたものだ。

早稲田大学は広大な敷地に理工学部を除く

憧れの早大入学

すべての学部がまとまっていて、都内の大学ではもっともキャンパスらしいムードが醸し出されていた。その構内を闊歩《かっぽ》する学生たちが発散する青春のエネルギーに圧倒される思いだった。なにしろ日本全国から集まったひと癖もふた癖もある連中が行き交うマンモス大学なのだ。俺のクラスには、遠く台湾から留学で来たという市長の娘がいたほどだ。

下宿は高円寺駅から歩いて二～三分ほどにある一般家庭の二階の一室、四畳半の小さな和室であった。食事はつかず部屋代は一か月六〇〇〇円ほどだった。携帯電話などない時代なので、電話が必要な時は家主にその都度お願いして借りなければならなかった。風呂は銭湯を利用した。

早稲田大学までは高円寺駅から中央線で新宿に出て、山手線に乗り換え高田馬場で下車、運賃は一〇円。そこから歩いて通った。バスに乗ると五円かかった。その五円が惜しくて、けなげによく歩いたのだ。

入学間もないキャンパス内は、様々な部活動の勧誘合戦が展開されていた。文学や映画などの芸術、スポーツから政治思想関係まで、何百という部活があることに驚かされた。

もちろん迷うことなく、早稲田入学の大きな動機になったジャズクラブに入部した。

新人歓迎会がおこなわれる三週間ほど前から早稲田キャンパス内は、屋台店が立ち並ぶお祭りのような騒がしさである。あまたある部活やら研究会、サークルが、キャンパス内にところ狭しと机を出し、新入生獲得合戦を繰り広げるのである。勧誘を促す大きな看板、拡声器を手に熱っぽく呼びかける者、通りがかりの新人とおぼしき者に、手当たり次第に直接声をかけてはなんとか口説き落とそうとする者、パフォーマンスを披露してサークルの魅力をアピールする者などなど千差万別。

俺は入学前からニューオリ入部が夢だったので、迷うことなく入部を決めた。とはいえドラマーを目指すといっても、楽器に触れたこともないズブの素人、大丈夫だろうかと、一抹の不安があった。が、ニューオリ勧誘の看板に、「初心者大歓迎」との文字を見つけて大安心。同郷の友、山口義憲君がバンジョーをやりたいと聞いていたので一緒にニューオリに加入した。

実は入学早々、大隈講堂で新入生を対象にした音楽コンサートが開かれていた。当然見逃すわけにはいかないと、山口君と一緒に聴きにいった。様々な音楽サークルが演奏を繰り広げたが、ニューオリ加入の意志は微動だにしなかった。

キャンパス内のニューオリ勧誘机で入部手続き（といっても名前と住所、希望楽器を書くだけなのだが）が終わるとその先輩が言った。

「ニューオリの連絡場所はぷらんたんという喫茶店なので、必ず毎日、授業はサボっても、ぷらんたんには顔を出してください。連絡事項はすべて喫茶店に置いてある連絡帳に書かれているので、絶対見逃さぬよう注意してください。ぷらんたんは、法学部の入り口近くのバス道路に面しているので、すぐにわかると思います。ここから歩いて、二、三分のところだから、いま行って顔を出すといいよ」

ずいぶんと親切な先輩だと思った。が、それはこの時だけ。ニューオリの学年差は歴然と存在していることを知ったのは後のこと。

早速、山口君と二人で連絡場所になっているという喫茶ぷらんたんに行った。一階と二階があり、それぞれのフロアに四人掛けテーブルが八つほど置かれ、先輩とおぼしき人たちが歓談しながらコーヒーを飲んでいた。

「あのー、ニューオルリンズ・ジャズ・クラブの連絡先はこちらでいいんでしょうか」

「あっ、君ら新入部員？　僕はサブマネジャーの平原。よろしくね。で名前は」

平原さんは背広姿。俺も山口君も学生服だったので、新入部員ということがすぐにわかったのだろう。平原さんはその場にいたほかの先輩方に紹介してくれ、連絡ノートのことやら、練習場所である部室のことやらを教えてくれた。

「あの質問があるんですけど。ぷらんたんに毎日顔を出せというんですけど、その都度コーヒーなど飲まないといけないんですか」

気になっていることを思い切って聞いてみた。毎日通って、コーヒーを飲んでいたら、仕送りの金などすぐに終わってしまう。平原さんは店主に聞こえぬような小声で言った。

「当然毎回飲んでもらった方が、マスターは喜びますよ。でもそこはマスターもわかってますよ。

まあ一週間に一、二度ぐらいは飲みなさいよ」

山口君も安心したに違いない。コーヒー代とて貧乏学生にとっては決してバカにできない額になるからである。

「それはそうと、君らいま、時間あったら、レギュラーグループが練習してるから見学しなさいよ」

平原さんはニューオリの練習場を教えてくれた。練習場はぷらんたんから歩いて数分のところ、文学部のキャンパスに隣接するグラウンドの一段と高い場所にあり、近づくと楽器の音が聞こえてくるのですぐにわかる、ということだった。

新入生歓迎演奏会で、ニューオリのレギュラーグループのパフォーマンスを聞いたばかりだったが、すぐ目の前でその練習風景が見られるとあって勇んで練習場に向かった。

「平原さんはサブマネジャーと言ってたけど、マネジャーってなにをするんだろう」

俺が気になっていたことを言うと山口君が答える。

「サブということはメインのマネジャーもいるってことだよねー。僕にもわかんないよ。あの平原さん、やんなさいよ、しなさいよ、とか独特のしゃべり癖のある人だよね。それに背広にネクタイ姿、先輩ってみんなビシッと決まった格好をしてんのかなあ。さすが大学の音楽クラブだよな」

実はニューオルリンズ・ジャズ・クラブのマネジャーとサブマネジャーは、わけがあってビジネススタイルをしていたのだ。

昭和四〇年代の音楽業界ではプロのバンドのほか、アマチュアバンドは学生バンドぐらいしかなかったのである。社会人や高校生がバンド演奏するのはもっと後のこと。高度経済成長時代の頃で、日本でも、音楽文化の需要が高まりつつあった。大学生の間でも、社交ダンスパーティーや、記念コンサートが頻繁に開催され、プロのバンドだけではとてもさばききれず、学生バンドがもてはやされたのだ。というより、ギャラ（謝礼）も安く、交渉しやすい学生バンドの方が、むしろプロのバンドより人気が高かった。それだけに、各大学のバンドは、演奏技術を上げ、より多くのステージをこなそうとしのぎを削ったのである。ジャズバンドも各大学に小編成のコンボバンドや、大編成のフルバンドがいくつもあった。

六大学では、わが早大にはニューオルリンズ・ジャズ・クラブのほか、モダンジャズ研究会、ハイソサイエティ・オーケストラ、慶応大学にはライト・ミュージック・ソサイェティ、法政大学には、ニューオレンヂ・スウィング・オーケストラ、明治大学にはビッグ・サウンズ・ソサエティ・オーケストラにジャミング・ホットセブン、日本大学にはリズム・ソサエティ・オーケストラ、立教大学にはデキシー・キャパスなどなど。そのほか、ハワイアンバンドやタンゴバンドなどがステージを飾ったのである。学生バンドがもっとも華やかなりし時代だったのだ。

こうしたあまたある学生バンドが、ひとつでも多くのステージで演奏したいと思うのは当たり前、わがニューオリもしかり。そこでニューオリでは、社会人の営業マンさながら、コンサートやダンスパーティーの契約を専門にする四年生のマネジャーと三年生のサブマネジャーを選び、彼らがその任にあたった、というわけである。

マネジャーやサブマネジャーは、交渉相手に好印象を与えなければ、というのでネクタイにスーツ姿、ということになる。

こうした服装を整えるにはお金がかかる。さらに契約交渉に必要な飲食の経費も必要となる。そこで、月々三万円のマネジャー経費なるものを支給していたのである。この額は、当時の大手企業の初任給とほぼ同額であった。ニューオリは二つのレギュラーグループがあり、ステージ演奏の回数はほかのバンドより断トツに多かった。一回のギャラは三〜四万円。二つのグループがそれぞれ一週間に二〜三回のステージをこなしたのでかなりの額になった。それらの収入は、楽器の購入やら、年に一回おこなわれる夏の合宿の費用となった。さらに、新入生歓迎会や野球の早慶戦での打ち上げ飲み会の費用にもあてられた。ニューオリは、まさに、自ら稼いだ演奏代金のおかげで、いわば高福祉クラブを謳歌《おうか》した時代だったのだ。が、そういった内情はまだ知る由もない。

文学部キャンパス内に入ると、平原さんの言った通り、グラウンド方面から楽器の音が聞こえてくる。ワクワクしながら音のある方角へ歩を進めたが、練習場らしき建物が見つからない。

「変だなぁー。どこから音が聞こえてくるんだろう。まさか、あの木造の長屋のような建物からじゃないよな」

山口君が丸い眼鏡越しに目をパチクリさせながら言った。グラウンドを見下ろすような一段と高いところに、まさに彼の言う横に長い、木造の古びた建物が目に入った。どう見渡しても、音源はそこからのようであった。二人でその建物に向かおうとした時、その建物からトランペットを手にした一人の学生が現われた。間違いない。その建物が早稲田大学公認の音楽サークルの練習場、部室であった。

グラウンド脇から続く石段を上ると、建物の入り口があった。バスドラムの低い音が、リズミカルに腹に響く。開き戸を押し開けると、幅一間（一・八メートル）ほどの廊下が長く続いていて、いくつもの部室がその廊下に沿って続いている。床部分はコンクリートだが、建物はすべて木造、それも古い木造で長屋という表現がピッタリだ。いまのような防音設備もないので、各部室から漏れた音が廊下に充満している。ハイカラなジャズクラブの練習場は、さぞかしモダンな建物なのだろうと思っていただけに、そのギャップの大きさに驚かされた。

ニューオリの部室は入り口にもっとも近いところにあると聞いていたように、バスドラムの音はその部屋から聞こえている。ワクワクしながら、おずおずとドアを開けた。と同時に、ユニホームこそ着ていないが、あの大隈会館のコンサートで聞いたレギュラーグループの先輩たちが奏でるジャズが耳に飛び込んできた。

部室の大きさは二〇畳ほど、小編成のコンボバンドには十分な広さだ。トランペット、トロンボーン、クラリネットのフロント・ラインに、ドラム、ピアノ、ベースにバンジョーのリズムセクション。闖入者《ちんにゅうしゃ》といった感じの俺たちをチラッと見ただけで、先輩たちは演奏を続けている。メンバー全員がリラックスし、フロントラインの三人はおのおの机や椅子に腰をかけて延々とソロを展開する。譜面もない。

――すげえー。アドリブで演奏してるんだ。

俺も山口君もあっけにとられながら聞いていると、演奏に加わっていない先輩らしき人が耳元で言ってくれた。

「演奏しているのは、ビー・フラットのブルースで、みんなアドリブの練習をしてるんだよ」

なんのことかはよくわからなかったが、ジャズはアドリブで即興演奏するのが特徴だ、ということぐらいは知っていたので、そのアドリブというのを練習しているのだと納得した。それにしても、初めて見たニューオリの先輩たちの練習風景は衝撃的であった。延々とアドリブでソロを演奏し続ける。

――そんなことができるようになるのだろうか？　四年間で。

特に印象に残っていたのが、クラリネットを吹く巨漢の先輩であった。高校一年生の時、クラリネットの良さをまったく理解できなかった俺にも、この時の巨漢先輩の演奏でその魅力が理解できたのだ。修行僧のように目をつむりながら、美しい音色で延々とアドリブソロを展開するクラリネットの先輩。実はその先輩が、新人歓迎会で第一声を発したニューオリの部長、池部さんであった。

酒宴の歓迎会の二次会は歓楽街新宿

「新入生諸君！　わがニューオルリンズ・ジャズ・クラブ入部おめでとう‼　これから四年間、わがニューオリの伝統を汚さず、ジャズを研究し、楽器の腕を磨き、ジャズのごときバイタリティーを持って、ますますこの部を、発展、盛り上げていただきたい。それでは全員起立！」

四年生の池部部長の音頭で、総勢六〇名ほどの部員全員が立ち上がり、コップいっぱいに注がれたビールを片手に持った。池部部長はひときわ背が高い。一八〇センチは優にある巨体から発せられる声もまたでかい。

「それでは、全員で唱和。新たにわがニューオリ部員になった新入生諸君に乾杯！」

「乾杯！」

若々しい大きな声が、響いた。

ここは早稲田大学のキャンパス街にある居酒屋。学生を対象にした飲み屋なので歓迎会などには最適なのだろう。畳敷きの大広間を借り切っての歓迎会だ。

初めて見る先輩の顔、顔、顔。新入部員は、何十畳もある部屋の上座に席を与えられ、神妙な面持ちで座っている。その新入部員に興味津々たる先輩諸氏の視線がまともに浴びせられている。新入部員はざっと二〇人ほどだ。その俺たちを見つめている先輩は、四〇人ほど。ビールを一気に飲み干すと、大きな拍手が起こった。

昭和四一年（一九六六）四月下旬、早稲田大学の新学期が始まり、大学公認のニューオルリンズ・ジャズ・クラブの全員が、初めて顔を合わせた新人歓迎会がこうして始まった。

ニューオリの部室で、先輩たちの演奏を身近に体感した俺と山口君、それ以来、ほぼ毎日のようにぷらんたんに寄っては連絡ノートに目を通し、待ち焦がれた新人歓迎会に臨んだのである。

その新人歓迎会はビールで乾杯の後、上級生の自己紹介。四年生は成人式も終わり、一年生から見るとずいぶんと大人に感じられた。酒の飲み方も堂に入ったものである。

ちょっと待った！大学生といえども、下級生は二〇歳前じゃないか。酒は禁じられているではないか。ビールで乾杯とは何事か！そう思うご仁も多かろう。確かにその通りで法律では、二〇歳前の飲酒は禁じられていたのは現在と同じである。

が、あの当時は、結構ルーズで、中学や高校を卒業して社会人になった者や、大学生は平気で酒を飲んでいた。社会全体が寛容な時代で、マスコミもいちいち目くじらを立てることがなかった。と同時に、二〇歳前の社会人も大学生も、いまの若者と比較すれば、格段に自己責任で物事に対処していたのも事実である。自己責任を持つことは最低限の矜持《きょうじ》であり、プライドでもあった。責任転嫁をする者は、少なくとも俺の付き合っていた仲間内では、もっとも嫌われていた。

というわけで、この新人歓迎会でも最初はビール、そして日本酒やウイスキーというお決まりのパターンになった。

上級生四〇人ほどの自己紹介は、一年生に向けたものであっさりと終了。すべての先輩の名前など、とても覚えられるものでない。が、自分が選んだ楽器をプレーする先輩の顔と名前だけは記憶にしっかりと留めた。ドラマーの先輩は三人であった。

次に新人約二〇人の自己紹介が始まった。新人が全員顔を合わせるのは、これが初めてである。名前はむろん出身地と学部、希望楽器と、なぜニューオリに入部したのか、特技はなにか、などなど。酔いもあって先輩から次々と質問の矢が飛んでくる。新人の中には酔いが回って、足元がおぼつかなく、畳にへたり込んでしまう者もいて、会場はいっそう盛り上がった。俺は酒には強い方なので、憧れのニューオリに入部してうれしいこと、ドラマーを志望していることなどを告げた。すると、かなり酔いの回った先輩から質問がきた。

「よーし、わかった。で武田、おまえには美人の姉さんがいるか？　いたら俺に紹介せよ！」

「残念ながら姉さんはいません。もしいたならば、喜んで先輩に紹介したかったです」

そう答えたら、その先輩はさらに言う。

「いい返事だ。では妹はいるか？　いたら俺に紹介せよ」

「妹は…、まだいません。産まれましたら先輩に真っ先に知らせます」

そう答えたら会場は大爆笑に包まれた。

早稲田大学はマンモス校、ニューオリの新人部員も北は北海道から、南は九州まで全国各地からやって来ている。ドラマー志望者はほかに三人いることがわかった。いずれも初心者だというので安心した。いずれ、レギュラーの座を巡って競い合うライバルでもある。

新人の自己紹介が終わると、先輩たちとの自由歓談となった。当然のことながら、自分がやりたい楽器を演奏している先輩のところにお酌に回り、練習方法などを聞くことになる。とはいえレギュラーグループのメンバーになっている大先輩は恐れ多く、二年生のドラマー神谷先輩に目星をつけていたので再び自己紹介をして横に座った。

「僕、お酒は全然飲めないんだ。その分、武田君は遠慮しないで飲んで」

そう言いながらお酌をする神谷先輩は細身で実にジェントルマン。並いるニューオリの先輩の中でもアクがなく、とっつきやすい人で、理工学部に属していた。

「とにかく、先輩の演奏を見て聴いて真似る。それしかないね。それにジャズのレコードをたくさん聞いて、ジャズのリズムに慣れることぐらいかな」

神谷先輩が言うことには、暇があったら部室へ行って、二つのレギュラーバンドのほかに、各学年のバンドも練習しているので、それらの演奏を見学し、空き時間に先輩のドラマーから練習方法を教わること。さらに、週に何回か、二つのレギュラーグループが出演するダンスパーティーやコンサートがあるので、バンドボーイに志願して楽器を運びながら、先輩の技を見ること。ほかのジャズバンドも出演することもあるので、それらのドラマーの演奏も聴くといいことなど、親切に話してくれた。神谷さんはその後、部室で会うたびにスティックを握りながら、具体的な演奏方法を教えてくださった恩人でもある。

この間、次々とビールやら日本酒やらウイスキーが運ばれ、焼き鳥、串カツ、クジラの揚げ物などが宴席に置かれていく。いわば飲み放題、食べ放題状態だ。それでいて会費は一〇〇円ポッキリ。この時は不思議に思ったが、すでに記したようにレギュラーグループのギャラ代金がかなりあてられていたのだ。食い盛り、飲み盛りの年頃である。大いに食い、飲み、そして大いに語った。結果、新人歓迎会が終わろうとする頃は、皆酔いが回り、特に初めて大量の飲酒に見舞われた新人の中には、立ち上がるのがやっとという者も出る始末。

「都の西北、早稲田の杜に…」

あらん限りの声で校歌を歌って閉会となった。

かくして、ニューオルリンズ・ジャズ・クラブ第一回の酒宴は、まさに杯盤狼藉《はいばんろうぜき》状態で幕を閉じたのであった。

が、これで歓迎会が終わったのではなかった。

「さあ！二次会は新宿で飲むぞー。われと思う新人諸君、今夜はとことん飲もうではないか！」

上級生の何人かが誘う。まだ新宿などで飲んだことのない俺は早速その誘いに乗った。何人かの新人たちも先輩の言に従った。早稲田大学からバスに乗って高田馬場駅へ向かう。バス代は一人五円。一〇分ほどで駅に着き、そこから西武新宿線に乗り換えると一駅でもう新宿である。

新宿は日本有数の歓楽街で、青い灯や赤い灯のネオンがまばゆいばかりに輝き、まさに不夜城だ。夜九時過ぎというのに通りは人、人、人で埋め尽くされている。俺を含めて田舎出身の新人仲間が目をパチクリさせながら先輩に付き従って歩いた。入ったのは歌舞伎町コマ劇場近くにある「勇駒」なる大衆酒場。ここはニューオリいきつけの飲み屋で、野球の早慶戦最終日には決まって酒宴を開く場だという。

広い畳部屋に二〇人ほどが座った。酔った先輩たちは熱心にジャズの歴史から始まり、ミュージシャンの名前を挙げながら、ジャズとはなんぞやについて語って聞かせる。だがこちらはズブの素人、なんのことやらチンプンカンプンでわからない。とにかくドラムの技術ばかりでなく、歴史やミュージシャンの名前など、真剣にジャズの勉強をしなければ話にならない、ということだけはよくわかった。

したたか酔って「勇駒」を出ると、酔い覚ましに喫茶店へ行くというのでついていった。が、これ以後のことはまったく記憶から抜け落ちてしまっている。かなり酩酊《めいてい》状態だったのだろう。

しかし、喫茶店を出た後のことは鮮明に覚えている。終電車の時間が、とっくに過ぎていたのである。路上で眠るわけにもいかない。埼玉県浦和の自宅から通っているという、ベース志望の一年生の伊藤君と意気投合し二人で喫茶店を出たのだがもう電車がない。

「浦和までのタクシー代はとても払えないので武田君、君の下宿に泊めてくれないかい」

伊藤君に乞われたのでむろん承諾。酔いに任せた若さは、とんでもないことをやらかす。

「電車もないし伊藤君、酔い覚ましに俺の下宿のある高円寺まで、中央線の線路上を歩いて帰ろう。最短距離で、タクシー代もかからないので一石二鳥だ」

こうして二人は、新宿駅近くの中央線の線路上に出る場所を見つけ、枕木をトコトコと歩き始めたのである。当時、新宿駅から東中野、中野そして高円寺へと続く中央線は、高架工事が始まる直前で、電車が通りさえしなければ容易に歩くことができたのであった。

これから始まるジャズクラブでの生活。どんな生活が待っているんだろうか。俺たち二人は、未来の夢を語りながら、どこまでも続く線路の軌道を歩いた。それはまさに、映画のオープニングのシーンのように、未来に続く輝かしい旅立ちのような気分でもあった。

見て聴いて覚えるバンドボーイの日々

憧れのジャズクラブに入部し、それからの四年間の大学生活は、まさにジャズ一色、どっぷりとジャズに染まったものになった。

学業の方は、不思議なことに、なるべく良い成績をとろう、などと思ったことは一度もなかった。進級できればいい、落第さえしなければいい、と考えていたので気楽なものであった。授業への出席日数が足りずに、落第する者もあったので、そんなヘマだけはしまいと注意はしていたが。

ジャズドラマーになることは、中学時代に石原裕次郎の映画『嵐を呼ぶ男』を見て以来、ずっと抱き続けていた夢だった。それがいま、ようやく実現できる、手の届くところにきたのだ、そう思うと心が躍った。なんとか努力してレギュラーになり、華やかなスポットライトを浴びて演奏したい。それには人一倍練習をし、ジャズという音楽に慣れ親しむ以外に方法はない。ジャズはチームプレーである。ほかのメンバーの足を引っぱるようなことだけはしたくなかった。

というのは、高校時代のバスケットボールでのトラウマがあったからだ。高校一年生の晩秋に入部、中学時代からプレーしていたほかのメンバーとは格段の差があるところからのスタートだった。同じレベルでプレーするには、圧倒的に練習時間が足りなかった。他校との試合では、相手チームをいかに攻略するのかということより、いかに味方チームの足を引っぱらぬプレーができるかが自分の課題であった。幸いチームメートはいい奴ばかりで補ってはくれたが、いつも自分自身のプレーに不満足であった。バスケットがおもしろいと感じたのは、インターハイ出場後、試合がなくなって昼休みにチームメートとプレーしたゲームからだった。

——この感覚で、もう一年前にプレーできていたならなぁ。

実に悔しく残念な思いをしたものだ。

高校時代のあの苦い体験を、大学のジャズクラブでは絶対にすまい。ジャズのグループでは、ドラマーとしてあの轍《てつ》は二度と踏むまい、と心に誓っての入部であったのだ。

それには先輩たちの演奏、特にレギュラーグループの演奏をなるべく多く聴いて、ドラムの技術を習得し、ジャズという音楽に慣れ親しむことである。

幸い、ニューオリには二つのやや演奏スタイルの異なるレギュラーグループがあり、毎週二、三回、都内各所で出演していた。

ジャズ演奏には、ドラムセットとベースという大きな楽器が必要となる。これらを会場まで運び、セッティングをし、ステージが終了すると、再び大学の部室まで運搬する、バンドボーイなるスタッフの手が求められる。「イーボ」と呼ばれるこの任が一・二年生に課せられ、二人一組でおこなった。

ニューオリの連絡場所である喫茶店ぷらんたんの連絡ノートに、二、三か月先までのレギュラーグループの出演予定表が記され、バンドボーイ志願者が氏名を記入する空欄がある。同郷の山口君とどちらかが毎日のように「ぷらんたん」に行っては、バンドボーイを志願し、二人の名前を書き込んだ。

ベースは人の背丈ほどもある。ドラムセットはケースに入った太鼓類が四個、シンバル四～五枚を収納したケース、さらにシンバルスタンドやハイハットなど金属類すべてを入れた大きなズタ袋など、かなりの数と重量になる。これらを二人のバンドボーイが、演奏会場まで運ぶのだ。マイカーが普及する前の時代とあって、ギャラを稼いでいたとはいえ、さすがのニューオルリンズ・ジャズ・クラブも車までは所有していなかった。

どうやって運ぶのか？　それはタクシーを利用したのである。それも一台。

楽器類をすべて乗せて、そのうえ学生二人が一台のタクシーに乗るなんて…。そんなことは不可能に決まってると思われることだろう。

ところがどっこい、知恵の輪のように、ある一定の順序に従って楽器類を積み込むと、あら不思議。魔法のようにすべて収納ができ、さらにバンドボーイ二人も車に乗れるのである。

ほとんどのコンサートやダンスパーティーは、夕方の六時過ぎに始まる。演奏前にはリハーサルも必要だ。早稲田大学からの距離も会場によって異なる。が、そこは代々の先輩たちの経験則で、各会場への運搬所用時間は把握されているので、連絡ノートには出発時間も記されている。二人一組となった俺たちは、まず楽器類を音楽長屋の部室から道路脇まで運び出す。一人はそこで楽器盗難を防ぐために残り、もう一人がキャンパスに近い大通りに出て大型タクシーを捕まえ誘導する。

山のような楽器類を見ると、すべてのタクシー運転手はあきれた表情で言う。

「学生さん、こりゃ一台の車で運ぶのは無理だよ。車の荷台を空けても、乗るわけがねえよ」

「皆さんそうおっしゃるんですが、順序よく乗せると、すべておさまるんです。毎日のようにやってますからお願いします」

「そんなこと言ったって、無理なものは無理だよ。もう一台タクシーを拾ってきなよ」

そこで伝家の宝刀よろしく言う。

「チップは弾みますから、試しに乗せるだけ乗せさせてください」

ほとんどの運転手は、この言葉でコロリと承諾する。

まずは運転手側の後部座席のドアを開けてもらい、ネックが運転席と助子席の間に出るようにし、もっとも長いベースを収納する。次にリアシートにもっとも大きいバスドラムを入れ、空いている空間に小型の太鼓類を押し込む。次に反対側の後部座席の空いている空間にも太鼓類を、残りを荷台に入れると、不思議や不思議、すべての楽器類が難なく収納できてしまうのである。そこで驚いた様子の運転手に言う。

「運転手さん、俺たち二人はちょっと窮屈ですみませんが、前の助手席に座らせてください」

なるべく丁寧な態度でお願いすると、めでたし、めでたし、万事がうまく運ぶというわけである。

会場に着くと、ドラムをセッティングし、先輩たちの演奏するリハーサルを真剣に見守る。ドラムの教則本や、譜面などないので、演奏をよく見て、聴いて、それをもとに自分で練習して技を習得するしか方法がないのである。時にはプロのジャズバンドも同じステージに立つことがある。こんなステージに恵まれるのは実にラッキーなことで、なるべくドラマーに近づき、その一挙手一投足を見つめたものだ。本番が始まると、そこでも先輩の演奏、時にはプロのミュージシャンのプレーに接することができる。バンドボーイの特権だった。

バンドボーイの特権というと、もうひとつ、まさにおいしい特権があった。

演奏会場でありつける食事である。故郷の家からの仕送りで、ギリギリの生活をしている学生にとって、ホテルでのダンスパーティーや、大会場でのコンサートで味わえるレストランの夕食は格別であった。赤坂プリンスホテルのレストランは超一流、サンケイホールのレストランではカツカレーが抜群にうまかった。都内各大学でのダンスパーティーなどで出される弁当も、早稲田の学生食堂で食べる三〇円のA定食や、五〇円のB定食よりもはるかに豪華でうまかった。食い盛りの学生にとって、めったにありつけない一流の食事ができ、夕食代がかからないこともバンドボーイの大きな魅力であった。

演奏中の先輩たちはネクタイにユニホーム姿、スポットライトを浴びながらのプレーは実にかっこいい。いつも美人のガールフレンドが付き人のようにやってきて、熱い視線を送っていた。ガールフレンドの中には女優もいて、まるで日活の青春映画のひとコマを見ているようでレギュラーメンバーの存在がまぶしく見えた。

ステージが終わるのは夜九時過ぎ。それからバンドボーイはドラムセットを片づけ、再び大型タクシーの運転手を口説き落とし、大学の部室まで楽器を運ぶ。

タクシーのフロントガラス越しに、次々と変わる大都会東京の景色を見るのも好きだった。一面の水田と山々に囲まれた信州の風景とは対極の、巨大なビル群と舗装道路を行き交う車の列、列、列。夕方、ビルの谷間に吸い込まれる真っ赤な太陽を見ながら会場へ向かう時の景色。深夜、様々な色と形と動きの妖しい光を投げかけるネオンサインの海をクルーズ船のように帰還する時の景色。歌謡曲小僧となって以来、東京をモチーフにした曲をこれまで何曲聞いたことか。東京を舞台にした映画を何本見たことか。

――いま、その東京にいるんだ。

奇妙な既視感を覚えながらのバンドボーイの仕事に飽きることがなかった。

緊張の初舞台での教訓

楽器やジャズの初心者が多い一年生がグループ演奏にこぎつけるのは、夏休み前半におこなわれる一週間ほどの合宿からである。

先輩たちの演奏を見聴きし助言を得て、なんとか楽器の扱いに慣れ始めた夏休みに入る頃、群馬県の万座温泉で合宿が始まった。朝のランニングからスタート、食事時以外、夕方までみっちりと個人練習とグループ練習が続く。夜はテープレコーダーに録音された本場アメリカのジャズ演奏を聴き、先輩が講師になってジャズの歴史を勉強。このカリキュラムが一週間続くのである。まさにジャズに明け、ジャズに暮れる一週間。この一週間のカリキュラムは効果てき面、ほとんどの部員のプレーは見違えるほどに上達する。一年生も、ジャズ的な表現とはどんなものなのかが、なんとなくわかり始めるから不思議である。さらに、ジャズの歴史や有名ミュージシャンの名前もかなり頭に叩き込まれる。そしてなにより、同学年はむろん、上級生との親密度も格段に深くなり、ニューオルリンズ・ジャズ・クラブの部員としてのプライドと自覚がグーンと高まるのである。

この合宿が終わると、二つのレギュラーグループの長い長い全国を股《また》にかけた演奏旅行が始まるのだ。この演奏旅行のバンドボーイは、二・三年生が中心で一年生は、残念ながら参加することはできなかった。

早稲田大学の学生は全国から集まっている。それぞれの県や地域には稲門会なる組織があって、現役やＯＢ・ＯＧが様々な活動をしている。その活動のひとつが、地方でのコンサートの開催である。前の年、俺が高校三年生の夏、長野市民会館で早稲田大学の学生バンドの演奏を聞いて、ニューオリに憧れを抱いたコンサートもまさにそれにあたる。

レギュラーグループの演奏旅行が終わると、旅行中に撮られた写真がぷらんたんに置かれる。参加した部員はその写真を見て、欲しい写真を注文するのである。

一年生も、演奏旅行に興味があるのでその写真を見ることになる。舞台でのソロ演奏やグループ演奏、コンサート会場入り口、会場近くの観光地を訪れ、そこで知り合った女の子と一緒に撮った写真、列車で楽器を運び込んだり、ホームに並んでポーズをとったりしている写真などなど。まだ行ったこともない日本各地での先輩たちの開放感あふれる楽しい様子がありありと写し出されている。ぷらんたんで写真を見てから、演奏旅行参加への夢もますます膨らんでいった。

演奏旅行は夏休み、冬休み、そして春休みと三回おこなわれ、部員が皆楽しみにしている行事である。

演奏旅行のほかに、ニューオリにとって重要なイベントは、毎年一二月に開催されるニューオリ主催のコンサートであった。このコンサートこそ、一年生グループにとっての正式な初舞台である。各学年、そしてレギュラーグループなどニューオリ全部員が出演するコンサートで、いわば一年間の部活動の成果を発表する大切な舞台でもある。

一年生の時は、武道館近くの九段会館でおこなわれた。一年生は受付係や舞台係などの雑務をしながらのステージ演奏となる。チケット販売もノルマがあり、同郷の知人やら、大学のクラスの仲間に買ってもらった。

「俺の初ステージなんだよ。ぜひ見に来てくれよ」

そう口説いて買ってもらった。が、いざ本番となると、彼らや彼女らが客席にいることを意識すると、かえってプレッシャーになるという不思議な感覚になった。そのプレッシャーが強過ぎて、生まれて初めて大舞台のステージに立った時のことはあまり記憶にない。演奏したのはブルースでミディアムテンポの「ティン・ルーフ・ブルース」と、ややアップテンポで短いドラムソロがある「サウス」という二曲だけだった。

――失敗せずに、最後まで演奏するのだ。これまでの練習を無駄にするな。

プレッシャーのほかはこのことだけが頭にあり、ステージから客席を眺める余裕などまったくない状態だった。それでも大きな失敗もなく無事に二曲を演奏することができ、ホッとした。

ゆとりを持って演奏できるようにならないと、ステージを楽しむことができない。音楽とはそもそも音を楽しむと書く。それにはドラムに慣れることだ。習うより慣れろ、とにかく精進あるのみ。これがデビューステージでの教訓であった。

ドラム演奏の場合、利き腕でない左手の動きがどうしても鈍い。左手が右手と同じような動きにならぬと良いプレーはできない。これを克服するための一策として、毎回の食事を右手でなく左手で箸を持って食べることにした。最初は左手にばかり神経が集中して十分に食事を味わうことができなかったが、習うより慣れろというように、半年もすると気にならなくなった。大学在学中はかたくなにこれを守り通したほどのドラム馬鹿だった。

二年生でレギュラードラマーに抜擢

一年生グループの練習には授業をサボってでも出席し、できる限りバンドボーイを買って出て先輩たちの演奏を聴き、金の許す限りジャズ喫茶に行っては熱心に本場アメリカのジャズミュージシャンたちのレコードを聴く。そんなジャズ一色のドラム馬鹿生活が功を奏したのか、幸い二年生の九月にレギュラーであるシカゴグループのドラマーに選ばれたのである。ドラマーとしての腕は未熟ではあったが、まるで夢のような出来事であった。

夏休みが終わり、四年生が引退、九月になって新編成のシカゴグループが新たな旅立ちを迎えたのだ。

すでに記したが、早稲田大学ニューオルリンズ・ジャズ・クラブには二つのレギュラーグループがあった。二〇世紀初頭にジャズが発祥したアメリカのニューオリンズで演奏されていたスタイルを研究、そのスタイルで演奏するニューオルリンズグループがひとつ。そしてもうひとつがレギュラーとなったシカゴグループである。

ジャズは発祥の地ニューオリンズから、全米の大都市へと拡散していく。まずはニューオリンズを流れるミシシッピー川のはるか上流に位置するシカゴへと広がった。時あたかも禁酒法時代、テレビや映画でおなじみの『アンタッチャブル』で描かれた、ギャングが横行するシカゴで盛んに演奏されるようになったのだ。シカゴやその周辺の白人の若者たちも、新しい音楽であるジャズに刺激され、楽器を演奏するようになる。白人たちが加わり、ジャズは黒人たちの土臭いスタイルから、より洗練されたスタイルへと進化することになる。こうして演奏されたジャズがシカゴ・スタイル・ジャズと呼ばれるようになったのだ。その中心的な白人の一人が、ギター奏者で、やがてジャズクラブを経営、プロデューサーとしても辣腕《らつわん》を振ったエディー・コンドンである。そう、高校三年生の時の夏休み、同志社大学の兄貴と一緒にわが家にやってきた同志社大学のドラマー、エディ近藤さんが自分のニックネームにつけたあのエディー・コンドンである。

このシカゴ・スタイル・ジャズと、ニューオルリンズ・ジャズは、一般にはデキシーランド・ジャズと呼ばれている。

俺はシカゴ・スタイルのジャズドラマーにより魅力を感じていたので、シカゴグループのレギュラーに選ばれたのは本望であった。

幸い同郷のバンジョー奏者、山口君も同じシカゴグループのレギュラーとなった。シカゴ・ジャズではエディー・コンドンのような奏者がいるようにギターも使われるので、彼はギターも扱うようになった。

同郷では、小学校低学年まで長野で過ごし転校して東京に住んでいる、同じ二年生のベーシストもシカゴグループのレギュラーの座を射止めた。荒井隆君である。

ニューオリに入部して二、三か月経ったある日、いつものように部室で先輩たちの練習を見学した後のことであった。

「おたく、長野市の出身だったよね」

背の高い、同じ新入生の男が声をかけてきた。

「ああ、そうだよ。長野出身の武田っていうんだけど、なぜ?」

「僕は荒井。いまは中野坂上駅の近くに住んでいるんだけど、実は小学校低学年まで長野にいたんだ」

早稲田の学生は全国から集まっている。あまたいる学生の中で同じ長野市出身でニューオリに入部したというのは珍しい。

「そうなんだ。で、どこの小学校にいたのよ」

「僕は芹田小学校に三年までいたんだよ。芹田小学校って知ってる?」

「知ってるも知らないもないよ。俺はその芹田小学校の出身だよ」

「えー、ホントに! 僕は一組だったよ。僕の家は小学校のすぐ東側にあって、始業のベルが鳴って家を出ても間に合うところに住んでたんだ」

「じゃあ、小川の東側に並んでいた家だろ。驚いたなぁ。俺は三組。家は南俣。なんだ、荒井君とは芹田小学校の同窓生ってわけだ」

世の中は広いようで狭い、この時ほどこの言葉が実感として胸に響いたことはなかった。以後、荒井君の東京の実家にはしばしばお邪魔して、夕食をいただくことになる。食べ盛りの年頃なのに毎日ロクなもんを食べていなかったので、家庭の味は実にありがたかった。下宿があった高円寺から荒井君のいた中野坂上までは電車で三〇分ほどの距離だった。

荒井君が誘ってくれるのがうれしかったのは食事もだが、もうひとつ理由があった。それは彼のお姉さんがとても美人で、親切にしてくれたことである。彼には妹もいた。自分が男三人兄弟の中で育ったので、姉妹のいる家庭は実に新鮮な体験でもあった。荒井君のお姉さんも、芹田小学校出身ということで親近感を覚えてくれたのであろう。彼女の母校でもあったのだから。その同郷の荒井君もシカゴグループのレギュラーに抜擢されたのである。

メンバーは三年生のコンサートマスターでピアノの平井昌美さん、同じく三年生のクラリネット重松英俊さんとトランペットの和田雄二郎さん、そしてリズムセクションは二年生で、いずれも長野市の出身でバンジョーとギターの山口君、ベースの荒井君、そしてドラムの俺という顔ぶれであった。翌年になって下級生の門脇修君がトロンボーンで加わった。

かくして、レギュラーグループの一員になってからの大学生活は、グループとしての結束と実力を高めるためのハードな練習、週に二、三回のダンスパーティーやコンサートへの出演と、まさにジャズ中心の生活が、四年生最後のコンサートが開催された一二月まで約二年半続くことになったのである。この間、合宿、全国への演奏旅行など、プロミュージシャン顔負けの日々を送り、一般の学生とはまったく違う貴重な数々の体験をすることになるのである。

レギュラーのシカゴグループとしても大いに有益だったのは、早稲田大学最大のイベント「早稲田祭」であった。演奏する機会が早稲田祭の期間中に何度もあり、グループのまとまりが各段に良くなったからである。

早稲田祭はキャンパスを開放し、すべてのサークルがその成果を一般の人々に見てもらい、聴いてもらおうという大イベントだ。ニューオルリンズ・ジャズ・クラブも文学部の一室を借り、祭りの期間中は毎日、レギュラーグループや各学年のグループが演奏した。

昭和四二年（一九六七）の早稲田祭は、シカゴグループが結成された三か月後の一一月一日から五日まで華々しく開催された。その時のプログラムが手元に残っている。六四ページにわたる小冊子で、早稲田祭のスローガンや各サークルの展示内容などが紹介されている。学生運動が盛んで、政治色の濃い内容となっており、当時の早稲田大学自治会の気質もよくわかるので紹介しよう。

スローガンからして難しい。

「隔絶の時代に連帯の中の私を！――いま私は〈私〉であるのか、〈私達〉であるのか――」

続いて、横書きの活字がビッシリと四枚にわたって詰め込まれている。しかも内容が難解で、いま読んでもよくわからぬ。そのごく一部を紹介しよう。

「資本主義社会にあっては、欲望の相対性を利用しながら、資本はその供給（即、利潤）を満足させるべき需要を喚起する。日本国憲法が保証する文化的生活は、資本にとって商品のより多くの販売であり、それ故に、中級所得者層にあっては文化的水道蛇口の家具化という現実であった。そして、各家へと、やがて各部屋へと資本の取り付けていく文化の蛇口は、文化ならぬ定型商品を奔流させて、大衆の意識の画一化に助力した。それはまた、合理化によって単なる分業体制の……」

ここまで書き移して思い出してしまった。キャンパス内で政治的アジ演説を自己陶酔しきって長々としゃべり続けている連中の姿を…。

ここに引用した文章は、一ページのわずか六分の一だが、こんな文章がスローガンとともに一五ページにもわたって続いているのである。ご苦労して書いたのはよくわかるが、当時もいまも同じ感情がわき上がるのを禁じえない。

――こんな独善的文章を誰が読むのか！　わざわざ足を運んで早稲田祭にやってきた方々に失礼ではないかと。

イベントの実行委員会の大変さはよく理解できるが、あの時代の学生運動がなぜ挫折せざるを得なかったかが、このパンフレットにも如実に反映されている。実行委員会の多くは学生運動に熱を上げている連中で、その多くの者たちは、大学や社会への不満を、一方的な価値観で糾弾するばかりで、他者への思いやりや共感がまったく欠如していた。自然、過激化する彼らの主張や行動は社会から遊離していかざるを得なかったのは、その後の歴史がよく証明している。

しかしながらそれはほんの一部の者たちで、ほとんどのサークルや一般学生らは、五日間にわたっておこなわれる早稲田祭を大いに楽しんだ。小難しい実行委員会の文章の後に掲載されているユニークなサークルの紹介文を読んでほしい。こんなサークルもあるのかと驚かれるであろう。

●国劇研究会　演劇『隠密三度笠』　通例の学生演劇に決して見られぬ斬新なアイデアあふれる大衆演劇的手法により、泣かせ笑わせ手に汗握らせつつ、人生について深く考えさせるであろうことを団員一同、神かけて誓うものなり。

●服飾デザイン研究会「ワセダマンのワードロープは?」　バンカラをその校風としてきたわが早稲田大学も、女子学生の膨張とも相まって、年々華かになってゆく様である。学生服姿も昨今のキャンパスでは見る機会が少ないが、私たちの服装はまだまだ及第点に達していない。そこで服飾専門家の方々による現代学生への啓発講演と、当サークル活動の成果を問う意味でショーを開きます。

●ヴォイス・オブ・ワセダ『座頭市物語』　座頭市早稲田に登場! 悪人どもがのさばるようじゃ世も末だ。堅気の衆を泣かせる奴には俺の仕込み杖が黙っちゃいねえ。切って切って切りまくる座頭市。恋あり、涙あり、濡れ場ありの大時代劇。

●神道夢想流杖道倶楽部「古武道大会」　杖一本に己が命を託す。払い、突き、打つ! その一挙一動に死があり生がある。一角流十手術、内田流短杖術などの演武もおこなう。

●フォークソング同好会「せえーのWFS'67」　早稲田祭を通じて会の団結を強め、大いに楽しもうという志向でなされるバラエティーに富む催しである。

このように多彩なサークルがひしめきあい、それぞれ展示やら、実技やら、演奏会が催される恒例のお祭りが早稲田祭だ。

ずーっと後のこと、信越放送の社員になってから立ち上げたラジオ番組『それいけ‼ド・ド・ド』『太郎と知可子の少しだけ回り道』、そしてテレビ番組『ワン・ツー・オー・オー』のレギュラー出演者として活躍してくれた所太郎君が、当時フォークソング同好会にいたことなど、その時は知る由もなかった。その所君らが「海は恋してる」を在学中にリリース、一〇万枚を超えるヒットで、カレッジポップスの先鞭《せんべん》となったザ・リガニーズを結成、デビューしたのがこの早稲田祭の翌年、昭和四三年である。

さて、ニューオルリンズ・ジャズ・クラブである。文学部の一室を借り受けて、アメリカのローリング・トゥエンティーの酒場を彷彿《ほうふつ》させる装飾を施し、お客さんにジャズ演奏を楽しんでもらったのであった。

「アメリカン・ニグロ。アフリカから奴隷として新大陸へ送られてきた彼らは、人種という拭いきれない宿命を背負って今日まで歩んできた。そういう彼らの悲惨な生活から生まれた音楽、〝彼らの生活の詩〟は皮肉にも全世界を征服した。いま、われわれが彼らの心の魂を直接感じることができるジャズ。ジャズは彼らの魂なのである」

若者にありがちな気負った文章だが、俺が書いた。というのはニューオリでは早稲田祭の企画・運営は二年生が担当したからである。新メンバーのシカゴグループも出演、こうしたステージを通して、グループのまとまりが次第にできあがり、ジャズにどっぷりと浸《つ》かった学園生活が続くのである。

北村英治とも共演したダンスパーティー

中学生の時に見た映画『嵐を呼ぶ男』以来、ドラマーになることが夢だった。レギュラーメンバーになったことで、コンサートやダンスパーティーに出演することが中心の生活が始まったのである。

当時はどこの大学でも、サークル活動が盛んであった。そのサークル活動の資金調達のため、ダンスパーティーが各大学で競うようにおこなわれた。社交ダンス全盛時代でもあったのだ。ミラーボールが渦巻く薄暮のようなおしゃれなフロアで、ブルース、ジルバ、チャチャチャ、ワルツなど、生バンドの演奏をバックに若い男女が踊るダンスパーティー。主催する大学生はもちろん、他大学の男女学生、さらには若い社会人の男女も参加し、どこの会場も満員状態であった。団塊世代が青春時代を迎えた、まさにその時代だったからである。ダンスパーティーは若い男女の出会いの場であり、付き合っている男女が、公然と身体を寄せ合う絶好のシチュエーションでもあったのだ。

そんなダンスパーティーにうってつけのバンドが、ニューオルリンズ・ジャズ・クラブのレギュラーバンドであった。というのも、ジャズはもともとダンス音楽として発展したもので、アメリカではデキシーランド・ジャズも、スウィング・ジャズもダンスバンドとして人気を得ていったのである。であるから、シカゴグループにもニューオルリンズグループにも毎週ダンスパーティーの依頼があった。多い時には週に三回も出演、平均すると月に五～六回出演していた。通常、自分たちのバンドのほかにもう一バンドが出演、二バンドが三〇分交代で二ステージというパターンが一般的であった。相手バンドは慶応大学のハワイアンバンドなど他大学のバンドが多かったが、時にはプロのバンドもあった。

忘れられないのはＪＲ山手線の新大久保駅近くにあったダンスホール、三福会館でのダンスパーティーだ。しばしばこのホールに呼ばれて演奏していたのだが、ある夜、世界的に有名なクラリネット奏者である北村英治さんのバンドと一緒の時があった。こんなラッキーなことはめったにあるものではない。メンバー全員がダンスホールの側面に立って、北村英治バンドに耳を傾け目を凝らした。これほど身近で、プロの演奏に接する機会はない。俺はドラマーの須永さんのプレーに注目、スティックさばきやフレーズ作りを盗もうと真剣だった。

北村バンドの演奏が終わり、俺たちは二ステージ目の演奏に入った。このステージで、信じられない幸運に恵まれたのである。三曲ほど終わったところで、ステージ脇から声がかかったのだ。

「ちょっと、遊ばせてもらっていいかな。たまには若い人と一緒にプレーしたくなるんだ」

その声の主こそ、北村英治さんだったのである。信じられないオファーに、メンバー全員が直立不動の姿勢でステージにお迎えし、三曲ほどジャムセッションをしたのであった。

ジャズの大きな特徴のひとつは、アドリブである。インプロビゼーションともいう即興演奏だ。ジャムセッションとは、決められたグループのメンバーの演奏でなく、たまたまそこにいるミュージシャンたちが自由自在に会話を交わすように、その場で即興的に演奏を楽しむことである。ジャズという音楽だからこそ可能な演奏スタイルである。

世界の北村英治さんとジャムセッションを共有できるなど、夢のような時間であった。英治さんが加わったことで、バンド全体の躍動感が一気に強まったのである。ドラムを叩きながら実感したのは、バンドのリズム感がまったく異次元に昇華され、ジャズの本質である、いわゆるスウィング感とはこういう感覚なのだ、ということがおぼろ気ながらわかったことであった。これは極めて貴重な体験であった。夢のような時間が三曲にわたって続けられた。メンバー全員が高揚しているのがよくわかった。アドレナリンの分泌全開といった姿であった。

――英治さんが加わったスウィング感。ドラマーはこうしたスウィング感をバンド全体に与えなくてはならないのだ。精進あるのみ。

この貴重な体験が俺に突きつけた課題だった。

北村英治バンドと共演した三福会館など、都内にはたくさんのダンスホールがあった。サンケイホールには大きなコンサート会場のほかにダンスホールもあり、しばしば演奏をした。後楽園球場の近くには、後楽園ホールがあり、ここでも演奏した。また、高級ホテルでもしばしばダンスパーティーがおこなわれた。

赤坂プリンスホテルでのダンスパーティーでは、エレキバンドとして人気のあった寺内タケシとブルージーンズと一緒だった。ベンチャーズの影響でエレキバンドに人気が集まり始めた時代でもあり、寺内バンドは加山雄三主演の『エレキの若大将』に出演し人気バンドになっていた。このバンドのドラマーは、二つのベースドラムを使って派手なドラムソロを展開した。ツー・ベース・ドラムの演奏を聞いたのは、この時が初めてであった。その後、ジョージ川口さんのツー・ベース・ドラム演奏を聴き、いつかやりたいと思っていた。およそ三〇年後、五〇代になってようやくツー・ベース・ドラムと同じ効果を上げる、二つのペダルを使ってのドラムソロに挑戦、地元長野のミュージシャンのグループで演奏し現在に至っている。青春時代の強烈なドラムの記憶は長い間、尾を引き続けていたのである。

ダンスパーティー全盛時代を勇弁に物語る象徴的な会場と言えば、四年生の時に演奏した日本武道館である。あのどでかい一階部分がフロアとなり、会場をところ狭しと若い男女が、バンドの演奏に合わせてジルバ、マンボ、ブルースを踊るさまは壮観であった。よくもまあ、これだけの若者たちが集まったものだと驚かされた。

後にも先にも、武道館で演奏したのはこの時だけであった。青春のエネルギーをダンスパーティーで発散していた俺たちの世代が、そのエネルギーを経済活動に注ぎ続け、日本はやがて世界有数の経済大国に成長してゆくのだが、いま振り返ればそんな兆候すら見え隠れした大ダンスパーティーだったようにも思われる。

コンサートで森山良子の前座も

ダンスパーティーのほか、都内の各大学の学園祭や音楽イベントに呼ばれ、演奏することも多々あった。アマチュアバンドがほとんどなかった時代で、六大学には有名なバンドがいくつかあり、コンサート会場で顔を合わせることがしばしばあった。

ホールのある大学、たとえば早稲田大学では大隈講堂、共立女子短期大学では共立講堂などが会場になったほか、東京厚生年金ホールや渋谷公会堂などでもコンサート出演する機会が多かった。

コンサートの場合は司会者が必要である。ニューオルリンズ・ジャズ・クラブは、早稲田大学の放送研究会とタイアップ、二つのレギュラーグループには専属の司会者がいた。コンサートでは、バンド演奏と同じように司会者も他大学の司会者と張り合って、いかに笑いや注目を集めるかを競っていたのである。大先輩には、卒業後にフジテレビの看板アナウンサーになった露木茂さんがいた。

わがシカゴグループの専属ＭＣは、一学年上の中島公司さん、俺が三年生になった夏からは一学年下の大野正君だった。バンドの紹介から始まって、シカゴジャズとはなにかを軽妙なトークでしゃべりながら観客を引きつけるのである。

「一九二〇年代のシカゴと言えば、皆さんもテレビ映画、ロバート・スタック演ずるエリオットネスでおなじみの『アンタッチャブル』などでご承知でしょう。禁酒法の網をくぐる密造業者や、売り込みに暗躍する秘密酒場を舞台に、ギャングたちが出入りする酒場やナイトクラブで、夜な夜な演奏され続け発展していったのがシカゴ・ジャズだったのです。クラリネットのベニー・グッドマンや、人気ドラマー、ジーン・クルーパーらもシカゴ・ジャズを耳にし、演奏し成長していったのです。シカゴ・スタイルとはフランスのジャズ批評家、ユーグ・パナシェらによって名付けられたジャズのスタイルです。今宵《こよい》は心ゆくまで、私たちの演奏をお聞きください」

こうした調子でステージと会場を盛り上げるのが司会者の仕事である。中島さんも大野君もジャズ史を調べ、曲を知り、メンバーと一心同体のような存在であった。

特にバンドのメンバー紹介では、個々人の特徴をとらえながら、いかに笑いをとるかに苦心し、ギャグを考えフレーズを工夫し舞台に立っていたのであった。その一例をご紹介しよう。

「さあ次はドラム担当です。彼の目に注目してください。最近とみに女性に興味がわいてきたようで、街を歩いていても、若い女性を見かけると、じーっと目を向けながら歩き続ける癖がついてしまいました。それが原因でここ二、三か月、彼の目が少しずつ出っぱってきているようです。おわかりですよね。歩きながら目が出る、アルキメデスの原理は、こんなところから生まれたのかもしれません。ドラム担当は商学部二年生、武田徹です」

どうってことのないギャグなのだが、毎ステージで考え、それをしゃべりで伝えることによって、司会者の力量が上がり、洗練され、わがニューオリの司会者からはその後、ラジオやテレビで活躍する人材が輩出した。

ちなみに中島公司さんは卒業後、中部日本放送ＣＢＣの人気パーソナリティーとなった。大野正君は文化放送のスポーツアナウンサーとして活躍、その後フリーとなり芸名を大野勢太郎とし、埼玉県のＦＭナック・ファイブの人気パーソナリティーとして活躍している。ありがたいことに、中島さんも大野君も俺のラジオ番組『つれづれ散歩道』にゲストとして参加、楽しい話をしてくれた。名古屋に遊びに行った時は、中島さん担当の朝のワイド番組にゲストとして参加したこともあった。ジャズが紡ぎ出す糸は、卒業後社会人になっても様々な場面で結び合っているのである。

目白にある学習院大学には、ユニークなピラミッド講堂なる建物がある。四角錐体で、客席からステージを見下ろす設計になっている。「この広い野原いっぱい」で大人気歌手になったばかりの森山良子さんのコンサートがこのピラミッド講堂で開催され、シカゴグループも呼ばれて演奏した。日本でもフォークブームが到来しており、彼女は一躍スターの座を射止めたのであった。透き通るような美しい声が彼女の特徴で曲も大ヒットした。

森山さんはフォークソングの歌手であることは、彼女の歌がよくラジオから流れていたので知ってはいたが、本来はジャズ歌手を目指していたとは知らなかった。そのことを知らされたのはこのコンサートから三十数年後、平成一四年（二〇〇二）二月、彼女が信越放送を訪れた時のインタビューだった。

新曲やイベントのＰＲで歌手の方々が放送局に立ち寄ることはしばしばある。中央の有名タレントのインタビューは話題性があるので、どのローカル局でも放送するのだ。

インタビューでいつも心がけているのは、ありきたりの言葉でなく、本音の部分をどう引き出すかにある。これは歌手でも一般人でも同じだ。それにはインタビューする側、つまり自分がまず胸襟《きょうきん》を開き、本心から聞きたいことを、自分の言葉で相手に投げかけなければ相手も応じてこない。このことは長い間の経験から学んだことである。

この時は、ＳＢＣ創立五〇周年記念のテレビ番組『上高地の四季』に森山良子さんがナビゲーター役で出演、その番組のＰＲのためのインタビューだった。まずはその番組について聞いた後、にこやかな笑顔をして応接室のソファに座る森山さんにずっと気になっていたことを投げかけた。

「森山さん、大ヒット曲の『この広い野原いっぱい』は、どこのコンサートでも歌うんでしょう。自分がもし歌手だったら、いい加減嫌になっちゃうと思うんですが、本当のところはどうなんです？」

「えぇー⁉ そんな質問する人は初めてです。が、本当のこと言うと…、デビューして間もない頃は、嫌で嫌でしょうがなかったの。だっていつもいつも、どのコンサートでも歌わされるんでしょう、同じ曲を。ウンザリしたのは事実です。だって私、もともとはジャズシンガーになりたかったんですもの。ジャズはアドリブが利くので、同じ曲でもその場その場で違った表現ができるでしょう」

「へえー、そうだったんですか。知らなかったなあー」

「だって私、幼い頃からジャズやポップス、いつも聞きながら育ってきたんですもの。いまも、いつかジャズを歌ってみたいという夢を持ってますよ」

「森山さんは長野冬季五輪のテーマソング『明日こそ、子供たちが』ですっかり長野県民にはおなじみですし、最近は『涙そうそう』が大ヒットしてるじゃないですか。森山さんがジャズを歌ったら、みんなビックリするでしょうね」

ここで学生時代の学習院大学でのコンサートのことを話して大いに盛り上がった。

「人生はチャレンジですもの。ジャズも視野に入れてますのよ。でも、『この広い野原いっぱい』のヒットがなければ、いまの森山良子はないわけで、最近はそのありがたさが心にしみてきて、どのコンサートでも心を込めて歌ってます。同じ曲でも、年齢を重ねると、また違った気持ちで歌うことができる、音楽ってホント、奥が深いということ、最近しみじみ思いますね」

このインタビューの通り、森山良子さんは翌平成一五年、ジャズ・アルバム「The Jazz Singer」をリリースし、ニューヨークなどのライブハウスでも活動している。いまにして思えば、あの学習院大学で初めて森山さんとご一緒したコンサートの時、彼女がジャズシンガー志望だったことを知っていたなら、ひょっとして北村英治さんとのセッションのようなコラボができたかもしれなかったのに、と残念である。

森山良子さんとはその後も縁があった。友人で、彼女と親交がある千曲錦酒蔵社長の原拓夫さんがＳＢＣラジオで『気ままにオールデイズ』という番組のスポンサーになったことがあった。そればかりか、自分で選曲、構成をし、おしゃべりもするというマルチタレントぶりを発揮した人気番組でもあった。その原さんの娘さんの結婚式で司会を担当することになったのだ。原さんの友人として出席した一人があの森山良子さんであった。小さなオルゴールを手で回しながら、その音を伴奏に素晴らしい歌声を披露、万雷の拍手で会場を盛り上げてくれた。父親の原さん、そして花嫁の娘さんにとっても忘れ得ぬ結婚式となったことだろう。

早慶戦と吉永小百合と『愛と死をみつめて』

早大生にとって野球の早慶戦は特別な意味を持っている。異様に燃えるのである。普段は野球にさほど関心のない早大生も、対慶応戦となると黙っていられなくなるのが不思議である。

この本を執筆中、ＮＨＫの朝ドラで『エール』という古関裕而をモデルにしたドラマを放送していた。連続放送だが、中国の武漢発の新型コロナウイルスが世界中に拡散、日本も多大なる影響を受け感染を防ぐため、撮影が中止となり物語は途中でストップしたが、その後続編が放送された。

このドラマで知った御仁も多いと思うが、早稲田大学の応援歌「紺碧の空」は戦前、古関が早大応援部の懇願によって作曲したものである。昭和六年（一九三一）春のことであった。それより四年前に作られた慶応大学の「若き血」に圧倒され、早慶戦で苦戦が続いていたため、新しい応援歌で対抗し、なにがなんでも慶大に勝ちたいという強い願望から古関に依頼したのだ。歌詞は学内から募集、このあたりが早稲田らしくていい。住治男という学生の歌詞が採用された。住は、古関と同じ二二歳であった。引き受けたはいいが、なかなか作曲が進まない。どんな旋律もピッタリと歌詞になじまなかったようだ。ちなみにその歌詞を紹介しよう。

紺碧の空

紺碧の空仰ぐ日輪　光輝あまねき伝統のもと

すぐりし精鋭闘志は燃えて　理想の王座を占むる者われ等
早稲田　早稲田　覇者　覇者　早稲田

応援部員はやきもきしながら、毎日のように古関の家に押しかけては催促したようだ。完成したのは試合のわずか二日前だったという。「紺碧の空」は六月一三日の早慶戦第一回戦で披露され、春の早慶戦は二勝一敗で慶応を下したのであった。当時はプロ野球より六大学野球の方が圧倒的に人気があったという。早慶戦は早大生にとっては特別な存在であり続け、俺たちの在学中も、慶応大学に勝ってこの「紺碧の空」を明治神宮球場で大空に向かって高らかに唱和することは無上の喜びであり、歓喜の一瞬でもあったのである。

その早慶戦に、しかも六大学のリーグ優勝がかかった早慶戦に、わがシカゴグループも神宮球場にはせ参じ、野球誕生の国アメリカから世界中に広まった音楽、ジャズ砲をもって戦陣に加わったのであった。

昭和四一年秋の早慶戦だった。シカゴグループのレギュラーに選ばれて間もない時のことである。ダンスホールでもなく、コンサートホールでもない明治神宮球場での演奏だ。ニューオリのクラブにとっても前代未聞のことであった。早大応援部の連絡場所は、ニューオリと同じ喫茶ぷらんたんだったのでお互い顔見知りも多かった。特にシカゴグループの上級生と応援部の上級生は仲が良く、親密な付き合いをしていたことから、この大事な早慶戦で応援を仕切る応援部から特別の依頼があったのだ。

一塁側ベンチの上でドラムのセッティングが終わり、客席を埋め尽くした早大側応援学生に向かって、試合前の景気づけに一曲披露しようと客席に目を向けたメンバーに歓喜の衝撃が走った。バンドの目線の真っ正面に、大人気女優で同じ早大生の吉永小百合が座っているではないか。彼女もリーグ優勝をかけたこの早慶戦の応援に駆けつけたのであった。

――小百合ちゃんの真ん前、それも至近距離で演奏を聞いてもらえる。プレーヤー冥利に尽きるとはこのことだ。きっと彼女も映画『嵐を呼ぶ男』を見ていることだし、ドラマーにもっとも興味を持っていることだろう。今日はなんてラッキーな日なんだ。ガンバルぞー！

中学、高校生時代、彼女の映画を何本見たことか。勉強部屋に彼女の写真を何枚飾ったことか。遠い遠い雲の上の存在だった吉永小百合がいま舞い降りてきて、真ん前にいるのだ。

――なんというラッキー、なんという幸運。リーグ優勝をかけたこの早慶戦に臨めるだけでも幸運なのに、長年暗がりの映画館の銀幕でしか会うことのできない小百合ちゃんが、明るい秋の青空、まさに紺碧の空の下、いま前にいるなんて夢のような現実だ。今日は歴史的な日なんだ。

恥ずかしながら、大ファンだった俺の頭脳は目の前の小百合ちゃんのことでいっぱいになっていた。こんなことを考えながら演奏していると、心なしか小百合ちゃんの視線が自分に注がれているような気がした。

——やっぱりドラマーの俺に興味があるんだ。予想は的中したんだ。ほかのメンバーには申し訳ないが、彼女は俺に注目している。

若者にしばしば見られる自己中心的症状である。予想もしなかった幸運に遭遇すると、誇大妄想的状況に陥ることがあるようだ。あの時はまさにそうだったのである。

ところがである、誇大妄想、自己中心的症状は自分ばかりではなく、メンバー全員がそうだったことが、その夜に明らかになった。

この日の試合は小百合ちゃんをはじめ、早大生一丸となっての応援が見事に功を奏し、早稲田は慶応に勝利した。一塁側応援席の全員、むろん吉永小百合も立ち上がって姿勢を正し、「紺碧の空」を高らかに歌い、「都の西北」を大合唱したのは言うまでもない。

その夜のこと。いつも早慶戦が終了した日の夜、ニューオリでは新宿歌舞伎町にある大衆酒場「勇駒」で酒宴を開くのが恒例となっていた。特にこの日は慶応を下し、勝利の美

入学早々の早慶戦にて

酒を味わえるとあって、部員たちも意気軒高《いきけんこう》、欣喜雀躍《きんきじゃくやく》、飲むわ飲むわの大騒ぎであった。むろんこの夜の飲食代金もクラブが大幅に援助した。

話題は当然、応援に駆けつけた吉永小百合に集中し、小百合ちゃんの前で応援演奏したシカゴグループのメンバーは鼻高々である。

「トランペットのソロを吹いたらさ、小百合ちゃんにじーっと見つめられちゃって、あがっちゃったよ。ソロが終わっても視線が気になってしょうがなかったよ」

「違うよ、違う。おまえじゃない、僕のクラリネットに注目してたんだよ。その証拠に僕がベンチを動いてチラッと見ると小百合ちゃんもこっちを見てるんだよ。参っちゃったよ」

メンバーみんなが侃侃諤諤《かんかんがくがく》、自己中心的主張を展開、俺も自説を主張したが結論が出るわけもない。酔いも回り、小百合ちゃんをサカナに大いに盛り上がった。大人気女優、吉永小百合の目の前で演奏したという事実は、ことほど左様に同年代の男たちにとっては、大事件だったのである。

その吉永小百合はこの時、第二文学部史学科の二年生で俺と同学年だった。彼女は吉永家を支える勤労女子学生、日活の映画に出演しながら大学に通っていたのである。自分のように毎月仕送りを受けながら、好きなジャズを楽しむというのんきな学生生活ではない。彼女はこの当時でも、六本の映画出演をこなしながらハードなスケジュールの合間を縫って夜の講義を受けていたのである。撮影は夕方五時に終了、彼女はそのまま早稲田大学に駆けつけた。出版された『夢一途』に記されている。

「車の中で化粧を落とし、校門前の立ち食いソバ屋でおなかを満たして教室に入ると、後は睡魔との戦いです。手をつねったり、頬を叩いたりしながら、一〇時までの講義を受けました。帰ってから翌日の撮影の予習などしようとすると、すぐ深夜になってしまい、一年目からまたまた学校にも仕事にも、行末に不安を感じるようになってしまいました」

早慶戦の直前の九月には出演した『愛と死の記録』が公開され、神宮球場で俺たちの話題になった日は、『白鳥』という松山善三のシナリオによる映画の封切り日であった。彼女は映画館には行かず、早慶戦の応援ベンチに座り、学友とともに一早大生として応援していたのである。彼女はこのことで母親から「もっと自分の立場というものを考えなさい」と久しぶりに叱られたという。

がんばり屋の吉永小百合は、学生生活と映画スターとしての職業人の仕事を両立させようと懸命に生きていたのだった。

吉永小百合が親と日活の反対を押し切って、早稲田大学の資格認定試験を受けることを決めたのは、映画『愛と死をみつめて』が公開された昭和三九年の頃だったという。実在した恋人同士の書簡が本となって出版され大反響となり映画化されたものである。吉永小百合と浜田光夫の日活青春コンビが恋人役を演じ、原作本の評判と相まって、国民的な大ヒットとなった作品であった。

浪人中の高野誠は入院した病院で小島道子と知り合う。大学に入って二年目、二人は再会するが道子の病気は快方に向かっていない。二人は文通を続け、やがて道子も大学に入学するが軟骨肉腫という奇病で再び入院してしまう。道子は誠の愛に支えられて病と闘いながら顔の左半分の切除までおこなったが病には勝てず、二一歳の誕生日に、手術半ばでこの世を去ってしまうという純愛映画である。

吉永小百合は道子役になりきって熱演した。そのかいあってこの『愛と死をみつめて』で、ブルーリボン賞とゴールデンアロー大賞を受賞したのである。その授賞式が早稲田大学受験の前日だった。彼女は二つの授賞式をかけもちしたのである。多忙な映画出演中にもかかわらず、彼女が早稲田大学入学を決意した理由のひとつに、実在した大島みち子が大学生活を満喫せずに命を落とさざるを得なかった無念さを晴らしたい、という感情も胸の中にはあったのではないかと推察する。

そしてもう一人の主人公、河野實さん。彼が信州の伊那谷出身という事実を知ったのは約三〇年後のこと、担当するラジオ番組『つれづれ散歩道』のゲストとして出演していただいた時だった。当然『愛と死をみつめて』が話題になる。河野さんは大島みち子さんが亡くなった翌月に往復書簡の束を出版社に持ち込んだという。ところが、どこの大手出版社も乗ってこない。ようやく探し当てた小さな出版社が承諾してくれ、本として世に出たのだそうだ。ところがこの本、売れに売れ大ベストセラーとなってしまい、河野さん自身も信じられなかったという。

「それにはまだ後日譚《たん》があってね。この本の収益で、その出版社はなんとビルを一軒建ててしまったんですよ。これにも驚かされたなあ」

河野さんは冗談ぽい笑顔で言った。その河野さん、やはり吉永小百合のファンで、趣味の似顔絵でもよく描いていたという。

早慶戦の応援で駆り出されたジャズバンドの演奏で見かけた吉永小百合。その彼女が主演し、映画にもなり、そして歌謡曲にもなって日本社会に大きな反響を与えた『愛と死をみつめて』の著者、河野實さんとの出会い。人生とは不思議な縁で結ばれているものだとつくづく思う。これがまさに縁で、河野さんとお付き合いが続いた。ちょうどその頃、俺は五〇歳を過ぎており、信越放送を辞職してフリーとして新たな人生後半を歩もうと決意。そのタイミングを見計らっていた時だった。ある日、そのことを河野さんに話したことがあった。

「武田さん、それは早く実行した方がいいよ。もう組織人間は飽きたでしょう。フリーになれば自己責任ですべてを処理しなければならない大変さはあるけど、社会の見方が変わるし、自分自身に対しても、きっと新たな発見があると思うよ。人生一度は自分自身の裁量でやりたいことやらなくちゃ。一匹狼的生活も魅力があるよ」

河野さんのこの言葉にも強く背中を押され、五二歳で信越放送を辞め、フリーとして活動を始めたのであった。河野實さんには感謝である。

2　ジャズに明け暮れた大学生活

中学恩師のはからいで夏季合宿

シカゴグループのレギュラーメンバーとなり、まさにジャズ一色の生活が続く三年生の夏休み、ニューオリ恒例の合宿が長野市松代町でおこなわれた。

合宿すべてを仕切るのは三年生という不文律がある。二〇人以上いた同期の新入生も自然淘汰されて一三人となっていた。この一三人の三年生の中に、長野市出身者が山口君、荒井君、そして俺と三人もいれば、当然信州閥ではないが、俺たちの意見は強力な影響力を持つことになる。しかも三人はシカゴグループのレギュラーメンバー、いつとはなしに合宿は涼しい故郷の長野でやろうという方向で一致していた。涼しいことは、合宿の重要なキーワードになっていた。というのも現在のヒートアイランド現象ほどではないが、昭和四〇年代の東京の夏の気温はすでにかなり高かった。下宿のあった高円寺でも、夜になっても気温が下がらない。借りている六畳の部屋の窓を開けっ放しにして床につくが暑くて眠れない。当時、扇風機など学生には贅沢《ぜいたく》品である。ましてや冷房装置などある時代ではない。真っ裸で横になっても、汗が体中にまとわりつき耐えられない。昨今の学生のようにバス・トイレ付きでもない。

――なんだ、この蒸し暑さは…。これじゃ睡眠不足で死んじゃうよ。なんとか涼をとる方法を考えねば…。

思案を巡らして思いついたのが、下宿の大家の庭先にある水道であった。

——そうだ！あの水道を利用しよう。

早速、一メートル半ほどのゴムホースを買い求め、水道の蛇口にはめ込み、シャワーよろしく頭から全身に水をかけることにした。これがなかなかにグーなのだ。深夜、大家の庭先にこっそり侵入しては、水浴びをした。真っ裸の方が気分がいいのだが、万が一ということがある。というのも大家には女子大生の娘さんがいた。暗がりの庭先で若い男が一人、真っ裸で水浴びをしている姿を目撃されたら、それこそ危ない不審者と思われ大ごとになってしまう。面倒だが水泳パンツを身に着け、夜な夜な水道ホースのシャワーを浴びて汗を流し、身体を冷やしてから寝た。

ことほど左様に、東京の夏の暑さはすさまじい。そこへいくと、信州の夏は涼しく、厳しい合宿をするには最適である。

幸いなことに、山口君が合宿の総責任者となった。彼には秘策があった。

「武田君、南部中学時代の担任だった酒井先生が、転勤して松代中学校に赴任してるんだ。ピアノも三台はあるって言ってたんで、夏の合宿は松代中学校を借りてやったらどうだろうか」

そう提案してきた。ジャズクラブの合宿場には、ピアノがあることが絶対条件である。それも二つのレギュラーグループのほか、一、二、三年生のグループも同時に練習するので、ピアノはあればあるほどいい。とはいえ、複数のピアノが用意されている学校は少ないので、三台もピアノがある松代中学校はもってこいだ。しかも山口君の担任だった教師がおられるというのだから文句なしだ。

「酒井先生なら中学時代に体育の授業で教わったことがあるよ。なつかしいなあ」

「武田君、僕と一緒に酒井先生のお宅へうかがって合宿のお願いをしようじゃないか」

同郷の山口君は同じシカゴグループでほぼ毎日といっていいほど顔を合わせている。そうと決まれば話は早い。早速二人で長野に帰ることにした。

山口君の実家は長野駅から歩いて三〜四分の近距離、中央通りの千石バス停前の山口金物店が彼の実家だ。それも俺が家に帰るためのバスの停留所の真ん前という超便利な場所にある。

彼、義憲君は三人兄弟の長男である。学生時代は帰長すると必ず山口君の家に寄ってお茶をいただいたり、時には夕食をご馳走になったりした。そんな時、高校時代の仲間も呼び寄せて、溜まり場的な場所となっていた。山口君の母親はチャキチャキ美人といった感じの方で、いつもはじけるような笑顔で嫌な顔ひとつせず迎え入れてくれ、学生とも話が合った。そんな縁が大学卒業後も続き、俺の結婚式では山口君のご両親に媒酌人をお願いした。しかも結婚相手は山口君のはとこ。というわけでジャズクラブがきっかけで山口家とはさらに深い深い関係となった。

それればかりではない。頻繁にお邪魔していた頃に小学生だった山口君の弟、三男の裕司君は、その後に長野高校のジャズ研究会同好会でトロンボーン奏者として活動。兄や俺たちの影響をまともに受けたのであろう、高校生でジャズを演奏するなど当時としては極めて珍しかった。さらに慶応大学に進学、慶応が誇るライト・ミュージック・ソサイェティのフルバンドクラブに入部、四年生の時はコンサートマスターとして活躍した。そのコンサートは浜松町の郵便貯金会館で開催され、俺も長野から上京して聴きにいった。そして、その裕司君の結婚式の媒酌人は誰あろう、俺たち夫妻が務めたのであった。

ジャズで結ばれた話はまだ続く。裕司君と一緒に長野高校のジャズ研究同好会でギターを演奏していたのが角田忠雄君。プロミュージシャンとして中央で活躍した後、長野に帰った。平成時代が幕開けした頃、その角田君を迎えて結成したバンドが〝武田徹とジャミング・キャッツ・ダンディー〟である。ジャズが結ぶ縁は、誠におもしろい。

さて、酒井先生に合宿のお願いをしようと帰郷したこの日も山口家に寄って茶をご馳走になった。山口家では長男が帰ったというので、父、母、裕司君が居間に集まった。大学生活の近況やら、ジャズクラブの松代合宿のことなど話は尽きない。

山口家は俺の家と同じで男兄弟三人だ。山口家の次男の清君はこの時受験生で、翌年早稲田の学生となった。東京の大学に二人通わせる経済的負担は相当なものだったろう。それは自分の家の場合も同じで、兄は京都の同志社大学在学中だったので、おそらく親の脛《すね》は細る一方だったことだろう。しかし、当時はまったくそんなことを斟酌《しんしゃく》せず、好きなジャズにのめり込んでいたのだから気楽なものだ。いまにして思えば両親に感謝感謝である。

翌日は日曜日、山口君と待ち合わせをして、長野市栗田にある酒井先生宅を訪れた。玄関ドアを開け山口君が大きな声で言った。

「こんにちはー！　遠慮なくうかがいました。武田君も一緒です」

当時は玄関にチャイムなどなかった。訪問は山口君が電話で連絡ずみだった。奥の部屋から酒井先生のなつかしい声が聞こえた。

「おう、よく来たな」

言うなり笑顔で玄関に姿を現わした。

「二人ともずいぶん大きくなって、いい若者になったなあ。まあ上がれ、ゆっくり話そう」

成長ぶりに驚いたような酒井先生の口吻《こうふん》に違和感を覚えたが、考えてみれば当たり前なのだ。中学三年生の卒業式以来、実に六年ぶりの再会である。酒井先生にとっては、まだあどけない少年のままのイメージだった二人がすでに成人式を過ぎ、大人の仲間入りをし、目の前に立っているのだから。

酒井先生は昔のままの姿だったが、俺たちに接する物腰、笑顔は中学生時代の先生とは真逆で驚いた。というのもその酒井清先生、南部中学校時代は強面《こわもて》で生徒たちにもっとも恐れられていた存在であった。全校集会の時など、講堂の演壇の脇で仁王立ちとなって、眼光鋭く生徒たちを睥睨《へいげい》、生徒たちは私語を慎み、居ずまいを正さざるを得なかった。校内で幅を利かせていたいわゆるワルたちも、一目置いていた教師であった。酒井先生は保健体育担当の教師で、授業を受けたこともあった。三年生の時は野球部のキャプテンに選ばれ、生徒会の体育部長も仰せつかったこともあったので、担任ではなかったが酒井先生は俺のこともよく知っていた。

応接間に通され茶を飲みながら、ニューオルリンズ・ジャズ・クラブのこと、合宿についての日程やら使用教室やピアノのことなどを先生に説明、松代中学校をお借りしたい旨を正式に申し込んだ。酒井先生はすべてを承諾、最後にひとつだけ注文があると言った。

「早稲田の学生諸君が集団で松代にやってくるなんて、前代未聞のことじゃないかな。松代の人たちが生のジャズ音楽を聴く機会などめったにないので、体育館で町の皆さんが君らの演奏を聞けるよう段取りをしてくれないかな」

酒井先生の提案は、俺たちにとってもそれこそ渡りに船であった。

「僕らは合宿最終日に、その成果を披露すべくそれぞれのグループが一堂に会して、発表演奏をするんです。もし体育館をお借りできれば、地元の方々もお招きして発表演奏会ができます。そうなれば、地元の人たちにも楽しんでもらえるし、僕らもいっそう演奏のやりがいがあるというものです」

山口君が言った。体育館も借りられるなんて願ってもないことだ。

「そうしてもらうとありがたいな。せっかく松代中学校で合宿をしているんだから、町の人たちもきっと喜んでくれると思うよ」

話はトントン拍子で進む。俺は気になっていることを先生に聞いた。

「ところで、地震のことなんですが、もう大丈夫なんでしょうか」

覚えておられる方も多いだろう。あの松代群発地震のことである。大学に入学し上京した直後から始まったこの地震、二年間ほど頻繁に発生していたようだ。たまに実家に帰郷した時にも、結構揺れていた。実家の南俣は松代から一〇キロほどの距離だったが、一日に何回も地震に見舞われその都度驚かされた。ところが父も母も慣れっこになっていて、地鳴りがしても落ち着いたものだった。

「おっ徹！　そろそろ地震が来るぞ。おお、揺れ始めた。これはいつもよりちょっと強いぞ。震度三ぐらいかな」

「親父、やばいよ、この揺れ。外に出なくちゃ」

「大丈夫、大丈夫。毎日、何回も揺れ、その都度エネルギーが放出されるので、でかい地震は来ないらしい。強くたってせいぜい震度三ぐらいだから。なあ、母ちゃん」

父も母も平気の平左を決めこんでいた。

この松代群発地震は、世界的に有名なアメリカの雑誌「ライフ」にも掲載され、ニューオリ部員にもよく知られていた。それだけに、合宿地松代に不安を抱く部員も少なからずいたのである。

この地震、二年間ほどは盛んに揺れたようだが、酒井先生宅を訪れた頃には、そのエネルギーがほぼ放出されてしまったのか、大ナマズがおとなしくなったのか、揺れがほとんどおさまっていたようだ。酒井先生も地震のことはまったく意に介していなかった。

「松代群発地震は有名になっちゃったからな。でも、もうすっかり終息したからまったく大丈夫だよ。あの地震のおかげで、松代はずいぶん知られるようになって、喜んでいいのかどうか、町民も複雑な気分なんだよ。でも君らが真っ先に東京からわざわざ合宿地に選んでくれて、松代にやってくるとなれば、松代の人たちは喜んでくれると思うよ。私もその仲介ができてうれしいよ」

酒井先生は宿泊先も紹介してくれるなど、実に丁寧に接してくださった。大人として対等な立場で接してくださった。強面なイメージの強い先生だっただけに、俺たちを信頼して相談に乗ってくださった酒井先生に、正直感動した。

最近、若者の幼児化とか、モラトリアム人間化などとよく言われる。大人になることを拒む若者が多いとも聞く。そりゃー、そうだろう。大学受験に親が付き添ったり、成人式を過ぎた子どもに「あーでもない、こうでもない」と干渉し過ぎたりする親が多い。そんな親の子どもに、健全な自立心が育つわけがないではないか。

親が大人としてわが子に接し、周りの大人たちが若者を対等の立場で扱うことによって、成長過程の人間はその自立心が養われ、大人としての責任感が芽生え、一人前の人間として成長するのだ。

この時の訪問で酒井先生が同じ大人として俺たち二人を対等に扱ってくれたことが非常にうれし

かった。大人としての自覚をしっかりと持たねばと改めて思ったものだ。さらに心の中で誓った。

——この松代の合宿は、仲介してくださった酒井先生の面目にかけても、立派に成し遂げなければならぬ。そして地元の人たちにも披露する最終日の演奏会では、さすが早稲田の学生バンドは素晴らしい、との評価を得るべく、励まなければならぬ。

松代中学校での禁欲合宿生活

かくして、早稲田大学ニューオルリンズ・ジャズ・クラブの夏季合宿は昭和四二年（一九六七）八月五日から六日間にわたって長野市松代町でおこなわれた。八月五日早朝、一年生から四年生まで、四〇余名の部員たちを乗せた大型バスは、夏の強い日差しの中、時計台のある大隈講堂前の広場を出発した。

東京の夏はとにかく蒸し暑い。涼しい信州での合宿は部員たちに期待感を抱かせた。ただ、群発地震で話題になっていた松代だけに、心配するメンバーもいるにはいた。そんな部員に、総責任者の山口君はマイクで呼びかけた。

「もう地震の揺れはほとんどないので安心して、合宿に励んでいただきたい。どうしても心配な部員は、乗り物酔いに効果がある薬を地震酔い防止に服用するのも手だと思う。これは冗談。地震で有名な松代の合宿だけに、一生懸命練習に励めば、揺れることのない大きな自信につながると思う。大いにがんばり、合宿を成功させようじゃないか」

松代町は善光寺平の南に位置し、真田一〇万石の城下町として栄えた歴史と伝統の町でもある。部員の中には歴史好きな者もいて、今回の合宿を楽しみにしていた。有名な川中島合戦については全部員が知っていた。武田信玄と上杉謙信が相対したという三太刀七太刀で有名な八幡原古戦場が歩いていける距離にあることにも興味を持つ者が多かった。

特に合宿先である旅館の定鑑堂は、かつて幕末動乱期に大活躍した勝海舟が宿泊した旅館でもある。その由緒ある旅館で一週間にわたって過ごすという事実を伝えると、部員一同から大きな歓声が上がった。

「なぜ江戸に住んでいた勝海舟が、信州の松代くんだりまで、わざわざやってくる必要があったの？」

そう聞いてくる部員がいた。当然の質問である。山口君が答える。

「幕末に、吉田松陰や高杉晋作に大きな影響力を与えた佐久間象山は松代藩士だったんだ。その象山の妹が、勝の嫁さんなんだ。そんな関係で、勝海舟ははるばる江戸から、松代城下にまでやってきたというわけです」

「ということは、象山は勝の義理の兄貴ということか。しかし象山という男は、傲岸《ごうがん》不遜な男だったようじゃないか」

どうも佐久間象山の評判はよろしくないようである。バスの中では幕末の歴史や、武田信玄が上杉謙信に備えて造った海津城跡もあるということから、戦国時代の話題でも盛り上がった。

とはいえ、今回はジャズの合宿である。史跡巡りの時間はまったくない。歴史に興味のある者には残念かもしれないが、定鑑堂に泊まり、城下町の風情が残る街並みを歩き、練習場の松代中学校に通うことで、歴史を感じてもらうしかない。

その定鑑堂に到着したのは午後二時頃であった。木造のどっしりとした落ち着きのある旅館である。海舟が泊まったという畳部屋はそのまま残されており、敬意を表し四年生に入ってもらった。一年生から三年生、全員の部屋割りを終え、早速練習場の松代中学校に出かけた。

中学校までは歩いて二〇分ほどの距離である。八月の午後の日差しは強いが、街を通り抜ける風は東京とはまったく違い涼しい。城下町の特徴で、道は狭く複雑に曲がっている。武家屋敷も残されており寺も多い。松代藩文武学校などは門構えといい、幾棟もある瓦屋根と白亜の漆喰壁の建物といい、江戸時代にタイムスリップしたようである。この文武学校は安政二年（一八五五）に開校された。その六年後、アメリカでは南北戦争が勃発、奴隷から解放された黒人たちが楽器を手にしてニューオリンズで演奏を始めたのが、ジャズである。そのアメリカから太平洋を隔てた遠い日本、その山国信州の城下町で、日本の若造たちがジャズ発祥当時の黒人たちのスピリッツに少しでも近づこうと合宿にやってきたのだ。遠い異国の地でジャズが誕生したことなどまったく知る由もない当時の松代町で、ジャズを練習するという事実に街を歩きながら奇妙な感覚に襲われた。

街並みを過ぎると、一面に水田が広がる彼方に松代中学校の校舎が見えてくる。松代中学校は、いまではほとんど見ることのできない木造校舎だった。早稲田大学のキャンパス内にある校舎は音楽長屋を除いてすべて西洋風のビルに変わっている。

「なつかしい木造校舎だ。故郷の中学校時代を思い出すなあ」

期せずして、部員たちの間で出身中学校の話題になった。あの時代、日本全国どこの中学校も同じような木造の校舎であった。

学校の事務員に案内され、練習場となる音楽室や教室の下見をして、各グループの使用スケジュールを決めた。レギュラーグループであるニューオルリンズグループと所属するシカゴグループのほかに、一年生、二年生、三年生グループがある。ピアノ三台を効率良く各グループで使用できるように配慮した。翌日からいよいよ本格的な練習が始まる。

ジャズクラブなどというと軟派なイメージを持つ方も多かろう。あの時代、軽音楽にうつつを抜かす若者たちは世間から白い目で見られていた。ギターケースを持って歩いているだけで、あいつは不良だというレッテルを貼られた時代である。特にジャズなどという音楽に没頭する学生などは、ロクなものではない、とのイメージがあったことも事実だ。地方に行けば行くほどその傾向は強かった。

「ジャズの合宿だって？　どうせチャランポランな練習をしながら、うるせえ音を出すだけじゃねえのか」。文化度の高い松代町民に限って、こんな罵詈《ばり》雑言を浴びせる者はいないと信じてはいた

松代合宿での３年生。前列中央が武田

ものの、これがジャズに対するほとんどの大人たちに共通の認識だったのではなかろうか。

そもそもクラシック以外の音楽を軽音楽と呼ぶとは何事か！　音楽に軽いも重いもあるものか！

などと吠えてみても詮ないことなのだが、わがニューオリの合宿は、それはそれは厳しいものだったのですぞ。

朝は六時起床。運動のできる服装をして、まずは近くの広場でラジオ体操。続いて軽いランニング。大学生ともなれば、夜型人間が多いので、早朝の起床と運動が結構キツイ。

朝食の後、それぞれ練習に必要な準備をして、宿で作ってもらった弁当持参で九時出発。列を崩さず徒歩二〇分で松代中学校へ。

九時半から、それぞれ割り合てられた教室で、各グループのスケジュールに基づいて練習。個人練習あり、グループ練習あり、それは各グループに任せられている。

一二時から一時半までは昼食と休憩。

楽器をやったことのない者には理解できぬかもしれないが、どの楽器も真剣に練習するとなると、かなりの集中力と体力が必要となる。午前中の練習だけでも腹が減る。昼食に宿の女将さんが作ってくれた弁当や、にぎり飯が実にうまかった。それぞれ思い思いに教室の床に横になったり、校舎の外に出て木陰で休んだりした。また、上級生に楽器の手ほどきを受けに行く者もいる。

松代中学校の西には、日本一長い大河、千曲川がゆったりと流れている。その後方には戸隠連峰、やや西に目を移せば北アルプス連峰が望める。雄大な景色の中、稲穂をなびかせやってくる風はさわやかで涼しい。校舎内でも、窓を開ければ冷房装置などまったく必要のない、天然クーラーの別天地だった。

午後も一時半からみっちりと四時半まで練習。

練習が終わると、それぞれの教室の雑巾がけ、そうなのだ、雑巾がけもしたんですぞ。

帰宿して風呂、そして夕食。むろん酒は御法度、禁酒。

夕食後、ニューオリ部内にある鑑賞部の主催による、ジャズの歴史や有名ミュージシャンの演奏をテープレコーダーで聴く講座が開かれる。この講座で、アメリカの黒人たちがいかに悲惨な差別を受けてきたか、いわばアメリカの裏面史を学ぶのだ。演奏面だけではなく、ジャズという音楽をその発祥から紐解き、社会学的見地から学び、立体的にとらえようという講座である。

かくして、目覚めてから寝るまで、ジャズ、ジャズ、ジャズ、ジャズの毎日が一週間続くのだ。あまりの厳しさに、脱走した者が一人いたほどである。しかし成果は抜群で、初めて楽器を手にして三〜四か月の一年生はもちろん、個人でもグループでもこの約一週間の合宿の成長には目を見張るものがあった。

わがシカゴグループにも、欠員となっていたトロンボーン奏者に、二年生の門脇修君がレギュラーとして参加した。全員激しい練習にもよく耐え、グループとしてのまとまりが一段と高まった。

この門脇君は、俺が二年生まで高円寺で下宿していた時、部屋の階下に間借りした新入生だった。そこで入部を熱心に勧め、部員となった次第である。

新入生と言えば、この松代の合宿に参加した一年生に、またしても信州は屋代高校出身でバンジョー奏者の須藤信久君がいた。ニューオリの信州勢は四人にもなったのである。

そして迎えた合宿最後の日の午後、酒井先生とも約束したコンサートを体育館で開催した。地元の有線放送でＰＲもしてくれたので、会場は満員の盛況だった。夏休み中とあって、中学生や高校生とおぼしき少年や少女の姿も見られた。

各グループが合宿の成果を発表する最適の場となった。合宿時に観客の前で演奏するなどめったにないチャンスである。特に一年生にとっては良い経験になる。平場での練習の実力を観客の前で出せるには、何度も何度も舞台経験を積まなければならないからである。

二つのレギュラーグループにとってもありがたい舞台となった。というのは、この合宿が終わると、日本全国への二〜三週間にわたる演奏旅行が始まるからである。この合宿は演奏旅行に備えた最終仕上げの練習でもあった。その舞台リハーサルが合宿最終日にできるということは、実に幸運なことであった。

この合宿には新しくシカゴグループの司会者となった放送研究会二年生の大野正君も参加してくれた。ジャズを勉強したいという彼の情熱に頭が下がった。もちろんこのコンサートの司会も大野君である。

舞台で演奏する各グループの実力は間違いなく上がっている。

わがシカゴグループのまとまりも上々であった。壇上でドラムを演奏しながら会場を見回すと、定鑑堂の女将さん家族も駆けつけ、リズミカルな曲では手拍子をしながら楽しんでいる様子だった。松代の大地もわれらの演奏に刺激されたのか、震度三ほどの揺れを起こした。それに驚くメンバーもいたが、客席の松代住民はまったく落ち着いたものであった。

この日の夜は部員一同が、大広間の座敷に集まり大納会である。この時ばかりは酒も振る舞われ、約一週間に及んだ禁欲生活から解放される大宴会でもある。同じ釜の飯を食べ、寝食をともにした部員同士の絆は、いっそう深まり異常に盛り上がった。慣れない酒を飲み過ぎ、意識不明状態となり、救急車で搬送される一年生も出る騒ぎとなり、定鑑堂の女将さんにはご迷惑をかけてしまった。改めてお詫びする次第である。

かくして恒例の夏の合宿は終わり、夏休みの後半は、長い長い演奏旅行が始まるのである。

郷土に錦を飾った長野市民会館コンサート

昭和四二年（一九六七）の夏の演奏旅行は、合宿をおこなった地、長野市からスタートした。

合宿最終日は、部員全員で善光寺や飯縄山を遊山した。シカゴグループは長野市でコンサートがあるため残り、ほかの部員はバスで東京に帰った。

合宿の成果を発表する最初のステージが、出身地の長野市民会館ということに運命的なものを感じた。中学時代、裕ちゃんの映画『嵐を呼ぶ男』でドラマーに憧れ、高校一年生の時には長野市民会館でドラマー白木秀雄がリーダーのジャズクインテットの演奏を聞いてドラマーになることを胸に抱いた。高校三年生の時にはニューオルリンズ・ジャズ・クラブの演奏をこの目で見、この耳で聴いて早大進学を目指したのだ。その時、舞台で演奏した先輩たちのように、いつかはきっとこのステージでドラムを叩いてやるぞと決意した、その長野市民会館で演奏することになり、やっとその夢がかなうのだ。

長野に残ったシカゴグループのメンバーは、山口君と俺の実家で一泊。司会の大野君は荒井君の親戚の家でお世話になった。

長野市民会館でのコンサートは、長野稲門会が主催してくれた。現役生はもちろんだが、先輩も積極的にバックアップしてくれ、当日の会場は満員の盛況であった。

俺にとっては長い間の夢が実現する凱旋公演のようなものである。小・中・高校時代の友人、知人に連絡しまくってチケットを買ってもらった。むろん、山口君にとっても故郷に錦を飾る日である。演奏当日、控室に次々と友人がやってきた。中には果物や酒を差し入れしてくれた者もいて、つくづく故郷はありがたいものだと思った。

レギュラーメンバーとなって約一年、これまで様々な舞台で演奏をしてきていたので、緊張するということはまったくなかったが、会場がドラマーを夢見るきっかけとなった長野市民会館であり、この舞台には特別な思いがあったので異常にテンションが上がった。

同じステージで演奏するのは、いずれも早稲田の名門バンドの「ナレオ・ハワイアンズ」「オルケスタ・デ・タンゴ・ワセダ」である。トリを務めるのは、われらがニューオリ、シカゴグループである。

いよいよその時がやってきた。

緞帳《どんちょう》が下りた舞台でセッティングが終わる。

われらのバンドの演奏開始を告げるベルが鳴ると会場のざわめきが、潮を引くように静まってゆく。リーダーのピアニスト、四年生の平井昌美さんがピアノの椅子に座り、メンバー全員に目で合図をする。

さあ、このテンポで演奏するぞと、「トン、トン、トン」と足の靴音でリズムをとりながら、そのリズムに乗って演奏開始の声を出す。

「ワン、ツー、ワン、ツー、スリー、フォー」

そのカウントに乗り、七人全員が軽快なリズムとフレーズで一曲目「ロイヤル・ガーデン・ブルース」の演奏を始める。同時に緞帳が上がる。くぐもった演奏音がステージから客席に流れ、解放的な音に変化するのがよくわかる。すると拍手がわき起こる。この瞬間、演奏している体中をなんとも言えぬ興奮が駆け巡った。長野市民会館の舞台で演奏するその時がやってきたのである。

——会場は満席だ。わがグループの演奏を聞いてもらい、ジャズの楽しさを存分に味わってもらうぞ。

そう思いながら会場に目をやった。

舞台でも、一段と高い位置で演奏するドラマーは、バンド仲間はもちろん、会場の様子も一目瞭然である。ライトがまぶしく、観客の表情まではわからないが、お客さんが乗っているかどうかはよくわかる。

フロントラインは、トランペットの和田雄二郎さん（四年生）、クラリネットの重松英俊さん（四年生）、トロンボーンの門脇修君（二年生）。リズムセクションはピアニストの平井さん、ベースの荒井隆君（三年生）、バンジョーの山口義憲君（三年生）、そしてドラマーの俺（三年生）である。

リズム陣に乗って、メインメロディーをトランペットが奏でる。そのメロディーに高音域でクラリネットが、低音域でトロンボーンがからみながら主旋律を演奏する。それが終わると、フロントラインの三管がそれぞれ思い思いのソロをとる。そしてピアノソロにバトンタッチし、やがてリズム陣のバンジョー、ベース、ドラムと短いソロが続き、再び全員が参加しメインテーマを演奏して一曲が終わる。これはあくまで原則であり、その場その場の雰囲気でソロが何コーラスにもわたってフィーチャーされることもある。

それぞれのプレーヤーのソロが終わると、会場から大きな拍手が起こる。この日の会場のムードが非常にいいことを肌で感じる。

一曲目の演奏が終わると、シカゴグループ専属のＭＣ、早大放送研究会二年生の大野正君が舞台下手に登場した。彼にとってはこれが初舞台である。

「長野の皆さん、お待たせしました。今日のコンサートのトリは早稲田が誇る学生バンド界の雄、ニューオルリンズ・ジャズ・クラブはシカゴグループの演奏です。ご挨拶代わりにお送りしたのはジャズのスタンダードナンバー、『ロイヤル・ガーデン・ブルース』でした。実は私たちのクラブ、この夏の合宿は、ご当地長野市の松代でおこなわれました。そしてこれから八月いっぱいまで恒例の演奏旅行が始まりますが、その最初のステージがこの長野市民会館なんです（拍手）。ありがとうございます。なぜ松代で合宿がおこなわれ、演奏旅行のスタートが長野なのかというと、七人のメンバーのうち、なんと三人がご当地、長野市出身なんですよ（会場から「山口！　武田！」の声あり）。会場に何人かお友だちが応援に来ているようですが、その名前は後ほど明かすことにして、まずは私たちの演奏を楽しんでください。次の曲はおなじみ『セントルイス・ブルース』」

あのよく知られたメロディーがトランペットから流れると、会場から手拍子が起こった。

ところで、この夏の演奏旅行は長野市を皮切りに、和歌山県御坊市と田辺市、四国は香川県高松市、そして山陰地方の鳥取県鳥取市と米子市、山口県防府市、広島県広島市と呉市、そして最後は大阪府と一〇か所に足を運んだ。いずれもそれぞれの地方にある稲門会の主催によるコンサートに出演したのであった。

各コンサート会場では、メンバーにその土地の出身者がいた場合、大々的に紹介し、フィーチャー曲を演奏して盛り上げる慣習が受け継がれていた。いわばメンバーにとって、出身地で演奏することは、栄光と栄誉に満ちた、故郷に錦を飾る最大のチャンスなのである。しかも、同じレギュラーグループに三人もの出身者がいる長野市民会館でのコンサートは、ニューオリ史上かつてなかったことであった。

ステージでは、「ベイズン・ストリート・ブルース」「リバーボート・シャッフル」「サマータイム」などの曲が次々と演奏され、いよいよ地元出身の俺たち三人にスポットライトが当たることになった。司会の大野正君のしゃべりにも熱が入る。

「さあここでメンバー紹介です。お待ちかね、ご当地長野市出身の三人のメンバーは一体誰なのか、ここで明らかになりますので、ひときわ盛大な拍手をお願いしますよ」

長野組は三人とも三年生、全員がリズム楽器を担当している。大野君、まずはフロントラインのトランペット、クラリネット、トロンボーン、そしてピアノのメンバー紹介を淡々とこなした。

「さあ、おわかりでしょう。長野市出身者、残りの三人です。まずはバンジョー担当、商学部三年生、山口義憲です（拍手）。やはり地元長野、一段と拍手が大きいですね。彼は松代での合宿の総責任者として、合宿を見事大成功に導きました。長野高校出身で、彼の実家は長野駅に近い、中央通りのバス停千石前の山口金物店です（会場から「へえー」という声と笑いあり。超ローカル・ネタはウケる）。彼は金物屋の長男でありながら、硬いものは苦手で軟派です。ですから食べ物も豆腐や納豆など軟らかいものが好きなんです。納豆と言えば、彼は納豆巻きも売っている新宿の一〇〇円寿司でアルバイトをしたことがあるんです。寿司を握ると手先が器用になるので、バンジョーを弾くには一石二鳥というわけです。昼時などは大変な混雑で、トイレに行っても手を洗う時間もないほど忙しいというので、聞いてみたんです。『じゃあ、トイレに行った後はどうするんですか？』、彼は平然と答えましたね。『寿司をいくつか握っているうちに手もきれいになりますよ』（会場は大ウケ）。次の曲は、そのバンジョー奏者、山口義憲をフィーチャーして『世界は日の出を待っている』。彼のソロにご注目ください！」

司会の紹介が終わるとともにステージが暗転、バンジョーを弾く山口君一人がスポットライトに浮かび上がる。一曲すべてがバンジョーを中心に展開するこの曲、山口君は会場の隅々まで、明るく軽快なバンジョーの音色をリズミックに響かせ万雷の拍手を浴びたのである。

——山口もなかなかやるなぁ。

俺はドラムの音が大き過ぎぬよう、控えめに叩きながら思ったものだ。大野君も拍手をしながら下手から登場。

「残るメンバー二人も長野市出身なんです。まずはベース奏者の荒井隆。幼少期の小学三年生まで芹田小学校に通っていたそうで、その後東京に転校しますが彼も出身はこの長野市なんです。ご覧のように背も高く、なかなかのハンサムです。大学受験も一発で早稲田に合格、そんな彼も謙虚なところがありまして、ある時教会に行って神父さんに懺悔《ざんげ》したそうです。『神父さん、私は背も高く二枚目です。頭も決して悪くはありません。そう思う自分は虚栄の罪にあたるのでしょうか』、すると神父は言ったそうです。『虚栄の罪などでは決してありません。そう思っているのは、単なるあなたの誤解です』（会場からドッと笑いが起こる）。ベース担当は法学部三年生、荒井隆」

会場からの笑いや拍手で司会の大野君のしゃべりもますます快調になる。

実は各バンドの司会者も、自分のしゃべりでウケを狙って競争しているのである。メンバー紹介でいかに会場を沸かすか、笑いをとるか、彼らも勝負しているのだ。所属学部と学年、名前、そして出身地以外は大野君の創作である。山口君の寿司屋でのアルバイトしかり、荒井君の懺悔しかりである。

司会者の大野君のテンションは、ますます上がった。

「そして、残る最後の長野市出身者は、一段と高い所作台に、家財道具すべてを揃えて座っているドラマー武田徹です。彼はなんとベース奏者荒井隆と同じ芹田小学校の同期生、そして中学、高校は先ほどフィーチャーされたバンジョー奏者、山口義憲と同じ南部中学、長野高校の同期生です。（会場の友人たちから大きな声援）。二人は高校時代、学年で一位、二位を争うほど優秀な成績だった……という話はまったく聞いておりません（会場から笑い）。ドラマー志望者は、手八丁口八丁の男が多いようです。手も足もバラバラに違った動きでリズムを叩くんですから、口の方もなかなか達者になるようです。彼の場合特に女性に対して、口がなめらかになるようですよ。毎年やってくるクリスマスシーズンなどには、顔見知りの女性とあれば数撃ちゃ当たるとばかり見境なくプレゼントを贈るんですね。それもルージュ、口紅ですよ。プレゼントされた女性は社交辞令として言わざるを得ません。『私お返しになにをプレゼントしたらいいですか』彼はこの言葉を待ってるんですね。『僕はなにもいりません。ただし、僕とデートする時はプレゼントした口紅をつけて会ってほしいんです。そして、その口紅をデートするたびに、少しずつ僕の唇に返していただけるだけで、ほかはなにもいりません』。言うことがキザでずうずうしいんです。その結果すべての女性に逃げられ、いまだにデートする相手がいないそうです（会場から笑い）。ドラム担当は商学部三年生、武田徹。それではフィナーレの曲は、ベースの荒井隆とドラムの武田徹をフィーチャーして、おなじみ『聖者の行進』です。皆さんも手拍子、足拍子で楽しんでください」

大野君の紹介が終わるや否や、俺はスネア（小太鼓）で軽快なマーチのフレーズを八小節、イントロ代わりに叩くとバンド全員がよく知られたテーマ、メロディーを陽気に演奏し始める。トランペット、クラリネット、トロンボーンのソロが続き、ベースの荒井君のソロとなる。スポットライトが荒井君に当たる。大きなベースを抱え、指先で弾んだ音を次々と響かせる荒井君に場内から大きな拍手が送られる。荒井君のソロが終わると、いよいよドラムのフリーソロとなる。フリーソロとは、限られた小節数を演奏するのでなく、長さもテンポもドラマーが自由自在に叩き出すソロのことである。ステージからほかの演奏者は全員がはけ、中央に置かれた一段と高い所作台の俺だけが暗転の中、スポットライトで浮かび上がるのだ。この瞬間の高揚感は、体験した者のみに与えられる至福の贈り物である。だから、七色のスポットライトを浴びた経験のある者は、役者でも、ミュージシャンでも舞台を去りがたくなるのであろう。

フリーソロといっても、構成は頭の中に叩き込んである。スネア、中タム、バスタム、バスドラム、ハイハットに数枚のシンバル。これらを緩急自在に叩きながら、ゆっくりと潮が満ちるように盛り上げてゆく。が、言うは易し、演奏するは難しで、これがなかなか難しい。これまでの練習の成果は、すべてこのソロに集約されている、といっても過言ではない。短くても長くてもいけない。その頃合い、タイミングが大切なのである。

ソロの途中、会場から拍手が送られるのがわかる。その歓声がいっそう高揚感に拍車をかける。その歓声を機に潮目を一気に盛り上げるべく、ドラムを叩く音量をフォルテからフォルテシモに引き上げる。最高潮に達したところで、舞台袖で待機しているメンバーにわかるよう、あらかじめ用意しておいたフレーズを演奏する。

それを合図にメンバー全員がステージに戻り、再び『聖者の行進』のメインメロディーをより高らかに演奏して、エンディングとなる。会場から大きな拍手が沸き上がる。何人かの声援も耳に入る。荒井君と俺は、楽器から離れて舞台中央に進み出て深々と頭を下げた。

――とうとう長い間の夢であった長野市民会館の舞台で、ドラムを演奏することができた。夢がかなったんだ。

ジーンと胸に突き上げるものがあった。拍手の鳴りやまぬ中、再び楽器に戻って、別れのナンバー「ティル・ウィー・ミート・アゲイン」を全員で静かに演奏し始めた。

大野君が舞台下手に登場する。

「今日は暑い中、私ども早稲田大学ニューオルリンズ・ジャズ・クラブのシカゴグループコンサートにお越しくださり誠にありがとうございました。私たちは明日から八月いっぱい、この長野を皮切りに演奏旅行に出かけます。また機会がございましたらお目にかかりましょう。お送りしている『ティル・ウィー・ミート・アゲイン』、また会う日までとともにお別れです。それではまた会う日まで、ありがとうございました」

拍手の中静かに緞帳が下り、念願であった長野市民会館でのコンサートは無事に終了したのであった。

日本各地の旅を満喫した演奏旅行

現在は日本人なら誰もが、国内はもとより海外へも旅行ができる時代となっている。しかし、昭和四〇年代の日本人にとって、旅行はまだまだ贅沢《ぜいたく》であった。

そんな時代、北は北海道から南は九州まで日本全国（当時、沖縄はアメリカの占領下にあった）、大好きなジャズの演奏をしながら、二〇日間ほどにもわたって旅ができる演奏旅行は夢のような大イベントであった。親から仕送りをしてもらいながら生活をしている学生の分際で、交通費も宿泊代も支払わないばかりか、ギャラという謝礼までいただき、小遣い銭も支給されるのだから、誠に至れり尽くせりの大名旅行そのものであった。

プロのミュージシャンならば、地方に行っても常に自分たちの人気のほどが気になり、客入りを心配し、たとえ満席であっても次にまた呼んでもらおうといろいろ努力をしなければならない。

しかし、こちらは学生バンド。各地方の稲門会が、コンサート会場の確保からチケット販売まですべてを取り仕切ってくれる。演者は日頃の練習の成果をその場で発揮して、お客さんに喜んでもらえさえすればそれで良いのだから、こんな気楽な演奏旅行はない。しかも、どこも満員の盛況。

改めて、早稲田大学というマンモス大学の裾野の広さに驚かされ、感謝する次第である。

二年生の秋からシカゴグループのレギュラーに抜擢されたおかげで、そんな演奏旅行を翌年の春休み、三年生になってからの夏休み（この時、長野市民会館でのコンサートが実現）と次の春休み、さらに四年生の夏休みと、計四回にもわたって体験できたことは幸運であった。

演奏旅行はレギュラーメンバー七人と楽器の運搬をするバンドボーイ二人、それに放送研究会の専属司会者合わせて一〇人で旅をする。毎年、春休みと夏休み中、それぞれ約二〇日間にわたって、列車を利用しながら、日本各地の稲門会の主催するコンサートに出演しながら旅を続けるのである。

日本は広い。列車の旅では、通勤客、通学客、時には行商人など、その地方地方で暮らす、様々な人々の生活を目撃することができた。各地方にはその地方独自の方言がある。名物の食べ物がある。地酒がある。酒の味がわかり始めていた俺は、なるべくその地方、その地方の地酒を味わうことにした。

「俺は行く先々で、地酒の味比べをしてるんだ。今後は俺をタケダと呼ばずに、サケダと呼んでくれ」

冗談を言ったものだ。学生の身分でありながら、こんな体験をできたのも、ジャズバンドのおかげである。行く先々の観光地へも時間の許す限り出かけた。

大隈講堂で演奏するシカゴグループ

演奏旅行は、日本という国全体を、大ざっぱではあるが観察する社会勉強でもあった。下宿と大学を行き来する生活では絶対にできない、貴重な体験を味わうことが可能となり、自分の人生の大きな財産になったことも確かである。

とはいえ、社会人になる前の、なんにでも興味津々の若造集団の旅である。とんでもない破天荒な体験を何度もした。紙幅の制限もあるので代表的なエピソードを三題紹介しよう。

演奏旅行1　ストリップ嬢とコラボ共演‼

昭和四二年（一九六七）三年生の夏の演奏旅行。高校時代からの夢がかなった長野市民会館を皮切りにスタートした演奏旅行のちょうど半分が終わった鳥取県の皆生《かいけ》温泉で、その珍コラボレーション事件が起きた。

鳥取県と言えば、鳥取砂丘が有名である。鳥取市内でのコンサートの翌日、この日は移動日で、グループのメンバー全員で砂丘を見学。歩いてみると、見た目よりはるかに広大なことに驚かされた。鳥取駅から山陰本線に乗って次なる演奏地である米子市に向かった。鳥取県は日本海に面した東西に長い県である。鳥取市は県の東端、米子市は県の西端にあり島根県の県境に位置している。車中では鳥取砂丘を歩いた話題に花が咲いた。

長野から始まった演奏旅行も、和歌山県の御坊市、田辺市、そして四国は香川県高松市でのコンサートをこなし、鳥取県にやってきたのであった。旅行がレジャーとして定着するのはずっと後のことで、当時はホテルの数も極めて少なかったので、宿泊先も時には豪華な大旅館もあったが行商人などが利用する和式の旅館も多かった。映画『男はつらいよ』で寅さんが好んで泊まるような旅館をイメージしてもらえばいい。料理も地元の食材が多く、女将さんや女中さんの言葉からもローカル色豊かな旅情を味わうことができた。

とはいえ血気盛んな男集団である。刺激が欲しい年齢の者たちばかりである。メンバーの一人が聞いた。

「荒井君よ、今夜の泊まりは温泉地だったよなぁ」

同期で、芹田小学校で一緒だったベースの荒井君は、サブマネジャーとしてこの演奏旅行の宿泊先やら、列車のタイムスケジュールをすべて仕切っていた。

「そう、今夜はこの演奏旅行で初めての温泉地、皆生温泉に宿を取ってある。この列車で米子駅まで行くと、稲門会のスタッフが車で温泉地まで案内してくれることになっている。楽器は明日の米子市内の会場へ責任を持って運んでくれる手はずになってるから、今夜はゆっくり温泉にでも浸《つ》かって疲れを取ってほしい」

さすが、名サブマネジャーである。どうせ泊まるならと事前に調査し、米子駅から五キロほどの距離にある温泉街に宿を予約してくれていたのである。

すると、誰かが周りの乗客に聞こえぬような声で言った。

「温泉街ってことは、きっとストリップ小屋があるぜ。早めに夕飯を食べて、ストリップを見にいこうぜ」

「いいアイデアだ！　俺も行く。武田も行くだろ」

「もちのロンだよ。山口も行くだろ」

ストリップ見学は瞬く間に決定した。隣のボックスに座っていたバンドボーイの下級生も立ち上がって懇願する。

「先輩、お願いしますよ。僕も連れてってください。まだ行ったことないんです、ストリップ劇場！」

「バカ！ でかい声を出すんじゃないよ。わかった、わかった。連れていってやるから」

かくして列車内での衆議は一決、メンバー全員がやけに生き生きした表情に変貌してゆくのがよくわかった。

皆生温泉は美保湾を望む温泉街である。なだらかな曲線を描く弓ヶ浜が西に広がり、一〇キロほど先には、隠岐の島への航路の拠点、境港がある。海の男たちも、この温泉街でくつろぎ、楽しみ、明日への活力を蓄えているのであろう。小規模ではあるが、歓楽街が温泉町の一角を占めていた。

投宿し、早速夕食だ。メンバー全員がなんとなく落ち着かない。気の利いた奴がいて、どこにストリップ劇場があるのか、すでに調査ずみであった。

「さあ、出陣だ！」

こういう時だけ、やけに張り切る四年生がいる。彼の一声で皆ゾロゾロと宿を出た。

八月である。温泉街は夏の夕陽に染まり、まだ赤い灯青い灯のネオンは見えない。

——この時間、美保湾の海を眺めたら、さぞかし美しい落日が見えるだろうな。

一瞬そんな思いが脳裏をよぎったが、これから眺めるであろう妖艶な対象を考えると、健全な思考はたちまち消え去った。

妙にみんな口数が少ない。これから体験するであろうことにワクワクしながらも、こんな明るい時間に行動を開始したことに若干の後ろめたさも感じていたのであろうか。

五分も歩かないうちにストリップ劇場に着いた。入り口の窓口で入場料を払う段になって財布を取り出すと、こういう場所には通い慣れているという表情で、あの出陣宣言をした四年生が言った。

「俺たちは団体でやって来た客なんだ。どこの観光地の寺院や美術館でも、団体割り引きというものがある。割り引きを交渉するので、支払いは任せろ」

寺院とストリップ劇場を同じに考えるという思考法に、メンバーはビックリ仰天。

が、彼は平気の平左で窓口の中年女性と交渉を始めるではないか。すると驚くなかれ、一、二分で交渉は成立、入場料金が半額近い割り引きとなったのである。成せば成る、当たって砕けろの精神が果実を実らせるという人生哲学を、実践例で勉強させてもらった。

「さすが先輩、スゴイ！」

四年生の彼の交渉力に下級生は称賛しきりであった。これを機に皆が多弁になり劇場内にゾロゾロと入り込んだ。

思ったより小さな劇場で、五〇席ほどに中年の男数人がパラパラと散らばって席を占めている。

「ストリップは一番前が特等席なんだ。遠慮なく前に座れ」

窓口で交渉に成功した先輩、ここでも指導的な役割を果たした。かくして前席中央の一、二列目は、若者集団の専用席と化したのである。

緞帳《どんちょう》の上手側に木製の看板のようなものが置かれ、出演するストリッパーの名前が書かれた紙が貼られている。太い筆字で、カタカナ交じりの二人の名前が、なんともアンバランスなタッチで並んでいた。

小さな温泉街の劇場である。出演者は二人だけであった。やがてブザーが鳴り、緞帳が上がると会場が暗くなり、女性歌手が歌う演歌が流れ始めた。さほど広くない舞台に和服姿の女性が、シナを作りながら上手から登場。厚化粧のために年齢は定かでない。

俺たちは舞台の出演者に敬意を表わすべく、大きな拍手で彼女を迎えた。彼女は演歌をバックに舞台を移動しながら、着ている衣服を一枚ずつ、会場に拍手を促すような目つきをしながら脱いでゆく。それに答えるべく、俺たちも拍手を送る。演歌が三曲ほど流れる間に彼女はすっかり衣装を脱ぎ捨て、最後はブラジャーとパンティーだけの裸体をスポットライトに浮き立たせた。

「さあ、これからが見ものだぞ」

誰もがそう思い固唾《かたず》を呑む。彼女はブラジャーのホックに手をかけ、それをはずす仕草をする。と同時に曲が終わり舞台は暗転、緞帳が下ろされた。さすがプロである。

「なーんだ、いいところで」

思わず誰かが声を上げた。すると、例によってあの先輩が、皆に檄《げき》を飛ばすべく言った。

「拍手だけじゃやっぱりダメなんだよ。拍手とともに声援を送って盛り上げると、彼女たちはもっと、もっと、サービスしてくれるよ。俺たちだってそうだろ。ステージで演奏してる時、大きな声援と拍手をもらえば、ハッスルするだろう。同じことだよ。次は大いに盛り上げようぜ」

この先輩のアドバイス、妙に説得力があった。全員、過大な期待を抱いて劇場に入ったのだ、今度はそうしようと手ぐすね引いて、次なるステージを待ったのである。

ブザーが鳴った。いよいよである。客席が暗くなる。と、聞き慣れた前奏が場内に響き渡った。当時大ヒットしていた伊東ゆかりの「小指の思い出」である。緞帳が上がると、肌が透けて見えるようなピンクの洋装を身にまとった二〇代後半と思われる女性がスポットライトに照らされ、よく通る声で替え歌を歌いながら登場したのである。

「あなたが噛んだ あそこが痛い 昨日の夜の あそこが痛い…」

途端に俺たちは、先輩が諭した教訓を忠実に実行したのであった。

「いいぞ！ 姐《ねえ》ちゃんうまい！」

拍手とともに声援を送った。俺たちの声援にピンク衣装の姐ちゃんはハタと気がついたようだった。場内に若者の集団がいる、ということを。ステージからはスポットライトに幻惑され客席の様子がよく見えない。いつもは助平根性まる出しの中年男がほとんどなのだろうが、今回はそうでない（といっても、俺たちも助平根性で来ているのだが…）。彼女はそのことが声援でわかったのだろう。

――若者がいる。今回のステージは、若者たちと大いに楽しもう。

そう思ったに違いない。というのは、その後の、前代未聞、彼女がリードしたとんでもない舞台展開に如実に表われている。

「小指の思い出」を歌い終わると突然、彼女はステージ前列に陣取っていた俺たちに声をかけるではないか。

「今日は若い方が多いのね。ねえ、みんな、ステージに上がって私と一緒に楽しく踊りましょうよ。さあ上がって、上がって！」

まさかの展開にビックリしたのは俺たちである。が、ここで引っ込んでいては男がすたるってなわけで、舞台に上がった。演奏旅行でステージは慣れている。

さほど広くない舞台は、ピンク衣装の姐ちゃんを中央に、青春真っ只中の学生一〇人によって占拠されたのであった。おそらくこのストリップ劇場開闢《かいびゃく》以来の珍現象が、ここに出現したのである。

「あれ？ あんた、トランペット手に持って、あんたたち楽団員なの」

なんとグループのトランペッターの和田先輩は、楽器を持ってストリップ劇場を訪れていたのである。愛器を常に肌身離さず持ち歩いているとは、さすが見上げたものである。

ジャズバンドのメンバーであることを告げると彼女は言った。

「じゃあ、トランペットで、踊れるような曲を吹いてちょうだいよ。みんなで踊ろう」

なんだか妙なことになってきた。

が、そこはジャズマンである。「聖者の行進」をトランペットのメロディーに乗って、みんなで歌いながら、踊ろうと一決した。会場の中年男たちにも手拍子を促した。トランペットをバックに手拍子をしながら、踊りも加えて歌ったのである。

「Oh when the saints go march in…」

歌いながらピンク衣装の姐ちゃんを先頭に一列になって、舞台を行進。

かくして、ストリップ劇場は、一転、ジャズコンサート劇場と変身したのである。

「あたし、こんな衣装邪魔なので、ここでぜーんぶ脱いじゃう」

「聖者の行進」が終わると彼女が言った。

「おー！」

望むところである。俺たちは大きな声援とともに大拍手を送ると、彼女はピンクの衣装を次々と脱ぎ捨て、ブラジャーとパンティー一枚だけの素っ裸になった。間近で見る女性の裸体がまぶしい。

「イェー！　イェー！」

ますますわれわれのテンションも上がる。

「最後はみんなで、肩を組んでラインダンスを踊りましょうよ。曲も乗りやすい曲だから大丈夫。さあさあ、あたしを真ん中に、左右五人ずつに別れてちょうだい。じゃ肩を組んで。準備できた？

いくわよ。音楽、照明スタート！」

小劇場とはいえ音響、照明係もプロである。彼らも意外な展開に、職人気質に火がついたのであろう、それらしい音楽と、ド派手な照明で舞台をいっそう盛り立ててくれたのである。

こんな時、上級生は決して譲らず、さっさと裸体姿がまぶしい女体と肩を組む。チクショーと思いながら俺も武骨な仲間同士で肩を組んだ。会場のあちこちに席を占めている中年のおじさんたちも、目をパチクリさせて見つめている。が、いずれも楽しそうである。彼らにとっても、こんな光景を目にしたのは、これが最初で最後であったことだろう。

かくして、皆生温泉の一角にある静かなストリップ劇場は、狂喜乱舞、欣喜雀躍《きんきじゃくやく》、一心不乱、そして前代未聞の舞台と化したのである。

先輩の進言で発した若者たちのストリップ嬢への声援は、望み通りのサービスとはならなかった。しかし、それ以上に自分の人生史に、金輪際味わうことのできない超貴重な体験の一ページを飾ってくれたのであった。

そして、俺たちを誘って踊ってくれたあのストリップ嬢にとっても、ウブな学生との楽しい舞台として、生涯忘れ得ぬ思い出となったに違いない。彼女はいま、八十路に手が届く年齢に達しているはずだ。

演奏旅行2　小樽で知った裕ちゃんとの運命の糸

昭和四二年（一九六七）一二月九日、有楽町そごうデパート七階の読売ホールでおこなわれたコンサートを最後にシカゴグループのメンバーは更新された。四年生のピアノ、クラリネット、トランペットの三人は引退し、新たに同期の竹内廉子君（三年生）がピアニスト、塚原正健君がクラリネット奏者、そして中谷秀樹君（二年生）がトランペット奏者として加わった。これまでレギュラーだった長野市出身の三人、バンジョー奏者山口君、ベース奏者荒井君、そしてドラムスの俺、そしてトロンボーン奏者の門脇修君（二年生）らこれまでのメンバーは、気分も新たに新シカゴグループを発進させたのである。専属の司会は、引き続き放送研究会の大野正君（二年生）である。シカゴグループのバンドマスターは塚原君に担当してもらうことになり、俺はニューオルリンズ・ジャズ・クラブの部長に就任、荒井君はメインマネジャーとなり、クラブ全体を牽引してゆくことになった。

翌年、最上級生の四年生で迎えた学生最後の夏の演奏旅行、その最終地が北海道であった。マネジャーの荒井君はこの年も、出身地である長野市民会館でのコンサートを実現させてくれた。さらに、グループの音楽リーダー塚原君の出身地が小樽というので敏腕を発揮、北海道ツアーも計画してくれたのだった。

本州から北海道を隔てる津軽海峡は、いまのような海底トンネルがなく青函連絡船に乗って渡った。

「は～るばるきたぜ、函館へ…」

北島三郎の歌う「函館の女」はすでに大ヒットしていたので、甲板に出て船の進行方向の大海原に向かってみんなで歌った。さらに、中谷君をけしかけて、トランペットを吹かせ、そのメロディーをバックに校歌も歌った。

「都の西北、早稲田の杜に…」

トランペットの音も、俺たちの歌声も、四方の海に吸い込まれ、ほかの乗客の邪魔にはまったくならない。真夏の海風が涼しく、実に気分よく校歌を歌うことができた。四年生にとっては、この北海道ツアーで演奏旅行が終わる、これが学生生活最後の演奏旅行だと思うと、なにやら感傷的な気分が沸き上がり、同じメロディーと歌詞でありながら、校歌がこれほど哀感あふれる曲であったのかと初めて気がついた。

函館からは列車の旅だ。函館本線で一路小樽へ向かった。八月とはいえお盆過ぎだったので、列車の旅も暑くなく実に快適であった。

シカゴグループのバンドマスター、クラリネットの塚原君の実家は小樽である。信州とは違い、気軽に帰郷などできない距離である。それだけに、学生最後の演奏旅行で故郷に錦を飾ることができ、彼は本望であったろう。

小樽市民会館は超満員であった。クラブの恒例として、コンサートでは地元出身者を大きくフィーチャーする。塚原君のクラリネットソロはもちろんであるが、彼はヴォーカルも得意で、スタンダードナンバーの「ベイズン・ストリート・ブルース」などを歌った。会場を埋め尽くした観客の中には、彼の友人もかなりいたことだろう、惜しみない声援と拍手に包まれ、塚原君は満面の笑みを浮かべ、見事に故郷に錦を飾ることができたのであった。

その夜のことである。ステージの興奮が冷めやらぬ中、塚原君の実家で大宴会を催してくれたのだった。あらん限りの海の幸を食卓に用意してくれ、腹を空かしたメンバーは心ゆくまでご馳走になってしまった。

この席でのことである。俺が映画『嵐を呼ぶ男』がきっかけでドラムを選んだと口をすべらすと、塚原君が思いもかけないことを言うではないか。

「僕は石原裕次郎の小学校の後輩だよ。むろん僕が入学した時には裕ちゃんはいなかったけれど。五年生の時だったかなあ、裕ちゃんが母校の小学校に来て講演したんだよ。学校中が大騒ぎだったなあ。とにかく、裕ちゃんはかっこ良かったよ」

その時まで不覚にも、裕ちゃんが小樽で幼少期を過ごしたなどとはまったく知らなかった。小樽の石原裕次郎記念館も当時はなかった。

歌謡曲小僧だった俺が小学生の頃、裕ちゃんがビールを飲みながらレコーディングをしたという写真入りの新聞記事を見ていた頃、信州から遠く離れた北海道小樽で塚原君は本物の裕ちゃんの勇姿を目撃していたとは…。これもジャズが紡いだ縁の糸なのかもしれない。

縁の糸と言えば、この演奏旅行から三六年後の平成一六年（二〇〇四）一〇月四日、この小樽の地を再び訪れたのである。この旅はまさに石原裕次郎の足跡を訪ねるのがメインのツアーだった。

信越放送を中途退社、独立した翌年に立ち上げたラジオ番組『武田徹の日曜音楽夢工房』の五周年記念として、ラジオリスナーとともに小樽の石原裕次郎記念館見学ツアー二泊三日の旅を計画したのである。昭和が幕を閉じても大スター裕ちゃんの人気は依然として絶大で、九〇人の募集定員は瞬く間に満杯、松本空港から貸し切り状態のジェット機で北海道へ飛び立ったのである。

参加者は誰もが裕ちゃんの大ファン、知らぬ者同士も裕ちゃんファンということで和気あいあい、年来の友人のように話が盛り上がる。まさに裕ちゃん世代の同級会のようであった。記念館で特に目を見張ったのは、裕ちゃんが子ども時代に作ったという模型飛行機や、絵画、書道である。小樽の幼稚園や小学校に通っている頃から、手先が器用で創造力にあふれ、すでに非凡な才能を発揮していたことがうかがい知れた。

裕ちゃんが演じたドラマーに影響されてドラムを叩くようになったが、それとは知らずに裕ちゃんゆかりの小樽に演奏旅行で訪れたこと。小樽出身のジャズ仲間の塚原君は裕ちゃんが通った小学校の後輩であったこと。その小樽に今度は自分が担当する番組のリスナーとともに裕ちゃんの記念館見学のために訪れたこと。これらの事実は、単なる偶然ではなく、必然的とも言える運命の糸で結ばれているのではと考えても不思議ではないだろう。

と、この稿を書いているとちょうど、ＮＨＫのＢＳ放送で『嵐を呼ぶ男』が放送された。なんという縁！　デジタル処理され、映像、音声、ともに鮮明な映画を中学生以来、六二年ぶりに見ることができたのである。映画は若き裕ちゃんと、ライバルのドラマーとの確執が描かれているのだが、もうひとつのドラマの柱は、母親の愛情を受けられずに、精神的彷徨《ほうこう》を続ける孤独な弟思いの青年の姿であった。中学生の時に見た裕ちゃんの華やかなドラマーぶりにすっかり幻惑され、すっぽりと記憶から抜け落ちていたのだが、親子関係をも描いた作品であったのだ。

令和となってからも『日曜音楽夢工房』には裕ちゃんへのリクエストが絶えることはなかった。石原裕次郎という存在は、自分はもちろん、多くの日本人にとって永遠に生き続けている大スターであり続けている。

演奏旅行3 『網走番外地』さながらの恐怖体験

大学生活を送った昭和四〇年代前半、国民の間でもっともポピュラーになった超ローカルな地名があった。

網走である。高倉健主演の『網走番外地』シリーズが爆発的人気となっていたのだ。

昭和が四〇年代に突入した年にその第一作が上映され、以後八年間で一八作も制作されたことが人気を如実に物語る。シリーズ後半では、その後に健さんとコンビを組んで数々の傑作を世に送り出した松本出身の降旗康男監督がメガホンをとっている。

健さんがドスの利いた声で歌う「網走番外地」もヒットした。その三番の歌詞の通り、網走は北の最果て、北海道のオホーツク海に面した北端の地である。

地名は有名にはなったが、いまのように聖地巡礼とかで、映画の舞台となった地に出かけるほど庶民の生活は豊かではなかった。

「今度のシカゴグループの演奏旅行は、健さんの映画で有名になった網走でコンサートをやるんだってよ。めったに行けるところじゃないぜ。俺もバンドボーイに志願しよう」

映画の人気もあって下級生のバンドボーイ志願の競争率が異常に高かった演奏旅行となったのである。

むろん、自分にとっても興味尽きない網走である。というのも、小学生の頃、健さんの映画を見て、生身の姿を見たいと、節分で来長した健さんをわざわざ善光寺へ見にいくほどの健さんファンなのだから。

小樽からの列車の旅で、網走がいかに北端の地であるのかを実感した。広大な北海道の大地が夕闇に染まる頃、八月下旬だというのに、暖をとるために車内に置かれたダルマストーブに火がつけられたのである。ガタゴトとリズミカルな音を鳴らし続ける車体の床が寒気に襲われ、冷気が漂い始めたのには、寒さに慣れた信州育ちでも驚かされた。網走は最果ての地なのだと改めて実感した。

網走駅に着いたのは深夜だった。宿泊先は二階建ての和風旅館で、映画『男はつらいよ』で寅さんが泊まるような旅館であった。網走湾とは指呼《しこ》の距離で、潮の香りが漂っていた。

翌日、午後のコンサートまでには時間がある。市内見学をすることになったが、当然ながらメンバーのお目当ては『網走番外地』ですっかり有名になった網走刑務所である。特に司会の大野君が力説した。

「武田さん、まずは網走刑務所へ行ってください。網走と言えば刑務所です。健さんの映画でこれほど有名になってるんですから。司会の僕としては、コンサートで刑務所に触れないわけにはゆきませんからお願いします」

誠にごもっともである。司会者はお客の心をつかむため、その地域のネタを枕に使うのである。刑務所見学はいわば彼にとっては大切な取材というわけだ。大野君の取材精神は見上げたもので、シカゴグループの専属司会となった時にも、ジャズについての知識を得たいと、わざわざ浦和の実家で母親に俺の分も作ってもらったにぎり飯を持参して下宿を訪れたことが何回かあった。努力家の彼は卒業後、文化放送に就職、プロ野球、相撲の実況中継アナウンサーとして活躍した後に独立し、埼玉県のＦＭナックファイブの名物パーソナリティーとしていまも活躍している。

さて、網走刑務所見学である、むろん異論のあるはずがない。早速タクシーに分乗し、ほかのメンバーらとともに出かけた。見学、といっても刑務所内部に入れるわけではない。高い塀《へい》が何メートルにもわたって続く外側を見るだけである。内部の様子はまったくわからない。映画のシーンをイメージするしかないのである。

「刑務所内ではどんな生活してるんだろうかね。一度は見てみたいもんだよなぁ」

「それには刑務所の職員になるか、さもなければ犯罪者になるしか方法はないよな」

「犯罪者も刑務所では大変みたいだぜ。序列があって、下の者はひどいイジメを受けるんだってよ」

とりとめもない話をしながら、高い塀を背景に写真を撮り合った。

とにかく好奇心旺盛な年頃である。刑務所内部の様子を見たいのだが、映画や小説で描かれたものを知るだけで、誰にとっても未知の空間なのだ。

ところが、この六、七年後には放送局のディレクターとして、その未知だった刑務所内でイベントをプロデュースし、番組を作ることになるのだから人生とはおもしろいものである。

コンサートは昼間おこなわれた。北海道、それも最北端の網走である。東京の学生バンドはおろか、プロのバンドでも容易に来られるところではない。おそらくコンサートなどもそれほど頻繁には開催されない地域である。そこに早稲田大学の学生バンドが訪れるというので会場は超満員であった。

四年生にとっては、学生生活最後の演奏旅行のフィナーレを飾るコンサートが、この網走の地である。特に長野市出身の三羽烏、山口君、荒井君と俺の三人にとって、レギュラーになった二年生の春以来、滋賀県の大津から始まった演奏旅行はツアーを重ね、四年生の今回で四回目となっていた。本州各地、四国、そして九州を旅し、最後はこの網走、日本列島の最北端の地になったことに深い感慨を禁じ得なかった。

――日本全国を回って貴重な体験をさせてもらった。有意義な学生生活を送ることができた。これもニューオルリンズ・ジャズ・クラブに入部したおかげだ。演奏旅行最後の演奏は、悔いのないよう最高のプレーで締めくくるぞ！

そう心に誓ったのであった。

実はこの夜、貴重な体験どころか、あわや命が、というとんでもない大事件に巻き込まれるのだが、そんなことになるとは露ほども知らず演奏に臨んだのであった。

ツアー最後のコンサートとあって、四年生はもちろん、シカゴグループ全メンバーが熱く全力でプレーした。司会の大野君も会場を沸かせた。大いに盛り上がった最高のパフォーマンスであった。かくして、すべての演奏旅行のコンサートが、その幕を閉じたのである。この一生懸命のプレーが、この夜に起きた大事件から危機一髪で脱出する助けになろうとは、この時はまだメンバーの誰一人知る由もなかった。

網走稲門会の幹事は網元の息子だった。バンドマスターの塚原君の友人でもあり、演奏が終わった後、バンドメンバーを日本料理店へ招待してくれて打ち上げとなった。網走は豊かな漁港である。新鮮な魚介類が次々に出てくる。山国育ちの俺は、遠慮なく食べた。五〇センチもある巨大なタラバガニを生まれて初めて食したのもこの時であった。黒い粒々が輝きを発しているカニの卵も味わうことができた。この世の中に、こんなにうまいものがあったのかと、恥も外聞もなくひたすらガツガツ食べた。

大学生活最後の演奏旅行の打ち上げとあって、メンバーもこのまま旅館へ帰る気がしない。それがいけなかった。飲み直そうということになり、一軒のバーに入ることになったのである。事件のきっかけはここで起きた。

バーは二階にあり、狭い急な階段を上がり店に入った。六〜七人掛けのカウンターと、四〜五人用のテーブルが二脚あるだけの小さな店である。若い男が一人、入り口に近いカウンターで酒を飲んでいるだけでほかに客はいない。バンドの連中が入ると、ほぼ満席となった。店のママさんは愛想よく迎えてくれた。

俺たちはすでに酔っている。たらふく食べた後なので酒もそれほど飲めない。演奏旅行最後の夜とあって、気分は高揚している。でかい声で話すことになる。ママさんにとっては決してうれしい客ではない。先客の若い男も迷惑そうな目つきで、チラチラこちらに視線を投げかけていることに俺は気がついていた。しかし、それもほんの一時で、すぐに話に夢中になり、ワイワイ、ガヤガヤと気分よく時を過ごした。

一時間ほど楽しんで帰ろうとした。ところが、勘定が法外に高いのである。支払いはマネジャーの荒井君である。

「ちょっと勘弁してよ。なんでこんなに高いの？　ビールを六、七本飲んだだけじゃないの」

「おつまみ代が入ると、これだけの額になるのよ」

ママさんも負けてはいない。俺たちも酔いに任せて口々に抗議した。

「学生だと思って、ボッてるんじゃないの」

「詳しく勘定の説明をしてよ」

するとママさん、カウンターに座っていた男に助けを求めるではないか。

「おい学生さん。おとなしく払っておいた方が身のためだぜ」

ドスの利いた声だった。ここで、「はい、わかりました」と勘定をすませておけばいいものを、相手は一人、こちらは数にものをいわせ、散々抗議の声を上げてしまったのである。

これが最後の演奏旅行の酒宴ということもあり、皆気分が高ぶっていたこともあった。その後、ママさんとやりとりしている間に、あの男がこっそり店を出ていたことに誰一人として気がつかなかったのがいけなかった。運命の明暗の岐路は、どこにあるかわからない。

ママさんに散々文句を言いながらも、額面通りの勘定を支払って、ドヤドヤと階段を下りて外に出て驚いた。七、八人のその筋のこわ～いお兄さん方が待ち伏せしているではないか。ほろ酔い気分がいっぺんに醒《さ》めてしまった。たちまち取り囲まれてしまった。不覚だった。なんてったってここは「網走」なのだ。筋金入りのお兄さんが多いに決まっている。

「こいつだよ、こいつ。最初にママにイチャモンをつけ始めたのは」

あの男が荒井君に近づき、こづき始めるではないか。

――こりゃ、やばい！

不思議なことに、この切羽詰まった状況の中で、部長としての責任感が突如顔をもたげたのである。演奏旅行のギャラをこっそりと塚原君に預け、闇夜の隙を見て彼を逃がしてやった。金を巻き上げられたら、それこそメンバーが帰る列車代がなくなってしまう。これはうまくいったが、問題はこれからだ。あれこれ思案している余裕はない。こうなりゃ、ひたすら謝るしか手がない。

「すみません。学生の分際でいい気になり過ぎていました。失礼の段、平にお許しください」

こんな謝罪をしたのは生まれて初めてである。ミュージシャンなど、楽器の演奏はできても、喧嘩などにはまったく弱い。学生運動の内ゲバなどで鍛えられてもいない。しかも、相手は網走のその筋のお兄さん方なのである。ひたすら平伏するしか能がない。相手はますます居丈高になる。

「俺たちはその道のプロなんだよ。おまえら三人や四人、始末するのは朝飯前なんだ。なんならオホーツクの海に放り投げてもいいんだぜ」

「すみません。お許しください。これからは決して生意気なことは、いたしませんから」

ほかのメンバーも口々に謝った。

ところがである。バーに通じる道路脇の電信柱の電球に照らされ、一〇人ほどの新たな人影がこちらに近づいてくるではないか。明らかにお仲間のお兄さん方である。

「こりゃ、えらいことになっちまうぞ」

誰もがそう思った。彼らから厳しいリンチを受け、冷たいオホーツクの海に投げ込まれてしまうのではなかろうかと、背筋がゾーッとなった。と、その時である。

「あっ、若親分のお出ましだ」

取り囲んでいる一人が叫んだ。よく見ると、着流し姿のお兄さんが、取り巻きを従えて悠然とこちらに向かってやってくるのがわかった。先頭を歩いているのがその若親分らしかった。

「こりゃ、いよいよダメだ」

よりによって、演奏旅行最後の網走で、いや網走だからこそこんな羽目になったのかもしれないのだが、どうしたらいいのか…。頭の中は救出策を模索し、めまぐるしく回転するが、一向に良いアイデアは浮かばない。絶望の二文字が濃くなるばかりである。

若親分の一団はバー入り口のネオンサインに照らされる距離まできた。絶体絶命のピンチだ。と、その時である。若親分の口から、意外な言葉が発せられた。

「おやっ、こいつら、今日コンサートで演奏した早稲田の学生じゃないか。演奏を聞かせてもらったぜ。今日が最後とかで、それでも手を抜かずに一生懸命演奏しているのがよくわかり感心したもんだ。実はなあ、俺も東京へ出て、おまえらみたいな学生生活をしたかったんだ。演奏を聞きながら、若い頃を思い出して涙が出たぜ。俺の夢は上京してミュージシャンになることだったんだ。いい思いをさせてもらった俺の顔に免じて、今日のところは許してやる。二度と網走で生意気な振る舞いをするんじゃねえぜ」

なんだか健さんのヤクザ映画を見ているような妙な感覚になった。映画『人生劇場』に登場する吉良常とは、こんな若親分のような男だったのかもしれない、と思ったりもした。

が、とにかく助かったのである。若親分がコンサートに足を運んでくれたおかげで、助かったのである。俺たちが一生懸命プレーした、その情熱が若親分に伝わって助かったのである。ジャズの力は偉大な効果を発揮し、俺たちを救ったのであった。

「本当にありがとうございました」

これまでの恐怖はいっぺんに吹き飛んでしまった。コンサートのお礼も込めて丁重にお辞儀をして早々にその場を離れたのであった。

網走という地で起こった、まさに映画を地でゆくような強烈な体験とともに、学生生活最後の演奏旅行はここに幕を下ろしたのである。

不思議な縁を感じた最後のコンサート

大学四年生になれば就職試験の時期となる。当時は「青田刈り禁止」と言われ、四年生の六月からようやく就職試験が解禁となった。ジャズバンド仲間は、ダンスパーティーやらコンサートやら演奏旅行やらで、じっくりと就職試験勉強などできない環境にいたが、みんな要領よく試験に合格した。マスコミ関係の志望者が多く、好きな音楽を一生涯の仕事にしたいということからレコード会社へ就職を決めた者がもっとも多く、広告代理店や放送局に合格した者も少なからずいた。

自分もマスコミ関係で仕事をしたいと思って放送局か新聞社を狙っていた。しかし、当時のキー局とＮＨＫ、それに全国紙の就職試験日は、各企業が優秀な人材の登用を競い合った結果なのか、六月の同じ日に試験が実施されたのである。せめて放送局と新聞社ぐらいは、別の日に試験日を設定すれば学生も選択幅が広がり、ありがたいのにと思ったものである。

そこで、ＴＢＳを受験した。団塊の世代だけあって、やたらに受験者が多かった。数日後の合格発表の日、東京六本木のＴＢＳ本社へ出向いた。本社ロビーの一角に掲示板があり、合格者の番号が表示されている。ドキドキしながらも目を凝らし、番号を追ってゆく。

「あっ、あった。やったぜ！」

思わず拳を振り上げようと思いながらも、よーく自分の番号を見たら表示番号と一番違いではないか。

——チクショー、俺の前に座ってた奴が合格したんだ…。

あまりにも悔しかったものだから、ＴＢＳ本社の玄関脇にしゃがみ込み、その一番違いの受験票をライターで焼き払ってやった。

となれば、次に狙うのはローカル放送局しかない。ローカル局となれば故郷の民放ということになる。信越放送と、ちょうどこの年から新入社員を募集し、次の年に開局を予定していた長野放送の二社である。二社のうちどちらを選ぶかとなると結論はおのずと決まる。ラジオ番組で歌謡曲小僧に育ててくれ、テレビ番組『ライフルマン』や『ララミー牧場』『パラディン』で拳銃好きの俺を楽しませてくれた信越放送ということになる。「人生劇場」の歌詞の一節に「義理がすたればこの世は闇だ」とある。そう義理と人情、この二つの言葉を金科玉条とする早稲田マンとして当然の帰結であった。

信越放送の試験は、北海道の演奏旅行が終わった翌月、昭和四三年（一九六八）九月に実施された。放送局の試験には時事問題がしばしば出題されると聞いていたので、演奏旅行中も旅先の駅頭で新聞を購入しては丹念に記事を読んで頭に叩き込んだ。

日本はイザナギ景気に浮かれ、大型消費景気に酔いしれ、「昭和元禄」と呼ばれていた。七月の参院選ではタレント候補と呼ばれた石原慎太郎、青島幸男、今東光（作家）らが一〇〇万票を超え、大松博文（東京オリンピック女子バレー優勝監督）、横山ノック（漫才師）も当選した。一方、大学紛争の嵐が吹き荒れ、早稲田大学をはじめ全国一一五大学で紛争が起こっていた。海外に目を移せば、中国では文化大革命が進行中、ベトナム戦争では多くの血が流されていた。

入社試験は長野市吉田にあった信越放送本社でおこなわれた。一次試験に合格、二次試験の面接では、ジャズクラブに所属していたからなのだろうが、重役の一人がジャズについていろいろ質問してきた。

「デューク・エリントンのスペルを英語で書いてください」

黒板に「Duke Ellington」と書いた。有名なビッグバンドのリーダー兼ピアニストで、名前のスペルに「g」が入るのがミソなのである。四年間、ジャズ一筋の大学生活を送ってきたので、待ってましたとスラスラと答えた。そしてこの時思ったものだ。

——粋な重役もおられるものだ。この放送局なら、いつかジャズ番組ができるかもしれない。

この予想は見事に当たることになるのだがそれは後のこと。

無事に面接も終わり、信越放送内定の通知が東京の下宿に届いた時はうれしかった。が、しかし、東京を離れて都落ちするのかと思うと寂しさも募った。

就職先も決まり、思う存分ジャズ演奏を楽しめる中で、ニューオルリンズ・ジャズ・クラブのメンバーとして最後の演奏であるコンサートが一二月一五日、前年に引き続き東京有楽町のそごうデパート七階の読売ホールでおこなわれた。大学のジャズ生活のフィナーレを飾るコンサートが、前年に続いて有楽町のそごうデパートであることに不思議な縁を感じた。

歌謡曲小僧だった小学生時代、あのフランク永井が歌って大ヒットした曲「有楽町で逢いましょう」は大好きな曲であった。低音で歌われる歌詞の中には知らぬ言葉がちりばめられていた。「ビルのほとりのティールーム」「甘いブルース」「小窓にけむるデパートよ」「今日の映画《シネマ》はロードショー」、デパートだけは百貨店のことだと理解していた。長野市にも、丸善百貨店という新しいスタイルの店がオープンし、英語ではデパートというのだそうだ、と大人が言っているのを聞いていたからだ。しかし、それ以外の横文字言葉の意味はまったく不明であったのだが、その言葉が都会的な歌手名のフランクとともに、強力な魔力で田舎小僧を魅了したのであった。

実はこの曲、有楽町にオープンしたそごうデパートのコマーシャルソングでもあったのだ。歌謡曲小僧が小学生時代に口ずさんでいた曲、そのそごうデパートでコンサートを二回も開催することになったのである。

二年生グループからレギュラーグループまで五バンドが出演、ゲストに日本のジャズヴォーカルの草分け的存在である水島早苗さんをお迎えした。

俺たちシカゴグループのメンバー七人のうち四年生は五人、その最後のステージとあって思い切り楽しく、リラックスしたムードの中で演奏できた。下級生や女性ファンからもたくさんの花束をいただいた。

このコンサートで二年生グループのメンバーとして出演した一人が、長野市生まれで屋代高校出身のバンジョー奏者、須藤信久君である。その須藤君が出演するというので、高校と大学が彼と同じで坂城町出身の青年が仲間と会場に駆けつけ、大きな声援を送っていた。

この青年はシカゴグループの演奏にも、声を張り上げ会場を盛り上げているのがステージからもわかった。それというのも、シカゴグループに長野市出身者が三人もいることを須藤君から聞いていたので同郷のよしみで応援したと後年になってその青年から聞いたのだ。その青年とは後に花形アナウンサーとして活躍した山越勝久君である。彼は信越放送に入社しアナウンス部に配属された。俺はディレクター、彼はパーソナリティー、二人で数々の番組を世に送り出した。SBCラジオのヤング番組『シャナナながの』『青春道場』『春待ち電リク』『ヤマハ・ハンドメイド・コンサート』、そしてワイド番組『それいけ‼ド・ド・ド』『SBC歌謡ベストテン』『スタートいちばん』、さらにテレビ番組『ワン・ツゥー・オー・オー』などなど。

報道部所属の記者生活を五年間務めた後、制作畑に移り、山越君のキャラクターを最大限に生かした番組を次々に立ち上げ、山越君はSBCラジオ、テレビでもっとも人気のあるアナウンサーとなった。その彼との最初のきっかけが、このコンサートだったのである。

ジャズが結びつける不思議で絶妙な人と人との縁。ニューオルリンズ・ジャズ・クラブで知り合った仲間たちとその人脈は、その後の人生に数知れず貴重な幸運をもたらしてくれることになるのである。

映画『真夏の夜のジャズ』と早大卒業危機

ジャズの縁と言えば、人生でもっともエキサイティングな超ビッグイベントにかかわることになる一本の映画との出合いもそうである。

大学時代も時間を見つけては映画を見た。話題作はむろんのこと、特にジャズに関する映画は真剣に見た。東京はありがたいことに、過去の名作を再上映する劇場があり、料金も安く学生にはうってつけであった。

白人のトランペット奏者、レッド・ニコルズを題材にした『五つの銅貨』。ニコルズ役のダニー・ケイとサッチモことルイ・アームストロングのかけ合いのヴォーカルは、ウイットに富み音楽的にも素晴らしい映画であった。

スウィング王と呼ばれたクラリネット奏者ベニー・グッドマンの前半生を描いた『ベニー・グッドマン物語』。憧れのドラマーでもあったジーン・クルーパや、ヴィブラフォン奏者ライオネル・ハンプトン、そして名ピアニストのテディ・ウィルソンら花形スターが展開するジャズ演奏にしびれた。クラシックの殿堂と言われたカーネギー・ホールで、最初にジャズを披露したのはベニー・グッドマンのバンドであり、しかも黒人ミュージシャンとの混合バンドで初めて公のステージで演奏したのも、グッドマン楽団であった。

ジェームズ・スチュアートがトロンボーン奏者のグレン・ミラーを演じた『グレン・ミラー物語』

は、美しい夫婦愛を描いた傑作である。

そして、後に奇跡のような体験と想像もできなかったジャズ界の大物との交流につながることになる一本の映画に出合ったのである。その映画は『真夏の夜のジャズ』である。昭和三三年(一九五八)七月三日から六日まで、アメリカのロードアイランド州の避暑地として栄えたニューポート市で開催されたニューポート・ジャズ・フェスティバルの模様を描いたドキュメンタリー映画だ。中学生の俺が裕ちゃんの『嵐を呼ぶ男』に刺激されドラマーに憧れた頃、アメリカではこんな大規模なイベントがおこなわれていたのである。

風光明媚《めいび》な海岸に建ち並ぶ豪邸。真っ青な空のもと、海では白波を立ててヨットレースがおこなわれている。そんなリゾート地の一角に設けられたステージと野外客席を舞台に、第一線で活躍しているジャズミュージシャンたちが白熱のパフォーマンスを繰り広げるのである。

エレガントな帽子とおしゃれなルックスで「二人でお茶を」を熱唱するアニタ・オデイ。彼女はこの映画のファッショナブルなスタイルで、日本のジャズファンの間でも語り草となった。

どでかいバリトンサックスを自在に吹きこなすジェリー・マリガン。珍しいバルブトロンボーンが売りのボブ・ブルックマイヤーの起伏に富んだ演奏。出演を前に、会場近くの部屋で、汗だくになりながら黙々とマレットスティックでドラムを叩くチコ・ハミルトンと、そのメンバーの室内楽的な奥深いジャズ演奏のリハーサル風景。孤高のピアニストとして知られるセロニアス・モンクが

「ブルー・モンク」を演奏する頃、会場は夕闇に包まれる。

そしてハイライトはサッチモことルイ・アームストロングの温かく輝きに満ちたトランペット演奏とラストステージを飾ったマヘリア・ジャクソンの心にしみ入るゴスペルソングである。

会場を埋め尽くしたセレブな白人や黒人たちのファッションにも驚かされた。

この映画を見た昭和四〇年代前半、日本ではジャズコンサートが野外ステージでおこなわれることなどまったくなかった。避暑地として軽井沢は有名ではあったが、一般庶民にはまったく関係のない異空間であった。ましてや、リゾート地などという言葉さえなかった時代である。

――やっぱりアメリカはすげえ国だ。一生に一度でいいから、超ビッグな本場のジャズミュージシャンが次々と登場する〝ニューポート・ジャズ・フェスティバル〟のようなイベントをこの目で、この耳で味わってみてえなぁ。

この映画を見終わった時の正直な感想であった。しかし内心、そんな夢みたいな願望がかなうわけがない、という諦めの気持ちがあったのも事実である。

ところがである、この映画を見た一四年後、ジャズの女神は夢想もしなかったビッグプレゼントを授けてくれたのだ。この信州で憧れの野外イベント、ニューポート・ジャズ・フェスティバルを味わうどころか、その野外イベントにスタッフとしてかかわり、アメリカに行った折、このイベントの超大物プロデューサーと交流を持つという信じがたい幸運に遭遇することになるのだから人生はおもしろい。

さて、社会人になると長期休暇などは絶対に取れぬとの先輩のアドバイスで、大学四年最後の三月は、大いに自由時間を満喫しようと楽しみにしていた。ところが信越放送から三月いっぱいは新人研修会があるので出席せよとのお達しが届いた。実に残念ではあるが、これから一生お世話になるかもしれない雇い主からの依頼である。行かなければならぬ。社会人の厳しさをいきなり味わわされた。

この年、信越放送の新人社員は男女それぞれ七人ずつで一四人。長野市吉田の本社会議室で一日みっちり、放送の仕組みから、放送局の各部署の仕事内容などおかたい講義が続く。眠い目を懸命に見開きながら聞く毎日が続いた。

そんな日々が続いたある夜のこと、驚愕すべき一報が自宅の電話に入ったのであった。

「あっ武田。今日さ、大学の卒業名簿を見にいったら、武田の名前、なかったぞ」

東京の広告代理店に就職が決まっていた山口君からの電話だった。

「嘘だろ⁉ 卒業できねえってことかよ。しっかり見てくれたんだろうな」

「俺も心配になって事務局に確認しにいったら、自然科学論の出席日数が足りなくて不可なんだって。で、卒業単位が足りないんだってよ」

ガーン！　頭が真っ白になった。卒業できなければ信越放送入社も取り消されてしまう。が、とにかく親切に教えてくれた山口君に礼を言った。この事実を知らずにいたら、取り返しのつかないことになっていただろう。

翌日、社員研修の休み時間に局の電話を拝借して早稲田大学の事務局に電話し、自然科学論の教授の自宅電話番号を聞き出した。その夜に早速、教授宅に電話したのはもちろんである。出席できなかった理由を述べたのである。

「ジャズクラブのコンサートなどで、授業出席が足りなかったというのは理由にはならんが、まあ大学の名声を広めたという点では評価できる。ワシの講座の単位不足で就職がおじゃんになっては君の人生に傷がつく。卒業式も間近じゃ。卒論をもう一本書いて、ここ二、三日中に家に届けなさい」

これで助かった。なんと情深い教授であることか。その夜、早速卒論に取り組んだ。北海道大学の和田教授のおこなった日本初の心臓移植手術が話題になっていたので、そのことを論文のテーマにした。徹夜であった。卒論は郵送では心もとない。といって社員研修を休むわけにもゆかぬ。教授の自宅場所も聞いてある。親父に頼み込んで持参してもらうことにした。親父はめったに取ったことのない有給休暇を取って教授宅へ卒論を無事届けてくれた。帰った親父も安堵した様子だった。

「徹、なかなか貫禄のあるいい教授でな、お茶を出してくれたよ。論文に目を通してから、卒業できるから安心するようにとの伝言だった。良かったな」

親父は嫌な顔ひとつせずことを運んでくれたのだった。

ありがたかった。そして寛大な教授に心の底から叫んだのであった。

「楠本先生！　本当にありがとうございました。おかげさまで早稲田大学を卒業できました」

卒業式は三月中旬におこなわれた。この日、親父とおふくろをともなって上京し卒業式に臨んだ。が、とんでもない卒業式となってしまい両親も驚いた様子だった。会場の記念会館に全共闘の学生が乱入したのである。隊列を組みながら「卒業式粉砕！」とシュプレヒコールを上げ、持っていた生きたニワトリやら生卵やらを、見境なく出席者に投げつけるのである。二階席にいた父と母は無事だったが厳粛な式典はメチャクチャにされてしまったのである。

救われたのはその夜、会場を移しておこなわれた商学部卒業生と父兄のためのレセプションだった。四谷のホテルニューオータニの大広間を借りての立食パーティーで、当時としては極めて斬新なものだ。早稲田大学グリークラブ員が応援歌を披露したり、応援部のエールとともに校歌「都の西北」を出席者全員で合唱したりした。両親も早稲田の校風を肌で感じられたようであった。

かくして早稲田大学での四年間はここに無事、いや肝を冷やした卒業トラブルはあったにせよ、その幕を閉じたのであった。

10・21国際反戦デーの戦争ごっこ

大学生活を振り返った時、学生運動について触れぬわけにはいかない。

いまの中学生、高校生そして大学生にとって、学生運動など信じがたい事実となってしまったようだ。次のような、祖母と高校生の孫との会話がある。

「おまえのおじいちゃんはね、大学生の頃に学生運動にのめり込んでいて、勉強なんか全然しなかったんだよ」

「へえー。それでおじいちゃん、いまも身体が丈夫で元気なんだ」

「家族の者も、みんな反対したけどおじいちゃん四年間やり続けたそうだよ」

「おじいちゃんって根性あったんだね。で、おじいちゃんはどんな運動してたの」

「だから学生運動だって言ってるじゃないの」

「それはわかってるよ。僕の知りたいのは、どんな種目の運動をしてたのかってことだよ」

いまの若者たちにとっては、学生運動は死語になってしまったのだ。

ならばあの大混乱を社会にもたらした学生運動とはなんだったのか。

昭和四〇年代前半、俺が学生生活を送っていた頃、全国どこの大学でも、学生運動が燃え盛っていた。早稲田大学でも、四年生の時に学費値上げ反対を旗印に各学部でストライキがおこなわれ、授業がボイコットされた。学費値上げ反対は理解できるが、反体制運動や革命運動となると話は別である。しかし、この頃から思想や戦術の違いから、各セクト間の争いが激しくなっていった。

特に、学内のリーダーの座を巡り、各セクトの学生たちがマスクで顔を隠し、ヘルメットをかぶり、角棒を手に武装してほかのセクトと乱闘する内ゲバ事件が頻発した。ヤクザさながらの彼らの行動は次第にエスカレート、それと反比例するように一般の学生たちからの支持を失っていったのである。

アジ演説をする彼らの言説を、しばしば学内で耳にしたが、まったく現実離れした内容がほとんどであった。マスクをかけ、ヘルメットをかぶった彼らは、マイク片手に語尾を強調して伸ばす独特の口調で、同じセクトの仲間十数人の前で大声を張り上げていた。

「われわれはー！　米帝国主義に対しー！　断固反対の意志を表明しー！　これに追随するー！　反動的な日本政府にー！　ノーを突きつけー！　民集を結集しー！　必ずや革命をー！　成就するものであーる！」

彼らがクソ真面目なだけに、なんともやりきれない思いがしたものだ。彼らから見れば、ジャズにうつつを抜かす学生などは、プチブルジョアに属するとんでもない学生で、許すことのできぬ存在なのかもしれないが、日本社会の現実を見る目は曇っていないと自信を持っていた。

なぜなら、ジャズクラブに加入したおかげで、演奏旅行という形ではあるが、日本全国の地域の人たちの暮らしぶりを自分の目で見、その話を耳にしていたからである。

ある演奏旅行では、東京駅発深夜零時の鈍行列車に乗り、大阪まで行ったことがあった。各地の駅で列車に乗降する乗客の様子は、日本に暮らす人々のまさに縮図のようであった。早朝の行商人、通勤のサラリーマン、通学の男女高校生、パートで働きに行くという主婦のグループなどなど。日本という国に暮らす、勤勉な人々の姿がそこにあった。演奏旅行ができる学生という自分の立場が、本当にありがたいと思った。つまり演奏旅行は、実に貴重な生まれて初めての生《なま》の社会見学でもあったのだ。

イデオロギーに凝り固まった学生運動家がアジ演説で盛んに絶叫する、革命のかの字もそこには見い出すことはできなかった。本から学んだ知識や、セクトの仲間内での論議だけが行動の原理だったのだろうか、彼らの言説にはまったくリアリズムが欠けていた。井の中の蛙《かわず》、と言ったら身も蓋もない言い方かもしれないが、同じ学生としてもっと実社会の現実を見てほしいと思った。

そんな中、学生運動史上に残る大事件が引き起こされたのである。

信越放送への就職も決まり、ニューオルリンズ・ジャズ・クラブでの最後のステージであるコンサートが開催される二か月ほど前、その大事件が引き起こされた。

昭和四三年（一九六八）一〇月二一日のことである。この日、早稲田に近い新宿街は、朝から異様な静けさに包まれていた。

各大学の学生運動家たちが、これまでにない大規模な闘争を展開、街一帯を占拠するという作戦が計画されていたからである。こうした実力行使には疑問を抱いていたが、一般の人たちはどんな反応を示すのか、ヤジ馬根性も手伝って同郷で同じジャズクラブ仲間である山口君と新宿へ出かけた。

昼夜を問わず猥雑《わいざつ》なエネルギーを発散している新宿の街が、人っ子一人いないゴーストタウンと化しているではないか。店という店はシャッターを下ろし、不気味な静寂が支配していた。街で暮らしている人たちにとっては、明らかに迷惑このうえない事態であることが察せられた。

夕方から実力行使に入るという情報が入ったので山口君と時間をつぶすため、たまたま営業をしていた映画館に入った。アートシアター・ギルドなる当時話題になっていた、超低予算で制作した映画を見た。大島渚監督の作品だったと思うのだが、なにを見たのかは記憶がない。おそらくその後に目撃した大事件の衝撃が強烈だったからに違いない。

映画館を出ると、すでにコバルトの秋空は紅色に染まっていた。ひっそりとしたビルの谷間に、真っ赤に燃える太陽が沈もうとしていた。

伊勢丹デパート方面から新宿駅に向かった。遠くから学生たちのシュプレヒコールが聞こえる。ジュラルミンの盾が長い列を作り、何人もの機動隊員がかたい表情で立っている。やがてその前を、デモ隊がシュプレヒコールを上げながら、うねるようにジグザグ行進を続け、機動隊員を挑発し始めた。ここにいては俺たちもその渦の中に呑み込まれてしまうと考え、両者を遠望できる高台を見つけて塀《へい》によじ登った。

デモ隊が投石を始める。いつものパターンである。機動隊員はジュラルミンの盾でそれを防ぐのみで手出しをしない。デモ隊もそのことは十分に理解している。距離を空けて、投石している間は、身の安全が保証されているのだ。

同じような場面を、何回も早稲田大学構内でも目撃していた。構内に通じる一般道路で違法デモを展開する学生たち、それを取り締まろうと機動隊員が近づくと、学生たちは大学構内に逃げ込む。機動隊員は早稲田構内には入れない。大学キャンパス内は私有地であり、キャンパス内のデモには手が出せないのである。それをいいことに、デモ隊は構内に用意した石を次々と機動隊員に投げつけ、罵声を浴びせるのだ。

「権力の犬どもめ、おめえたちには俺たちの崇高な政治闘争の意味など理解できるわけがねえ！」

上から目線で熱に浮かされたように叫びながら、投石を繰り返す学生たち。ジュラルミンの盾で防ぎながら、じっと耐える機動隊員たち。

実は長野高校の先輩で、家庭の経済的事情から大学に進学できず、警視庁に就職した方がいた。その先輩が機動隊に配属されたことを知っていた俺は、こうした場面に遭遇するたび、なんとも言えぬ悲しみと憤りを覚えずにはいられなかった。

新宿で投石を始めた彼らも、口々に罵声を浴びせていることであろう。やがて興奮したデモ隊は角材を手に機動隊に迫る。振り下ろす角材が盾に当たる鈍い音が怒号とともにビル街にこだまする。すると機動隊員のジュラルミンが激しく動き、ついに両者は激突した。両者は激しくもみ合い、一進一退を繰り返す。戦場は拡大し、とうとう新宿駅構内全体に広がった。電車はストップしたままだ。デモ隊と機動隊との攻防は、闇が濃くなっても続けられていた。同じ日本の、それも同世代の若者同士が血を流しながら激しく激突し闘っているのだ。新宿駅を利用している何万人という勤労者に大迷惑をかけながら。

こんな愚かな行為で世の中が変えられるのか。新宿駅を解放区にする、などと言うが誰が支持するのか。解放区にすることにどんな意味があるのか。演奏旅行で全国を回った俺には、いまここでおこなわれているデモ隊の乱闘は、他人迷惑な自己満足に過ぎず、日々生活を送っている日本中の人たちは、怒りこそすれ、まったく支持しないだろうと確信できた。各大学のキャンパス内での闘争も、幼稚な戦争ごっこをしてウサ晴らしをしているだけに思われた。そんな考えを持った者こそ、「プチブルジョアに侵された反動分子である」と彼らが批判するであろうことはわかりきってはいたが…。

狂気じみた自己陶酔が支配する新宿駅構内を後にした。この駅からわずか離れた西武新宿駅で下宿先に向かう電車に乗った。電車が動き出すと車窓から見える街の風景は、いつもとまったく同じで、あの国鉄新宿駅での乱闘騒ぎは嘘のようであった。

二年生まで世話になった高円寺の下宿を出て、西武新宿線沿線の下宿に移っていたのである。下宿のある下井草駅に着いたのは夜一一時頃だった。そのまま下宿先に帰る気分になれず、山口君といきつけの居酒屋に寄った。山口君の下宿先とは歩いて十数分の距離にあり、しばしば一緒に安酒を飲んでいたのである。

居酒屋のカウンターに座ると、店のテレビが新宿駅の様子をライブ中継している。デモ学生が多数逮捕され、指名手配のテロップも流されていた。

「おい山口！　ピアノのベートーベンが指名手配になってるぞ」

「あっ、ホントだ。どうりで最近、ジャズクラブの練習に来ねえわけだ」

容貌がベートーベンに似ていることから、クラブ員からそう呼ばれている文学部の同学年の学生だった。

この事件で初めて騒乱罪が適用され、二〇〇〇人余りのデモ隊が逮捕されたのである。世に言う〝10・21国際反戦デー闘争〟である。反戦デーに戦争ごっことは洒落にもならぬ。指名手配されたベートーベンには学内で会うこともなかった。

その数年後のこと、ＴＢＳのテレビスタジオに遊びに行ったことがあった。ジャズクラブの先輩である弟子丸千一郎さんが担当している歌謡番組の収録に誘われたのだ。井上順、堺正章らがメンバーだったザ・スパイダースが出演していた。そのスタジオで取材をしていたのが、あのベートーベンであった。彼は芸能週刊雑誌の記者をしていたのである。過激な政治闘争をしていた学生時代の姿は微塵《みじん》も感じられず、強い違和感を覚えた。

10・21国際反戦デー闘争の翌年、昭和四四年一月一八日には、東大安田講堂占拠事件が起こされた。この日は長野の実家に帰郷して、四月から入社するSBCテレビで生中継を見ていた。東大の安田講堂を占拠して立てこもっていた全共闘学生を排除するために、八五〇〇人もの機動隊員が投入されたのである。学生たちはお決まりの投石やら火炎ビンで抵抗する。機動隊による放水やヘリコプターからの催涙弾を浴びせられることは覚悟しているが、彼らは決して命まで奪われる心配はない。十分承知しての戦いなのだ。いい気なものである。悲愴感あふれるヒロイズム役を演じている、と言ったら言い過ぎであろうか。一昼夜にわたる激しい攻防戦を展開した後、当然の帰結として彼らは排除された。翌日の夕方六時前のことであった。

このテレビ中継で、日本テレビに入社していた高校時代の籠球部一年先輩のKさんが現場リポートを担当していた。

放送局に入社する俺も、いつかK先輩のような場面に遭遇することがあるのだろうかなどと思った。ところが、三年後それが現実となるのである。厳冬の軽井沢で日本列島を震撼させる大事件が勃発、記者として現場から全国放送のリポートをすることになるのである。

第3部
一途に
ひたむき
挑戦篇

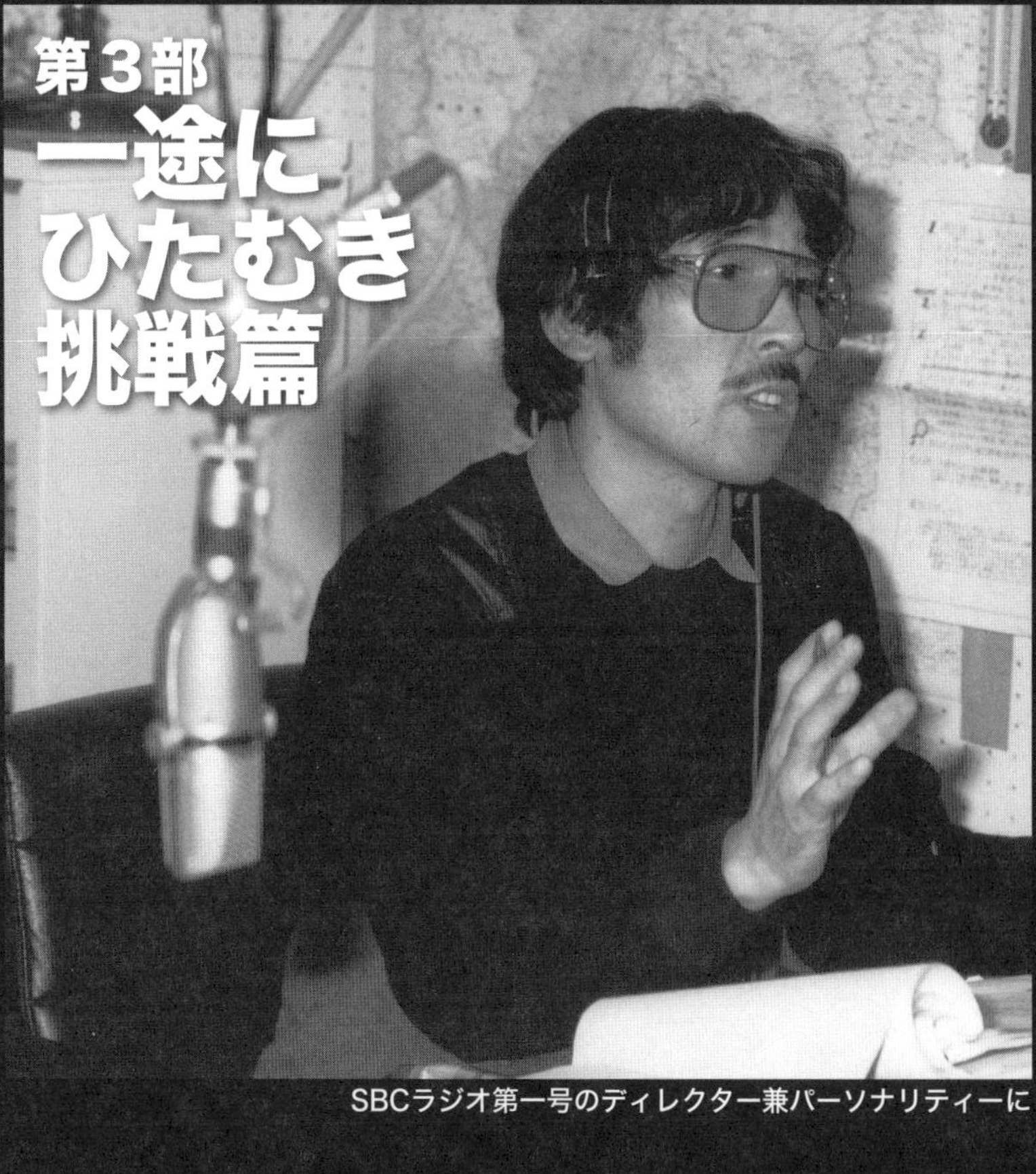

SBCラジオ第一号のディレクター兼パーソナリティーに

1　テレビ報道記者としてスタート

「武田徹のヒゲ事件」で物議をかもす

昭和四四年（一九六九）四月、桜の花の開花とともに晴れて信越放送に入社した。卒業未遂事件の後だけに安堵した。

断っておくが卒業未遂した新入社員は自分だけではなかった。同志社大学を卒業した、いや、この四月の段階ではまだ卒業できていなかった同期のN君、本人の名誉のために名前は伏せておくが、彼は職場配属が決まった五月になっても卒業できずに悶々としていたのであった。俺は元来正直者なので、卒業がようやく決まった後、研修会で横に座った彼に打ち明けてしまっていた。

「実を言うと、俺、卒業が危うかったんだ。卒論提出して、なんとか単位もらってホッとしてるとこなんだ」

「武田君もそうなんだ。俺もまだ卒業できずにいていろいろ策を練っているんだけど、うまくいかずに困ってるんだ」

上には上がいるもんだと思った。困った彼は五月のゴールデンウィークの休日を利用し、教授の大好きな酒を持参して京都の教授宅を訪れ、平身低頭して卒業を懇願したという。それが功を奏してようやく五月に卒業がかなったと俺に打ち明けたが、真偽のほどは定かではない。大学といい、信越放送といい、万事が細かいことに目くじらを立てぬ、おおらかな時代であった。同病相哀れむではないが、こんな事件があって同期の中ではＮ君がもっとも信頼できる友としていまに至っている。

四月末までには職場の配属先が決まり、報道部に配属となった。早速、社報に抱負を書けというので、タイトルに「花は桜木 男はワセダ 配属先は報道部」としたら、上司から学生気分が抜けていないと叱責された。「仕事はジャズのアドリブ精神で、臨機応変に対処してゆきたい」などと書いたことも気に入らなかった理由らしい。

職場に出入りしている金華堂という本屋の店員が、雑誌を定期購読してほしいと頼むので、当時人気のあった「漫画サンデー」を定期購読することにした。ほかの報道部員が購読する難しい雑誌の中に、まったく毛色の変わった雑誌があることに気がついた上司に、またまた嫌みを言われてしまった。

「武田君、どうせ読むなら時事問題を扱った雑誌にしたらどうかね」

それでも意地で購読し続けた。とまあ、報道部配属早々、居心地が悪いのである。

入社当初、希望配属先を記入する用紙が配られたので、報道部もそのひとつとして記入したのだが、どうやら俺の肌に合う職場でないことが、うすうすわかってきた。というより、やることなすことがどうやら上司や先輩の意にそぐわなかったと言った方がいいのかもしれない。

なにしろおかたく、これまでのしきたりを重視する報道部員に、軟派の代表のようなジャズ野郎が加わったのだから、物議をかもすことしばしばであった。職場の空気や価値観に従えば楽なのに、どうにもそれが嫌だった。

こんなこともあった。事件や事故など、デイリーのニュースのほかに企画ニュースというのがある。通常のニュースより内容を掘り下げ、時間も長い五分間ほどのニュースだった。いまと違って、あの頃はニュースに音楽はまったく使われなかった。

しかし、常々なぜニュースに音楽を使わないのかを不思議に思っていた。そんな折、格好のネタに遭遇したのであった。

三月のことである。雪深い飯山地方の山村にある小学校の冬季分校が、児童数の減少で、この春の卒業式を最後に閉校になるという企画ニュースだった。一泊二日の取材で、カメラマンと二人、細い雪道を一時間ほど歩いて分校に到着。雪景色の中にポツンとたたずむ小さい木造校舎や周りの山々の様子、暖かい日差しの中で雪解けが始まった小川の流れなどを撮影しながら、決心したのである。この企画ニュースこそ、音楽をふんだんに使い、詩情豊かな作品に仕上げるぞ、と。

卒業児童は全校でわずか六人のみ。長い間教鞭をとっていた老先生もこの卒業式で退職するという。当時はフィルム映像であった。フィルムのコストは高価である。撮影しても使わないフィルムは金をドブに捨てるようなものだから構成を事前にしっかり決めて、無駄のない取材をすることが求められていた。従ってインタビューにも気を使う。

幸い翌日もいい天気に恵まれた。児童六人に保護者と老先生のこぢんまりとした、しかし、心のこもった温かい分校最後の卒業式シーンを撮ることができた。

フィルム編集の作業を終え、ワン・シーンごとの時間に合わせてＢＧＭを選ぶ。俺は幼少期から映画を見ている。映画に音楽はつきものだから、さして苦労ではない。むしろ楽しい作業である。レコード室から選りすぐりの音楽を探し当て、オンエアに臨んだのであった。

ところが、である。これがまたまた物議をかもしたのである。

「武田君、なぜニュースに音楽なんか使うのだ？　ニュースに音楽など必要ないじゃないか」

案の定、先輩の報道部員から非難の声が上がった。十分予想はしていたが、信念は変わらない。とにかく報道部は超保守的な職場集団なのである。

その年の秋のことであった。ローカルの季節ネタをキー局であるＴＢＳテレビで全国放送する企画があり、そのお鉢が回ってきた。

「全国放送か！　相手にとって不足はない。またまた音楽を使ってやるぞ」

俺は決心した。音楽効果をより鮮明に際立たせるネタはないものかと物色した。結果、秋の信州の味覚、イナゴ捕りをネタとして選んだ。企画ニュースはとかく真面目なもの、深刻なものが多いので、思い切りコミカルに描こうと決めた。人と同じではつまらない。ここでも、天《あま》の邪鬼《じゃく》的性格が頭をもたげたのである。

全国放送ともなれば、気合の入れ方も違ってくる。取材前、カメラマンにコミカルな音楽を使うことを告げた。

「なるべく人の顔はどアップで撮ってください。イナゴを捕りながら田んぼを移動する姿は、コマ落としの手法を使い、チャップリンの映画のようなシーンにしたいのでお願いします」

カメラマンは先輩の香山さんであった。

「それはおもしろい。いままでにないような企画ニュースにしようじゃないか」

香山カメラマンも意欲満々、取材に臨んでくれた。

早朝、稲田が一面に広がっている飯山市の戸狩に到着すると、暗がりの中ですでに何人かの人たちが袋を用意して日の出を待っている。東の山の端が明るくなり、稲田の見通しも良くなると、待機していた人たちは一斉に動き出した。稲田に日の光が当たり暖かくなると、イナゴの動きが敏捷《びんしょう》になってしまうので、その前に捕獲するのがコツなのである。胸の高さほどの稲穂をかき分け、かき分け、ウの目タカの目でイナゴを探すさまは滑稽《こっけい》でさえある。

実はこの戸狩一帯の水田にイナゴが復活するようになったのは、ヘリコプターによる大規模な農薬散布をしなくなったからなのであった。環境汚染問題が、そろそろ意識され始めた時代である。イナゴ復活ニュースは環境問題のシンボル的なケースとしても取り上げたのであった。というのも、環境問題の先駆的な名著として知られている『沈黙の春』（レイチェル・カーソン著）を読んでいたので、水田にイナゴが生息できる環境を作り上げた何人かの農家に敬意を払うべく、このニュースを全国に発信したかったからである。それも大上段に環境問題を振りかざすのではなく、コミカルに一般庶民の目線で描いた方が、インパクトが強くわかりやすいと思ったのである。

オンエアは夜一一時のＴＢＳテレビの全国ニュース枠の中で放送された。評判は上々で、映像と音楽がマッチしていて、ユニークな環境問題啓発ニュースになったとＴＢＳからお褒めの言葉をいただいた。ニュースに音楽を使うものなどなかったからでもあった。

この企画ニュース評価の後、ニュースに音楽を使うなどケシカランという部内の声はまったく聞かれなくなった。

あれから半世紀、いまのニュースは音楽の使い過ぎである。特にワイドショーのニュースはいけない。「ドラマじゃねぇんだぞ」と言いたい。と、まあことほど左様に、これまでに例のないことをすると、必ずといっていいほど物議をかもした。

物議をかもしたと言えば「武田徹のヒゲ事件」というのがある。

入社五年目のこと。『オンエア八時』という月〜金曜日朝八時から三〇分放送のテレビ番組があった。長野県内の社会ネタを様々な角度から掘り下げて放送するという番組である。一年間、この番組に携わった。なにしろスタッフが少人数なので、ネタ探しから始まりカメラでの撮影取材、編集、さらに生番組に出演してのリポートまでこなす、という当時としては画期的な朝の生ワイド番組であった。

かねがね、いつかは口ヒゲをはやそうと考えていた。というのも、自分の顔を鏡で眺めるたびに、どうもアクセントに欠ける顔だなぁと思っていたからである。『オンエア八時』担当で心機一転がんばったるぞという心構えを肝に銘じ、その心意気を忘れぬためにも口ヒゲをはやしたのであった。ところが、この口ヒゲがまたまた物議をかもしたのである。それも、今度は報道部を越え重役連中までをも巻き込んだのである。

「社員が口ヒゲをはやして、テレビ番組に出演したことは、過去のSBCテレビには一度たりとも例がない。武田をそのまま黙認して良いものかどうか、社として熟慮せねばならぬ」

とまあ、こんな具合だったのであろう。なんと重役会議が開かれたのであった。もっともその事実を知ったのは数年後、この会議に出席していたO専務から直接その事実を聞かされたのだ。しかし、そうした自分に対する上司らからの不穏なムードはすでに察していた。いまで言う、社内の空気を読んでいた。反骨精神がまたもや頭をもたげた。

当時、若者の間で、ヒゲはファッションとして流行し始めていたのである。そこでテーマを「ヒゲ考現学」と題してリポートをすることにした。むろん、古臭い価値観を持っている上司連中を十分意識してのことである。

ＳＢＣのアナウンサーの顔写真を拝借することにした。それらを等身大に拡大し、その顔に口ヒゲ、あごヒゲ、頬ヒゲ、チョビヒゲ、ヤギヒゲなど似合いそうなヒゲを書き込み、それらを素材にしながらリポートしたのである。

「昨今の若者たちは様々なファッションを楽しんでいます。ヒゲも若者たちにとって、ファッションの一部として大切なものなんです。さらに言えば、個性を主張する表現の自由として、若者たちは様々なヒゲを楽しんでいるのです。高度成長とともに、日本も豊かな寛容な社会になりました。その象徴が若者のヒゲ文化なのかもしれません」

このコメントでわざわざ表現の自由と言ったのは、報道機関が日頃もっとも大切にしている表現の自由を、ヒゲごときで問題にするのはおかしいではないか、との意味も込めたのである。

若毛、いや若気の至りと言うべきか、生意気と言うべきか、上司にとっては嫌みな奴と思われたことであろう。

この放送後、ヒゲ問題はいつの間にか沈静化したのであった。かくしてヒゲをはやした信越放送第一号の社員となった。別に威張るほどのことじゃないけどね。

そんな問題社員ではあったが、報道部三年目にとんでもない大事件の現場で取材、リポートすることになったのである。

あさま山荘事件1　試練を極めた一〇日間

昭和四七年(一九七二)二月、厳冬の長野県軽井沢で大事件が勃発した。「連合赤軍あさま山荘事件」である。

報道部に配属されていたので、一〇日間にわたり厳寒の軽井沢にジープで寝泊まりしながら、この未曾有《みぞう》の大事件の取材にあたったのである。

いわゆる七〇年安保闘争後、学生運動家を母体とした新左翼系の過激派は、赤軍派、京浜安保共闘、さらには連合赤軍など小集団に分裂し、武装ゲリラ戦術を採用したのだ。高度経済成長下のこの日本でだ。なんというリアリティーのなさと思うのだが、彼らは大真面目なだけに厄介な存在であった。

連合赤軍は関東各地にアジトを設け、軍事訓練をしては逃亡の日々を送るという、まるで映画のストーリーのような生活をしていたのである。その彼らがあろうことか、信州で大事件を起こすに至った。

二月一九日土曜日の朝、この日は休日だったので野沢温泉へ友人とスキーに出かける約束になっており、家を出ようとしたまさにその時、電話が鳴った。報道部の上司からである。

「軽井沢で銃撃戦の恐れがあるらしい。すぐに長野県警の記者クラブに行ってくれ」

「銃撃戦ですか⁉︎　一体誰が銃撃戦などをしでかすんですか」

「どうやら過激派の若者らしいのだが、そのあたりがよくわからんので、とりあえず大至急、県警へ行って取材してくれ」

報道記者というのは、休みがあってないようなもの、働き方改革などという風潮はまったくなく、日本人は全員がモーレツ社員の時代だった。

押っ取り刀で県警記者クラブに駆けつけると、軽井沢駅で連合赤軍の四人が逮捕され、ほかの五人が銃を持って逃走中だという。長野県庁にある県警本部には、次々に新情報がもたらされる。

午後になると驚くべき情報が飛び込んできた。軽井沢にある「さつき山荘」にこもる赤軍派と長野県警が銃撃戦をしたが、赤軍派の五人が河合楽器の「あさま山荘」へ逃げ込んだ、というのだ。恐れていた銃撃戦が現実のものとなってしまったのである。しかも、赤軍派の五人は、管理人の妻、牟田泰子さんを人質にして立てこもった、という。

「これは長期戦になる。武田君、とにかく軽井沢のあさま山荘へ行って、現地の様子を知らせてくれ」

着のみ着のまま、カメラマンを乗せて会社のジープで軽井沢に向かった。まさか、ここから一〇日間にわたり、厳寒の軽井沢、それもジープで寝泊まりしながら取材することになるとは予想だにしなかった。

事件があった場合、まず大事なのは、取材しやすい場所を占拠することである。幸いにも、あさま山荘にもっとも近い西側の道路に駐車することができた。山荘に通じる道路には、県警によってすでに非常線が張られてはいたが、ジープから山荘までは歩いて五、六分の距離であった。

テレビの生中継で「あさま山荘事件」をご覧になった方々も多いと思う。あさま山荘は北に面した山の斜面中腹に建てられており、テレビ生中継の映像は、ほとんどの局が山荘の北側から撮影したものを放送した。

当時の取材映像はフィルムによるものであった。生中継以外、山荘の入り口がある南側、俺たちの拠点である西側からの映像、そして山荘近くの警備隊員の様子などの映像は、カメラマンが手持ちのカメラで撮影したフィルム映像である。手持ちカメラがビデオ化するのはずっと後のことだ。

山荘の周辺は浅い雪に覆われていた。昼間でもかなり寒い。予想通りの長期戦になりそうだ。昼夜を問わず、あさま山荘の様子とそれを囲む警備隊員を監視、動きがあったならカメラで撮影、リポートするのが仕事である。突然、犯人らが逃亡を企《くわだ》てないとも限らない。機動隊が山荘に突入する可能性もある。そのために、俺とカメラマンはまさに張り込みを続けていたのだ。

現場にいる俺たちに本社報道部から日々刻々と情報が入ってきて、あさま山荘にこもっている犯人五人の足どりと名前がわかってきた。

その情報によると二月一六日と一七日、群馬県警が妙義山中で森恒夫、永田洋子ら四人を逮捕。残りのメンバーのうち青砥幹夫ら四人が軽井沢駅で逮捕されたのが一九日。この日の午後にさつき山荘にこもっていた坂口弘、坂東国男ら五人が長野県警と銃撃戦を交わした後、河合楽器のあさま山荘へ逃げ込んで牟田泰子さんを人質にして立てこもっているということだった。彼らは銃を保持していて、射撃の技術にも長けている、という情報も入った。山荘を取り囲んでいる警備隊員はジュラルミンの盾で防御態勢をとり、報道も山荘から一定距離を保ちながらの取材となっていた。その日からジープに泊まることになった。

夜のジープの中の寒さといったらない。いくら暖房をフル回転させても、寒気が容赦なく四方から襲ってくる感じだ。寒さもだが、山荘の動きも常に観察しなくてはならないので、安眠などできるわけがない。

昼間の張り込みもかなり寒い。幸いに三日目ぐらい以降は、本社総務部から三食分のおにぎりが届けられるようになった。カイロも配給され、腹部や腰を温めると元気が出た。自宅から防寒衣も届けられた。

長野県警のほか、神奈川県警、さらに警視庁からも警備隊が出動し、なんと一五〇〇人余りが包囲する中で、犯人への投降説得が始まった。

「パン、パン、パン」

この説得に対し犯人らは、山荘裏側のバルコニーから三発の銃弾を発砲し、あくまで戦う姿勢を見せたのである。銃声は映画やテレビドラマで聞く音と違い、意外に乾いた音であった。

これ以降、時折犯人らは銃を発砲するので、取材陣も防弾チョッキを着用することになった。防弾チョッキを着たのは、後にも先にも人生でこの「あさま山荘事件」の時だけであった。

　事件発生三日目には、犯人の吉野雅邦と坂口弘の母親が、わが子の説得にやってきた。

「まあちゃん、聞こえますか。これでは、あんたの言っていた救世主どころじゃないじゃないの。武器を捨てて出てきてね。それが本当の勇気なのよ」

　母親のマイクを通した悲痛な説得の声が、寒々とした山荘周辺の山々にもこだました。

　しかし、現場で母親の説得口調を聞きながら強い違和感を抱かずにはいられなかった。

「まあちゃん、世の中のために、自分を犠牲にするんじゃなかったの…。こうなった以上、最後はあんたたちが普通の凶悪犯と違うところを見せてほしいの。武器を捨てて出てきてね。あなたたちにもプライドがあるでしょ。だったら武器を捨てて出てきてほしいの。それが本当の勇気なのよ」

　立てこもる犯人二人の母親は、母親としての思いを告げたいと警視庁を通じて説得を申し出たのだった。いても立ってもいられない母親の気持ちは十分理解できる。法律的には親に責任はない。しかし、この説得口調は、母親には申し訳ないが、まるで、小学生低学年の子どもに向かっての言葉づかいではないか。社会人へと成長した息子への、それも武器を持ち、なんの罪もない管理人の女性を人質にして警備隊員へ発砲する凶悪犯の息子への説得としては、まったくリアリズムに欠け、場違いな感じを受けたのである。

犯人らは自分と同世代である。この母親の口調から感じた犯人像は、お勉強のできる良い子ではあるが、机上の論理だけで理想社会を夢想し、そんな社会が容易に築けると思い込んでいる、まったく社会の現実を知らぬまま成長してしまった異形人間だということだ。大学キャンパス内で、学生運動に身を投じている者たちにも、同じ人間像を感じることがしばしばあった。

いまにして思えば、なぜ犯人らの父親は真っ先に説得に来なかったのか。戦後の悪しき風潮で、教育は母親任せ、家庭での大黒柱的存在であった父親は姿を消しつつあった時代を象徴していたのかもしれない。

籠城《ろうじょう》四日目には、説得する母親や、警備隊員にも発砲するなど、犯人側のいらだちと凶暴化が顕著となってきた。警察の注意を無視して山荘の玄関前に姿を現わした民間人の男が拳銃で撃たれたのがこの日だった。彼はすぐ病院に搬送されたが、その後死亡した。

日本の警察は外国などとは違い、籠城した犯人を殺害することはまずない。ましてや、人質がいる場合は最大限の配慮をしながら、説得工作を続ける。犯人らもそのことは十分承知の上での籠城だけに、長期化は避けられぬ。

山荘にガス弾を打ち込み、高圧の放水車を出動させ、なんとか犯人の投降を促したい警察だが五日経っても事態は好転しない。

ジープで寝泊まりしている俺たち現場取材陣も、さすがに疲れが溜まってきた。しかし人間、こうしたいわば極限状況の中にいると、一日おにぎり六個とわずかな漬物でも、結構体力が持つものである。そして尾籠《びろう》な話で申し訳ないが、不思議に便意を催さないのである。近くにトイレがまったくないので、放尿は道路の脇でこっそりとすませる。しかし、五日間ともなれば腸内も満杯となる。そろそろ限界となり、腸外に出さねばならなくなる。この時ばかりは上司に願い出て、ほかの取材スタッフが駐在している現場近くの民宿に泊まらせてもらった。

久しぶりに入った風呂の気持ち良さといったらなかった。睡魔に襲われ、危うく溺れる寸前であった。畳の上の布団で眠るのが、これほど快適なものなのかと思い知らされた。爆睡したのは言うまでもない。

犯人五人による「あさま山荘」籠城は、依然続いている。事件発生七日目ともなれば、人質の限界を超えるギリギリの時点である。警察は山荘の周囲に土嚢《どのう》を積み、人質救出のための拠点作りが始まった。

翌日の八日目は激しい吹雪となった。改めて記すが、二月の軽井沢は寒い。日中でも氷点下である。山荘を遠望できる場所で、一日中立ったまま様子をうかがうことには慣れてきたが、その寒さには閉口した。そんな中で警備隊員は、時々発砲する犯人らの銃撃を防ぎながら、土嚢の陣地を構築し、山荘の外堀を埋めていった。

この日の夕方、ようやく、籠城していると思われていた寺岡恒一の父親が説得に訪れた。

「恒一、いまのようなやり方が、世の中にアピールすると思うのか。メンツや恥を恐れて理性を曇らせてはいけない。君たちの理性と勇気に期待している。広いところに出て意見を発表しなさい。君も私も哀れだ」

父親らしい理性に訴えた説得だった（この時点ではわからなかったが寺岡は籠城していなかった）が、彼らはすでに理性に応じるような人間ではなかったのである。この時まだ発覚してはいなかったが、彼らはアジトで仲間一四人をリンチにかけ殺害していたのである。

あさま山荘事件2　人質救出作戦を全国生中継でリポート

昭和四七年（一九七二）二月二八日月曜日、とうとうその日がやってきた。事件発生から一〇日を迎えていた。

長野県警察部隊と県外の応援部隊一六三五人による〝警察史上もっとも長い一日〟と呼ばれる八時間にわたる人質強行救出作戦がおこなわれたのである。現場の事件取材にあたる社は五〇余り、記者総数は一〇〇〇人余り。テレビ生中継で全国民が注視する中、作戦が始まった。

信越放送はテレビでこの作戦を、八時間以上まったくコマーシャルなしで生中継した。これも前代未聞、放送局始まって以来で、ＴＢＳを通じて全国に放送されたのである。

俺はそれまでと同じ山荘西側地点でのリポート担当であった。テレビ中継で映し出される山荘映像の右側地点の道路から、刻々と変化する現場の状況を伝えた。

午前一〇時、ガス弾と放水による作戦がスタートした。上空には警察と報道陣のヘリコプターが旋回し、山荘周辺はものものしい雰囲気に包まれた。大型クレーン車が山荘の玄関前に到着したのは一一時前。巨大な鉄球が振り子のように動くと、瞬く間に山荘の玄関や壁が破壊されてゆく。この破壊穴に、放水車から一直線に伸びた水の帯が注ぎ込まれる。

警視庁の偵察隊が、山荘一階の非常口を破壊して山荘内に初めて突入、一階を制圧したのが一一時二〇分だった。一階に人影はなかったという。

長野県警の機動隊が二階西側の壁を破壊したため、犯人らは三階の屋根裏へ逃げ去った。

山荘の玄関前で大きな悲劇が起こったのはこの直後であった。

道路の土嚢《どのう》付近で指揮をしていた特車中隊長の高見繁光警部が、山荘からの銃弾を受けたのである。

俺のいる山荘の西側地点からは、玄関正面の様子はよく見ることができないが、リポーターはテレビ生中継と同じ音声を同時放送しているラジオのレシーバーを耳にしているので、山荘を取り巻く全体の動きがわかる。山荘南側、道路を隔てて玄関を見下ろす位置に陣取っている先輩記者が、興奮を抑えながら第一報を伝えた。

「中継車、中継車、玄関前の隊員が一人、撃たれた模様です。グッタリした隊員をほかの隊員が抱きかかえ担架に乗せ、山荘の西側地点へ運んでいきます」

すると、山荘北側に陣取った、指令塔であるテレビ中継車にいるアナウンサーからの言葉が、レシーバーを通して耳に飛び込んできた。

「山荘西側で取材している武田記者、武田記者。隊員が銃で撃たれ、そちらに搬送されている模様。そちらの様子を伝えてください」

見ると六～七人の隊員が担架を支えながら、小走りにこちらに向かってやってくるではないか。

「こちら山荘の西側の道路です。いま、数人の隊員が、負傷したと見られる隊員一人を担架に乗せ、こちらにやってきます。あお向けになった隊員は、ほとんど動きがありません。私も担架を運ぶ隊員と走りながらリポートします。負傷した隊員はどうやら額に銃弾を受けた模様です。動きがまったくありません。担架を運ぶ隊員たちの目には涙が光っています。なんとか無事でいてほしい、隊員のそんな強い思いが伝わってきます」

撃たれた高見警部（後に氏名が発表された）の額中央には、弾丸が貫通したのであろう、丸い穴がハッキリと見て取れた。病院に運ばれたが死亡した。

籠城する犯人らはわかっているのである、日本の警察は自分たちを射殺することはないことを。なんと卑劣な根性であることか。高見警部には家族がいるだろう。帰りを待つ子どももいるだろう。それを思うと、現場で取材する自分もいたたまれない気持ちになった。同僚の隊員が涙する悔しさが痛いほどわかる。

日本人全体に言えることだが、命をかけて仕事をする人たちへの感謝の念が薄過ぎる。警察官への感謝しかり、自衛隊員への感謝しかり、消防署員への感謝しかりである。戦後日本の平和ボケ体質による大欠陥である。

そして、さらに三〇分後、またまた犯人の凶弾によって内田尚孝第二機動隊長が犠牲になった。

こうした状況の中、警察側もやむをえず命令を出さざるを得なくなったようだ。

「射角を考慮して、ライフルを含め、拳銃を適正に使用して、犯人を制圧、摘発せよ」

この直後である、取材中の俺の上司、信越放送のカメラマンが右足を撃たれ負傷した。幸い命に別条はなかったが、現場はさらに緊張した。

警察が日没までに作戦を強行すると方針を決めたのが午後三時頃である。屋根裏に追いつめられた犯人らは、四方八方に銃を乱射し、手投げ爆弾まで使用。山荘内に潜入した警視庁の六人の隊員がまたまた負傷。

五時を過ぎると山荘周辺は夕闇に支配され、ますます救出作戦は困難になった。投光器が山荘を照らし始めたのが五時四〇分。その頃、突入命令を受けた長野県警と警視庁の決死隊員四人は、放水の援護を受けながら三階の屋根裏へよじ登っていった。犯人五人は屋根裏からベッドルームに逃げ込み乱射、隊員一人が倒れる。やがて特別車両からの放水も切れる時間が迫っていた。最後のチャンスはこの時しかない、と判断した警察は六時九分、ついに突入命令を出したのである。

決死隊員が飛び込むなり、犯人の射撃で一人が撃たれて倒れた。しかし、続く突入隊員が、最後の最後まで抵抗する五人を、大盾で上から押さえつけるようにして制圧し、坂口弘、加藤元久、吉野雅邦、加藤倫教、坂東国男を現行犯逮捕したのであった。そして、ベッド下段の中央にいた牟田泰子さんも無事に救助された。

実に、二一九時間、九日と三時間ぶりの救出となったのである。

逮捕された五人は手錠をかけられたまま山荘東側の道路に連行されると、待ち構えていた取材陣が一斉に照明を点灯、フラッシュがたかれた。この長時間に及ぶ凶悪犯に対し、取材者から思わず罵詈《ばり》雑言が飛んだ。

ふと、東の空を見上げると、山の端から満月に近い月が静かに昇り始め、皓皓《こうこう》たる月光が下界の、愚かで凶悪な犯人が引き起こした惨劇を照らしていた。

この「連合赤軍あさま山荘事件」は、テレビ生中継によって日本全国の人々が見ることになった。この事件で、人々の左翼系過激派への批判は一段と厳しさを増していった。

しかし、それ以上の驚愕的な事実が、彼らの取り調べで明らかになったのである。「あさま山荘」に立てこもる前、群馬県の榛名山のアジトで軍事訓練をしていた赤軍派内部での「総括」と呼ばれる、死のリンチ事件である。

山荘での事件が解決された後、救助され元気になった人質の牟田泰子さんのインタビュー取材で、改めて軽井沢に行った。長野県警では逮捕された赤軍派の足どりなどの聞き取りをしていた。そんな中で驚くべきリンチ事件の全貌が次第に明らかになっていったのである。彼らは自分と同世代であるが、その同世代人の所業とはにわかには信じられないものであった。

連合赤軍が榛名山のアジトで軍事訓練をしていた昭和四六年（一九七一）一二月三一日、尾崎充男を「規律違反」「日和見」などの嫌疑で、「総括」と呼ぶリンチにかけた後、厳寒の中に放置したまま死なせたというのだ。

これをきっかけにして、相互不信が増大。少しでも疑いをかけられたメンバーはリンチにかけられ、あるいは「死刑」という名目で、合わせて一二人の仲間が凍死、あるいは殺害されたというのである。前代未聞の凶悪犯罪が仲間内でおこなわれていたのだ。しかも遺体のほとんどは全裸で土の中に埋められていたという。さらに千葉県下でも二人の遺体が発掘された。

連合赤軍のこれら一連の事件で、過激派活動家たち、そして各大学での学生運動家に対して人々の理解は急速にしぼむとともに、活動そのものに誰もが見向きもしなくなっていったのも当然である。こうして熱病にうなされたような学生運動や活動家たちの行動は終焉を迎えたのであった。

ますます過激化する活動家たちによる大事件が、まさか長野県内で起きようとはまったく予想もしなかった。放送記者としてかかわった三年間でもっとも大きな事件であった。

令和四年（二〇二二）二月、あの大事件から五〇年の節目となり、テレビ・新聞各社が特集を組んで報道した。事件当時まだ生まれていない記者やリポーターによる取材映像をテレビで見るにつけ、五〇年という過ぎゆく歳月の速さに驚かされるとともに、人生で体験した異常な体験は忘れがたい記憶としていつまでも鮮明に脳裏に刻み込まれるものだと改めて知らされた

（参考「連合赤軍軽井沢事件 旭の友特集号」長野県警察本部警務部教養課・昭和四七年）

2　常識を破ってラジオ番組で大暴れ

非難がなんだ！「ヤマちゃんの春待ち電リク」

「ぼろは着ててもこころの錦」で始まる、水前寺清子が歌って大ヒットした「いっぽんどっこの唄」。信越放送に入社する頃によく口ずさんでいた。作詞が星野哲郎で、「若いときゃ二度とない」「人のやれないことをやれ」という歌詞が気に入っていた。まさに若い時は二度とないのである。そして、人のやれないことをやれ精神でいこうと思っていたので、報道部でなにかと物議をかもすことになった。

その報道部からラジオやテレビの番組を作る制作部に移動になった。うれしかった。窮屈な報道部から、創造力、発想力ともに豊かであればあるほど能力が発揮できる開放的な制作部に移ったのだ。これまで以上に、人のやれないことをやってやろうと決心したのである。

昭和五〇年代、プロ野球のナイターが人気でラジオ、テレビとも実況中継が多かった。野球シーズンが終わった一〇月から翌年三月のナイターのオフシーズンには、その穴埋めとして半年間放送のラジオ番組が組まれていた。いわゆるナイターオフ番組と呼ばれる夜の生放送番組である。二〇代後半の自分に「若者をターゲットにしたヤング番組を立ち上げよ」とのお達しがあった。

選んだパーソナリティーは、大学最後のジャズバンドのコンサートで、派手な声援を送ってくれた山越勝久アナウンサーであった。キー局でも様々なヤング番組が花盛りの時代である。人のやれないことをやれ、という精神で『ヤマちゃんの春待ち電リク』という番組を立ち上げることにした。長く厳しい信州の冬、若い男女にこの番組を聞いてもらい、明るく暖かい春の到来を待とうではないか、という意味を込めたタイトルである。

ただし、この番組にリクエストできる者を限定した。「この番組は若い女性のための、若い女性による、若い女性の番組です。リクエストできるのは一八歳以上の若い未婚女性に限らせていただきます。そのほかの方はご遠慮ください」と。一八歳未満お断りの成人映画をヒントに考えたパロディーである。性別と年齢制限をするリクエスト番組などこれまでなかった。あえてこの文言を二時間の放送中、女性のアナウンスで何回も意識的に放送した。

人間とは妙なもので、禁止されるとますます気になって注意を向ける。若い年頃の男たちにも当然聞いてほしいので、その戦略としてリクエストは女性だけにしたのだ。こうすることにより放送を耳にした若い男性は、より番組に接するに違いないと思ったからである。

番組内容も若い女性が好む男性のタイプ、若い女性が好むファッション、若い女性がより魅力的になるための化粧方法など、その道のプロのお姉さん方をゲストに迎えた。そして女性のリスナーから寄せられた質問をもとに、山越アナウンサーがユーモアたっぷりに聞き出すというものだ。

毎週木曜日夜、七時から九時までの二時間、質問やリクエストを受け付けるスタッフも女性だった。未婚の魅力的な美女四人を、知り合いのつてを頼りにお願いしたのである。かくして木曜夜のスタジオ周辺は一気に華やいだのは当然である。美人電話受付嬢四人のほか、ハイカラなファッションに身を包んだ女性ゲストや魅惑的な化粧をした女性ゲストらが一堂に集まるさまは、まるでスタジオに春の花々が咲き乱れる、という形容がピッタリであった。めったにラジオスタジオなどに来ない若い報道部連中も、担当する木曜日夕方のニュース番組が終わると、用もないのに集まってきた。そう、彼ら若い未婚の報道部員たちも、女性の花園の誘惑に抗しきれなかったのである。

夜七時の時報が鳴る。山越アナウンサーの歯切れの良い声がスタジオに響き渡る。

「おしゃれに、食い気に、ウフフのフ、ヤマちゃんの春待ち電リク」

テーマ曲は自分の好きなジャズっぽいフュージョン曲、人気のギターリスト、リー・リトナーによる軽快なアップテンポの曲である。

ところがこの番組も、放送実現まで手こずった上、放送開始後もまたまた物議をかもすことになるのである。

まず番組のタイトルにイチャモンがつけられた。

「『春待ち電リク』の春待ちという文言はなんとか変えられないかね、武田君」

番組編成部のお偉いさんからである。

「どうして春待ちがまずいんですか」

「この春待ちという言葉、売春をイメージする人もいると思う。これは良くない。誤解を招くに違いない。編成部の意見として変えてほしい」

「えっ！　売春をイメージするって…」

これにはさすがに絶句した。が、ここで引っ込むわけにはいかない。

「自分たちの世代や若者でそんなイメージを持つ者はいませんよ。この番組は若者をターゲットにした番組ですよ。春待ちという言葉は、単に季節の春を待つという意味だけでなく、少年少女たちが人生でもっとも華やいだ年齢を待ち焦がれるという意味も込められているんです。若者にとっては希望と夢につながる言葉なんです。絶対に『春待ち電リク』のタイトルでなければこの番組は成立しないんです」

そう主張するがなかなか認めてもらえない。その後も二、三回すったもんだと会議が開かれたが、最後まで譲らなかった。当然のことである。

春待ちという言葉で売春をイメージしますか？

こうして昭和五二年（一九七七）秋に『ヤマちゃんの春待ち電リク』は、なんとか船出できることができたのだが、放送が始まると、またまた上層部からクレームがつけられたのである。

成人映画のパロディー文言「リクエストできるのは一八歳以上の若い未婚女性に限らせていただきます。そのほかの方はご遠慮ください」とのアナウンスに対してである。悲しいかな、洒落が理解できないのだ。

これについても持論を押し通し、そのまま放送を続行した。若い女性からたくさんのリクエストやファッション、化粧について電話が殺到し、番組は活気に満ちていた。一方で、非難はくすぶっていた。

しかし、そのうちに聴取率調査の結果が出て、目論み通りの数字が示されたのだ。若い男性の方が同年代の女性より多くこの番組を聞いていることが判明したのであった。狙いは見事に当たったのである。

この結果が出ると同時に、番組批判は嘘のように消え、結局『ヤマちゃんの春待ち電リク』は三シーズンにわたって冬期間に放送されたのである。そして山越アナウンサーは若者たちの間で超人気者になっていったのであった。

『それいけ!!ドドド』でラジオの可能性挑戦

ラジオ番組のディレクターの仕事は、どんな内容の番組をどんな年齢層に向けて、いかに作り上げてゆくかを決め、それらを実現するためのアナウンサーやしゃべり手を選び、放送を実行することにある。従って、これまでにないようなユニークで個性的な番組を作るには、ディレクター自身が強い意志を持ち、独裁的とも思われるような決断をしながら毎回の番組にあたらなければならない。

「スタッフ全員の総意を反映した内容にしましょうよ」、こんな番組作りでは凡庸なありふれた番組しかできない。人のやれないことをやれという精神で番組作りにあたっていたが、やりたい番組を実現するためには、担当するアナウンサーにも同じ価値観を持つ人材が必要だった。悲しいかな、ディレクターは自分でしゃべるわけにはゆかないからである。その後、この強い無念の思いが自分でしゃべる決断につながってゆくのであるが…。

そこで意図する番組を実現してくれるしゃべり手として選んだのが、山越勝久アナウンサーであった。彼はいまで言うイケメンで、歯切れも良く、努力家であった。『ヤマちゃんの春待ち電リク』や『青春道場』なるヤング番組でもコンビを組んでいたが、さらに彼を長野県でもっとも人気のあるパーソナリティーになってもらうべく『それいけ!!ドドド』を企画したのである。

土曜日午後一時から五時、四時間の生ワイド番組である。昭和五二年（一九七七）、戦後三〇年余りが過ぎ、まさに「それいけ、それいけ」の大量消費社会に突入した時代だった。誰もが明日の夢に向かって猛烈に働く、イケイケ、ドンドンの時代だった。

毎週四時間を、事前取材の素材も組み込みながら、愉快で楽しく、アクティブな番組にしたかった。ラジオ番組に毎回テーマを設け、企画した素材とともにリスナーから寄せられたテーマにまつわるメッセージやお便りを紹介しながら放送する生番組は、県内ではむろん、おそらく全国でもこの番組が初めてだと自負している。

あるテーマをもとに、どれだけ発想の展開ができるか。リスナーのメッセージや事前取材、クイズも含め、四時間にわたる生放送の中でのテーマの掘り下げ具合、その深度が勝負という娯楽ドキュメンタリー生放送を目指したのである。

いまでは多くのSBCラジオの生番組、NHKでさえも毎回テーマを設けてリスナーからのメッセージをつなぎとしながら、番組を進めている。リスナーからのメッセージだけを頼りに、それらを紹介し感想をアドリブでしゃべる。そのテーマを掘り下げ、広げる番組はほとんどない。

番組のタイトル名は、番組全体のイメージを決定づけるため極めて重要である。この四時間の生放送のタイトルをどうするか、山越アナウンサーと頭を絞った。

「ヤマちゃん、アクティブで活動的で歯切れのいいタイトルをつけたいんだ」

「一度聞いたら忘れない、そんなタイトルにしたいですよね、武田さん」

「そうなんだ。前へ前へと進む躍動感のある言葉、たとえば、『それいけ!!』とか…。そうだ！『それいけ!!』と頭につけるのはどう?」

「いいですね、武田さん。『それいけ!!』、その後に続くいい言葉ないかなぁ。放送が土曜日ですよね。『それいけ！土曜日』、じゃ、おもしろくないですよね。土曜日、土曜日、そうだ！土曜日のドを三つ続けて、『ドドド』というのは?」

「おもしれえ、『それいけ!!ドドド』。いいよ、ヤマちゃん。これ絶対に受ける。『それいけ!!ドドド』に決めようぜ」

こうしてタイトルは決まった。

このタイトルは、日本人全員が明日に向かって明るく元気良く前進している、あの時代を象徴しているいいタイトルだと、いまでも思っている。

山越アナウンサーとタッグを組む女性のしゃべり手を誰にしようかと考えていた矢先、またまたジャズを媒介に一人のチャーミングなタレントへと導かれた。

大学時代、演奏旅行などでしばしば同じステージに立ったバンドがあった。早稲田大学が誇るビッグバンド、ハイソサイエティ・オーケストラである。このバンドのメンバーで俺と同期のトランペッター白井憲一君がヤマハに就職し、ポプコンと呼ばれたヤマハポピュラーソングコンテスト、その関東甲信越エリアの担当をしていた。その白井君の依頼で、若者たちが自作自演の楽曲を紹介するラジオ番組『ヤマハ・ハンドメイド・コンサート』を担当することになり、月二回は信越放送分、残る二回は信越放送をキー局に新潟放送、栃木放送、茨城放送でもオンエアする番組制作のディレクターになったのである。

司会は「こんがりトースト」というバンドリーダーの小泉まさみ。毎月上京しては東京のスタジオを借りて収録した。ゲストはその後に大スターとなる中島みゆき、庄野真代、因幡晃など、キラ星の如く多彩であった。

この番組は全国各放送局を通して、優秀なアマチュアバンドを選抜する使命も担っていた。関東甲信越エリアでは静岡県掛川市でおこなわれる「つま恋本選会」に出場、さらに武道館でおこなわれる「世界歌謡祭」にまで駒を進めることができ、アマチュアバンドの登竜門として音楽を愛する若者たちに大人気であった。いわば、若者たちの音楽文化を日本に定着させる上で、極めて大きな影響力があった番組だったのである。

スタジオで収録が終わったある日、白井君に誘われた。

「今度、つま恋でコンサートがあるので遊びに来いよ。いずれ本選会でつま恋に来てもらうことになるけど、その下見ということで経費は出張扱い、ヤマハが面倒みるから、たまにはつま恋でゆっくり音楽を聴いて酒でも飲もうや」

持つべきものは、ジャズ友である。このスポンサーからの魅力的なオファーを断る道理はない。

そのつま恋で『それいけ‼ドドド』にうってつけの女性タレントを知ることになったのだ。水沢有美さんである。ジャズ友の白井君の誘いがなければ、彼女のラジオ番組起用はありえなかった。ここでも、ジャズという音楽の糸が働いたのである。

有美さんは、ニッポン放送で全国放送されていた『コッキーポップ』の司会者、大石吾朗のアシスタントとして、ステージ進行に携わっていた。出演者は優秀なアマチュアバンドの連中である。有美さんはインタビューもラフでありながら品があり、いい感じでなかなかの美人でもある。これは『それいけ‼ドドド』のしゃべり手としてはベストだと直感したのであった。

さらにこの時代、信州でも郊外に続々とチェーン店などがオープンした頃であった。その店舗のＰＲをするため『それいけ‼ドドド』を利用するスポンサーがめじろ押しで、ラジオカーを走らせる店頭から生中継をする必要に迫られていた。集客と店頭での盛り上がりを図るため、落語家の三笑亭夢丸さんを起用、ゲストには有望新人歌手にも出演してもらい店頭で歌ってもらった。ラジオカーは県内を移

それいけ‼ドドドのメンバーたちと

動しながら、二～三店舗から中継したのである。夢丸さんはキー局テレビのワイドショーにも出演している人気者で、どこの店頭でもたくさんの人たちが集まり大盛況であった。

毎回テーマを設定し、そのテーマにまつわる取材をするなど、どれだけテーマやネタを広げ、掘り下げられるかが勝負の番組だけに、毎回新番組を立ち上げるようなしんどさはあったが、様々な企画を発想し番組でそれらを具現化するのはディレクター冥利に尽きる楽しさがあった。

現在はどのラジオ番組内でも、音楽をバックに番組名を随所で告知するジングルと呼ばれる短い音楽を使用し、番組のアイキャッチにもなっている。実はジングルを用いた最初のＳＢＣラジオ番組は『それいけ‼ドドド』であった。

陽気で躍動感あふれるデキシーランドジャズ調のテーマソングと、同じ曲調の一〇秒、二〇秒、三〇秒で完奏するジングルは、女性コーラス三人を含むスタジオミュージシャンの演奏による、番組のためのオリジナル作品であった。

作曲者は早稲田大学在学中に『ザ・リガニーズ』のメンバーとしてプロデビューしていた所太郎君である。所君と親しく付き合うようになったのも音楽の縁からである。

『ヤマハ・ハンドメイド・コンサート』の収録で上京した帰りの列車内でたまたま所君と会ったのである。当時、特急あさまにはビュッフェがあり、ビールを飲みながら音楽談議になった。そこで所君は一枚のLPを見せてくれた。

「これはアメリカのヴォーカリスト、トム・ウエイツのLPなんですけど、都会のブルースって感じで、渋い声がまた泣かせるんです。武田さん、きっと気に入りますよ」

ブルースからジャズへ、そして日本のフォークソング、歌謡曲と音楽談議が始まった。すっかり意気投合したのはもちろんである。この長時間の会話で親しくなり、所太郎君と付き合いが始まったのである。

この直後、たまたま司会を降板したいと申し出た小泉正美の後釜として『ヤマハ・ハンドメイド・コンサート』の司会を所君にお願いすることになり、さらに深い付き合いとなっていった。それまでのSBCラジオにはない、斬新でユニークな発想の番組を目指した『それいけ‼ドドド』は、テーマ音楽もジングルも、独自なものを作ろうと所君に作曲を依頼した。

収録は東京のスタジオを借りておこなわれた。お願いしたミュージシャンはさすがスタジオミュージシャンだけあって、初見でテーマソングやジングルを次々と収録してゆく。

「太郎ちゃん、音楽に乗せて女性コーラスがドドドって歌うのは、ユニークでおもしろいね」

「いいでしょう、武田さん。どうでしょう、いま思いついたんですけど、せっかく武田さんもいるんで、女性の声だけでなく、僕ら男性の声も入れましょうよ」

「おお！　それもおもしろいね。やろう、やろう」

こういうノリは大好きなので、ジングルに俺と所君も参加することになった。

「それいけ、それいけ、それいけ、それいけ、それいけー！」

五回、俺たちが叫んだ後、「ドドド」と女性陣だけで歌うジングルも作った。

かつて『それいけ‼ドドド』を聞いたことのある読者もいるだろうが、あのジングルの声は、俺と太郎ちゃんの声だったんですぞ。

とまあ、なにかにつけて人のやらない新しいこと、そしてラジオの可能性を追求する番組を目指したのである。その具体例や斬新な挑戦ぶりを紹介しよう。

エープリルフールである四月一日が、たまたま土曜日の放送と重なる日があった。テーマは当然ながら『嘘』になる。このテーマを、おもしろく、どれだけ奇想天外に発想できるか、読者諸兄諸姉がディレクターなら、どんな放送内容を考えるだろうか？

まずはリスナーから寄せてもらうお便り、メッセージは当然ながら嘘をついた、嘘をつかれたなどの体験談となる。さらに、出演者である山越アナウンサー、有美さん、そして夢丸さん、ゲストの歌手の皆さんにも嘘にまつわる体験談を披露してもらう。これだけではつまらない。四時間の放送には耐えられない。そこで考え、生放送ならではの発想となるのである。

ラジオニュースのパロディーはインパクトもあり、おもしろいと考えた。しかし、ニュースとして嘘の内容を放送すれば、大問題となってしまい、自分のクビも危うくなる。

そこで考えたタイトルは「ニュー嘘レーダー」とクレジットをし、それらしい音楽とともに、金井秀一アナウンサーに嘘ニュースの原稿をニュース放送調で読んでもらったのである。

報道記者を体験していたので、ニュース原稿ならお任せあれとばかりに嘘ニュース原稿を書いた。当時、野尻湖の発掘調査でナウマン象が有名になっており、野尻湖原人なる言葉もしばしばニュースに登場していた。これをネタにして、ニュース調で嘘原稿を書いたのだ。内容だけを簡単に紹介しよう。

中野市江部の野尻原人《はらと》さんが、信濃町の山奥へ春の山菜採りに行った際、洞窟を見つけ、中をのぞいたら、毛皮をまとった毛むくじゃらの、背の低い男女数人を目撃した。驚いて警察に連絡をした。この発見の連絡を受けた信濃町役場では、考古学研究者として有名な信州大学の像林教授に連絡をとったところ、野尻湖原人の可能性があり、そうならば世界的な大発見となるであろう、という内容である。

これを臨時ニュースならぬ「ニュー嘘レーダー」と称して金井アナウンサーが番組内で伝えたのだ。するとどうだろう、リスナーから続々と電話が入る。三人の女性オペレーターもてんやわんやの忙しさ。彼女らはその内容を文章にまとめ、ディレクターである俺が目を通す。よりおもしろくドラマチックな文章になるよう手を加え、スタジオの山越アナウンサーと有美さんに原稿を渡す。二人はそれらにアドリブを交えながら紹介するのである。

「野尻湖原人発見のニュースには感動いたしました。信州はやはり自然の宝庫なんです。発見された洞窟一帯は、国立自然保護区に指定して、開発などを禁止すべきです」

「私の小学生の息子は考古学に興味があり、野尻湖の発掘調査に加わりたいと、かねがね申しておりました。今回、野尻湖原人発見のニュースで決意しました。父である私は息子にもこの奇跡的なニュースを伝え、次回の発掘調査には息子ともどもぜひ参加したいと思っております」

「土曜日の午後にこんなビッグニュースを流し、大変迷惑しております。というのはこれから春野菜を植えるため、畑の準備をしようと思っていたのですが、ニュースを聞いた夫は、役場へ行けばもっと詳しい野尻湖原人のことがわかる、と仕事をほっぽり出して車で信濃町へ出かけてしまいました」

こんな情報が寄せられたのだ。いやはや、愉快な反応で、愉快な嘘リアクションが次々と寄せられてくる。それらに目を通して、これはと思われるリスナーを選び、電話を通してスタジオの二人と直接会話をしてもらい、さらに話題を発展させ、番組に色を添えるのである。

「こんにちは、山越です。野尻湖原人について重要な情報を持ってるそうですが、教えていただけますか?」

「先ほどニュースでやってましたが、実は私も野尻湖原人らしき人を見たことがあるんですよ。人にはバカにされると思ってこれまで黙っていたんですが…」

「有美です。情報ありがとうございます。で、どこで野尻湖原人をご覧になったんですか?」

「やはり信濃町の山奥にある森の中でしたね。道に迷ってしまったんで、どことはハッキリ言えないんですが…。やはり洞窟の中にいましたよ」

「先ほどのニュースと同じですね。野尻湖原人は、どんな顔をしてましたか?」

「ニュースで言ってたように毛皮を着ていて、ヒゲだらけで、なんだか古いような顔をしてましたね」

この会話を聞いていて、その嘘があまりに巧みなので吹き出してしまった。

実は、『嘘』というテーマで信州人であるリスナーが、どのような反応を示すか興味があったのだ。県外からの信州人に対するイメージは、ワンセンテンスで表現すれば『議論、お茶好き、クソ真面目』に集約できる。これらの気質は悪いことではないが、これだけではつまらない。ユーモアと洒落の精神があってこそ、人生はより豊かで奥深いものになると思っている。

幸いこの放送で、少なくとも『それいけ‼ドドド』のリスナー層は、議論、お茶好き、クソ真面目信州人だけではないことが判明した。ユーモアや洒落をノリノリで楽しめる人たちがかなり存在していることが実証されてうれしかった。

さらにこんなコマーシャルがあったら、愉快だねというので、「ビックリコマーシャル」なるものを何本か作って放送した。いずれも一分から二分の嘘コマーシャルである。

梓みちよの「こんにちは赤ちゃん」をバックに語る「ドドド産婦人科編」を紹介しよう。

「赤ちゃんが欲しいのに、どうしてもできないあなたに朗報です。ドドド産婦人科ではたくさんの男性をご用意してお待ちしております。甘いマスクの男性、男らしくキリリとした男性、優しい眼差しで笑顔あふれる男性などなど。あなたのお好きなタイプの男性をお選びになって、一晩入院するだけで、確実にあなた好みの赤ちゃんができます。一〇月一〇日後、あなたの夢が実現。あなたは理想の赤ちゃんのお母さんになれるのです。詳しい問い合わせはドドド産婦人科へ」

女性アナウンサーの声に続けて、コメント終わりで男性アナウンサーの替え歌が始まり、「わたしーが、パパよー」で完奏する。

次に紹介するのもブラックユーモアのコマーシャルである。

消防署が民営化されれば、こんなコマーシャルが放送されるのではと考えたものである。

消防車のサイレン音とともに火事現場の音が流れ、それをバックに男性アナウンサーの声。

「あっ！　火事だ。それいけ‼ドドド！　高倉消防署は火事とともに、いち早く超近代装備搭載の消防車で、現場に駆けつけます。消火活動も単に火を消すばかりではありません。火災保険がもっとも有利にあなたの手元に届くよう、ベテラン署員が現場で入念にチェックしながら消火作業にあたります。火事があっても安心。保険金の掛け損は決してありません。ご契約は高倉消防署へ。車体に描かれた唐獅子牡丹が目印です」

コメント終わりで高倉健のドスの利いた声で歌う「からじしぼーたあんー」が入る。

このほか、葬儀屋の「ドドド棺桶編」など、六、七本制作して放送した。

番組では、「夢が実現！　憧れのスター電話対談」と題し、郷ひろみ、小林旭、森繁久弥ら豪華スターと直接電話を通し、話ができるコーナーも設けた。これもむろん嘘で、対談するスター役はゲストに招いた声帯模写の芸人さん。一週間前から告知し、多くの応募者の中から選ばれた熱烈ファンとの対談は、実におもしろかった。さすが芸人さんだけあって、多くの質問にアドリブで答える如才なさに、スタッフは大爆笑。うれしそうに話すファンも、相手が偽のスターと知ってか知らずか、ノリノリで話すのである。おそらく、偽者とは気づかずに話したのではないかと思っている。が、リスナーをだましたまま番組を終了させるには、いくらテーマが『嘘』であっても申し訳ないと思い、真実を明かした。

このコーナーを大成功に導いてくれた大恩人の芸人こそ、いまや声帯模写ばかりでなくドラマに映画に大活躍、絵画などの芸術分野でも非凡な才能をいかんなく発揮している若き日の片岡鶴太郎さんであった。

当時はまだ無名の芸人さんで、番組が終わるとクリクリした目を輝かせながら言った。

「武田さん、今日はお呼びくださり、ありがとうございました。番組最初から聞かせていただきましたが、実におもしろかったです。特にあの『ビックリコマーシャル』のブラックユーモアは、いい勉強になりました。もしできましたら、カセットテープに録音させてもらってよろしいですか。

なにかの参考にしたいんですが」

その礼儀正しさ、こんな謙虚な芸人は初めてだった。むろん快諾した。自信作を評価してもらい、こんなうれしいことはなかった。

――この芸人はただ者じゃない。いずれ大物芸人になるに違いない。

そう確信した。片岡鶴太郎さんが全国放送のテレビで頻繁に見られるようになったのは、この「夢が実現！憧れのスター電話対談」コーナー出演の数年後のことである。鶴太郎さんご自身が、努力の末に憧れのスターにまで上り詰めたのであった。

『先生』のテーマでは、山越アナウンサーが小学一年生以来会ってない担任の先生を、生放送時間の四時間以内に探し出し、感激の電話対談を実現できたらおもしろい、ということになった。当時、土曜日は午前の授業があり、放送時間の午後も教職員は在校していた。

まず山越アナウンサーの入学した小学校に電話、十数年前のことなので当然転任している。その小学校では職員の名簿を調べてくれ、転任先を教えてくれる。次に転任先に電話し、さらにその先に電話を入れて調査する。この過程をすべて実況放送のようにスタジオと結び、生放送で伝えながら捜索するのである。それを聞いているリスナーからも、その先生に教わった人などから情報が刻々と寄せられる。スタジオからその情報提供者にも電話を入れながら番組を進めた。

生放送の威力はスゴイ！　とうとう長い捜索の末、山越アナウンサーの担任だった先生の居所が判明し、感動的な電話による再会が実現したのであった。まさに目指していた娯楽生ドキュメンタリーラジオ番組そのものであった。とてもいまでは、個人情報保護法とやらで無理だろうが…。

「タリピッ・クイズ」というコーナーもやった。テーマに関係した条件を提示し、その条件にピッタリ一致した人たちから電話をもらい、先着順にスタジオと電話を結び、何人かとインタビューしながらテーマの話題を広げてゆくというものだ。なぜピッタリでなく「タリピッ・クイズ」なのかというと、これもジャズと縁がある言葉づかいなのだ。

ジャズミュージシャンの間では、言葉を逆に言う習慣が古くからあり、大学時代の俺たちも普通の会話に使っていた。

「エーマにチータしているナオン、背がカイタ過ぎるけど、オーカはレイキで、俺レーホしそうだよ」

単語がサカサマになっているだけなのだが、一般人ならまず理解不能であろう。それでは種明かし、「前に立っている女、背が高過ぎるけど、顔はきれいで、惚れそうだよ」と、まあこういう意味なのだが、人にはばかられる会話の時など、実に便利なのである。

さて、『先生』がテーマの時の「タリピッ・クイズ」は、「小・中・高校生時代の担任の先生と結婚した方、森昌子さんが歌う『先生』の曲がかかっている間にスタジオにお電話ください。電話番号は…」という条件だった。

世間は広い。次々と電話が寄せられる。オペレーターは電話を受けながら、条件に合っているか、会話が弾む人かどうかを瞬時にチェックし相手の電話番号を聞き、そのメモをディレクターの俺に手渡す。それらのメモを見て、誰をどういう順番で選ぶかを決め、スタジオから電話をかけ直し、山越アナウンサーと有美さんにインタビューしてもらうのである。

こうした『先生』テーマにまつわるクイズなどを随所にはさみながら、山越アナウンサーの担任探しを続けたのである。

一方、ラジオカーで店頭に出向いている三笑亭夢丸さんは、集まった人たちにクイズを出し盛り上げた。このクイズもラジオならではのクイズで、聖徳太子が同時に七人の声を聞き分けたというところから発想した「聖徳太子クイズ」。店頭に集まった人たちばかりでなく、ラジオリスナーにも楽しんでもらおうと考えたラジオ的クイズだ。

店頭から夢丸さんが言う。

「それでは第一問、スタジオの山ちゃん、有美ちゃん、お願いします」

するとスタジオの二人は、テーマ『先生』に関した単語、たとえば「黒板」と「チョーク」を同時に発音する。それを聞いた夢丸さん、

「さあ二つの単語わかった方、手を挙げて！」

答えを聞きながら店頭に集まった正解者の何人かにプレゼントをする。次は最初の二つの単語に

もうひとつ新たな単語「あだ名」を加え、俺もスタジオに入り三人で同時に発声し第二問を出題する。単語数が増えるごとに、北沢和子サブディレクターがスタジオに入ったり、電話オペレーターに参加したりしてもらいながら、出題単語数がひとつずつ増えてゆく、というクイズである。夢丸さんは単語が増えるごとに、たとえば「あだ名」の話題をネタに正解者とユーモアたっぷりのインタビューをし、会場を大いに沸かせながらクイズを進めてゆく。このクイズは多くて五単語が限界で、それ以上聞き分けられた者はおらず、七人の話を同時に聞いたという聖徳太子のエピソードが真実なら、彼がいかに偉大だったのかと妙なところで感心したものである。

この『先生』のテーマのほかにも様々なテーマがあった。『東京』というテーマでは、学生時代よく行った東京の喫茶店、マスターは元気なのか、店はあるのかなど知りたいというリスナーの依頼を受け、山越アナウンサーと二人で三〜四か所、それらの喫茶店へ出向き現状をリポートした。

厳冬期には、わざわざ『裸体』というテーマにした。二月のもっとも寒い時、山越アナウンサーが早朝に禅寺で寒中行水を体験、その模様を収録して放送。長野市の七瀬映画劇場では、出演中のストリッパーにインタビュー、さらに産婦人科にラジオカーを走らせ、生放送で生まれたばかりの赤ちゃんをリポートした。

テーマ『テレビ』では、ＳＢＣテレビの視聴率調査週間に合わせ、いくつかのテレビ番組をピックアップし、次回はこれらの番組からクイズ出題することを予告、なるべく多くの人たちがその番組を見るようテレビ局とタイアップし放送した。そして、こんなクイズを問題にした。

「今週、SBCテレビで放送した『水戸黄門』の番組から出題します。ご老公一行は木曽の奈良井宿を訪れ一泊しました。そこで問題、ご老公一行はなんという宿に泊まったでしょうか。水戸黄門のテーマソングがかかっている間にお電話ください。電話番号は…」

電話がジャンジャン鳴るのである。正解は、録音したテレビ番組の音声を流すのである。

「ご老公、今夜はこの宿が良かろうと思いまするが、いかがいたしましょうや」

「おお、この宿は『徳利屋』。助さん、格さんなかなか良い宿のようじゃな。今夜はこの『徳利屋』でご厄介になりましょうかな」

という具合である。

こうして毎回、毎回の放送ごとに、様々な発想と実験放送を重ねるうちに、『それいけ!!ドドド』の人気はグングン上がり、予想もしなかったところから声がかかった。この番組スタッフ丸がかえのイベント依頼が舞い込んできたのである。その依頼先は、なんと刑務所からであった。

刑務所のど自慢大会で受刑者の声を中継

体育館の床に腰を下ろし、一段高いステージを凝視する目、目、目。超満員の二〇〇人はすべてが男性ばかり。全員丸刈りで、上下グレーの作業着姿に裸足。彼らの視線の先には五人の生バンドのメンバー、ピアニストは女性である。まさに演奏を始めようとスタンバイしている。

その舞台上手側には机が置かれ、ＳＢＣラジオ土曜午後、四時間の生放送『それいけ!!ドドド』を担当し、すっかり長野県内ではおなじみの山越勝久アナウンサー、女優で歌手、パーソナリティーの水沢有美さんが興味津々といった感じで壇上から会場を眺めている

体育館は異様な熱気に包まれていた。季節は六月、この熱気を多少なりともやわらげているのは、体育館の側面にいくつか設置されている窓ガラスから入る外の空気だ。しかし、その窓ガラスにもズシリと頑丈な鉄格子が組み込まれている。

大きな拍手と、「ウォー」という叫び声にも似た歓声とともに登場したのは、落語家の三笑亭夢丸さんだ。ＳＢＣラジオ『それいけ!!ドドド』のパーソナリティーとしても、すっかり信州人におなじみの人気者だ。その夢丸さんが舞台中央のマイクで第一声を発する

「父の日特集！　長野刑務所！」

するると会場全員が声を合わせて叫んだ、

「のど自慢大会!!」

体育館いっぱい、まさに割れんばかりの大歓声と拍手だ。日頃の溜まりに溜まったストレスが一気に爆発した瞬間でもあるのだろう。

昭和五四年(一九七九)六月一七日、この日は「父の日」であった。場所は須坂市にある長野刑務所。この頃、信越放送は長野刑務所の依頼で、毎年ラジオの人気パーソナリティーらが、受刑者の慰問のために刑務所を訪れ、トークショーなど様々なイベントをおこなっていた。というのも、SBCラジオの番組を聴きながら作業をしている受刑者さんから生のパーソナリティーに接したい、という要望が強いことから実現したのだという。

そんな中でこの年は、俺がその慰問イベントの担当者に指名されたというわけだ。土曜日午後一時から五時まで、毎週SBCラジオで生放送されていた『それいけ!!ドドド』がたいそう人気で、この番組のパーソナリティーを派遣してほしいとの要望があり、ディレクターをしていた自分にお鉢が回ってきたのであった。学生時代、網走刑務所内部を見学できず無念の思いをしていただけに喜んで引き受けた。

それまで、刑務所内でのイベントが番組化されることはなかった。が、考えた。どうせイベントをするなら、受刑者の皆さんのストレスが発散され、彼らがどんな思いで刑務所暮らしをしているのかを、一般の人たちにも理解してもらい、社会復帰が少しでもスムーズになれば一石二鳥ではないか。それには、このイベントをラジオ番組にして放送することである。さらには、その番組を民間放送の番組コンクールに出品し、受賞できればまさに一石二鳥ならぬ一石三鳥になるではないか、と思案を巡らしたのである。

『それいけ!!ドドド』にレギュラー出演している三笑亭夢丸さん、水沢有美さん、山越勝久アナウンサーの三人全員にかかわってもらい、のど自慢大会をやったらどうだろうか、と考えた。しかも、そのイベントを「父の日」に開催することにこだわった。というのは、受刑者の中には父親であり、家族が出所を待ち望んでいる者もいるだろうし、自分自身の父親に思いを寄せている受刑者も少なからずいるであろうと思ったからである。

刑務所側へはいくつか事前にお願いをした。まず、のど自慢出演の希望者八人ほどを選んでもらい、本名での放送はまずいので、芸名をつけてもらい歌う曲目を決めてほしいこと。なるべく多くの受刑者の声を放送したいので、曲紹介のナレーション、つまり口上を担当する者を選んでおいてもらうこと。むろん、本名は伏せて仮名で登場してもらうこと。そしてもうひとつ、当日会場で朗読する作文『父に寄せる思い』をどなたか二人に書いてもらうことなどをお願いした。

のど自慢のバックバンドは東京で活躍しているセクション・メイツという実力派バンドで、リーダーがドラマーで、サックス、ピアノ、ギター、ベースからなる。このバンドはどんな歌い方でも器用に伴奏できる優れた演奏家集団だ。この日の午前中、出演者と簡単な音合わせをして、いよいよ午後一時半、本番を迎えたのであった。

「まず歌ってくださるのは、ケーシー山本さ〜ん！」

夢丸さんの紹介で登場したケーシーさんに会場から大きな声援と拍手が送られる。

夢丸さんはジョークを交えながら、刑務所内での一日のスケジュールをインタビューする。

「ケーシーさん、朝はいつも何時に起きるんですか」

「六時半に起きて洗面をし、点検を受けまして朝食です」

「今日は父の日、もう父の日の朝食は食べたわけでしょう。どんな朝食でしたか？」

「今日は純日本風で、味噌汁とおしんこでありました。たいした食事でありました」

すると同じ朝食を食べた会場から、ドッと笑い声が起こる。娯楽が少ない刑務所生活、夢丸さんの軽妙なインタビューと仲間の受け答えに、その都度大きな笑いと声援が飛ぶ。

「そうですか。この中ではお酒は禁じられているわけですが、本当はお酒があるといっそう父の日が盛り上がると思います。そこで今日は歌の方で飲んだ気分になっていただきましょう。曲は『赤いグラス』。それではナレーション、この方も皆さんのお仲間、下条恒彦さんお願いします」

すると、刑務所内の詩吟クラブに入っているという下条さんが、シナをつけながら口上を述べる。

「別れの後の心残り、愛するがゆえになおつらい、一人寂しく飲む酒に、思い出しのぶ『赤いグラス』。歌っていただきます、ケーシー山本さん、ご声援お願いします」

会場からは大きな声援と拍手が起こり、生バンドの演奏に乗って、ケーシーさんが歌い始める。

「くちびる～寄せれば～、なぜかしびれる～赤いグラスよ～…」

ケーシーさんはバイブレーションを効果的に使いながら、サックスの音色に溶け込むような歌唱力で見事に「赤いグラス」を歌いきった。

一曲目が終わると、受刑者の皆さんもすっかりリラックスし、体育館は完全にのど自慢モードと化している。出場者は三十数名の応募者から選ばれた八人とあって、歌いっぷりも堂に入ったものが多く、全員二番まで歌ってもらった。中にはユニークなキャラクターで仲間内の人気者となっている者も選ばれており、会場は笑いの渦に包まれた。

「続いて榎本久太郎さん！」

「会場の皆さんよろしくお願いいたします！　私はここで六年間務めてまいりました」

会場からはいっそう大きな声援が飛ぶ。

「久太郎さん人気があるんですねえ。家では誰が待ってるんですか？」

「おふくろさんです」

「今日は父の日ですが、お父さんは？」

「今年の三月九日に亡くなりました。でもなんで死んだかはわかりません」

「一日も早くここを出て墓参りしてくださいよ。じゃがんばって歌ってください。久太郎さんは歌うだけじゃなくて、いろいろと考えてやってくださるそうです」

下条さんがナレーションをつける。

「今日もまた、帰らぬわが子の面影胸に秘め、怒涛《どとう》荒れ狂う岸壁に立ち、ただひたすらに祈り続ける母の姿、歌っていただきましょう、『岸壁の母』」

サックスが前奏のメロディーを吹くと、久太郎さんが歌い始める。

「母は来ました、今日も来た、…」

一番を歌った久太郎さん、突然口上を述べ始めるではないか。

「田舎の親父さんも三月九日で死んでしまった。あ〜、おふくろが首を長くして待っておるぞな。所長先生、あと九か月よろしくお願いします!!」

絶叫したかと思うと、会場側面で椅子に座っていた刑務官に深々と頭を下げ、二番を歌い始めた。会場は大ウケであった。二番を歌い終えると、またまた大声で口上を述べたのである。

「私も六年三か月、務めてまいりましたが、本当に長い間ありがとうございました。皆さんのおかげで私も残り九か月になりました。皆さんも一日も早く刑期を終えてください。私もがんばります」

なんの罪かは知らぬが、久太郎さんは懲役七年の刑を言い渡され、翌年三月に出所予定なのであろう。歌はリズムも狂い、音程も不安定だったが、父を亡くし一日も早く母のもとに帰りたいという心情が切々と伝わり、胸を打つものがあった。その久太郎さん、最後に深々と頭を下げたかと思うと、われわれSBCラジオのスタッフに謝意を述べたのである。

「毎週土曜日の午後は、ＳＢＣラジオの『それいけ‼ドドド』で励まされ続けました。おかげさまでこれまで無事やってくることができました。皆さんありがとうございます」

　思わぬ言葉に、舞台の袖でキュー出しをしていた自分にも、ジーンと胸に迫るものがあった。夢丸さんや、山越アナウンサー、有美さん、そしてこの模様を収録している技術スタッフも同じ思いだったことだろう。


　のど自慢の中ほどで、受刑者二人に書いてもらった『父の日に寄せて』と題する作文を、山越アナウンサーと有美さんに朗読してもらった。選曲してあった、心の奥底にまで染み込むようなＢＧＭが流れる。

　会場は暗くなり壇上の山越アナウンサー一人にスポットライトが当てられた。山越アナウンサーは噛みしめるような口調で読み始めた。

「『父の日に寄せて』。広大な草原の夕べに沈む真っ赤な大きな太陽。どこまで行っても終わりを知らない満州は私の生まれた国でもあり、ありし日の父を偲ぶ心の故郷でもある。

　私が六歳の時、日本の学校に入学するため、満州を離れた。見送りに来てくれた父の姿が、それっきり最後になろうとは子ども心に思いもせず、満鉄自慢の『亜細亜号』に乗れる喜びで心がいっぱいだったことを思い出します。父は岩のように強い男であったと、母からことあるごとに聞かされ育った私は、後年、父の戦死を知らされた時、嘘に決まっていると言って、聞かなかった。大連埠頭で父と魚釣りに興じた日。『亜細亜号』で旅した新京やハルピン。車内から見た私の満州は、父の大きさと広さを象徴した何物でもないような気がする。

あの忌まわしい戦いさえなければ、この『父の日』に、もしかしたら語り部の友として、父の自慢話を聞いてやれたのではなかろうかと思った。そして、あのとてつもない大草原のどこかに、父がまだ生きているような気がしてならない」

山越アナウンサーの朗読が始まると、歓声と応援と笑い声で熱気にあふれていた会場は、シーンと静まり返ってしまった。朗読が進むにつれて、薄暗い会場に慣れた目に写し出されたのは、膝頭を組んで座っていた幾人かの受刑者の両肩が小刻みに揺れている姿だった。

受刑者の中には、幼い頃からの父との激しい葛藤の末、犯罪に走ってしまった者もいるだろう。そんな父親を憎いと思っている者もいるだろう。

しかし、そういう彼らも大人になったいま、父の日に仲間の作文を聞き、改めて父親を思う心は、愛憎入り交じった複雑な心境であったに違いない。また父親に対して、いまの自分が置かれている姿を、申し訳ない、と思っている受刑者もいたことだろう。

さらに、この作文の作者のように、幼くして父を亡くし、その後の自分の苦しかった過去を思い出し、父がいてくれたらと、自分のこれまでの人生を回顧した者もいたであろう。

この会場にいる二〇〇人には、二〇〇人それぞれの父親への思いがある。この作文はそのそれぞれの父親への思いを、一瞬にして呼び覚ましたのであった。それは名状しがたい感動的な光景であった。

この時、心の底から思った。

――このイベントをやって良かった。服役している人たちにとっても、また番組でこの模様を耳にするであろう人たちにとっても。この番組イベントが受刑者を勇気づけ、そのことが更生に役立ち、彼らを受け入れる一般社会の理解が少しでも向上すれば、こんなうれしいことはない。

静まり返った会場のスポットライトが水沢有美さんを照らすと同時に、満州大陸の夕暮れをイメージさせる荘重で哀愁を帯びたＢＧＭがゆっくりフェードアウトする。すかさず舞台脇に陣取った音声担当者にキューを出す。むせび鳴くようなバイオリンの伴奏に乗って、生ギターが万感を込めた主旋律を奏でるＢＧＭが薄暗い会場に流れ始める。今度は有美さんが作文を読んだ。

「『父の日の手紙』。お父さん、私はまだ本当の人の心がわからないのに、偉そうにこんな手紙を書くのをお許しください。私もおかげでいまでは二人の子どもの父となりました。遠い遠い日、お父さんがいつも口ぐせのように言っていた『世の中の一番のバカ者を出せといったら親を出すだろう』と言われた言葉を私は思い出します。

私も子の親となりました。赤銅色の顔、真っ黒な手、そんな強そうなお父さんなのに家に帰ると、二合の晩酌だけが楽しみで、家と会社の往復がお父さんの人生。なにが生きがいなのか、あの頃の私はまったくわからず、ぐうたらな父のイメージだけが残っています。母のうるさい言葉に追われ、それもわれ関せずのまま、いつも母のお尻の下で小さく生きていたように思えてなりません。

私も人生半ばを生き、二人の子どもたちがいる現在、少しばかり男の世界が、働く場所と家庭が、まったく違う離れた存在であることに気づき始めています。父としての本当の強さは、家庭の外にあることを知らされ、二合の晩酌と妻のお尻の下が男の憩いの場であることを知らされました。父とは馬車馬のように働き、家の柱となって、じっと耐えているものなんですね。これが男の真の強さであることを、私は知ることができました。

今日は『父の日』です。今日は大きい顔をしてお母さんに『今日の晩酌は三合飲ませろ』と言ってもいいような気がします。お父さん、いつまでも、いつまでも、長生きしてください。そして、ありがとうを言わせてください」

有美さんの朗読が終わると、会場は水を打ったような静寂に支配された。子どもや家族を残して入所している受刑者たちは、改めて家族のことを思ったことであろう。無事に刑期を務め、一日も早く家族のもとに帰り、今度こそ完全に社会復帰し、まっとうな人生を送りたい、そう決意した者も多かったのではなかろうか。というのも、この長野刑務所に服役している受刑者は、初犯ではなく再犯および三犯以上重ねて罪を犯した、いわゆる累犯たちなのである。

この二編の作文の朗読を聞いた彼らの心に、社会復帰への強い前向きの意欲がわいたのではないか、というのは単なる希望的観測だったのかもしれない。しかし、山越アナウンサーと水沢有美さんの朗読を境に、会場に流れる雰囲気が変わったのである。海にたとえるならば、潮目が変わったとでも言おうか。朗読前は、日頃の溜まりに溜まったストレスを発散させるがごとき、投げやりな大声援と拍手と笑いであった。しかし、二人の朗読に耳を澄まし、会場が水を打ったような静寂に包まれた後、ステージに登場して歌を披露する者にも、声援を送り、ヤジを飛ばす会場の者にも、微妙な変化が見て取れたのである。

会場全体に、和やかなアルファー波のごとき不思議な、慎しみのあるムードが漂い始めたのであった。

そんな中で登場した一人が、筑波四郎さんだった。千葉県出身という筑波さんに、夢丸さんが早速インタビューする。

「いまでもガマの油というのは、口上を言える人がいるんですか」

「ええ、いるんです。いまでも結構ガマの油売りはいますねえ」

すると会場からヤジが飛んだ。

「いいぞー、ガマ売り！　ガマに似てるぞー」

「どっちの顔がガマに似てるんですか？　あたしですか？　筑波さんですか？　ハッキリしてくださいよ」

夢丸さんと会場とのやりとりも多くなってきた。

下条さんの曲紹介コメントもいっそう堂に入ったものになった。

「いい歌というものはいいもので、何年経っても年をとりません。冬の出湯《いでゆ》の街に寂しく響く、なつかしのギターの音色。数々のヒットを生み、いまは亡き古賀メロディーの中から、忘れることのできないこの曲『湯の街エレジー』、ご声援お願いします」

大きな拍手とともに、生バンドのギターの前奏に続き、筑波さんが朗々と歌い出した。

「伊豆の山々、月あわく、灯りにむせぶ、湯のけむり…」

伸びのある、艶やかな声で見事に二番まで歌い終えると万雷の拍手だ。

「筑波さん、いい声ですねー。失礼ですがおいくつですか」

「四七歳です。おっかあに逃げられたんですが、出湯の街に思い出があるもんで、この曲を選んだんです。年中おっかあに逃げられっぱなしなんです」

「筑波さん、しっかりして、かみさんの尻をつかんでなきゃダメだよ」

「はい、今度はいいかみさんを見つけますよ」

「有美ちゃん、筑波さんの歌どうでした」

「うまい！ その一語です。髪の毛の白いところがまた魅力的ですね」

「この髪の毛ですか。なにしろ、この刑務所に来るたびに白髪が増えちゃうんですよ。今度染めますから…」

会場は大爆笑。夢丸さんの好リードで、本音がポンポン飛び出す。自慢の歌を披露する者と、それを聞く受刑者、さらにはＳＢＣの出演者が一体となるイベントを期待していた。結果は俺の予想以上、和やかで会場全体がひとつになったのど自慢大会となって終了したのであった。


父の日のイベントに参加した受刑者の皆さんが、その後どのような人生を送ったのかは知る由もないが、翌年の四月に体験した予想もしなかった出来事がある。

その日の午後、いつものように信越放送の、制作部の大部屋で番組の台本を書いていた。三時頃だった。デスクに受付から電話が入った。

「武田さんにお会いしたいという人が来られています。事前の約束はないということですが、ぜひお会いしたいとおっしゃってますが、いかがいたします」

「なんという名前の人なの」

「それが、私も尋ねたんですが、名前を言っても武田さんはご存じないとおっしゃってます」

「わかった。すぐに行くからお待ちくださいい、と言っといて」

一体誰なんだろう？　首をひねりながら受付のあるフロアに向かうと、一人の見慣れない中年の男性が、ソファから立ち上がって笑顔で握手を求めてくる。

「武田さんお久しぶりです。おかげさまで、こうして世間に出ることができました。ＳＢＣの皆さんには、本当にお世話になりました」

聞けば、長野刑務所を出所したばかりだという。これまでも社会復帰しては、また罪を犯してしまうような生活をしていたが、今度ばかりはまともな人生を歩もうと決意した。その大きなきっかけとなったのが、昨年の父の日におこなわれたのど自慢大会だったというのだ。

「人生捨てたもんじゃない、と心の底から思ったんです。あの作文の朗読にも泣かされました。今度こそ大丈夫です。本当にありがとうございました。どうしてもお礼が言いたくて寄らせてもらいました。ご迷惑をかえりみず、失礼しました。これからもラジオを聴きますから」

そう言うと、また手を握り締めてきた。

「がんばってください。俺もがんばって皆さんに喜ばれるような番組を作るから。わざわざ来てくださって、ありがとうございました」

俺がそう言うと、彼は丁寧に頭を下げ、踵《きびす》を返すと受付嬢にも深々と頭を下げ去っていった。

突然の訪問で、こちらの方がビックリしてしまい、もっと詳しく彼のことを聞けば良かったと後悔した。

でも、うれしかった。あのイベントをやって本当に良かったとしみじみ思った。実はあのイベントを番組にした『父の日特集 刑務所のど自慢』は、民間放送連盟賞で優秀賞に輝いたのだった。

放送実現と受賞で一石二鳥は達成された。もうひとつ、このイベントが更生に役立ってもらえればとの思いは、彼の訪問で実証された。

そして、番組を耳にしたリスナーの受刑者に対する理解である。彼らの社会復帰を温かく見守ろうという心の広さを育んだのかどうかである。これはわからない。しかしひそかに思った。寛容という名の青い鳥は、リスナーの何人かのもとに確実に羽ばたいて、住み着いたと思っている。

当初狙った一石三鳥は成ったに違いない。

時代が生んだ人気番組『SBC歌謡ベストテン』

俺の人生は、音楽とは切っても切れない縁があるらしい。歌謡曲小僧として音楽好きになった小学校時代。ポップスや映画音楽に興味を持った中・高校生時代。ジャズに深く深くのめり込んだ大学時代。そして信越放送に入社、報道部から制作部に異動、番組ディレクターとして活動し始めた昭和四〇年代後半の日本の音楽シーンには、これまでの歌謡曲や映画音楽、ポップスに加え、新たにシンガー・ソングライターと呼ばれる若手ミュージシャンによる自作自演の楽曲が登場。昭和五〇年代になると、まさに百花繚乱《ひゃっかりょうらん》ともいうべき歌謡曲全盛時代に突入していったのである。

五木ひろしの「千曲川」、沢田研二の「時の過ぎゆくままに」、小林幸子の「はしご酒」、因幡晃の「わかってください」など、次々と新曲が発表され、歌謡曲ファンは、それぞれ自分のお目当ての歌手の新曲がいつリリースされるのか、首を長くして待ち望むようになり、新曲が出ると放送局にもリクエストが殺到するようになった。SBCラジオにも月曜日から金曜日までの昼の時間帯に放送されていた『歌の玉手箱』ではさばききれないほどのリクエストが寄せられるようになったのである。

ある日のこと、東京支社の上司から電話があった。

「あっ、タケちゃん」

普段、横柄なこの上司が、〝ちゃん〟をつけて呼ぶ時はいつも厄介な頼みが多いのだ。

「いま、レコードの売れ行きがすごくいいのタケちゃんも知ってるだろ。で、各レコード会社から新曲の紹介ができる番組の問い合わせが毎日殺到してるんだ。そこで新曲情報コーナーも含めた歌謡曲番組をぜひタケちゃんに作ってもらいたいんだ」

そらきた。予想は的中した。

「先輩、日曜日の『ホリデーミュージックツアー』の四時間番組に加え、土曜日の『それいけ!!ドドド』も始まって、そんな余裕はないですよ」

「大変なのはわかってるけど、音楽ものは音楽に強いタケちゃんにしかできないんだよ」

ますますまずい。この先輩が人をヨイショする時は強引に仕事を押しつける時だけ、という彼の習性も十分心得ていた。なるべく仕事量を増やさぬ方向に話を展開せねばならない。

「で、その歌謡曲番組の放送は何曜日がいいんです？」

「日曜日の午後がベストだけれど、『ホリデーミュージックツアー』があるよなぁ。あれを短くして、歌謡番組を前半にしたらどうかと思ってるんだ。とにかく金になるんだ。東京キー局じゃあ、ベストテンものがはやってるんで、そんな形の番組で二時間の生放送番組を考えてほしいんだ。なるべく早めにスタートさせたいんだよ、タケちゃん」

またまた、〝ちゃん〟づけだ。さらに悪い予感がした。この先輩がここまで具体的に提案するということは、番組プログラムの統括をする編成部の根回しもできているということだ。

「で、いつからスタートさせたいと思ってるんです？」

驚きの答えが返ってきた。

「来月からスタートさせたいんだ。東京営業もその方向で動いてる。タケちゃん、頼んだぜ」

こうして誕生したのが、昭和五三年（一九七八）からスタートした『ＳＢＣ歌謡ベストテン』であった。

二時間番組を毎週興味深く聴いてもらうにはどうしたらいいのか。ベストテンの順位を客観的に決定するにはどんな方法があるのか。アイデアを巡らす。オンエアまでに日がないのである。

県内全体を巻き込むには、リスナーのリクエスト数のほかに、県内に店舗を構える有力レコード店の一週間の売り上げ情報を加味して、順位を割り出す方法を考えた。レコード店側も、店名が毎週放送されるメリットがあるので、快諾してくれた。

歌謡曲の人気順位は、北沢和子サブディレクターがチーフとなったＳＢＣ歌謡ベストテン実行委員会が毎週会議を開いて、集計した数字をもとに決定することにした。オンエアでは、二〇位から一位までを、それぞれの曲にコメントやその曲へのリクエストメッセージを添えながら、テンポ良く紹介した。時間の都合で、二〇位から一一位までの曲はもっとも印象的なフレーズを二〇〜三〇秒で紹介、一〇位から四位まではワンコーラス、そしてベストスリーはフルコーラス、前奏から最後までまるまる一曲オンエアした。

全国の情報は、キー局の『全日本歌謡選抜』担当の小川哲也アナウンサーと結び、番組内で紹介した。この時代、県内ばかりでなく日本列島全土で歌謡曲が未曾有《みぞう》の盛り上がりを見せていることが如実にわかる構成にした。新曲や有力曲も番組内で紹介され、放送回数を重ねるごとに人気が高まってゆくのが実感できた。

番組スタート時、『ＳＢＣ歌謡ベストテン』の担当アナウンサーは、長田清と柴本正子両アナウンサー、次に山越勝久と菊地恵子両アナウンサーへと引き継がれ、その後も何人かのアナウンサーがかかわる長寿番組となった。

最高聴取率は一五パーセントを超えた時もあり、まさにお化け番組に成長していったのであった。

実は、番組構成がすべて決まったのは第一回放送日の直前である。俺は土曜日午後の生放送も持っていたので、放送終了後、帰宅してから自宅で台本に手をつけ始め、完成した時は夜が白々と明け始めていた。これほど猛スピードで番組を立ち上げたのは、後にも先にもこの『ＳＢＣ歌謡ベストテン』だけであった。

「タケちゃん」という、上司の猫なで声からスタートしたこの歌謡曲番組が、これほど多くのラジオファンに聴いてもらい、これほど多くのアナウンサーがかかわる番組になるとは思ってもみなかった。

この歌謡曲フィーバー、中央のテレビ局も当然目をつけることになる。ＴＢＳ系列では木曜日夜

『ザ・ベストテン』をスタートさせたのである。なんとこの『ザ・ベストテン』で、『それいけ!!ドドド』のある企画が全国に紹介されることになったのだ。

この全国放送実現にも、実は大学時代のジャズの縁が、強い後押しをしてくれたのである。『それいけ!!ドドド』のパーソナリティー、水沢有美さんは女優としてテレビドラマ『太陽にほえろ!』などに出演していたが、実は一五歳になったばかりの頃にはすでに歌手としてもデビューしていた。その曲はデュエット曲で、相手は歌謡界の御三家の一人として人気をほしいままにしていた西郷輝彦である。昭和四一年、西郷は一九歳の絶頂期であった。

曲名は「兄妹の星」、作詞・作曲はすでに大作曲家として活躍していた米山正夫である。昭和二七年、米山は開局したばかりの東京放送(TBS)の開局記念連続ドラマ『リンゴ園の少女』の挿入歌として、美空ひばりが歌って大ヒットした「リンゴ追分」を作曲していた。レコード発売と同時に七〇万枚が売れ、美空ひばりは流行歌手として初めて歌舞伎座の舞台でコンサートを開いた。それが「リンゴ追分」である。

その「リンゴ追分」の作詞者は誰あろう、水沢有美さんの父親、小沢不二夫であった。「蛙の子は蛙」というべきか、有美さんも父親と同じ芸能界に活躍の舞台を求めたのである。

「兄妹の星」でデビューしてからすでに一〇年以上の歳月が流れていたある日のこと。『それいけ!!ドドド』終了後、有美さんに声をかけた。

「有美ちゃん、長野県内に水沢有美ファンがたくさんできたんで、あの『兄妹の星』を長野県内限定ということで、レコード再販売してみない。みんな飛びつくと思うよ」

人のやらないことをやれ、これがモットーだったので、ラジオからなにかムーブメントを起こしてみたいと思っていたのである。

「とってもうれしいけど、昔の曲だし。皆さん買ってくださるかしら…」

「大丈夫！　いまの日本、歌謡曲大フィーバーしてるでしょう。この番組もそうだけど『ＳＢＣ歌謡ベストテン』にもたくさん歌謡曲へのリクエストが寄せられていて、県内でも盛り上がっているから、有美ちゃんの曲もたくさんの人が買ってくれると思うよ」

こうしてまずは有美さんから承諾を得た。レコード会社に連絡すると、こちらも乗り気で、一〇〇〇枚限定販売ということで話が決着。

ＳＢＣラジオの番組が、リバイバルとはいえ、パーソナリティーのレコードを販売するなど前代未聞の珍事である。限定販売の一か月前から毎週番組内で「兄妹の星」をオンエア、盛り上げたのはもちろんである。

リスナーからの反応も良かった。

「ラジオから流れる『兄妹の星』、いつの間にか歌詞も覚えて一緒に歌ってます。レコード発売が待ち遠しいです」

「西郷輝彦さんの大ファンなのですが、有美ちゃんとのデュエット曲があったとは、ラジオを聴いて初めて知りました。素敵な曲です。ちょっぴり有美さんに嫉妬です。でも、でも、必ず『兄妹の星』を買います」

発売と同時に、一〇〇〇枚は完売した。読者の中にも「兄妹の星」をお買い上げしていただいた方がおられることと思う。この場を借りて、お礼申し上げる。

さて、このレコード再販売エピソード、どういうルートで伝わったのかはわからないが、TBSテレビの『ザ・ベストテン』スタッフの耳に入ったのである。『ザ・ベストテン』はSBCテレビでも放送しており、もちろん大人気番組であった。そのプロデューサーは、大学時代のニューオルリンズ・ジャズ・クラブの先輩で、同じドラムを叩いていた弟子丸千一朗さんだった。その弟子丸親分から電話がかかってきた。

「武田君、ラジオ番組で西郷輝彦の『兄妹の星』をプレスして再販売したんだって。結構売れてるそうじゃないか」

「一〇〇〇枚の限定販売だったんですけど、完売しました。実は西郷さんとデュエットした水沢有美さんがパーソナリティーをやっているラジオ番組の企画だったんです」

「おもしろい企画をやったもんだね。全国でもほかに例がないんで、ぜひ話題として『ザ・ベストテン』で紹介したいんだ。力を貸してくれよ」

願ってもない提案である。人気歌手が地方から生中継で、ベストテン入りした曲を歌うことが『ザ・ベストテン』の売りとなっていたが、ローカル局のラジオ番組の話題が、全国放送になるのは極めて珍しいことであった。これもジャズが結んだ縁ということか。

その生放送は長野市権堂のイトーヨーカドー前広場から全国に向け発信された。ゲストの水沢有美さん、司会の久保正彰アナウンサーの周りは人、人、人であふれていた。

東京のＴＢＳのスタジオにいる久米宏、黒柳徹子ご両人からの呼びかけでこのコーナーは始まった。スタジオには、再販売されたドーナツ盤レコードが置かれ、カメラがアップでとらえる。西郷、水沢の二人が兄、妹という設定で正面を向いているジャケットである。有美さんはセーラー服姿で写っている。

「あーら水沢有美さん、長野にいらっしゃるのね。私、覚えてるわよ、あなたのこと。ずいぶん大きくなられて」

「ありがとうございます。毎週長野のＳＢＣラジオさんで、ラジオ番組をやらせていただいてるんです」

「このレコードジャケットのあなた、これいくつの時なの？」

スタジオから『兄妹の星』が流され、曲をバックに黒柳節での質問がポンポンと続く。有美さんもその都度テキパキと答え、歌こそ歌わなかったが、このイベントは大成功に終わったのであった。

とにかく、型破りでユニークな番組を目指した『それいけ‼ドドド』は、音楽番組ではなかったが、有美さんのデュエット曲『兄妹の星』再リリースという企画によって、瓢箪《ひょうたん》から駒よろしく、テレビの超人気音楽番組によって全国に紹介されたという自慢話、これにておしまい、おしまい。

3　初のテレビ『ワン・ツー・オー・オー』始末記

出演者と奇抜な演出にこだわる

これまでにない破天荒な番組をと、取り組んだラジオ番組『それいけ!!ドドド』が絶頂期を迎えていた頃、テレビ局の編成部から声がかかった。

「『それいけ!!ドドド』のような活動的で元気のいい番組をテレビでやりたいんだが…。どうだね、やってくれるかね」

「勘弁してくださいよ。『ドドド』は二年半が経過して、番組としてはいまがもっとも勢いがある時ですよ」

「それは十分理解しているが、テレビとしては土曜日の昼、生ワイドで九〇分ほどの番組を編成したいんだよ。ＳＢＣテレビのイメージを一新するような番組を作ってほしいんだ。考えておいてくれないか」

この「考えておいてくれないか」が癖ものなのである。

ラジオとテレビ両媒体を持つ放送局はどの局も、テレビ局の方が絶対的な力を持っている。番組の営業収入、つまり金を稼ぐ額がテレビ番組の方が格段に高いからである。

テレビ編成局から要望の出された土曜日昼の生ワイド番組、それも約九〇分、毎週楽しく見てもらえる内容を作り上げるのは容易なことではない。ラジオ番組でも大変なのにテレビ番組なのである。それも、これまでにないアクティブで楽しい番組ときた。

制作部に移動して以来、自分の作る番組を担当するアナウンサー、タレントにはとことんこだわった。画家が、自分の描きたい絵画を完成するには、それを実現可能にしてくれる絵の具や筆が必要なのと同じように、テレビに出演するレギュラースタッフのキャラクターは、作る番組内容のイメージを決定づける極めて重要な要素だからである。

案の定、間もなくこのテレビ番組の企画にゴーサインが出された。担当するアナウンサー、タレントのキャラクターを考え、番組内容を組み立てるのが俺の番組作りの基本、だから出演者の人選は難航した。放送局といってもサラリーマン集団、たまたま手が空いている者が担当すればいいだろうぐらいにしか考えない上司も少なからずいるのである。こういう上司には徹底的に主張し続けた。

「これまでにないテレビ番組を作るという社の方針なんでしょう！『それいけ!!ドドド』を辞めて、この番組に専念せよと言ったではないですか。作るのは俺なんです。俺の人選を尊重してくださいよ。番組は人で決まるんですよ」

何回も何回も交渉、出演者もほぼ満足のゆく線で落ち着き、予定通り昭和五五年（一九八〇）一〇月からスタートした。

ＳＢＣテレビのワイド生放送『ワン・ツー・オー・オー』である。放送時間の正午、一二時からとったタイトルだ。

毎週土曜日正午から一時間半の放送。出演者は山越勝久アナウンサー、小林裕子アナウンサー、池田知可子アナウンサー、そして外部タレントは所太郎君、ＴＢＳラジオ『子ども電話相談室』でおなじみの塚原勇太さんらである。

所君は土曜日午後に担当していた新潟放送のラジオ生ワイド番組をわざわざ降板してまで番組に協力してくれたのであった。同じ早稲田マン同志、義理と人情を地でゆくような勇気ある決断をしてくれてうれしかった。

――所君の厚意に報いねばならない。

この番組の目玉とも言えるアクティブなコーナーは、なんとしても彼に担当してもらい、彼のキャラクターを生かすべく頭をひねったのである。

テレビの視聴者が、所君の発言によってなにか行動変化を起こし、その彼らの姿をテレビカメラでとらえる。その彼らの行動もユーモラスで活動的なものの方がテレビを見

ワン・ツー・オー・オー生放送中

る側はおもしろい。さらに、所君のインタビューによって、いっそう話題が広がるような仕掛けはないものだろうか。頭をひねっているうちに浮かんだのが、『それいけ!!ドドド』で人気のあった『タリピッ・クイズ』である。ある条件を提示し、その条件にピッタリ合ったリスナーから電話をもらい、反応の早い順にスタジオと結び、インタビューで話題を広げ、景品を差し上げるというクイズだ。

「そうだ！これのテレビ版をやろう！」

コーナータイトルは「スタコラ・クイズ」と命名した。

塚原勇太さんには、スタジオに集まった母親から寄せられた、子どもに関する悩み相談に答えてもらうことにした。黒板のある教室セットをスタジオに作ることにした。

このほか、料理コーナーや翌日の日曜日の天気が気になる人から寄せられる、地域を限定した「リクエスト天気予報」コーナーも設けた。

カラオケ人気が高まりつつある時代でもあった。酒宴の一次会が終わると、二次会はカラオケで歌えるバーなどへ繰り出して歌うというパターンがサラリーマンの間に定着しつつあった。中には、テレビの歌番組よろしく、人気歌手のように手ぶり身ぶりを交えながら、どっぷりと歌の世界にひたりきって歌っている者もいた。そこで着想したコーナーが「堂々登場！ニュー・スター!!」である。

テレビスタジオにきらびやかなセットを設け、あたかもスターであるかのように得意なカラオケ曲を歌ってもらおうというコーナーだ。スパンコールや色彩豊かな照明を浴びながら、テレビカメラを前に歌うことなど一般庶民にはまず起こりえないことである。カラオケファンならずとも、歌うことが好きな者なら、人生一度は味わってみたいと思うに違いない。しかもその勇姿が、長野県の全家庭のテレビに生放送で映し出されるのである。まさにスター気分にひたれる白昼夢的コーナーを目指したのである。

これら様々なコーナーをこなしながら、インタビューをし、番組を円滑に進行させるのが山越アナウンサーら三人の局アナウンサーである。

番組内容が決まると、次は番組全体のメインテーマ音楽と各コーナーのテーマ音楽をどうするかである。

通常はレコード（CDはまだない時代）などから既存の音楽を使用するのだが、今回は主張した。

「SBCテレビの看板番組なのだから、それにふさわしい音楽を作るべきでしょう。ラジオ番組を担当し、音楽効果がいかに重要かを知らされたんです。ぜひ、予算を工面してください」

ここでも意地を押し通した。というのはかつて『それいけ‼ドドド』の音楽を依頼した所太郎君にお願いすれば、自分が出演する番組でもあり、よりいっそう磨きをかけたテーマ音楽を作ってくれるであろう、という読みもあったのである。

「というわけで、とにかく楽しく、アクティブで、これまでにないような番組にしたいんだよ。特に太郎ちゃんのコーナー『スタコラ・クイズ』は番組の目玉にしたいんだ。毎回テレビ中継車で県内あちこちへ出かけ、テレビを見ている人たちに、具体的な行動を起こしてもらい、そのユーモラスな行動行為をカメラでとらえるというクイズなんでよろしく頼むよ」

「武田さん、僕も新潟放送のラジオ生ワイドやってるんでかなりハードなんですけど、なんとか作ってみます。かなり冒険的な作曲でもいいですか」

「その方がかえっておもしろいと思うよ。スタコラ、スタコラ、人が走っている感じが出ていれば、バッチリだよ」

太郎ちゃんもこのテレビ番組『ワン・ツー・オー・オー』がスタートする前の週までワイド番組の生放送があり、俺も『それいけ!!ドドド』を毎週担当しながらの準備で、かなりしんどい状況下での番組準備であった。

スタコラ・クイズで大人気

昭和五五年（一九八〇）一〇月、『ワン・ツー・オー・オー』がスタートした。

第一回放送日、スタジオの出演者やフロアディレクター、カメラマンを見下ろすことのできる調整室には、普段スタッフだけなのにこの日は制作部やテレビ編成部のお偉方が集まり満杯状態。どんな生番組になるのか興味津々の様子だ。ディレクター席に座り、番組進行をスムーズに運ぶ指示を出すために精神集中を図らねばならない自分にとって、迷惑このうえない環境の中でのキュー出しとなった。

誰にとっても、初回の放送は緊張を強いられるもの。が、そこはさすがのプロ集団、台本通り番組はスムーズに進行する。テレビはラジオと違い大所帯なので、カメラマンやVTR担当者、それに出演者も多く、この『ワン・ツー・オー・オー』は中継車も出動させているので、総勢三〇人近くの者たちが、番組に携わっているのである。

この九〇分間の番組の目玉は、視聴者に行動を起こさせハプニングがどう展開するのかにかかっている「スタコラ・クイズ」である。

番組も佳境に入った一二時四五分頃、スタジオの山越アナウンサーが呼びかける。

「さあ第一回の『スタコラ・クイズ』、問題は所太郎さんから出題されます。中継車の太郎ちゃーん！」

「はいはーい！　所太郎です。私はいま長野市の〇〇団地の広場にいます。広場の周りには四階建てのアパートが幾棟もあります。このアパートの住人でこの番組をご覧の皆さ〜ん！　耳をかっぽじって、よ〜く聞いてください。私がある条件を出しますので、その条件に合うものを持参して、この広場までスタコラ、スタコラと走ってきてください。それも、次に流すおよそ三分間の曲がかっている間にこちらに到着しなければ失格です。上位三人には、この表彰台に立っていただき、それぞれ素敵な記念品を、三分以内に来た方には参加賞を差し上げます。

それでは条件です。食欲の秋ですねー。皆さんがいま、食卓で食べているものの中でご自分が作ったもの、たとえば漬物、煮もの、カレーなど、ご自分で手を加えたものならなんでもＯＫです。皿でもタッパーでも構いません、こちらまで持って来てくださーい！　それでは『スタコラ・クイズ』スタート！」

所君自身が作曲した、「スタコラ、スタコラ」という女声のコーラスが入ったテンポのいい曲が流れる。カメラは団地のフルショットをとらえている。もう一台は所君のフルショット。所君とスタジオの山越アナウンサーは、秋の食卓にどんな食べ物があるかなど会話を交わしている。

ディレクター席の後方に陣取っているお偉方から心配の声が出た。

「こんなクイズやって大丈夫かね。一人も来なかったら、どうするんだい」

「誰も来なかったら、この番組が見られていないことを証明しているようなものになってしまうね」

会話が聞こえる。だから迷惑なのだ。こういうマイナスイメージを与えるような言動は百害あって一利なし、スタッフのやる気をそぐのである。心の中で叫んでいた。

——うるせー！ 生放送中なんだ。言うなら番組が終わってからにしろ！

が、自信があった。山越アナウンサーは『それいけ!!ドドド』や『ＳＢＣ歌謡ベストテン』で人気があったし、所君も『ヤマハ・ハンドメイド・コンサート』でよく知られた存在になっていたからである。

「あっ、山越さん、見えました見えました！ あちらの建物の入り口から走ってきます。大きなお皿に食べ物が載ってます。そして、その手前からは、どんぶりを抱えて走ってきますよー。こちらですよー、こちらですよー！ 足元に気をつけて走ってくださーい!!」

来るわ、来るわ、一分ほど経過したところで次々と走ってくる主婦たちの姿をカメラがとらえる。コミカルな音楽をバックに走る姿は実にユーモラスである。心の中で快哉を叫んだ。

——やったー！ 狙い通りだ。

かくして視聴者に具体的な行動を促すクイズは成功したのである。集まってくれた主婦の皆さんと太郎ちゃんとの秋の味覚談議がまた見もの。味見をしながらの太郎ちゃんの絶妙なインタビューに会場は大いに盛り上がったのはもちろんである。

このコーナーは毎回大好評で、県内あちこちに中継車を走らせ、様々な条件のクイズを出題したが外れたことは一回たりともなかった。

前代未聞の番組バンドを結成

このテレビ番組でも、これまでになかったことをやってやろうと常に考えていた。そのひとつが、ワン・ツー・オー・オー・バンドなる、スタッフだけで編成したバンドでテレビ出演したことだ。

太郎ちゃんはフォークバンド、ザ・リガニーズでギターとヴォーカルを担当していて『海は恋してる』でレコードデビューしたことはすでに記した。俺も大学時代以来、信越放送に入社してからもドラムを叩き、演奏活動を続けていた。

ある時、スタッフルームでおもしろい企画はないものかと雑談していた時のことである。

「俺も太郎ちゃんも楽器演奏ができるんで、このスタッフのメンバーで楽器できる者がもう二、三人いればバンドを組めると思うんだ。スタッフバンドでテレビ出演すれば話題になると思うよ」

すると山越アナウンサーが乗ってきた。

「武田さん、実は僕サックスが吹けるんですよ。サックス買って家で練習してるんです。易しい曲ならなんとかこなせると思いますよ」

聞けば山越アナウンサー、立派なサックスを持っているという。それも競馬で儲かった金で買ったものだとか。休日は東京の競馬場にしばしば行っており、それが二十数万円も当たったので欲しかったサックスを手に入れたのだと、得意満面の表情で話してくれた。

実は山越アナウンサー、この競馬が災いして、蟻《あり》地獄に落ちる蟻のごとく、人生の地獄に転落してゆくことになるのだが、この時は本人も俺もまさかそんな不幸が待っていようとは思いもよらなかった。優れた才能を持ちながら自滅してゆく人間の姿、それももっとも期待し、もっとも信頼し、全力で取り組んだ番組の最高の相棒だっただけに、残念極まりない末路であった。

さらに山越アナウンサーは言う。

「太郎ちゃんに編曲してもらって、易しい譜面を書いてもらえば、スタッフの中にもピアノを習った人もいると思うし、なんとかバンドできるんじゃないですか」

「なるほど。メロディー楽器がギターにサックス、これがしっかりしていればリズムは俺が支えるので、ほかのスタッフはカスタネットやタンバリンで参加すればなんとかなるな」

すると池田知可子アナウンサーが口をはさんだ。

「私、ピアノをやったことがあるので、易しい譜面ならなんとか弾けると思います。おもしろそうですね。それにサブディレクターの竹内さんはトロンボーンをやってるので、彼にも加わってもらいましょうよ」

こうしてワン・ツー・オー・オー・バンドが結成されたのである。

おもしろく、ユニークな企画は雑談の中でこそ生まれるものだ。だから番組の企画会議は、コーヒーなど飲みながら楽しくワイワイとやるのが常だった。こんな会議の様子を見て、ある時上司に呼びつけられ言われたことがあった。

「武田君！　仕事というものはもっと真面目にやるものだよ。遊びじゃないんだから。君たちの企画会議のあの様子はなんだね」

その場で反論してやった。

「お言葉ですが、俺たちは番組をどうしたら楽しく愉快に見てもらうか、知恵を絞ってるんです。番組を作る側が、苦虫を噛みしめたような雰囲気の中で、いいアイデアなど出るわけがありません。作る側が楽しみながら番組作りに励まないで、どうしておもしろい番組ができますか」

人間の脳は、リラックスしている時にこそ、いいアイデア、いい発想がわき出してくることに、この上司は気づいていないのだ。仕事は楽しくやってこそ、仕事が好きになり前向きになれるのである。クソ真面目な形式ばった会議がいかに多いことか。気軽に思いついたことをポンポン遠慮なく言える会議、年齢やキャリアを越えて、本音で語り合える会議でないと〝会議は踊る状態〟には決してならないのである。その踊る会議の場で作り出されたいくつかのアイデアを具現化するのがディレクターの仕事なのだ。

担当する番組は常にこのことを心がけて企画会議をしている。

さて、ワン・ツー・オー・オー・バンドは、太郎ちゃんの譜面ができあがると早速メンバーに配り、個人練習をするようにした。裏方のスタッフもテレビ画面に映るとあって、一生懸命に練習してくれた。

放送局で番組作りに携わっている社員といえども、名前や姿が表に出ると出ないとではその真剣さが、月とスッポンぐらい違うのである。だから、自分が担当する番組では、ラジオでもテレビでもかかわりのあるスタッフの名前は全員、必ず表示することにしている。表に出ると言えば、『それいけ!!ドドド』では、年末の一年最後の放送に、SBCラジオを代表してリスナーに向けたお礼の挨拶をお偉方にしてもらったらおもしろいと考えた。当たって砕けろ、この精神で専務に願い出たら快く引き受けてくれた。ダンディーで粋な専務であった。小日方専務、ありがとうございました。天国でもダンディーでいてくださーい！

さてワン・ツー・オー・オー・バンドである。放送は土曜日の正午からの生放送なので、裏方スタッフが生放送中に出演するわけにはいかない。そこで当日の午前、スタジオでリハーサルをしてからビデオに収録した。限られた時間ではあったが、個人個人の事前練習が功を奏し演奏はバッチリであった。番組スタッフがバンドを組んで、テレビ出演するなどSBCテレビでは前代未聞の珍事である。いや、事件と言ってもいいかもしれない。

果たして放送後の反響は、予想通りであった。多くの視聴者から肯定的な便りが多く寄せられたのである。

「山越アナウンサーがサックスを吹くとは知りませんでした。とてもかっこ良かったです」

「池田知可子さん、遠慮がちにピアノを弾いている姿、とても可憐《かれん》でしたよ。アナウンサーの方はみんな楽器ができるんですか」

「所さんのヴォーカルも聞きたいです。私はザ・リガニーズのファンだったんです」

「時々テレビでバンド演奏をやってください。スタッフの皆さんの心がひとつになっているようで、こちらも気持ち良くなります」

次々に寄せられる好意的な便りに、スタッフ全員がいい気分にひたっていた。

ところが、である。これがまたまた物議をかもしたのである。頭の隅っこに、ひょっとして文句を言われるかもという懸念がなかったわけではない。その懸念が現実のものとなったのである。

次の週になって間もなくのことであった。上司からスタッフルームに電話があり、話があるというので別室へ向かった。その上司の話し方のトーンで察しがついていた。

「武田君、前回の放送だが、スタッフがテレビに顔を出すというのは、どうなんだろうかね」

案の定、番組へのクレームである。

「どうなんだろうかねって、どういう意味なんですか？ あのバンドで出演するのは止めろということですか」

「いや、止めろというわけじゃないんだが、スタッフが出演するなどということは、これまでになかったことだし、無理にバンド出演しなくてもいいんじゃないかという意見が、他部署でも出ているんだよ」

遠回しながらのもの言いだが、要は「止めろ！」ということである。スタッフ全員が番組をより良くしようと、自宅で楽器練習してまで努力しているのだから、褒められこそすれ非難される筋合いなどまったくない。しかも視聴者からも喜ばれているのである。前例がない、というのがその理由らしい。「前例のないようなテレビワイド番組を作ってくれと言ったのはどこの誰か」と口まで出かかったが止めた。議論が平行線をたどるばかりで、無駄であると悟ったからである。「そういうご意見が上層部にあるのならば、再考してみます」とだけ答えておいた。こういう会社の空気の中でバンド出演をしても、ほかのスタッフもノリノリで演奏できないとも思えたからである。

番組作りはどんな苦労をしても、それがより良い番組になるという確信があれば楽しいものなのだ。しかし、わけのわからないクレームや前例主義を持ち出して、番組に文句を言われることほど腹の立つことはない。ストレスが溜まるのである。クレームや苦情は常にディレクターを目がけてやってくる。しかし、ディレクターは平気の平左といった顔つきでスタッフにあたらなければ、特に娯楽番組は成り立たない。

番組打ち切りで独立を決意

このバンド事件の以前から、疲労がすっきりと抜けず、週に二、三回は時間を見つけては放送局近くにある病院へ行って、点滴を受けながら仕事を続けていた。

医者からは肝臓が弱っているので注意しろと言われていた。

そんな中、『ワン・ツー・オー・オー』の放送が一年経過した昭和五六年（一九八一）秋、信越放送が総力を結集したイベントのテレビ番組責任者、つまりメインディレクターに指名された。

信越放送三〇周年記念特番である。長野市民会館でおこなわれた八時間にもわたるイベント、テレビ生中継のディレクターを仰せつかったのだ。県内各地にある伝統芸能を一堂に集め、パフォーマンスを披露してもらったり、様々な合唱団に歌を歌ってもらったりしたほか、各地の特産品や伝統工芸なども紹介、信州の文化すべてを生中継でお見せしよう、という企画を立てた。ゲストに声楽家の立川澄人、男性ヴォーカルグループのボニー・ジャックス、フォークソングの海援隊など、出演者総勢で一五〇人にも及ぶ大イベントであった。

テレビ放送は舞台進行のすべてを、どのカメラでどう撮るかを事前に決め、台本に書き込まねばならない。いわゆる〝カメラ割り〟だ。むろん、アドリブでカメラ指示をする場面もあるが、歌などは歌詞の一行一行、時にはワンフレーズまでもカメラ割りをし、台本を作るのである。八時間のイベントのカメラ割りがいかに大変な作業であるのか、おわかりいただけるであろう。

この大イベントを通常の番組『ワン・ツー・オー・オー』をこなしながら、事前に準備しなければならないのだ。このほかにも、自分でしゃべってディレクターも兼任するラジオのジャズ番組も週一本担当していて、その多忙さといったらなかった。

この三〇周年記念特番が無事終了した翌朝、身体がとうとう悲鳴を上げた。起きるのがやっとの状態で、三六歳の誕生日を目前にこれまで経験したことのない事態に直面したのであった。

そんな姿に驚いたのか、家内が言った。

「顔色が尋常ではないわよ。病院で診てもらった方がいいんじゃない。運転も危ないのでタクシーを呼ぶから」

いつも点滴を受けている病院ではなく、別の病院の方がいいのではないかと本能的に思い、長野中央病院へタクシーを走らせた。

受付をすまして待つこと一時間、診察を終えると医者が言った。

「このままの状態でよく仕事を続けていましたね。もし死ぬのが嫌でしたら、いまから入院した方がいいですよ」

――おい、おい、ちょっと待ってくれよ、まだ三〇代後半になるところだよ。家内と五歳になった子どもがいるんだ。ここで死ぬわけにはいかないんだ。

そう思いながら言った。

「驚かさないでくださいよ。そんなに悪い状態なんですか」

「武田さん、肝臓を甘く見てはいけませんよ。肝臓は沈黙の臓器と言われ、ギリギリのところまでがんばるんです。症状が出た時は、かなり悪化している証拠なんです」

俺も仕事をがんばってやったけど、肝臓はそれ以上にがんばっていたのであった。病院を変えたのは正解だった。以前の病院でそんなことを言われたことはまったくなかった。

かくして生まれて初めての入院、それも二か月間もの入院となったのである。

生まれてから、ただ終日ベッドに横たわるだけでなすことのない時間を過ごすことは初めてであった。最初の一週間は、眠りに眠った。よくもまあと自分であきれるほどよく眠った。三六年間に蓄積した疲れの塊が、日々溶解してゆくような気持ちの良い眠りであった。

その後は、じっくりと越し方を振り返った。その中でもっとも鮮明に浮かび上がってきたことは、少年時代に抱いていた夢、野生動物の宝庫アフリカ旅行への憧れであった。

山川惣治原作の『少年ケニヤ』を読んで、アフリカの大地サバンナに行き、ライオンやゾウ、シマウマを自分の目で見たいと強く思った自分自身をなつかしんだ。五年後、この夢を実現すべく小学生の息子とアフリカのサバンナの旅を実行したのだが、それは後のこと。

そして、社会人になったいまの自分を思ったりもした。様々な番組を作り、それなりの充実感はあったが、勉強らしい勉強をほとんどしていない事実に気がついたのである。これからは好きな歴史の本を読み、歴史旅をしてみたい。それがまた番組作りに生かされるに違いないと思案を巡らせていた。

ところがこの病欠の間、放送局では重大な決定がなされていたのである。『ワン・ツー・オー・オー』が五か月後の翌年三月で終了することになってしまったのだ。

メインディレクターである俺の病欠で、番組作りに大きな迷惑をかけてしまい、誠に申し訳ないことではある。しかし、スタッフ一同の努力で新境地を開拓し、人気上昇中の番組なのである。まだまだ伸びる番組なのだ。これまで全エネルギーと情熱をかけて番組作りに取り組んできたのである。それなのに責任者の俺に一片の相談もなく中止を決定したことを人づてに聞かされた時のショックは非常に大きかった。腹の虫がおさまらない。肝臓病にもっとも良くないのはストレスであると医者は言うのだが…。

会社は冷たいということを身を持って体験したのはこの時であった。

自分がこの放送局を背負ってると勝手に思い込んで、遮二無二番組作りに励んできた自分自身が愚かに思えた。ドン・キホーテさながらの自分が哀れであった。しょせん、雇われの身なのである。すべての最終決定権は会社という組織にあるという、至極当たり前のことを、改めて教えられたのである。病床という誰にも邪魔されぬ環境で考えに考えた。

ならば今後どう生きるべきなのか。いまのまま会社で、上司とぶつかりながら番組作りを続けるのか、職場が変わる可能性もあるのだ。組織の一員で生きる限り、組織の決定には逆らえない。番組作りの現場を去らねばならぬこともありえるのである。考えに考えた結果自己決定権のある生き方をしたいならば、放送局という会社の組織から独立するしか道はない、との結論に達した。

独立して放送人として生き続けるには、番組を企画し作り上げるプロデューサーそしてディレクター能力、さらには表現者、つまりしゃべり手としての能力を兼ねそなえれば鬼に金棒、怖いものなしで可能性が大いに広がるのではないか。そのためには、退院して現場に復帰したならば、無理をせずに番組作りを続けながら、好きな本を読み、旅行をし、大学時代からのめり込んでいるジャズをもっともっと追求するなど、二足のわらじだけでなく、三足も四足ものわらじを履く生活をし、実力を蓄える必要がある。そして、しかるべき時が来たならば、決然と独立して自分が決めた道を歩もう。これが有り余る時間のある病床で考えたことである。

人間とは不思議なものだ。番組打ち切りの一報で意気消沈していた気分が、将来独立するという新しい目標ができると気分も一新、肝臓の病状を表わす数値が改善したわけでもないのに未来に光明が見え、この肝炎を乗り切る自信と未来への希望がわいてくるのであった。

病床の二か月は、来し方、行く末を考える実に有意義なものになった。

退院してからの生活は一変した。食事の後は横になって一時間は休めという医者の忠告に従って、それを会社でも実践した。仕事は無理をせずこなし、仲間と繰り出す飲食も控えた。たっぷりの時間は読書にあて、映画を見て、休みを取っては旅行に行った。

こうして迎えた五か月後の昭和五七年三月下旬が、テレビ番組『ワン・ツー・オー・オー』最後の放送となった。

ここでまたまた反骨精神が頭をもたげた。視聴者に大評判だったにもかかわらず、上司への忖度《そんたく》で遠慮していたワン・ツー・オー・オー・バンドの演奏を華々しくプレーして番組の有終の美を飾れ、そういうささやきが俺の耳に聞こえてきたのである。いつかは独立する決意をしていた俺は構わないが、ほかのスタッフに迷惑をかけてはいけない。そこで彼らに相談したところ賛成してくれたのであった。

「どうせ最後の放送なんだから、見ている人も、われわれスタッフも楽しめるバンド演奏で番組を締めましょう」

そう言ってくれたのである。一年半ではあったが、スタッフ間の団結力は盤石なものになっていたのである。

所太郎君は番組最終回のエンディングにふさわしい、粋な編曲に仕上げてくれた。

演奏曲目は沢田研二の「渚のラブレター」であった。が、まずは番組のテーマメロディーを軽快に演奏、続いて気持ち良く「渚のラブレター」を奏でて盛り上がったところで一転、別れを惜しむメロディー「螢の光」へと移行。それをバックに山越アナウンサーと池田アナウンサーが最終回であることを告げ、感謝の言葉を表わし、出演者とスタッフ全員が視聴者に向かって別れの気持ちを伝えながら番組終了となったのである。

放送終了後、社内外から番組終了を惜しむ声はあったものの、社内からはかつてのようなバンド出演へのクレームはまったく起こらなかった。

第4部
花も嵐も風雲編

ニューポート・ジャス・フェスティバルでジョン・ファディスと

1　全国放送のジャズフェスティバルに大抜擢

バンド演奏に雑誌寄稿もする不良社員

大学時代に情熱を傾け、レコードを聴き、演奏をし続けたジャズ。社会人になったとて止められるわけがない。「あなたは大学でなにを勉強したのですか」と問われ、自信を持って言えることはジャズ以外にはない。

信越放送の報道部に配属され、放送記者として仕事をしながらも、夜な夜なジャズ演奏をし、休日にはセッションを楽しむ軟派な記者であった。

幸い長野市権堂町には『ミュージシャン』なるジャズ喫茶があり、プレーヤーやジャズファンの溜まり場となっていた。地元のジャズ仲間と親しく交流を持つようになったありがたいスポットであった。

ここでは店主の兄で、キャバレーなどでギターを弾いていた中島もとつぐさんらとしばしばセッションをさせていただいた。この店で知り合ったベースの大村孝さんから声がかかり、ほかの店でジャズ演奏をさせてもらったこともあった。

そしてなによりお世話になったのはピアニストの唐沢淑郎さんである。唐沢さんは権堂町でもっともセレブな『クラブ・ニュー・権堂』のレギュラーバンド、唐沢淑郎とスウィング・ビーツのリーダーとして活躍していた。

唐沢さんは戦後間もない頃、千曲市から上京し、東京の米軍キャンプなどで腕を磨いて帰郷、長野のジャズ界の草分け的な存在であった。酒も飲まず誠実なジェントルマンで、俺のような学生あがりのプレーヤーにも温かく接してくださった。そんな唐沢さんに甘え、ナイトレストランで週一夜をメドに演奏させてもらったこともあった。まだまだ未熟なドラムプレーの上達に意欲を燃やしていたのである。

深夜までプレー、自宅に帰って寝て朝には出社して一日仕事をする、若いからこそできた生活であった。

記者生活は不規則であり、どんな事件、事故があるかわからない。従ってレギュラーバンドに加わることはできなかったのである。

カラオケが普及する前の権堂町は、ミュージシャン天国であった。キャバレーやクラブと呼ばれていたおしゃれな店々から、生バンドの音が街中にあふれ、街は活気に満ちていた。そんなミュージシャンと交流を続けている信越放送社員は俺一人であったが、好きなことは止められない。

夜な夜なジャズ演奏

そのおかげで、唐沢さんや大村さんらとは生涯にわたるジャズ仲間としてお付き合いいただき、六〇歳代になってからもトリオ・アンクルズなるジャズバンドで定期コンサートを開くことになるのである。

報道部から制作部へと職場が変わり、変則勤務から解放されることになった頃、うれしい動きがあった。長野市のアマチュアジャズ仲間でビッグバンドを作ろうということになったのである。ビッグバンドのドラマーの華やかさといったらない。多人数のアンサンブルをバックに思い切りドラムを叩くことができるのである。アメリカのビッグバンド、カウント・ベイシー・オーケストラが大好きだったので絶好のチャンスであり、一も二もなく立ち上げメンバーになった。バンド名はホット・ブリザード・ジャズ・オーケストラ。譜面台を皆で協力して作り、ユニホームは俺が東京のアメ横へ行って、サイケデリックな模様で彩られたムームー調のものを手に入れた。定期的に練習をし、長野市民会館などでコンサートもおこなった。

不思議なもので、ビッグバンド活動を始めたら、なんとカウント・ベイシー・オーケストラに在籍した名ドラマー、ジョー・ジョーンズの二枚組教則ドラムレコードの翻訳を依頼されたのである。ジョー・ジョーンズはオールド・ベイシーと呼ばれたバンド前期の名ドラマーである。ギターのフレディー・グリーン、ベースのエディー・ジョーンズとともに、オール・アメリカン・リズム・セクションの要として名声をほしいままにした伝説の名ドラマーで、俺もぞっこんの名手であった。

依頼者は大学で同じ釜の飯を食ったことのある伊藤八十八君。クラブの副部長だった。俺は、〝鬼の武田部長〟として部員に厳しく接し、彼は〝仏の伊藤副部長〟として俺に叱責されて意気消沈した下級生を励ます、優しくていい先輩を演じ分けていた間柄であった。レコード会社に就職していた彼の依頼を断るわけにはいかなかった。

レコード二枚にわたって、ジョー・ジョーンズが説明しながらドラムを演奏、様々な奏法を解説しているドラマー入門レコードなのである。彼の言葉が英語でビッシリと印刷されている解説文を、わかりやすく和訳して日本で販売したいということであった。

「武田君はジョー・ジョーンズ好きでよく彼のレコードを聴いてたよなあ。和訳はドラムをプレーした者じゃなきゃ、できないんだよ。ぜひ頼むよ」

「俺の和訳代は高いぞ。それでもいいんだな」

「このレコードが大衆受けすると思う？　ドラムの教則レコードだよ。そんなに売れるわけないでしょう。武田君のドラムの勉強にもなるんだから、お金が入るだけでもありがたいと思わなきゃ」

「わかった、わかった。やってみるよ。できあがった和訳に文句を言わないでくれよな」

こんな調子で引き受けたのだが、結構大変な作業だった。

伊藤君は、大学の同期でモダンジャズ研究会の司会をしていたタモリ君が芸能界デビューした後、彼のアルバム『ラジカル・ヒステリー・ツアー』という奇妙キテレツなアルバムを世に出した。俺も自分が担当していたジャズ番組で紹介し、タモリ君にインタビューしたのもこの頃であった。その後も伊藤君との付き合いは続き、人生の場面場面で重要な役割を果たしてくれることになるのである。

「ジャズ批評」というジャズ専門雑誌がある。本格的なジャズの批評本で、日本を代表する評論家やミュージシャンが寄稿していたジャズ通好みの本である。その創刊一〇周年記念号として『特集・私の好きな一枚のジャズレコード』の寄稿者の一人として選ばれ原稿を書いたことがあった。「やすらぎを与えてくれるジャズ」というテーマで、名ドラマーのジョー・ジョーンズも加わっているトロンボーン奏者のヴィック・ディッケンソンの傑作アルバム『ザ・ヴィック・ディッケンソン・ショウケース』を選んだ。

ちなみに寄稿者はいソノてルヲ、岩浪洋三、油井正一、悠雅彦らおなじみの評論家のほか、佐藤允彦、山下洋輔らミュージシャン、そして俺と同時代の早稲田大学のジャズ関係者では、タモリ君、一ノ関にあるジャズ喫茶ベイシーの菅原昭二さん、同じクラブの先輩でトランペッターの外山喜雄さんらが選ばれて寄稿している。

大学時代のジャズ仲間はほとんど東京にいて、ローカル局で働いていた俺は彼らをうらやましく思っていたので、これらの依頼は実にうれしかった。というのも在京キー局への就職がままならず、都落ちしたトラウマのような気持ちが残っていたからである。その心が東京にいる仲間には絶対に負けたくはない、というライバル心に火をつけ、番組作りにいっそう情熱を燃やすことになったとともに、ジャズを通しての東京とのつながりがうれしかったのである。模範社員とは対極の不良社員であった。

ホット・ブリザード・ジャズ・オーケストラのメンバーとして好きなジャズ演奏にも精を出していたが、止めざるを得なくなったのは、悪化し入院を余儀なくされた肝炎のせいでもあった。仕事やバンド活動を十分にこなせるまで回復するためには、無理をせず養生しなければならなかったからである。

ところが不思議や不思議、体力を使うドラム演奏の代わりに、ジャズの女神はとんでもない大イベントへと導いてくれたのだった。

なんとチーフディレクターに選ばれる

ジャズのドキュメンタリー映画『真夏の夜のジャズ』。大学時代、一生に一度でいいからこんな大規模な超一流プレーヤーが出演するコンサートを、自分の目と耳で体験したいものだと思っていた。この映画で描かれたニューポート・ジャズ・フェスティバルが地元である長野県飯山市の斑尾高原で開催されることが決まり、なんと全国放送テレビ番組のチーフディレクターに選ばれた。

そのニューポート・ジャズ・フェスティバル・イン・斑尾は、昭和五七年（一九八二）七月二七日から三一日までおこなわれた。病気入院からほぼ一年後の超ビッグイベントに深くかかわることになった。

昭和五〇年代後半、技術革新が叫ばれ、パソコンやオーディオなどの小型化が進み、軽くて、薄くて、短くて、小さいという意味の〝軽薄短小〟という言葉がもてはやされ、日本の生活や文化のあらゆる面に通じる語として流行した時代であった。日本は世界トップクラスの経済大国に上り詰めたのであった。

このような時代背景の中、斑尾高原もリゾート地として売り出され、次々とおしゃれなペンションが建てられた。夏休みともなれば大勢の人々が、こうしたリゾート地を訪れ楽しむ豊かな国になったのである。

このフェスティバルがアメリカのロードアイランド州ニューポートで始まったのは昭和二九年の

七月であった。映画『真夏の夜のジャズ』は五回目のコンサートの模様をフィルム撮影したもので、それから二四年後に同じ大規模なジャズフェスティバルが日本で開かれようとは、誰が予想できたであろうか。

ニューポートは、アメリカでも屈指の超セレブな大金持ちの住居が軒を連ね、別荘地としても知られる。一方、斑尾高原はと言えば、リゾート地として開発された地域である。スキー場開設一〇年を記念し、この地をさらに有名にしたいとの思いから、ペンションのオーナー一一人が中心となって発想したのが、このフェスティバルへとつながったという。

大胆不敵、いや大胆素敵な発想ではないか。日本中のジャズファンは大歓迎したに違いない。かく言う自分も当初は、にわかには信じがたかった。

イベント決定が明らかになり、信越放送がテレビ番組化し、ＴＢＳを通して全国放送をすることが決まったのは、イベント実施の半年ほど前のことだった。

信越放送の東京支社が窓口になり、ＴＢＳと全国放送についての折衝をしていた。全国放送ともなると、番組の質についても論議が交わされる。田舎の一ローカル局に世界的に有名なジャズフェスティバルの番組を制作できるような人材が果たしているのかどうか、議論されたに違いない。この時、折衝の矢面に立っていたのが、報道部時代の上司で、当時東京支社の営業部長だった小林慶隆さんであった。ヒゲ事件などで迷惑をおかけしたにもかかわらず、俺を強く推薦してくれたのであった。うれしかった。ジャズをやっていて良かったと改めて思った。

ある日、東京支社から電話がかかってきた。

「武田、聞いてるだろ、ニューポート・ジャズのことだよ。おめえ、やってくれるよな。うちの社にジャズの専門家がいるから大丈夫だってTBSに啖呵《たんか》を切っちまったんだ。それでも向こうは一人アドバイザーを派遣するって聞かないんだ。やりづらいだろうが、その件は承諾してくれよ」

小林先輩がそこまで言ってくれたのである。それならSBC魂を見せてやろうじゃねぇか、アドバイザーがいようといまいと俺は俺流を通してやると決意した。

小林先輩はズバズバとものを言う強面《こわもて》な武頼漢を装ってはいるが、根は優しい上司であった。この時も、わざわざ東京に呼んでくれ、そのアドバイザーとやらとの顔合わせの酒席まで計画してくれたのだった。

が、件《くだん》のアドバイザーは、ビートたけしの番組収録が多忙で時間がないとのことで、TBSのテレビ編成部長が代わりにやってきた。かのアドバイザーは、ジャズフェスティバルが始まるとテレビ番組の収録直前に物見遊山よろしくガールフレンドまで連れてきたが、ジャズはまったくの素人でなにひとつ参考になるアドバイスなどなかった。

イベントに先立ち、会場の下見をした。冬の斑尾へはスキーを楽しみにしばしば行っていた。そのどこに会場を設けるのかと疑問に思っていたがまったくの杞憂《きゆう》であった。スキーのゲレンデの底にあたるレストランに舞台を設けるのだという。すると、ゲレンデ全面が客席となり、屋外のジャズフェスティバルにはもってこいの立地条件になるのである。ゲレンデの客席からは三六〇度の大パノラマの景観を楽しめ、真夏の日差しを浴びても吹き抜ける涼風が心地いいに違いない。何千人という観客が訪れても収容可能な素晴らしい高原会場である。

テレビ中継車の配置やら、どこにカメラを何台据えるのかなどのチェックをした。正直この会場なら、映画『真夏の夜のジャズ』で見た会場よりも、はるかに良い環境だと思った。舞台で演奏するミュージシャンたちの目線からは、客席のスロープから続く斑尾山頂の雄姿、真夏の澄みきった青空も望むことができる。これほど贅沢《ぜいたく》な野外ステージはないのではないかと誇らしく思うほどの景観である。

通常の音楽番組だと、カメラ割りという厄介な事前仕事があるのだが、ジャズはアドリブがつきものなので、どういう曲の展開になるかはその時にならないとわからない。そこがジャズの大変なところでもあり、おもしろいところでもあるのだ。ロケーションがしっかり準備されれば、後は本番を待つだけである。

ところが思わぬ難題、ハプニングが自分の身を襲ってきたのである。

本番一〇日ほど前の七月中旬の休日のことであった。寝起きがすっきりしない。どことなく身体がだるく、食欲もない。時折、吐き気がする。なにをする気もなくなり、一日中ゴロゴロ横になっていた。肝炎の時とは異質のつらさであった。

翌日になっても体調は改善されない。そこで家の近くにある病院へ行って診察してもらった。

「これは虫垂炎ですね。早急に手術をした方がいいです」

ガーン！ 頭が真っ白になった。ジャズの大イベントまで一〇日を切っている。

「で、手術をして退院できるには何日かかるんですか」

「まあ、一週間ほど入院した方がいいでしょうな。退院してからも大事をとって、二、三日は様子を見てから仕事に復帰した方が身体にとってはいいですね」

そんな悠長なことはできないのである。

事情を話し、なんとか手術を避ける方法はないものかと尋ねた。

「短期間ならば、薬で散らす方法もありますが、それとていつ身体の具合が悪くなるかわかりませんよ」

大いに弱った。が、ことは急を要する。ひどく具合が悪かったが、とにかく出社して上司と相談することにした。上司も自分の一存だけでは決められないと言う。

「番組が全国放送なので、東京支社とも相談するので、一時間ほどソファで横になって待っていてくれ」

この一時間の長かったこと。国際的に有名なジャズフェスティバルなのだ。ジャズの世界に身を置いた者としては、千載一遇のチャンスである。どんな無理をしてでも、番組ディレクターをやりたかった。

果たして結論はいかに。

「東京支社や重役とも話したが、ともかく君にやってもらうしか方法がないとの結論に達した。薬でもたせても、イベント収録時にいつ急変するとも限らない。そうなったら、それこそお手上げだ。早急に手術をするに越したことはないと決まった。ご苦労だが、いますぐに病院で手術をしてほしい」

イベントにかかわれると知ってホッとした。重役も加わった会議で、社員の手術を決めたのは前代未聞だと上司は笑って言った。

「一週間で退院できるよう、武田君も努力するんだぞ」

「わかりました。この足で病院へ行って、盲腸を切ってもらい、早く治るよう努力します」

とは言ったものの、努力して早期退院が可能だとは思わなかった。

しかし、一週間とわずかの日数がある。たとえ傷口が痛かろうがこのチャンスを逃すわけにはいかない。そのまま病院へ直行、身を任せたのであった。

麻酔薬を投与されたが頭脳はしっかりしていて、天井の鏡で手術の様子を観察できるのには驚いた。メスを当てる近辺のムダ毛はすべてそり落とされるのであった。

——おい、おい、ちょっと待ってくれ、そこの毛までそり落とすのかよ。

心で叫んだが、女性看護師は平気の平左でカミソリを動かす手を止めない。

結局あの部分もスッポンポンにされ、小学生時代に先祖帰りした様子には閉口させられた。

手術は順調で、切除された盲腸を見せられた。

人類の進化の過程で不必要になったのかどうかは知らないが、タイミングの悪い時に発症した盲腸であった。

手術後の経過も順調で、これといった努力もしないまま一週間ほどで退院できた。が、咳をしたり、笑ったりすると傷口に痛みを感じた。傷口が化膿《かのう》しないよう、ガーゼを当てたまま斑尾高原に向かったのである。

番組の収録は、まずコマーシャル撮影を斑尾高原のペンション街でおこなった。

大手自動車会社が番組提供をしてくれたのだが、東京営業のK君とO君が番組の流れを損なわないよう、おしゃれなペンション街の道路に車を走らせることになった。

「せっかくの国際的なジャズイベントなんだから、突然異質なコマーシャルで番組を中断させるようなものでなく、スマートなコマーシャルの方がスポンサーにとってもいいと思いクライアントを説得したんで、武田さんうまく撮ってくださいよ」

彼ら二人もより良い番組作りのため、知恵を絞ってくれた。

小林営業部長をはじめ、東京支社のＫ君もＯ君も、信越放送の実力を全国に知らしめる絶好の機会とばかりに、営業面でも大いに協力してくれてうれしかった。カメラ担当の技術部員らも通常番組では見られないような気合の入れ方で制作にあたってくれた。

前年、信越放送は創立三〇周年を迎え、この国際的なイベントは新たな歴史を刻むには最適な企画であった。信越放送が「坂の上の雲」を目指しつつ、社員一同が一丸となって燃えるには、このジャズフェスティバルは格好の契機になったのである。

ちなみに東京営業の三人はその後それぞれ信越放送の専務、社長、そしてＦＭぜんこうじの社長へと就任した。三人の情熱にあふれ一丸となった若き日の姿が忘れられない。

オープニング撮影で観客怒号のハプニング

昭和五七年（一九八二）七月二七日から七月三一日までニューポート・ジャズ・フェスティバル・イン・斑尾が開催された。

涼しい斑尾高原の夏を熱く沸かしてくれたミュージシャンは、ジャズ界最強のメンバー、マッコイ・タイナー（ピアノ）、フレディー・ハバード（トランペット）、ロン・カーター（ベース）、トニー・ウィリアムス（ドラムス）で編成されたザ・グレート・カルテット。映画『真夏の夜のジャズ』にも登場したジェリー・マリガン（バリトン・サックス）によるジェリー・マリガン＆ヒズ・オーケストラ。伝説のバードことチャーリー・パーカー（サックス）とともにモダンジャズ界を牽引してきたジャズ界の巨人、ディジー・ガレスピー（トランペット）が率いるディジー・ガレスピー・カルテット。三大ジャズ・ヴォーカリストの一人、カーメン・マクレエ＆トリオ。当時流行してきたフュージョンの人気グループであるスパイロ・ジャイラ、日本からは佐藤允彦（ピアノ）、日野元彦（ドラマー）、井野信義（ベース）の佐藤允彦トリオ、そしてネイティブ・サンら超豪華メンバーである。

ジャズ番組の収録は、もっとも観客の動員が見込める三〇日の土曜日と翌三一日の日曜日におこなわれた。

ステージはスキーシーズンにレストランとして使用される建物の南側に設けられている。観客はゆるやかなスロープの草原で、シートを敷いたり、芝生に横になったり、自前の小さな椅子を用意したり、思い思いのスタイルでジャズを楽しむことができる。ジャズピクニックである。草原の客席から望むステージの上部には、背後に広がる濃い緑の山腹をバックに、白く彩られた巨大な正三角形の突出した屋根状の看板が設置され、イベントのスポンサーであるバドワイザーの横文字があざやかに見える。

カメラはステージ最前列に三台用意された。下手から一カメ、中央を二カメ、そして上手に三カメがあり、収録時にはこの呼称で呼ばれる。ステージ上で自由に動き回れるハンディーカメラは四カメ、そしてステージの全景をとらえる、観客席のど真ん中には五カメが設置されている。

さらに番組のオープニングとエンディングに使用する超ロングショットのためにチャーターしたヘリコプターに一台、合わせて六台のカメラを用意し万全の体制を整えた。

これらのカメラがとらえたすべての映像は、ステージが設けられたレストランの横に駐車している中継車内のモニターテレビに映し出されている。ディレクターである俺は、その中継車のモニターテレビ前に陣取り、各カメラマンとインカムと呼ばれる通話装置を通じて会話ができるようになっている。横にはテクニカルディレクターと呼ばれる技術の総責任者がいる。どのカメラの映像を選択するかのスイッチを押すのでスイッチャーとも呼ばれ、彼もすべてのカメラマンと通話が可能である。そのほか、各カメラの映像を調整するビデオエンジニア、さらに収録のためのビデオテープレコーダー専門の技術者も中継車内で待機している。

幸い、収録一日目は快晴に恵まれた。番組最初のステージを飾るのは、迫力あふれるジェリー・マリガン&ヒズ・オーケストラでいこうと初めから決めていた。

それも単に客席から舞台の演奏者をフルショットでとらえてスタートするのではなく、山国信州の大自然の緑あふれる高原に、大観衆が集まってビッグイベントが開催されているという象徴的な映像にしたいと考えた。

ここで威力を発揮したのが、ヘリコプターからの撮影であった。いまならば、ドローンで容易に撮影可能だが、当時はドローンのドの字もなかった時代である。

映画『サウンド・オブ・ミュージック』のオープニングのイメージである。雄大なアルプスの山々を上空からとらえながら移動すると、山裾に広がる草原を一人の女性が走る姿が見える。カメラが近づくとジュリー・アンドリュースがスキップしながら歌っているのがわかる。このシーンにヒントを得たのである。

上空から眺める緑一色の信州の山々。起伏に富んだ山裾を移動する遠方に大観衆が集まったスロープが小さく見える。近づくに従い、舞台で演奏するフルバンドのミュージシャンの姿も見える。同時にヘリコプターの爆音に混じり、豪快な演奏音が次第に大きくなる。緑一色の野外のステージで、ジャズのコンサートが開かれていることが明瞭となった映像と音声をバックに『ニューポート・ジャズ・フェスティバル・イン斑尾』のタイトルが現われ、映像は地上カメラに切り替わり、ステージ上のミュージシャンが画面いっぱいに写し出され、白熱の演奏へと続く。

事実、頭でイメージした通りのオープニング映像となったのであった。が、現場は大変な騒ぎになっていたのである。

ジェリー・マリガンのバンドが演奏する直前、会場アナウンスで一曲目はテレビ番組撮影のため、ヘリコプターが会場上空を旋回するので了承してほしいと告げていた。

バンドの演奏が始まった。すると観客席のはるか後方の上空からヘリコプターの爆音が聞こえてくる。たちまちその爆音が大きくなり、ヘリコプターは観客席の上空に達した。観客からは思わず大拍手が起こった。観客もこの世紀の大イベントの番組化を喜んで、歓迎の拍手をしてくれたのである。中継車内でその模様をテレビモニターで見ていた俺の耳に、ヘリコプターのカメラマンから興奮した声が飛び込んできた。

「いい絵が撮れたと思いますが、念のためもう一度チャレンジさせてください。もっと臨場感あふれる映像にしたいのでお願いします！」

「わかった。一曲目の演奏はまだ四、五分は続くから、その間は大丈夫。撮影できる時間だ。自分で納得する映像をものにしてくれ」

俺はインカムで返事をした。より良い作品にしたいというヘリコプターのカメラマンの意欲は実にありがたい。彼も真剣なのだ。

ヘリコプターは撮影を終え、上空を去ったと観客は思ったのであろう。ビッグバンドの演奏にノリノリになった会場。ところが再び爆音が響き、上空にホバリングするヘリコプター。怒った観客数人が中継車目がけて走ってくるではないか。会場のカメラマンが叫ぶ声がインカムに入ってくる。

「何人もの観客がそっちに向かって走り始めたので要注意だぞ！」

その直後である。「ドン！ドン！ドン！」と中継車の側面を激しく叩く音が車内に響き渡った。

「武田君、どうする。このままだとまずいぞ！」

中継車を運転する社員が悲鳴に近い声を上げる。

「運転席の窓を開けて、すぐにヘリを退去させるので席に戻るように言ってください」

俺は答える。応対しようと社員が運転席横の窓を開けると爆音とともに怒声が聞こえる。

「演奏がよく聞こえないじゃねえか！早くヘリコプターをどかせろ！」

「なにやってんだ！俺たちは金を払って聞きに来てるんだ！ヘリをなんとかしろ！」

興奮した観客をなんとかなだめる社員をよそに俺はヘリコプターのカメラマンにインカムで告げた。

「気に入った映像が撮れるまで何回もチャレンジしろ。一曲目が終わるまでにはまだ二、三分はあるから大丈夫だ。抗議の客はこちらでなんとかするから心配ない」

目いっぱい撮影して、一曲目の演奏が終わるとともに、ヘリコプターは現場を去った。中継車のドアを叩き抗議に来た観客も二曲目が始まる前には席に戻って事なきを得たのであった。

碧空、濃霧、大雨の中でビッグスターの大競演

ジャズ演奏の醍醐味はアドリブである。それを何台ものカメラで撮影するこちらの制作側もアドリブ感覚でないと映像化できない。歌詞のある歌ものは、歌詞を中心にカメラ割りと呼ばれる台本に沿って収録がおこなわれる。ディレクターもカメラマンも予定調和的な安心感のもと、より良い映像美を求めながら一本の作品に仕上げるのである。が、ジャズ演奏の収録には台本がない。曲目でさえ、なにを演奏するかわからない。一日のステージが終了した後、発表されるのだ。曲が始まってもどのプレーヤーがどういう順序で、どのくらいソロをとるかはまったく不明なのである。すべてがぶっつけ本番なのだ。ディレクターである俺にとって、五人のカメラマンによって写し出されるモニター映像だけが目であり、送り込まれてくる音声だけが耳なのである。

ザ・グレート・カルテットの収録はとびきり刺激的だった。なにしろ四人それぞれが、自前のバンドを持つほどの実力者、巨人なのだ。マッコイ・タイナー（ピアノ）、フレディー・ハバード（トランペット）、ロン・カーター（ベース）、そしてトニー・ウィリアムス（ドラムス）。全員がリーダーと言ってもいいほどのメンバーだが、メロディーを吹くトランペットのフレディーがバンドを仕切る感じで演奏が始まった。曲目もわからない。

「ステージ全体が見える五カメからいくよ。テーマメロディーの八小節が終わったら、二カメでトランペッターのフルショットをもらうよ」

頭の中で小節数を数えながら各カメラに指示を出す。通常カルテットの演奏では、作曲されたメロディーをトランペッターが吹き、ピアノとベースはコード進行に基づき、リズムを刻みながら和音などでトランペットの音色に色づけをする。ドラマーは強力なリズムでバンド全体にドライブ感を与える。トランペットがテーマメロディーを吹き終わると、アドリブのソロが展開される。この時点で、この曲が何小節で成り立っているのか、その曲の構成がわかるのである。

トランペットのソロから、ピアノ、ベースへとソロが続き、最後はトランペットとドラム、ピアノとドラム、それぞれ何小節かのやりとりがあって、テーマメロディーに戻って曲が終了する。とはいえ、これは原則であって、ミュージシャンの興が乗れば、ソロが何コーラスにもわたって続くことになる。果たして最初の曲は何小節の曲なのか、頭で小節を数えながら、各カメラマンがゆとりを持って絵作りができるよう直前に絵柄を指示せねばならないのである

「この後、四小節で二カメのフルショットをもらうよ。四、三、二、はい二カメ、もらった」

俺の声で隣に座っているテクニカルディレクターは五カメの全景映像から二カメのフレディーのフルショットにスイッチを切りかえる。

「二カメさん、トランペッターのフルショットからゆっくりズームインして、顔のどアップまでいきましょう。はい、スタート。ゆっくりでいいです。そうそう、いい感じ。どアップになったら次はステージ上の四カメさん、下手からトランペッターの真横から狙ったウエストショットをもらう

ので準備して。フレディーの汗だく、よくわかるよ。どアップの絵いいねぇー。次は四カメいくよ、四、三、二、はい四カメ、もらった」

こんな調子で、五人のカメラマンが映し出す映像モニターを見ながら、一曲ずつ、曲調に合わせ合わせしながら指示を出し、それらの映像を紡いでゆくのである。まさにスリル満点、アドレナリンがドバーである。カメラマンはカメラマンで、最高の絵を撮ろうと苦心し、会場で思わず踊り出す観客がいると、それをとらえインカムで知らせてくれる。

「美人のお姉ちゃんが踊ってるよ。これインサートにどう?」

「あっ、いいね、いいね。この後もらうから、スラリと伸びた足元からパンアップして、ウエストサイズになったところでズームアウトしてフルフィギュアにしましょう。いくよ、四、三、二、はいもらった！　いい感じだ！」

思わず興奮して、でかい声を出すと、一週間ちょっと前に手術した盲腸の傷跡が痛かった。ガーゼをつけたままの仕事であった。

ワンステージで四～五曲の演奏をするミュージシャンはもちろんだが、それらを収録する方も緊張の連続である。どっぷり疲れる。放送番組は一時間、紹介できる曲数は限られている。出演グループも多い。これはと思われる映像がものにできたグループは、その段階で収録を止め、スタッフには休んでもらった。クオリティーの高い収録ができたら、余分になる映像、使う可能性のないものは一切撮らないというのが俺の番組作りのポリシーだ。そのかわり収録時にはスタッフ全員が生放送の感覚で最大限の緊張感でやってもらう、その方が絶対にいいものができるのだ。これはラジオ番組の録音でもまったく同じである。生放送と同じテンションで臨み、一発収録を常に心がけている。

この日の収録は、ヘリコプター騒動があったが無事に終わった。宿泊先は斑尾高原の竹内ペンションである。オーナーの竹内さんも、このフェスティバルの言い出しっぺ、企画者の一人である。信越放送スタッフの総勢二〇人ほどが泊まるので竹内ペンションも大変である。竹内夫妻と子どもさんら総出で夕飯、朝食、昼弁当を作ってくれた。このフェスティバルは、昭和五七年（一九八二）から平成一五年（二〇〇三）まで一九回も続くことになるのだが、泊まりは常に竹内ペンションで、大変よくしていただいた。大感謝である。

フェスティバル最終日は日曜日とあって二〇〇〇人以上もの観客で大いに盛り上がった。午後になると高原特有の

ニューポート・ジャズフェスティバルのスタッフと

霧で会場全体が乳白色に包まれた。真っ昼間というのにステージにはライトが灯された。まるで高原全体にドライアイスが降り注いだような幻想的な中でのミュージシャンたちの演奏は、めったに撮ることのできない素晴らしい映像効果となった。

ディジー・ガレスピー・カルテットがステージに登場する頃は、もっとも濃い霧が立ち込めた。ガレスピーはジャズ界の超大物で、伝説のチャーリー・パーカーらとビ・バップと呼ばれる新しいジャズスタイルを開拓、モダンジャズ創造者の重要な一人である。彼がトランペットを吹き始めると、その顔面が一変し、両頰が風船玉のように膨らむ。トランペットも特注し、ホーン部分が四五度上を向いた彼独自のものを使用している。

濃霧の漂うステージにライトアップされたガレスピーが、速いテンポで演奏をスタートさせる。超高音が発せられたかと思うと、まるで大瀑布《ばくふ》から落下する鋭い一本の水流のように、低音域に向かって疾走するフレーズが実に心地いい。二カメが彼の顔のアップをとらえる。猛烈なスピードでトランペットのバブルを動かすガレスピーの指。どでかく膨れ上がった頰。四五度に突き上がったトランペットからは猛烈な速度で次々とアドリブが奏でられる。ライトアップされたディジー・ガレスピーは、まさにジャズ界の大魔人そのものである。

抜けるような高原の青い空の下での映像もいいが、濃霧の中でのジャズ演奏は、得がたいドラマチックな映像美を提供してくれたのであった。

ディジー・ガレスピー・カルテットの演奏が終わると、雨が降り出した。このフェスティバルのトリは、ザ・グレート・カルテットである。観客の動向が気になった。しかし、大雨の中、誰一人として帰る者はいなかった。芝生のない観客席は泥の田んぼのようにぬかるんでいた。が、全員が立ったまま、リズムに乗って手を叩き、足で泥水をはじいてこのフェスティバルに酔いしれていたのであった。このシーン、むろん映像でとらえた。いまでも脳裏に残っている感動的な情景である。

一〇周年記念の際のプログラムには、希代のプロデューサーでニューポート・ジャズ・フェスティバルの創設者のジョージ・ウェイン、ニューヨーク市長のデイヴィッド・ディンキンズ、長野県の吉村午良知事、雑誌「スイングジャーナル」の児山紀芳編集長ら錚々《そうそう》たるメンバーが寄稿する中で、俺にもなにか書いてくれないかと依頼された。そこで第一回の最終日のステージが思い出された。梅雨が明け切らぬ中、観客全員びしょ濡れで大声援を送り続けたザ・グレート・カルテット、その信じがたいステージと観客が一体となったあの様子をしたためたのであった。

番組は自分で言うのもなんだが、好評であった。ジャズ仲間からも称賛の声が寄せられ面目を保つことができた。

日野皓正がホスト役の第二回フェスティバル

翌昭和五八年（一九八三）の第二回のフェスティバルでも、テレビ番組のチーフディレクターを仰せつかった。キー局からのおせっかいなアドバイザー派遣の話はまったくなかった。

第一回と同じような番組作りでは能がない。そこで考えたのが、日本人ミュージシャンを番組のホスト役に起用して、来日ミュージシャンとのインタビューを演奏とともに紹介することであった。

ホスト役を誰にやってもらおうか。頭に浮かんだのはトランペッターの日野皓正であった。高校生の頃にドラマーに憧れ、白木秀雄クインテットのコンサートに行った時、鮮烈な印象をこれでもかと与えてくれた日野皓正。ジャズの洗礼を受けさせてくれた一人でもある。俺が大学生の頃、彼は初リーダーとなるアルバム『アローン・アローン&アローン』を世に出し、人気ナンバーワンのトランペッターとして大活躍していた。新宿にあるジャズ・ライブハウスのピットインで生演奏を聞いたのもこの頃である。その後、アメリカに一か月間滞在し本場のジャズマンとも交流、ドイツでおこなわれたベルリン・ジャズフェスティバルにも出演、国際的なジャズトランペッターとして知られるようになっていたのである。

ホスト役の日本人ミュージシャンとして、まさに日野皓正は最適であった。しかし問題は、彼がホスト役を引き受けてくれるか否かであった。またしてもここで、ジャズという糸でつながった人脈に救われることになるのであった。

早稲田大学のニューオルリンズ・ジャズ・クラブで同期だった〝仏の副部長〟こと伊藤八十八君である。レコード会社のディレクターだった彼の担当が、たまたま日野皓正だったのだ。彼は新譜のレコードのプロモートのため、しばしば来長し、俺がしゃべっていたジャズ番組にも出演してくれていたのである。そんな折、家に来て酒を酌み交わしつつジャズ談議に花を咲かせ、泊まっていくこともあった。早速、東京の彼に電話した。

「八っちゃん（彼のニックネーム）よう、斑尾高原でやってるニューポート・ジャズのことは知ってるよなあ」

「武田君、去年のイベントのテレビ番組を作ったんでしょう。今年の夏もやるんだってね。今年も番組を作るの？」

「よく聞いてくれた。もちろんだよ。でね、重要なお願いがあって電話したんだよ。八っちゃん、日野さんの担当ディレクターだよな。その日野さんに、番組のホスト役をお願いしたいんで、俺のことを紹介してほしいんだよ」

「お安い御用だよ。全国放送なんでしょう、日野さんも喜ぶと思うよ」

「それ聞いて安心したよ。プロデューサーのジョージ・ウェインやフレディー・ハバードとの対談をやってほしいんだ。日野さんの知名度も上がるから、日野さんにとっても絶対おいしい話だと思うよ」

「わかった。僕から話を通しておくよ。ＯＫが出たら、武田君から日野さんに詳しい内容を伝えて」

ツーと言えばカー、ジャズ仲間の話は早い。日野さんも快諾してくれた。

高校時代初めて目にしたハイカラでスタイリッシュな雲の上の存在であった、あの日野皓正さん。その日野さんと国際的なイベントで一緒に仕事ができる。なんと不思議で素晴らしい運命の巡り合わせなのか。ジャズという音楽にかかわって、本当に良かったと思った。

アメリカのミュージシャンたちは、テレビ出演に関し、かなり細かい点にまで注文をつけてくる。アメリカは多人種の国、そのために典型的な契約社会でもある。事前に話をつけておかねばことが進まない場合が多々あるのだ。ホスト役の日野さんの対談相手は、プロデューサーのジョージ・ウェイン、ザ・グレート・カルテットのトランペッター、フレディー・ハバード、そして当時人気抜群だったフュージョン・バンド、スタッフのリーダーでベーシストのゴードン・エドワーズを選んだ。

どこで何時から、どんな内容のインタビューをするのかという事前打ち合わせは、実質的にイベントプログラムや出演ミュージシャンを仕切っていたジョン・フィリップス（ジョージ・ウェイン・プロダクションのスタッフ）と話し合って決めた。ジョンは前回に引き続き今回もイベント開催前に何度か斑尾を訪ねており、すっかり顔見知りになっていた。ジョンは厄介なことは言わずに、こちらの要望を快く引き受けてくれ、インタビュー相手にもこちらの趣旨を丁寧に伝えてくれていた。

ジョンのおかげで、ミュージシャンらのインタビューもスムーズにおこなわれた。日野さんのホストぶりも見事であった。日野さんはこの年、自己のグループでステージに立ち、迫力満点の演奏も披露してくれた。

番組放送後に信じられないことが起こった。アメリカの三大ネットワークのひとつ、ＡＢＣテレビから放送をしたいのでビデオテープを貸してほしいとの依頼があったのだ。今回の技術担当は同期の小林貞夫君だった。俺たちの作品が全米で放送されるなんてと、彼も小躍りして喜んだ。さらに翌年、なんとジャズの本場アメリカツアーに俺が選ばれたのである。これもジャズの女神が導いてくれたおかげだと信じている。

この二回目のイベント開催頃から、斑尾高原は真夏のジャズの聖地としての知名度が一気に急上昇、十数年にわたって信州の夏の風物詩として定着していった。

三回目以降はラジオの生ライブ番組を担当した。児山紀芳、悠雅彦、中川耀ら著名なジャズ評論家をゲストに招き、斑尾高原の野外客席からホットなジャズ演奏を長野県内に送り届けたのである。

途中休止の年もあったが、この世紀のジャズイベントが最後となった平成一五年（二〇〇三）まで合わせて一九回、すべて現場でライブを楽しみ、放送できたことが、人生の貴重な宝となったことは言うまでもない。

そして、三回目が開催される直前には、すでに記したようにアメリカを訪れる幸運に恵まれ、ニューヨークでプロデューサーのジョージ・ウェイン・プロダクションの事務所を訪ねることになる、というおまけまでついたのであった。

2　肝炎で迎えた人生の一大転機

禁酒で生活激変し庭造りに着手

三六歳の時に肝炎で入院し、これまでの人生をじっくりと振り返ることができたこと。ところが退院したら、全情熱を傾けて番組作りにあたっていたテレビ番組『ワン・ツゥー・オー・オー』の終了が決められていたこと。俺の人生史におけるこれら二つの大事件が引き金になって会社を辞め自立しようと決意した。

自立するからにはできる限り広いジャンルに精通し、一人で何役もこなせる能力を身につけなければ放送業界では食っていけない。それには信越放送の番組作りをこなしながら、必要と思われる勉強もせねばならぬ。身体をいたわりながら、放送業界でのオールラウンドプレーヤーを目指す生活が始まったのである。

考えてみれば大学卒業後、勉強らしい勉強はほとんどしていなかった。もっとも、大学時代もジャズ漬けで、単位をとるだけの勉強しかしなかったのではあるが…。

生活は肝炎で一変した。

「アルコールはダメですよ、アルコールは。肝炎が完治するまで酒類は一切飲んではいけませんよ」

病人にとって医者の言葉は神の声にも似ている。

酒好きの俺にとって、禁酒はつらい決断ではあったがやむをえない。独立して自由闊達に好きなことをするには禁酒ごときでヘコタレるわけにはいかない。そこで酒が飲めない代わりに、ストレスを発散できるものはないだろうかと思案し、禁酒のつらさを克服する術を考えた。夜な夜な権堂町などで支払い続けていた酒代を、庭造りの資金にして、好みの庭園を造ろうと考えたのである。

庭に興味を持ったのは大学時代であった。二年生になって間もなく五月のゴールデンウィークの休日を利用し、京都の同志社大学に通っていた兄の下宿を訪れたのである。

その下宿は京都府左京区一乗寺下り松にあった。一乗寺下り松という地名に見覚えがあった。高校生の時に見た東映映画の宮本武蔵シリーズの第四作『一乗寺の決斗』がそれである。中村錦之助演じる武蔵が、吉岡清十郎一門七三人と対決し勝利したのが一乗寺下り松なのである。高倉健も出演しており、ニヒルな佐々木小次郎役がピッタリであった。内田吐夢監督で『巌流島の決斗』までの五作、すべて見たのはむろんのことである。

映画で描かれた一乗寺下り松は水田地帯が一面に広がっていた。武蔵がその畦道を縦横無尽に駆け回りながら、敵七三人を斬り倒すという壮絶なシーンを思い出しながら訪れた。ところが兄の下宿先は水田などまったくない閑静な住宅街の一角にある長屋だった。いくつもの部屋が、学生たちの下宿として使われていたのである。

しかし驚いたのは、その長屋の東隣一帯が美しい新緑に覆われていたのである。ほど良い手入れがなされたその一帯こそ、あの詩仙堂の庭園だったのである。

兄の下宿からほんの二、三分歩けば、別世界の庭園が広がっていたのだ。

静寂な中、みずみずしい緑を背景に、真紅のツツジがあざやかに咲いている。白砂が五月の陽を浴びて輝いている。時折、その静寂な空間を破るかのように響き渡るコーンという音。チロチロと竹筒に流れ込む清流の音。その水量が一定限度を超えると、その重力で下に傾き水を流し出す竹筒。その竹筒が跳ね上がるようにしてもとに戻る時、反対側の竹筒が下の石に当たりコーンと音がするのだ。

江戸時代の初期、石川丈山なる文人が隠棲した折、山荘とともに考案したのがこの添水《そうず》なのだとか。庭園のツツジと白砂は、青山と海をイメージして造られたものだという。

この庭にたたずむ瞬間から、これまで体験したことのない不思議な感覚にとらわれたのである。いつまでいても一向に飽きることがない。それどころか、毎日こんな空間で暮らすことができたらどんなに幸せだろうかと思ったのだ。

日本庭園の虜《とりこ》になった瞬間であった。この時以来、ずっと心の片隅に生き続けていた願望、それは心休まる自分の庭を持ちたい、ということであった。

病気になって、禁酒という二文字と庭園という二文字が重なったのである。

具体的な庭造りに着手した。基本設計は番組で知り合い、造園を手がけていた長田健さんにお願いした。そして暇を見つけては造園屋に行って、自分の庭のイメージにはまる木を一本、二本と植え続けた。赤い灯、青い灯が輝く権堂町で酒を飲む代わりに木を庭に植えたのである。

たとえば、一か月に一万円の飲み代があれば、そこそこの木を一本買える。一年で一二本、二年で二四本、三年で三六本、一〇年も経てば一二〇本にもなるのである。

塵《ちり》も積もれば山となるように、木も植えれば林となるのだ。しかも、すべての木は年々成長する。

このように金額も安い幼木を買っては植え続け、あれから四〇年近い歳月が流れた現在、思い出の詰まったすべての木々がその個性を存分に発揮して、それぞれ元気いっぱいに自己表現してくれている。詩仙堂の庭園と比べるべくもないが、自分で造った自分好みの庭である。春、夏、秋、冬、それぞれ趣のある表情を見せてくれ、野鳥たちをも招いてくれている愛すべき庭なのだ。

風情ある庭を見ながら、いまは少しだけ、ちょっぴりいい酒をたしなんでいる。いまとなれば禁酒に乾杯、庭造りに乾杯、そしてその原因になった病気入院にも乾杯である。

かくのごとく、人生には、「人間万事塞翁《さいおう》が馬」の故事のように「災い転じて福となす」ことがある。というより、災いが生じた時、その災いを福に変えるにはどうしたらいいのかを考えることが大切だと知った。ピンチはチャンスなのである。

「五時から男」を卒業し読書に旅行に英会話

肝炎という病気は贅沢《ぜいたく》な病で、医者からは質のいいものを食べ、食後は少なくとも一時間ほどは横になって休養しろと言われた。幸い、信越放送には泊まり勤務があり、寝室が用意されている。昼食後はその寝室のベッドで横になり、好きな歴史上の人物の小説を読みあさった。

戦国時代の英雄、織田信長、豊臣秀吉、徳川家康はむろん、伊達政宗、徳川家光など。特に江戸末期から昭和に至り、太平洋戦争までの近・現代史は熱心に読んだ。歴史を理解するには、その時代を生きた人物の小説を読むに限る。社会的背景などが作家の力量で生き生きと活写されていて、その時代の様相が映像として頭に叩き込まれるのである。

吉川英治の『新平家物語』『私本太平記』のほか、特に山岡荘八の『徳川家康』『小説 太平洋戦争』や司馬遼太郎の『竜馬がゆく』『坂の上の雲』『街道をゆく』などは刺激的であった。

本を読んでは、舞台となった場所へ行くことを心がけた。その場所に立ち、主人公やその時代に思いを馳せるのが快感となった。天下分け目の戦いがおこなわれた関ヶ原、京都に眠る坂本竜馬の墓、日露戦争の激戦地二〇三高地、先の大戦で日本軍が悲惨極まりない敗走に追い込まれたパプアニューギニアなどなど。見聞と知識を広めるために、休日に旅に出かける生活が続いた。

また、インタビュアーとしての資質を高めるために、カウンセリングの勉強もした。もともと心理学にも興味があったので、東京で開かれた講座などに何回も参加して、カウンセラー上級の資格も取得した。

肝炎という病は愉快なものではなかったが、自分を見つめ直し、これからの人生をどう生きるかをじっくりと考えさせてくれた。そして、これまでの生き方の大転換を決意させてくれたのであった。

いまにして思えば、肝炎という病になったことに感謝さえしている。あの入院以降、健康にも気をつけるようになった。まさに一病息災である。あの肝炎の四、五年後からはすっかり元気になった。それ以後、現在に至るまで薬をまったく必要としない生活を続けている。

人生では一見マイナスと思われる様々な事態に遭遇する。しかし、その負と思われる嫌なことにも、必ずプラスの側面があるものなのである。マイナスと思われる事態の中で、いかにプラスを探し出し、それを生かしつつ人生を歩むか。プラス思考こそが人生を豊かなものに導いてくれる妙薬なのだ。ピンチをチャンスと思え、カウンセリング講座で学んだ人生行路の哲学でもある。

肝炎で一変した人生、最初の幸運がニューポート・ジャズフェスティバル・イン・斑尾の大イベントだったのだ。このイベントがきっかけで始めたことがあった。英会話である。動機は至って単純なことで、来日する本場アメリカのジャズミュージシャンと通訳なしに話がしたい、その強い思いが背中を押したのである。レコードや雑誌でしか接することのできなかった有名ミュージシャンに斑尾高原のホテルやペンション街で頻繁に出会うのである。こんなチャンスを見逃してなるものかと思うのは当然であろう。

このジャズの一大イベントはテレビで全国放送される。良い番組にするためには、サブプロデューサーであるジョン・フィリップスとの打ち合わせも欠かせない。また、ラジオ番組では、直接プロデューサーやミュージシャンに自分でインタビューし、それを放送で生かしたいと思った。

好きこそものの上手なれとはよく言ったもの。ジャズが好きなため、英語会話まで真剣に学ぶことになったのである。短波ラジオを購入し「ボイス・オブ・アメリカ」を聴き、新聞「ジャパン・タイムス」を購読し辞書を片手に毎日読んだ。外国語センターなる英会話塾にも通い、「ジャパン・タイムス」の記事をネタに塾生らと英語で討論した。独立した時に役立つに違いない、と思うと不思議なことに英語の勉強も苦痛と感じない。むしろ英語新聞の政治記事が理解できることに、大きな喜びを感じるのだった。むろん、すべて自費である。会社としてもありがたいことだろう、番組のために時間と金を使って英語まで勉強するんだから。

肝炎で酒が飲めない。「さあ五時だ！　退社時間だ、急ごうぜ。友だち誘って飲み会だ」という、いわゆる「五時から男」を卒業、自分の時間がたっぷりあり、存分にやりたいことに使えるようになったメリットは大きかった。英会話塾にも通える道理である。

事実、三回目のニューポート・ジャズフェスティバル・イン・斑尾では、イベント直前に信越放送を訪れたプロデューサーのジョージ・ウェイン、トランペッターのジョン・ファディスらのインタビューを自分でおこなうことができたのである。

3　C・W・ニコルさんとの交友四〇年

居酒屋で出会ったニックと番組作り

「ウェールズはひとつの国ですよ。独特の文化を持ってるし、言葉もある。ユナイテッド・キングダムって言うでしょ。連合王国のひとつの国です。イングランド、スコットランド、北アイルランドみんな違う。これらが集まってイギリスなんです。日本人、皆誤解してる。でもうまいな、このクジラの肉。マスターもう一皿！」

赤ら顔に茶色の髪、どっしりとした筋肉質の外国人。クジラ肉が好きでよくこの店に来るという。焼酎を何杯もお替わりしていて、酒もかなりいけるらしい。

ここは長野駅から歩いて五～六分、錦町にある酒盗処なる居酒屋。流暢な日本語を操りながら楽しそうに飲んでいるこの男。日本の環境問題の草分け的存在で、この出会い以来およそ四〇年、生涯の友となった唯一の外国人（国籍取得して日本人となった）、その名はC・W・ニコル、通称ニックである。若く美しい日本人の奥さんと同伴だった。

肝炎で酒が御法度な俺が、なぜこの店にいるのかというと、世界中を旅したユニークな外国人が来るので会ってみないかという友人の話に乗ったのだ。英会話を始めて、外国人に興味を持ったことも理由のひとつだった。

ニックは身ぶり手ぶりで楽しそうに語る。日本の捕鯨船に乗り、何回も南極に行ったこと。アフリカのエチオピアの国立公園で仕事をしたこと。沖縄の海洋博ではカナダ館の副館長をし、その時にひと目惚れして結婚したのが隣に座っている奥さんだということ。

「ニック、止めてよ。そんなプライベートな話まで」

「だってホントの話だもの、いいじゃない。ねえ、トオルさん。ファーストネームで呼んでいいよね」

「もちろん、俺もニックって呼ぶよ。それにしてもニックはいろいろな体験してるんだねえ」

「ボクは音楽も好きで、シンガー・ソングライターでもあるんだ」

聞けば奥さんもピアノを弾きポピュラーソング・コンテストに応募、「りんごの木にかくれんぼ」という曲で賞も取ったという。ちょうどポプコンの担当で番組を作っていたこともあって話は大いに盛り上がった。という次第で、最初の出会いから意気投合した。ニックは黒姫山麓の森に住んでいると言うので、直感的に思った。

――これはいける！　ニックのラジオドキュメンタリーを作ろう。

ニックにその旨を伝えると、奥さんともども快諾してくれたのである。

「トオルさん、知り合いの猟師とタヌキ汁パーティーを計画しているので、その時は連絡するよ。ボクの料理の腕前も知ってほしい」

約束をして店を出た。ニック夫妻は長野駅から列車で黒姫駅へ向かった。熱い焼酎をたらふく飲んだニックはいざ知らず、ノンアルコールビールの俺は寒さが身にしみた。昭和五七年（一九八二）一月中旬、寒風吹きすさぶ夜だった。

寒さがやわらぎ、日差しにも春の気配が感じられた三月下旬、ニックの家でタヌキ汁パーティーを催すという電話があった。

録音機材を持って取材がてらニックの家に向かった。黒姫山麓は雪一色、東の山の端から昇った月が、軒の氷柱《つらら》を照らし始めているニックの家から、うまそうな匂いが漂っている。

早速テープレコーダーのスイッチをオンにして取材にかかった。

「Thank you for coming. よくいらっしゃいました。乾杯！」

ニックの音頭でタヌキ汁パーティーが始まった。この日の客は、ニックに引き合わせてくれた友人ら四人。八畳の日本間、ニック自慢のタヌキ汁がグツグツと鍋から湯気を出している。信濃町の猟師からいただいたものだという。

「ボクの長い探検は時に一年半、コックさんはいないし料理しなくちゃいけないんですよ。お母さんもついてないし。だから自分で作る。タヌキ汁は味噌じゃダメです。味噌は長い時間熱しちゃ、味が落ちます」

グイ飲み盃で日本酒をチビチビやりながらのこの夜のパーティー。タヌキ汁に舌鼓を打つ客はニックの冒険話に引き込まれていく。

キャンプ地の料理小屋近くに現われたところを撃たれた北極グマの料理、北極グマのホットローストや、カナダやアフリカなど世界中を冒険して食べた料理をエッセー風にまとめた本『冒険家の食卓』を出版しているニックの話は留まるところをしらない。タヌキ汁を味わいながらマイクを向けている俺は、最初の取材で大きな手応えを感じていた。

――この番組は絶対におもしろくなる！

タヌキ汁を食べ終わるとリビングルームに移った。そこで奥さんがピアノを弾き始め、二人で歌う「りんごの木にかくれんぼ」を披露してくれたのである。

こうして始まった取材に加え、南極海に行く日本の捕鯨船に同乗して現場で録音したテープを紹介しながらおこなった、捕鯨は日本の食文化を守る上で重要だという趣旨の千曲市での講演、さらにはエチオピアの国立公園で密猟取締官として活動した体験談など、様々なエピソードを織り込み、一本のドキュメンタリー番組を完成させた。

題して『りんごの木にかくれんぼ ニコルさんのニッポン日記』。

この番組が民間放送の番組コンクールで優秀賞に輝いたのである。昭和五七年のことであった。

番組作りを通じ、ますますニックに興味を持ち、週一回三〇分のレギュラー番組を立ち上げることにした。こうした番組はディレクターとしゃべりを兼ねているので、実にスムーズに運ぶ。自分で企画書を作り、自分で番組タイトルやテーマ曲を選び、毎回放送の内容テーマを決めればいいのだから。

もちろんニックも大喜び。スポンサーもすんなり決まった。酒好きのニックにはピッタリのニッカウヰスキーである。ニックのニッカである。スタジオで収録の時には、グラスで乾杯し、ニックはウイスキーを飲みながら語り、禁酒中の自分は残念ながらその香りに酔いながら相手をしたのである。

酒を飲みながらのSBCラジオ番組の第一号である。後に金井秀一アナウンサーの『ほろ酔い電リク』が始まるが、その先陣を切ったのがこの番組だ。

初めてと言えば、外国人のレギュラー出演も、三〇分トークだけの番組も初めてであった。なにしろトーク番組という言葉さえなかった時代である。

番組タイトルは『ニックの地球は友だち』とした。キャッチフレーズは、「黒姫の赤鬼、地球をポケットに入れた男C・W・ニコルが語るユニークな番組」である。

このタイトルが示すように、世界中の国々を訪れて見聞、体験し、現地で研究した自然環境についての話題を中心に、

『ニックの地球は友だち』収録風景

ニックのこれまでの生い立ちまでを、ざっくばらんな対談形式で紹介する斬新な番組を目指したのである。

これまで立ち上げた娯楽番組とは一味も二味も異なる内容となり、毎回のニックの話から様々な国の文化、なにより環境問題について教えられることが多かった。

日本の生態系は世界でもっとも豊かであり、北海道の亜寒帯から沖縄の亜熱帯まで分布している国などほかにはない。この世界に誇るべき環境を日本人はまったく理解せずに汚している。大好きな日本の自然環境を守ろう、とニックは熱心に語り続けた。

番組は一年間で終わったが、ニックはその後、自分の住んでいる信濃町の荒れた山林を買い求めた。産業革命の廃棄物、石炭によって荒れ果てた森が、人の手によってよみがえったウェールズの成功例を見ているニックは、信濃町の荒れた山林をアファンの森と名付け、生態系豊かな森造りに着手することになるのである。

コンサートや環境シンポジウムに広がる活動

この番組でニックとますます親交を深め、しばしばニック家を、アファンの森を訪れた。

昭和六〇年代、日本はバブル経済に浮かれ、各地でリゾート開発が進む中、環境問題に目覚めさせてくれたのはニックである。

ニックとの番組が終わった直後に立ち上げていたラジオ番組『スタートいちばん』のパーソナリティーとなった昭和六二年（一九八七）、水源県である長野県の河川に対する意識向上を目指して一年間にわたって放送し続けた「水いきいきキャンペーン」や、二回にわたるドイツ、スイスなど環境先進国への取材も、ニックとの番組があったこその展開であった。

『ニックの地球は友だち』は夜八時台の放送にもかかわらず、他部署の上司も何人か聞いていて声をかけてくれた。

「武田君、あのニックという外国人との話はおもしろいねえ。知らないことを実に楽しく教えてくれるんだよ。こういう番組わが社ではいままでになかったねえ。いいよなかなか」

いつも番組では物議をかもしていたので、正直うれしかった。この時にひらめいたのが、トークによるワイド番組であった。ニックのようにあるジャンルの専門家を何人かレギュラー陣に加え、楽しい対談形式で展開するワイド番組は、ウケるのではないかという発想が頭に浮かんだのであった。これがいまも放送中で三〇年以上続いている『武田徹のつれづれ散歩道』として結実するのだが、それは後のこと。

ところで、『ニックの地球は友だち』は最初の放送から約一〇年後の平成四年（一九九二）、もう一年間放送することになった。アファンの森の整備が進むとともに、日本でもようやく環境問題が関心を呼ぶようになってきたことを背景に、ニックの要望で再スタートとなったのである。

この一〇年でニックは全国的に知られる存在となっており、多忙なため毎回スタジオに来ることが不可能だった。そこでスケジュールの合間を縫っては、ニックの自宅やアファンの森で数回分を収録することになった。しかし、このことが幸いした。荒れていたアファンの森の再生を自分の目で確認でき、訪れたニックの友人との人脈も築くことができたのである。環境問題に関心のある有名人、作家の椎名誠、歌手の加藤登紀子、小坂明子ら思わぬ人々との交流やインタビューが可能となった。

北極圏に暮らすイヌイットの男性とも知り合った。過激な環境保護団体グリーンピースの反対で、先祖以来続いていたアザラシ猟が激減し、収入の道が閉ざされる危機に直面していると訴える声も放送できた。少しでも彼らの生活の助けになればと、持参してきたアザラシの見事な毛皮を買ったりもした。

この年の一一月一九日、ニックの在日三〇周年の記念パーティーが東京のカナダ大使館で開かれ、招待される幸運にも恵まれた。

エネルギッシュなニックは音楽面でも活動を続けた。滋賀県野洲市の野洲文化ホールでは、フォークシンガーの岡林信康とのジョイントコンサートを開き、ニックもヴォーカルを披露、この模様も取材した。

音楽と言えばこんなこともあった。ある日ニック宅を訪ねた時のことだ。

「トオルさん、カナダに住む友人のミュージシャンたちがこの秋、ボクのところにやって来るんです。楽器も歌もうまいし、いい奴ばっかり。ぜひコンサートを開いてよ」

ニックのお願いとあればむげに断るわけにもゆかない。有名人になっていたニックだが、環境問題のエキスパートとしてだけでなく、ミュージシャンでもあることを長野県民にも知ってもらおうと具体化に向けて動き始めた。

ニックの友人のミュージシャンが来日中の平成八年一一月四日、千曲市あんずホールでコンサート開催にこぎつけた。題して「C・W・ニコル・ソング&トーク・ウィズ武田徹」。客席は満員となり、肩の荷が下りた。そのコンサートの模様を収録して、ラジオでも放送した。

環境をテーマにしたニックとのトークイベントも何回かおこなった。特に印象に残っているのはテレビドラマ『北の国から』の脚本で知られる倉本聰、歌手のさだまさし、そしてニックらのメンバーで開催した環境フォーラムである。平成九年一二月七日、長野市の郵便貯金ホール、メルパルク長野のオープン記念イベントでもあった。長野冬季五輪の直前で、長野県下でも環境問題に関心が集まっていた。千曲川など河川の改修工事にも、自然生態系を復活する施工法などが導入され始めた頃で、環境保全をいかに実現するかがテーマだった。

個人的には、翌年には信越放送を辞めて独立を視野に入れていたこともあり、このイベントにはいつもにも増して力が入っていた。

ニックの絶大なる協力のもと、このイベントは実現にこぎつけたのであった。錚々《そうそう》たるパネリストの話を引き出す俺の仕事は、コーディネーター冥利に尽きるものであった。

その後もニックとの番組対談は続いた。

日露戦争の二年前、明治三五年（一九〇二）攻守同盟として結ばれた日英同盟から一世紀。自然環境を向上させようと日英グリーン同盟なるアイデアのもと、財団管理となった黒姫高原のアファンの森とニックの故郷である南ウェールズの森の姉妹提携が、在日英国ゴマソール大使の立ち会いのもとで実現した。

平成一四年八月二五日の午後、暑さがぶり返したとはいえ涼風が心地いい黒姫のアファンの森で調印式がおこなわれた。ウェールズ国家のメロディーが木々の間を流れるとニックの目からは涙があふれていた。ニックの長年の夢が実現したのである。

ニックの努力が結実したこのイベントのテレビ番組を企画した俺は、翌日再びアファンの森を訪れた。緑あふれ自然の生態系が戻りつつあるアファンの森の広場で、ニックと南ウェールズ代表として来日したリチャード・マグスタッフとの鼎談《ていだん》に臨んだのである。

ニックはすでに環境問題で、国家を代表する存在にまでなっていた。環境問題の師匠でもあるニックのハレの舞台である番組に、一緒に参加できたことは生涯の宝物である。

このテレビ番組が縁となって、イギリス大使館のスタッフとも親しくなり、大使館のパーティーに出席したこともあった。

アファンの森は、心を閉ざした子どもたちの癒やしの場としても使われ、多くの子が救われている。森は順調に生態系を回復させ、その都度ニックから、カワセミが姿を現わした、フクロウが住み着いた、ツキノワグマが目撃されたとの連絡がわが家に入った。

ニック家最後の訪問と突然の永遠の別れ

平成二九年（二〇一七）一二月初旬、外出先から家に帰ると留守電にメッセージが入っていた。

「トオルさんのお宅？　ニコルです。忙しいと思うけど会って話しようよ。待ってます」

心なしか元気がない声だった。早速電話をかけて訪れることにした。

わが家の周りにも雪が積もった師走の一四日、午後のお茶の時間に合わせて信濃町のニック宅を訪れた。木々はすっかり葉を落とし、晴れてはいたが黒姫山から吹き下ろす風が肌を突き刺した。

ニック夫妻が笑顔で迎えてくれた。この日は珍しく客の姿がなく、黒姫山麓の西と南を眺望できるリビングで、じっくりと話ができた。

「昔話をしたくて呼んだんだけど、迷惑じゃなかった？」

「とんでもないよ、ニック。酒ではなく紅茶とはニック、どうしちゃったの？」

「ボクもジジイになっちゃって。それにね、この人がうるさくて」

隣に座っている奥さんにいたずらっぽい視線を投げかける。ニック夫妻とは何回もこのリビングでお茶を飲んだり、夕食をご馳走になったりしている。そんな折、ニックはいつも、ワインかウイスキーで付き合ってくれた。時には愚痴や悩みも打ち明けてくれた。留守番電話の沈んだ声と違い、この日はいつものニックと同じで話が弾み、安心した。

「ニックと初めて会ったのが居酒屋だったよね。あれから三五年にもなるんだね。ニックはホントにいい仕事をしたね」

「最初は土地ころがしの外国人なんて誤解されたこともあったけど。地元の人たちも協力してくれるようになった。日本の森は素晴らしいんだと、ようやくみんなわかり始めて、ボクもアファンの森の手入れをして良かったと思ってるんだ」

日本の飼い猫の倍もあるような大きな外国の猫の顔をなでながら、ニックはなつかしそうに語った。奥さんもうれしそうだった。

「ニックにはいつも言ってるのよ。もう歳も歳だから、昔のように無理してはダメだって。お酒だってそうよ。ニック、わかってる?」

熱い紅茶を飲みながら、久々にゆったりと話をすることができた。俺もニックもすでに七〇代、なつかしい昔話に花が咲いた。

初冬の夕陽がリビングの窓を朱色に染める頃、別れを告げて車に乗った。いつものように玄関ドアまで見送りに来てくれたニックと奥さん。手を振るニックの姿、まさかこれがニックとの永遠の別れになるとは思ってもいなかった。

翌々年の令和元年(二〇一九)一二月、クリスマスの一週間ほど前。アファンの森財団の森田いづみさんらが信越放送のロビーを訪れた。お願いしたいことがあるので相談に乗ってもらいたいというのでお会いした。森田さんはニックのマネジャーもやっていたので旧知の仲である。

この二か月前の一〇月上旬、台風一九号の大雨で千曲川に大洪水が発生し、県内の流域住民は未曾有《みぞう》の大被害を受け、復旧作業が始まったばかりの頃だった。

「ニックのお膝もと、千曲川での大災害でしょう。これからどう千曲川と付き合っていったらいいのか、河川の専門家を招いてもっとも被害の大きかった長野市でシンポジウムを開きたいってニックが言うの。で、ぜひ武田さんにそのコーディネーター役を引き受けてほしいってニックからのお願いなの」

森田さんの話を聞いてニックらしいなと思った。というのは、一週間後のクリスマスに、豪雨災害の避難所で仮住まいをしている子どもたちのために、ニックがサンタクロースになってプレゼントをするという情報を聞いていた。そして二度とこうした洪水の被害を起こさぬためにはどうしたらいいのか、被害者や一般市民も参加して専門家とともに考えようというシンポジウムは、大自然がもたらす大河の恵みとその恐ろしさを熟知しているニックだからこそのアイデアであると思ったからである。久々のニックを交えてのシンポジウム、快諾したのは言うまでもない。

年が明けて令和二年、この年の四月にシンポジウムを開催しようと、パネリストの人選も終わり、日程と会場も決定した。しかし、予想もしない事態が発生したのである。

なんとシンポジウムを予定していた月、四月三日、ニックは七九歳の生涯を閉じたのである。森田さんからの連絡で言葉を失った。

これまでの人生で、心からの親友は数えるほどしかいない。ほとんどは学生時代に知り合った友人たちだ。世間では、社会人になってからは、真の友人はできにくいとよく言われる。まさにその通りだが、その数少ない真の友がほかならぬC・W・ニコルさん、ニックその人であった。彼は環境問題の師匠であり、四〇年近く付き合った生涯の友なのだ。

葬儀は中国武漢発の新型コロナの蔓延でおこなわれなかった。

世の中には不思議な縁があるとは、この本で何度も記した。ニックとの出会いと別れもそうだ。ラジオドキュメンタリー番組『りんごの木にかくれんぼ ニコルさんのニッポン日記』は、初めてニックに出会って作ったものだ。番組コンクールで優秀賞を獲得した思い出多い作品である。

そして、ニックとの別れを描いたドキュメンタリー番組にも、取材、インタビュアーとしてかかわったのである。信越放送の清沢康夫ディレクターが企画制作した『ギフト〜森の祈り人〜C・W・ニコルさんが遺したもの』である。不思議なことにこの番組も、出会いで描いたのと同じ番組コンクールの教養部門で優秀賞に輝いたのだ。ニックへのせめてもの供養になればと心を込めて臨んだ番組であった。

番組のフィナーレは、ニックがもっとも大切にしていたアファンの森のシンボル、マザーツリーと彼が名付けたコナラの大木の横にたたずみ、ニックが作った中でもっとも大切にしている詩「森の祈り」を、四〇年近く付き合ってもらったお礼の気持ちを込め、森全体に響き渡るような声で朗読したシーンであった。

森の祈り

願わくは
わたしは一本の木になりたい
暗闇の中に広く、深く根を張り
しっかりと土を抱えて
この地球を支える一本の木に

願わくは
わたしは一本の幹になりたい
空に向かって、まっすぐに、力強く
重ねた歳月と季節を年輪に刻み
すっくと立つ大きな柱に

かなうなら
この身を一枝に変え
光射す彼方へと手を伸ばし
風に揺れながら
天に祈りを捧げたい

願わくは
わたしは一枚の葉になりたい
瑞々しい緑の葉に
木陰を作り、清冽な息を吐き
春から秋にかけては
きらめく木漏れ日と戯れ
やがて命尽きれば密やかに舞い落ちて
再び森の土へと還るのだ

かなうなら

わたしはなりたい、どんぐりに
木の実に、ベリーに、果実に
食料を分け与え、広く種子を撒けるよう

さあ、みんなで一つの森になろう
それぞれも強さを持ち寄り、違いを受け入れ
砂漠に緑を取り戻そう
わたしたちの大切な惑星に
新たな命を育てるのだ

わたしたちの手で木を植えよう
この大地に
そして、みんなの胸に

２０１９年６月　　　　　Ｃ・Ｗ・ニコル

4　海外初体験は米国一六日間の旅

大喜びのアメリカのラジオ局研修ツアー

英会話を始めて三年、昭和五九年（一九八四）、思ってもいなかったアメリカへのラジオ局研修ツアーの参加者に選ばれた。

当時はいまとは違って、海外に行くことは極めてまれな時代であった。ましてや、航空運賃と宿泊代などすべて会社が出費してのアメリカ研修ツアーは、社員たちの垂涎《すいぜん》の的であった。それも、なにかと事件を起こす問題社員が、である。渡米を告げられてまさに青天の霹靂《へきれき》、飛び上がらんばかりのうれしさではあったが、そこはグッと抑え、知らせてくれた上司に平静を装って言ったものだ。

「本当に俺でいいんですか？　生番組は休むことになりますが…」

「それも承知の上での決定だ。ただし、現地から『スタートいちばん』へ随時電話で生のアメリカリポートを入れるのが条件だ」

いやー、うれしかったのなんの。心の中では、「やったー!!」と叫び、欣喜雀躍《きんきじゃくやく》、ルンルン気分であった。

不思議だったのは優秀な先輩がいる中でなぜ選ばれたのかということである。いま考えると、夜な夜なジャズ演奏をするような不良社員ではあったが、番組作りだけは、真剣に取り組んでいたことが評価されたのであろう。

ラジオのおもしろさに魅了されていたのでレギュラー番組のほか、全国の民間放送が参加している番組コンクール、いわゆる民放祭（民間放送連盟賞）へ毎年エントリーし、いくつもの賞を取っていた。民放祭はコンクールである以上、出品番組は審査員によって順位が決められる。そのため下位順位になることを恐れて、先輩社員の中には決して民放祭出品番組を作らない者も何人かいた。

しかし、俺は自分の作る番組が全国で通用するかどうか、井の中の蛙《かわず》にならぬように毎年チャレンジしたのである。レギュラー番組をこなしながらの番組作りは大変ではあったが、作る喜びを感じてもいた。

伊那谷での地域医療問題をテーマにした報道部門『医者と瓢箪《ひょうたん》』は最優秀賞に輝き、信越放送では初めての全国一位となった。これに気をよくして、教養部門、娯楽部門、放送活動部門などに出品、何本かで優秀賞を獲得した。民放祭番組を手がけても別に給料が増えるわけでもない。しかしそうした真摯な姿勢を見守ってくれている上司がおられ、アメリカへの研修ツアーに推薦してくれたのであろう。

ニューポート・ジャズフェスティバル・イン・斑尾がきっかけとなって始めた英会話だったが、それを実践する絶好のチャンスとなるアメリカ研修ツアーである。そこに選ばれる幸運に恵まれたのである。

思ってもいなかった初の海外ツアー、それもジャズ発祥の地アメリカなのである。ラジオというメディアのおもしろさと奥深さに手応えを感じ始めた頃、絶妙のタイミングでやってきたアメリカへのラジオ研修のツアーなのだ。人生に乾杯したい気分になった。とはいえ残念ながら肝炎で酒は御法度なのだが。トホホ…。

昭和六〇年頃までは海外旅行、それもアメリカ渡航ともなれば、同僚社員から餞別をいただくほど、まれな出来事であった。アメリカ行きのニュースは社員にも知れ渡って、渡航が近づくと意外な先輩からも餞別をいただき、面食らった。そのため、しっかりと餞別者名簿を作った。返礼として土産物を買わねば義理が立たないという配慮からである。

昭和五九年（一九八四）六月一一日、アメリカへのラジオ局研修ツアーへの旅が始まった。このツアーには全国のＴＢＳ系列のローカル局一三社から一人ずつ一三人が参加した。成田空港からアメリカは五大湖のひとつであるミシガン湖の南端シカゴ経由で、まずシカゴの南に位置するブルーミントンを訪れる。その後西方のシンシナティ、ピッツバーグへと旅を進めた後、アメリカを離れてカナダのトロントを訪れる。そして再びアメリカの東部へ旅を進め、ニューヨーク、ワシントンＤ・Ｃを見学する。最後はアメリカ大陸を横断して、西海岸のシアトル、サンフランシスコを訪れるという一六日ほどの長旅である。

アメリカへはもちろん、海外へ行くのも初めて、ジェット機に乗るのも初めての初めて尽くしの旅である。

もっとも、グライダーには乗ったことがあった。例のヒゲ事件にからみ、「髭《ひげ》考現学」を放送したテレビ番組『オンエア八時』で、千曲川の河川敷を利用して活動していたグライダー愛好会を取材したことがあった。その時、ＤＲというニュース用のフィルム手持ちカメラを持ってグライダーに乗り込んだのである。操縦士の後部座席に陣取り空中撮影をした。音のまったく出ないグライダーの乗り心地は実に快適で三回も同乗させていただき、おかげでいい映像が撮れた。世の中には高所恐怖症の方もおられるようだが、自分は大丈夫なことはグライダーで実証ずみであった。

六月一一日、前日梅雨入りした東京は鉛色にくすんだ空であった。午後四時過ぎのウエスト航空四便で、ツアー一行の一三人は成田空港を後にアメリカのシカゴへ旅立ったのである。参加者は番組制作にあたるディレクター、アナウンサー、営業担当から管理職まで、三〇代から五〇代の男性ばかりであった。

機内はジェット機の爆音が予想外に大きく、スチュワーデス（現在の客室乗務員）の仕事も楽じゃないなと思った。外の景色を見たかったが、あいにく窓側の席でなかったので、時々トイレに行っては近くの窓から外を眺めた。しかし雲海が広がっているだけでなにも見えない。機内食を食べる頃には騒音にも慣れてきた。機内食のサービスは行き届いていて驚いた。酒類もお替わり自由だ。

ツアー仲間には酒豪もいるらしく、提供されるビールやウイスキーを遠慮なく飲み続ける輩《やから》もいた。旅と言えば酒が欠かせなかった俺にとっては、修行僧のような禁酒旅にならざるをえない。とはいえ肝炎を患って三年、禁酒生活にはすっかり慣れていた。

ジェット機の振動とエンジン音にも慣れウトウトしたかと思うと、機外が薄明るくなっている。カナダ上空とのアナウンスが流れた。例によってトイレに立った折、下界に視線を注いだ。果てしなく続く緑の大地に、点々と大小いくつもの湖が陽の光を受けて輝いている。蛇行しながらそれらの湖をつなぐ河川が何条も見える。かと思うと、幾何学的な直線が縦横に緑の大地を区切っている広大な森林地帯が続く。効率良く直線道路が延々と続いているのである。北アメリカ大陸の大森林国カナダをジェット機は南下していた。

午後一時、ミシガン湖の南西端の大都市、シカゴのオヘア空港に到着した。

シカゴという都市の名を知ったのは中学生時代に見たアメリカのテレビドラマ『アンタッチャブル』であった。禁酒法時代の一九二〇年代、ロバート・スタッフ演じるエリオットネスが、シカゴを舞台にアル・カポネ率いるギャング団と死闘を演じるドラマシリーズであった。密造された酒類が提供される酒場やクラブでは、誕生して間もないジャズが演奏されていた。

ジャズ発祥の地ニューオリンズでは、第一次世界大戦が始まった一九一四年以後、最大の歓楽街のストーリーヴィルが閉鎖、演奏場所を失った黒人ミュージシャンたちは職場を求め、ミシシッピー川を上流する船に乗ってセントルイスまで北上、さらに陸路をたどり大都市シカゴにやってきたのであった。

　シカゴで演奏された黒人ミュージシャンたちのジャズは、若い何人かの白人たちを魅了した。このシカゴで演奏されたジャズは白人たちによって洗練されたものとなり、シカゴスタイル・ジャズと呼ばれるようになったのである。時あたかもあのテレビドラマ『アンタッチャブル』のような時代だったのだ。

　シカゴスタイル・ジャズを大学時代に演奏していた自分が、シカゴに降り立ったのである。感慨無量と言いたいところだが、ここは経由地、市内見学はできなかった。しかし、シカゴは空港で生まれて初めて米ドルを使い、初めて現地で英語を使った記念すべき地となった。空港のティールームのカウンター、日本人には高過ぎる椅子に座って注文したのである。

「Please give me a cup of coffee」

　そう言うと、店員が聞き返す。

「What size do you want?」

「Normal size please」

「OK! Wait a moment」

　通じるではないか！　英会話の教科書通りである。ところが出てきたコーヒーカップがドでかい。

「なにこれ？　これが普通サイズなんかよ。これからはスモールサイズでいいよね。ビッグサイズを普通に飲んでいるアメリカ人って一体なんなんだ⁉」

横に座ったツアー仲間に言ったら、彼は取り乱した顔つきでつぶやいた。

「武田さんの英語は通じたようで良かったね。見てよ、僕にはコーラがきちゃったよ。コーヒー注文したんだよ。こんなに多量のコーラとても飲めないよ」

「コーヒーをコークと聞き間違いしたんだよ、きっと」

もう一人のツアー仲間が口をはさんだ。

「ハッキリとコーヒー、またはコークと言えばそれだけで通じるよ」

なるほどそうなのだ。

アメリカで注文する時は、ハッキリと商品名だけを言えばなんとかなる、ということをまず知らされたのがシカゴであった。

アメリカン航空四三四便に搭乗、シカゴ南東のインディアナ州インディアナポリスまで三〇分のフライト。巨大な農地が広がる景色はまったく変わらない。真っ青な空の下、果てしないコーン畑が続く。インディアナポリスで専用バスに乗り換えた。バスの運転手は骨格のしっかりした太った中年の白人女性だ。大きな旅行用トランクを次々にバス中央部の収納庫に投げ入れる。その怪力ぶりに脱帽するとともに合点がいった。あのどでかいコーヒーカップだ。アメリカ人がその巨体を維持するには、飲み物も食べ物も大量でなければならないのだ。しかもドライバー一人でバスの運行すべてを取り仕切る。それも女性である。女性の社会進出とそのたくましさにも、軽いカルチャーショックを受けた。

バスに乗って空港を出ると、やはり広大なコーン畑が続いている。アメリカは万事がでかい。太陽を左に見ながらバスは疾走する。インディアナポリスから南西へ一〇〇キロ、白薄が迫る夕方六時半、ツアー一日目の宿泊地、小都市ブルーミントンのベストウエスタン・ファイアーサイドインに到着。成田空港を出発したのが夕方だったが、二四時間以上経過してもまだ同じ日付の夕方なのだ。簡単な夕食をとり、一行一三人はそれぞれの部屋に散った。飛行機、バスと乗り物疲れで身体が悲鳴を上げている。簡単な運動をしたいところだが、睡魔がそれ以上のパワーで襲ってきた。翌日の準備をすましベッドにもぐり込む。長い長い六月一一日だった。

ラジオ局オーナーで教授が主催の湖上パーティー

昼近くのモーニングコールで目を覚ます。よく眠った。ここブルーミントンで二日滞在し、この地域を広くカバーするラジオのFM放送局を四社も所有しているオーナー、ジョンソン氏の講義と放送局の見学が予定されている。

アメリカと日本の放送局事業はまったく異なっている。アメリカでは放送局は不動産のようなものと理解すればわかりやすい。いくつもの店舗を持つような感覚で放送局を経営しているのだそうで、売り買いも自由にできるのだとか。同じ地域に複数の放送局が競合し、それぞれ個性的な放送をしている。音楽もジャズ専門局やクラシック専門局もあればトーク専門局もあり、それぞれがしのぎを削っているそうだ。

そんなアメリカの放送局事情の講義が、ホテルから車で十数分のインディアナ大学の教室を借りておこなわれた。大学はすでに夏休みに入っており、学生の姿はちらほら見かける程度だ。彼らはTシャツに半ズボン姿、それに比べてわれら一行はこの暑い最中にネクタイにスーツ姿。いかにもよそ者といった感じだ。ネクタイを会社でもほとんどしていなかったので窮屈な服装に閉口していたが、相手に対して失礼があってはいけない、との日本人ツアーガイドの忖度《そんたく》でこうなった。

夕方、講義をしたジョンソン邸にうかがいカクテルパーティーが催された。なんと！　広々とした庭にはプールがある。四局もの放送局のオーナーともなれば、そうしたものなのかもしれない。

ツアーのメンバーとも酒を酌み交わし親しくなった。

翌日またインディアナ大学でアメリカの放送局事情の講義を受けた後、ジョンソン氏の経営するＷＢＷＢ・ＦＭを見学した。思いのほか小さかった。当時はまだ日本にはなかったが、現在日本の各地域にあるコミュニティーＦＭのような小規模な放送局であった。正直なところを言えば、番組制作者の自分としては、ほとんど参考になることはなかった。

むしろこの日の夕方、ジョンソン氏が主催してくれたモンロー湖の湖上パーティーでの話の方がワクワクするものがあった。ジャズの世界的な名曲が話題になったからである。

モンロー湖は琵琶湖の三分の二ほどもある大きな湖である。その湖岸に建てられたレストランには、岸部近くまで続く屋外の席が設けられている。濃い緑の林が湖を囲み、湖上を渡る風が湖面をキラキラと夕陽に染めるたびに、涼風が頬をなでる。リッチな気分のパーティーだ。ビール、ウイスキー、各人それぞれ好きな酒を飲みながら話も弾む。ジョンソン氏も上機嫌である。

「皆さんにクイズを出します。『スターダスト』という有名な曲がありますが、この曲の作曲者はどなたでしょう?」

もちろん英語で質問、ツアー専属のガイドの北谷さんが日本語に通訳するのを待ちきれず大きな声で答えた。

「ミスター、ホーギー・カーマイケル」

ジャズ通なら誰もが知っている、ジャズのスタンダードナンバーでもある。

ジョンソン氏はうれしそうに手を叩いて言った。

「その通り。よくご存じで。実はそのホーギー・カーマイケルは、ここブルーミントンの出身なんです。彼はブルーミントンの超有名人なんです。作曲もするピアニストです。ラジオやテレビ、映画でも大活躍をしました。ジョン・ウェインが主演した映画『ハタリ』をご覧になった方いますか？」

何人かが手を挙げた。ハタリとはアフリカのスワヒリ語で危険という意味である。その言葉を映画のタイトルにしたのだ。その言葉通り、東アフリカのタンガニーカを舞台に、危険な野生動物を捕まえては、世界中の動物園に供給する捕獲人の活躍を描いたもので、そのリーダー役をジョン・ウェインが演じている。巨大なサイを捕らえたり、動物を追ったり、猛スピードでサバンナを疾走するジープが突然横転したりする、ハラハラ、ドキドキの映画だった。

動物好きでアフリカの大地に憧れを抱いていたので、上映された長野市の千石劇場へ真っ先に出かけて見たものだ。中学三年生の時であった。実はこのアメリカのツアーから三年後、自分の目で野生動物を見てみようとアフリカのケニアへ旅立つことになるのだが、小学生時代から動物映画は大好きだったのでこの映画を見逃すわけがなかった。俺も元気よく手を挙げた。ジョンソン氏は誇らしげに言ったものだ。

「あの映画『ハタリ』の主題曲を担当したのも、わが郷土が生んだホーギー・カーマイケルなんですよ。残念ながら三年前に亡くなりましたがね」

洋の東西を問わずアメリカ人も、おらが郷土出身の有名人の自慢話をしたいものなのだと思うと、ジョンソン氏の存在がグーンと近くなった気がした。

それにしても、大学時代のジャズで知ったホーギーカー・マイケルが、このブルーミントン出身で、中学の時に見た映画『ハタリ』の主題歌の作曲者だったとは知らなかった。

ジョンソン氏のホーギー・カーマイケルの自慢話の後、パーティーはある西部劇のテレビドラマの話題で盛り上がった。そのテレビドラマとは『ララミー牧場』である。中学から高校生時代には、『アニーよ銃をとれ』『ライフルマン』『ブロンコ』『パラディン』など、多くの西部劇がお茶の間で見られていた。これら西部劇の中でも人気抜群だったのが『ララミー牧場』だ。ジェフ役の小柄なロバート・フラーに好感を持った日本人も多かった。なぜ『ララミー牧場』が話題になったのか。

実はこの『ララミー牧場』のおじいさん役で出演していたのが、ここブルーミントン出身の作曲家、ホーギー・カーマイケルその人なのだ。俺は大学時代にそのことを知ったが、このツアー参加者のほとんどは初耳のようだった。自分と同世代、三〇代や四〇代のツアー参加者は、中学生から高校生時代に視聴者として『ララミー牧場』に熱中したこと、五〇代以上の管理職世代の参加者は、局の職員としてアメリカ制作ドラマの放送に苦労したことなどが話題になったのである。

「確か、バヤリースオレンジがコマーシャルで放送されてたよね」

「猿が何匹も出演したコマーシャルで、クレージー・キャッツの台詞《せりふ》がうまくはまっていて、おもしろいと思って毎回見てたよ」

ドラマを見て喜んでいた俺たちは気軽に語っていたが、電波を出す当時の局員は大変だったようだ。

「ドラマの映像と、吹き替えの音声をピッタリ合わせるようにするのが、結構大変だったんだ。ドラマの映像フィルムと日本語音声は別々だったからね」

「しかも当時はすべて手作業だったからねー。台詞と映像がズレると一巻のフィルムが終わるまで修正できなくて、よく上司に叱られたものだよ」

ジョンソン氏のホーギー・カーマイケルの話題が、図らずもツアー参加者のテレビ回顧談にまで発展、参加者同士の親睦感がいっそう深まったのである。

さてそのジョンソン氏、実はインディアナ大学のコミュニケーション関係の教授でもあったのだ。大学で教壇に立ちながら、ローカル放送局四局のオーナーでもある。

「日本じゃ考えられないよなあ。大学教授をやりながら放送局の社長なんて。自宅にプールのある教授なんていかい、日本に」

四〇代のツアー参加者がうらやましそうに言った。

「いかにもアメリカらしいですよね。有能な人物はそれに見合った仕事をバリバリやって、リッチな生活を送れる。昨日のカクテルパーティーといい、今日の湖上パーティーといい、日本のキー局の社長といえども、こんな芸当はできないんじゃないですか」

現場で番組作りをしているというディレクターが賛同する。

ツアー開始早々から、実力こそがモノをいうアメリカ社会の一端を垣間見たというのが研修メンバー共通の思いであった。

ここアメリカでは放送局の社員も、その給与を上げるためには、より質の高い番組を作ってスポンサー企業を増やし局の収益を上げるか、より多くの番組に携わり自分自身の仕事量を増やさなければならない。さらに飛躍したい者は、より規模の大きい放送局にヘッドハンティングされるべく、自分の能力をアップしなければならないのだ。そうでない社員は、いくら年齢を重ねても給料が上がることは決してない。有能な後輩にその地位を奪われる恐れすらある超競争社会なのだ。

「年功序列型の日本に生まれて、僕は良かったと思っているよ」

白髪を湖上から吹き寄せる風になびかせ、感慨深げに言ったのは、定年間近だという管理職だった。

いつかは独立しようと心に決めていた俺は、独立後にお呼びがかからなければいくら自分が望んでも放送局で仕事ができないのである。番組作りで有能さを実践しなければならないのだ。独立して放送局で働くということはいわばアメリカの競争社会を生き抜くようなものなのだ。この湖上パーティーの会話を耳にし、改めてフンドシを締め直す思いがした。

モンロー湖に夕闇が訪れた頃、パーティーはお開きとなった。空を見上げると、無数の星たちが輝き始めていた。思わずホーギー・カーマイケルの「スターダスト」を口ずさみたくなった。

目のあたりにした超競争社会の現実

翌朝八時半、ブルーミントンの宿泊先を出発、バスでインディアナポリスの空港に行きアメリカン航空八四便に搭乗。二〇〇キロほど東南のイリノイ州シンシナティへ向かう。広大なアメリカは国内便が発達していて、まるでバスに乗るような感覚で飛行機を利用しているのには驚かされた。

午後はシンシナティの街をバスで見学。テラス・ヒルトン・ホテルにチェックインしてから夕方の街を一人でブラつく。街の景観は日本の都市と同じでビルが林立、ただ広告が横文字なのと、すれちがう白人や黒人の姿がアメリカにいる事実を強く意識させる。

すると彼方の街角からアクの強いブルース調のエレキギターと力強いリズムを刻むドラムの音が流れてくるではないか。

——おっ！ 生演奏の音だ。それも黒人っぽい音楽だ。どこで演奏してるんだろう。

音のする方向に足を進めると、ビルの谷間に緑の大木が茂る公園に出た。その公園の一角にはオープンステージが設けられており、二〇〇～三〇〇人の観客を前に、六人から成る黒人バンドが夕陽を浴びながら気持ち良さそうにミディアムテンポのブルースを演奏している。聴き入っている客はほとんどが仕事帰りのビジネスマンやオフィスレディだ。客席の後ろでリズムに合わせて踊っている黒人女性もいる。ビールを飲みながら耳を傾けている白人女性に勇気を出して、どんなグループなのか聞いてみた。

「シンシナティ・クリエーションという、地元では有名なバンドよ。若者ばかりでなく、私のような働く女性たちにも人気があるの。たまにこのファウンテン・スクエア・ガーデンで演奏してくれるのよ。一日の仕事が終わって、こうしてのんびりビールを飲みながら聞けるって最高でしょう。しかも、無料なんだから。あなた初めて聞くの?」

「ええ、アメリカのツアーの最中で今日の午後、シンシナティに来たばかりなもんで。はるばる日本からやって来たんです」

「あなた日本人なの? 日本人とお話しするのは初めてよ。会えて良かった。アメリカの旅を楽しんでってね」

この女性、演奏しているバンドのファンのようで、時折ステージのバンドマンに向かっては大きな声を出していた。

さすがアメリカである。木曜日の夕方、こうした無料演奏が公園でおこなわれているのだ。実はこの後、ホテルに帰ってSBCラジオの『スタートいちばん』にアメリカのリポートをせねばならなかった。その条件つきでアメリカのツアーに参加したのだ。

二日前、ブルーミントンのジョンソン邸でのカクテルパーティーの時も、途中退席してリポートをした。今回が二回目のリポートで、そのこともあって取材がてら白人女性にバンドのことを聞いたのである。もっとゆっくりバンド演奏を聞きたかったがホテルの部屋に戻り、日本へ電話を入れた。日本時間では一日前の朝である。早朝七時から一〇時一五分までの生放送の『スタートいちばん』には都合がいいアメリカリポート生放送なのだ。前回も今回もだが、もっとその場にいて楽しみたかったが、これも仕事と割り切らざるを得なかったのである。この後も生リポートは続くことになる。

この『スタートいちばん』という番組は、この年四月に一人の信越放送のアナウンサーの再起を願って、彼のために俺が立ち上げた番組だった。実力、人気ともにナンバーワンのこのアナウンサー、ギャンブルがもとで社内の信用はガタ落ち、アナウンサー生命も危うい中、その才能を埋もれさせるのは惜しいと俺が企画し、彼もゼロから再出発する気でがんばると約束してようやく実現した番組だ。むろんディレクターは俺なのだが、ツアーに参加したため放送現場には立ち会えない。その代わりに、現場リポートをツアー中に何回かすることで折り合いがついたのだった。

ところがこのアナウンサー、結局はギャンブル地獄から抜け出せず、三年後に退社という最悪の結末を迎えることになるのだ。山越勝久アナウンサーである。

さて、アメリカのツアーである。翌日ここシンシナティでも二社のローカル局を見学した。ツアーではこの後もいくつかのローカル局を訪問したが、番組制作に関してはあまり参考になることはなかった。

しかし、日本の終身雇用制度とは異なり、放送局職員といえどもアメリカではすさまじい競争社会を生き抜いているという点ではまったく異なっている。若くして放送局に就職しても、四〇代過ぎまで放送業界に残れるのは、制作現場では優秀なパーソナリティーやディレクター、営業部門ではトップマネージメントを担当するごく一部の者でしかないという。彼らには個室が与えられ、プライベートルームのように使っている。家族写真を飾ったり、好きなスポーツ選手の大きい写真を壁一面に張り巡らしたりしている部屋もあった。彼らは放送業界の勝ち組である。そうでない者は放送業界を去り、転職を余儀なくされるのである。当時日本人は〝働き蜂〟などと揶揄《やゆ》されていたが、アメリカの放送局職員は日本人以上に過酷な弱肉強食の世界をたくましく生き抜いていたのである。

シンシナティでの二日目の夜、全員で「石亭」と看板に書かれた日本料理店へ行った。そろそろツアーも五日目、日本食が恋しくなったからである。懐石料理店かと思いきや、寿司店であった。なんとも異様だったのは、女性店員のその姿である。黒人女性が和服に赤いたすき掛けで注文された寿司を配膳するのである。民族衣装というものは、

シンシナティのラジオ局で記念撮影

異民族にはまったく似合わないものなのだと悟った。

アルコール類は日本酒もあり人気があるという。当時から和食がアメリカでも珍しくなくなっていたのだ。あれから約四〇年後、和食は世界遺産に認定され、いまでは世界でも有数なヘルシー食として大人気となっている。久々の寿司は実にうまかった。和食の世界遺産認定もむべなるかな、である。

シンシナティで二泊した後、飛行機二機を乗り継ぎピッツバーグ経由で七〇〇キロほど北東にあるニューヨーク州のバッファローへと向かった。

バッファローはカナダ国境にもっとも近い都市である。五大湖のエリー湖北東岸にあり、ナイアガラの滝へはわずかな距離に位置している。われら一行は世界的に有名なその滝を見学した。アメリカ滝とカナダ滝があり、ことにカナダ滝は噂に違わず、その迫力はすさまじいものがあった。幅六七五メートル、高さ六三メートルから落下する巨大な水の帯は、雷鳴のような耳を圧する音とともに、滝壺上空二〇〇メートルまで水煙を吹き上げている。水煙は六月の日差しを浴びて、青空を背景に見事な虹を描いていた。

エリー湖の膨大な量の水は、二つの滝を落下してオンタリオ湖に注ぎ込み、セントローレンス川となって北東に位置するカナダのモントリオール、ケベックを経由、大西洋へと通じるセントローレンス湾にまで達している。とにかく滝もでかければ湖もでかい。湖もでかければ陸地もでかい。

なにもかもがとてつもなくでかいアメリカ大陸である。

この日バッファローで一泊し、翌日バスでカナダのトロントへ行き二泊した。トロントでも放送局を見学、アメリカとほぼ同じでこれといって得るものはなかった。しかし街には緑いっぱいの公園が多い。手入れが行き届いており、マロニエと芝生が見事な調和を奏でていた。その美しい都市景観が印象的だった。ここトロントでツアーは一週間が過ぎ六月一九日、アメリカン航空四六八便でニューヨークに向かった。

ニューヨークでジャズにミュージカルに番組取材

ニューヨークでのホテルは、なんとウォルドルフ・アストリア・ホテル。超高級ホテルで国賓クラスの人々が利用する宿泊施設だそうだ。日本の皇室の方々もご利用になるホテルなのだ。なるほど、部屋は普通のホテルの三倍ほどの広さで、家具や調度品も格調高いものばかり。そもそも自分のような身分の者が利用するところでなく、なんだか居心地が良くない。世の中には、上には上の者がいるのだなあと、つくづく思った次第。

しかし部屋をじっくり吟味する間もなく、このツアー最大の楽しみのひとつでもあるブロードウェイへと、ツアーの連中ともども向かった。

世界有数の劇場街であるブロードウェイは､夕闇が迫るとともに色彩豊かなネオンが輝き始める。まるで何匹もの巨大な夜行動物が目を覚ましたような、異様な活力に満ちあふれていた。

それぞれの劇場前は、観客たちがどこからともなく集まり始める。とりわけ多くの人々が列をなしているのは、巨大な看板に妖しい目の光を放つ動物たちが描かれている劇場であった。何列もの人々は、まるで、その巨大動物に蝟集《いしゅう》する小動物のようでもある。その光を放つ生物は、劇場の入り口付近に描かれている大きな猫たちの群団である。

われわれツアー一行もその列に加わった。猫たちの群団、そう当時世界中で話題になっていたあの『キャッツ』を、その本家本元のブロードウェイで観賞しようというのである。

どでかいステージいっぱいに繰り広げられる猫群団のミュージカル。しなやかで力強いダンスと艶やかな歌声。いつの間にか猫世界に導かれ、人間が演じていることを忘れてしまうほどだ。ステージのセットといい、照明といい、音声マイクの使い方といい、さすがブロードウェイの超人気ミュージカルというものは、かようなものなのかと合点した。

超一流ミュージカル『キャッツ』を堪能して、超一流ホテルに戻ったのは午前〇時近くだった。ダブルベッドにもうひとつシングルベッドを合わせたような超大型で、ふかふか過ぎるベッドにもぐり込んだのは深夜一時過ぎのこと。すべてが超豪華過ぎて、居心地、寝心地が極めて悪いにもかかわらず、溜まりに溜まった旅の疲れで、すぐに深い眠りに落ち込んだのであった。

六月二〇日の朝はニューヨークで迎えた。アメリカに来て一〇日目である。ニューヨークでは五泊、もちろん放送局の見学やらマスコミ関連の講義はあるが、自由時間が多くこの街を満喫できた。

長野高校時代の同期生、三浦正雄君がニューヨークに住んでいるので連絡をして落ち合う。安くてうまい寿司バーがあるというので案内してもらった。山口寿司店と看板が出ている。なんだか東京の寿司屋のようだ。寿司を頬張りながら旧交を温めた。

彼はカーペンターとして、レキシントン・アベニュー四〇ストリートにあるレストランの改装仕事を手伝っているという。もともとは絵画の勉強をする目的でニューヨークに来たが、なかなかその世界で頭角を現わすのは難しいようだ。生活力旺盛というか、傍若無人というか、雑草のような男で、どこでも一人で生きてゆけるタイプの人間である。

「せっかくニューヨークに来たんで、ジャズを聞きたいんだ。ライブやってる店に案内してくれよ」

「武田は大学時代にジャズをやってるんで、おそらくそうだと思ってたよ。いいところへ連れてってやるよ」

そこで連れていってくれたのが、ファット・チューズデイというライブハウスだった。五〇席ほどの客席がある比較的大きな店だ。そこで演奏しているのは一二人編成の小規模フルバンド、ドン・セベスキー・バンドだった。特に目立っていたのは高音でパワーあふれるトランペットを縦横無尽に吹きまくっているジョン・ファディスだった。ぞっこん参ってしまった。すごいプレーヤーがいるもんだと感心したが、そのジョン・ファディスに、およそ一か月後にインタビューをすることになるとは、人生の人との出会いというのは実に実におもしろい。

第三回のニューポート・ジャズ・フェスティバル・イン斑尾が開催される前日の七月三一日、出演ミュージシャンの何人かが信越

斑尾でジョン・ファディスと

放送を表敬訪問したのである。全国放送のテレビ番組を二年連続で制作、この年からは現場でラジオ生中継を担当するので同席し、社長、重役ともども社長室で彼らを出迎えたのであった。プロデューサーのジョージ・ウェインともどもやってきたそのミュージシャンたちの中にジョン・ファディスがいた。アメリカのツアーが終わった後、ジャズフェスティバルのプログラムに彼の名前を見て、その不思議さを感じてはいたが、まさか社長室で顔を合わせるとは思ってもいなかったので、その思わぬ幸運に驚いたのである。彼らは笑顔で挨拶を交わすと、リラックスした雰囲気で会話も弾んだ。陽気でラフなスタイルはアメリカ人特有のものだ。

このチャンスを逃してなるものかと彼らの表敬訪問を利用し、ジョン・ファディスと御大のジョージ・ウェインをスタジオに招き、ラジオ番組用のインタビューをしたのはもちろんである。

実は、ニューヨーク滞在中に、ジャズ界きっての大物プロデューサー、ジョージ・ウェインの事務所を訪ねていたのである。ファット・チューズデイで、ジョン・ファディスのト

ジョージ・ウェインへのインタビューを敢行

ランペットに酔いしれた翌々日の六月二二日午前、事前に電話でアポイントメントを入れて事務所を訪れた。

斑尾でのジャズフェスティバルでテレビ番組の担当をしたこと、大学時代に見た映画『真夏の夜のジャズ』などを話題に会話を交わした。大学時代、いつかはニューポート・ジャズ・フェスティバルのようなイベントを自分の目や耳で体感したいと思っていた。その夢が長野県の斑尾高原で実現し、それを中継するテレビ番組のディレクターとなり、いまここニューヨークで、そのプロデューサーのジョージ・ウェイン氏と直接会っている。ジャズが結ぶ縁の糸は、なんと粋な出会いを織りなしてくれることか。

この日、ジョージ・ウェイン氏のもとでフェスティバルの実務を担当しているジョン・フィリップスは残念なことに留守だった。クール・ジャズ・フェスティバルの仕事でフィラデルフィアに行ったとのこと。彼の息子が三歳になるというので、鯉のぼりをプレゼントに用意していたのである。この鯉のぼりは、当時でもすでに珍しい手作りのもので、松代町の職人が丹精込めて制作したものだった。担当していたラジオ番組『週刊ラガジン』のコーナー「職人さんこんにちわ」の取材で知った職人さんにお願いした貴重なものである。ジョンの息子が雄々しく成長することを祈ってアメリカまで持参したものだったのだ。ジョージ・ウェイン氏にジョンへのプレゼントの鯉のぼりを託し、別れを告げると「ミスター武田、ちょっと待て、プレゼントがある」と言う。

机の引き出しから出して手渡されたのは、エイヴリー・フィッシャー・ホールでこの日の夜一〇時から開催されるマイルス・デイヴィスとギル・エバンス・オーケストラのチケットであった。なんとラッキーなことか。深々とお辞儀をして事務所を後にした。しかし、このコンサートに足を運んだもののあまりに遅いスタートで、マイルスが出演する前にホテルに戻らねばならなかった。というのも翌日のスケジュールが早朝出発のため、実に残念ではあったが、マイルスの演奏は諦めたのである。

ところで、ニューヨーク滞在中のフリータイムはよく動き回った。ジョージ・ウェイン事務所を訪れた午後は、三浦君と行った寿司レストラン山口へ、今度は取材目的で行った。ラジオ番組『週刊ラガジン』でリポートする「職人さんこんにちわ」の素材収録のためである。

あの頃、『スタートいちばん』のディレクターのほか、前年に立ち上げた『週刊ラガジン』のディレクター兼パーソナリティーも務めていた。『週刊ラガジン』とは週刊ラジオマガジンの略である。一週間の話題性の高い社会の動きを、雑誌のようにコンパクトにまとめて土曜日の夜七時から放送す

『週刊ラガジン』スタッフと

る二時間の生番組だった。ここでもユニークな番組作りを目指した。世界や日本の大きなニュースも扱った。ＴＢＳ系列テレビで夕方六時から放送していた全国向けニュースワイドのトップニュースを読むアンカーの入江徳郎氏らのリード部分を、月曜日から金曜日まで録音。その部分を放送しながら、俺が生スタジオで内容を詳しく紹介するというものだ。

また、歌謡曲全盛時代で、これもＴＢＳ系列の全国放送『ザ・ベストテン』が非常に人気があったので、久米、黒柳両司会者のランキング発表を録音し、池田知可子アナウンサーがそれに味つけをして紹介、一位になった曲をレコードで流すという方法をとった。このほか、ファッションやグルメ、人気の映画などは、武井千代美君、立岡絵理子君、一村豊明君といった二〇代の若者たちが、取材を交えてリポート、若者たちにもウケる内容を目指したのである。

この『週刊ラガジン』が、アメリカのラジオ研修ツアーに参加した昭和五九年（一九八四年）四月以降、これまでの土曜日夜から日曜日午後の時間帯に移動、新たに「職人さんシリーズ」を加え再スタートしたのだった。長野県内の職人が年々減少する中、彼らにスポットを当て、その技を後世に伝えてほしいという願いを込めて作ったコーナーである。リスナーに興味を持ってもらおうとクイズ形式で放送、タイトルも「ザ・技《わざ》・私は誰でしょう？　職人さんこんにちわ」。職人がモノを作り上げる過程で出す音を録音、その音を流し、なんの職人かを当ててもらおうというクイズだ。生放送の強みである、出題後すぐにスタジオの電話が鳴り始める。そのうちの何人かと電話をつないで解答を求めるのだが、果たして正解かどうかはすでに録音した職人本人の言葉で答えてもらう。そして、長い間に培った技を生かし、懇切丁寧に制作に励む職人魂を紹介するというものだ。毎週放送のため、取材は大変だったが、多くの職人さんと知り合うことができ、彼らの仕事ぶりに感銘を受けた。

このシリーズは超人気コーナーに成長し、この年『週刊ラガジン』に替わり、一〇月一三日からスタートした『らんらんサタデー　いまが聞きごろ』にも引き継がれた。パーソナリティーは俺と池田知可子アナウンサーが担当、このコーナーになると電話回線がパンクするので、何時にクイズが出題されるのかあらかじめ知らせてほしいと、電話局からお願いされたほどであった。

さて、ニューヨークの寿司レストラン山口の取材、もちろん握るのは日本人の職人だ。音と言えば包丁を研いだり、大きな魚を解体したりする音のみだ。このクイズはニューヨークという場所にまどわされ、放送した時はかなりの難問だったようだ。

多くのリスナーはニューヨークで一流の寿司レストランにまで成長させた日本人経営者のインタビューに、その苦労と不屈の精神を感じ取ったはずである。

この取材で、大きな刺激を受けた。いまでこそ和食は世界遺産にも認定され、大人気となっているが、いまから四〇年以上も前のことなのだ。アメリカ人の食文化にまったくない寿司という食材でレストランを経営し、安定した顧客を得るまでの努力は並大抵のものではなかったようだ。店舗の設立から職員の雇用、鮮魚の仕入れから店のＰＲなどなど。血のにじむような悪戦苦闘を乗り越えて、ようやく現在にたどり着いたのだという。会社から独立する決意を胸に秘めていたので、この寿司レストランを立ち上げた寿司職人の根性とその実行力に感嘆するとともに、大きなエネルギーを与えられたのであった。

ニューヨークはジャズの街でもある

ファット・チューズデイというライブハウスに行った翌日、六月二一日のこと。今度はジャズ・ライブハウスのエディ・コンドンズ・ハウスに足を踏み入れたのであった。忘れもしない、高校生時代に初めてその名前に接したジャズマンが経営していたライブハウスだ。

その彼と仲間たちがパイオニアとなって広めたのがシカゴスタイル・ジャズ。そのスタイルで四年間にわたり演奏活動をした俺の大学時代。俺のジャズ人生に大きな影響を与えた男、それがエディ・コンドンである。白人のギタリストでジャズ界の大物プロデューサーでもあったエディ。

覚えておられるだろうか。エディ近藤なる名前を。高校時代の夏休み、同志社大学へ通っていた兄貴が帰省、その時一緒にわが長野市の実家に兄貴が連れてきた学生バンドのドラマーのニックネームが、エディ近藤である。エディ・コンドンの「コンドン」、これを姓の「近藤」とダブらせてつけたニックネームである。そのエディ・コンドンがリーダーとなり、シカゴにやってきた黒人ミュージシャンに刺激され演奏したスタイルが、その地名からシカゴスタイル・ジャズと呼ばれるようになったことは前述した。

そのエディ・コンドンがニューヨークに進出、開店したのがエディ・コンドンズ・ハウスである。映画『五つの銅貨』でおなじみの、ルイ・アームストロングやレッド・ニコルズとも共演、彼らとのレコードも吹き込んでいる。俺がこの店を訪れた一〇年前にコンドン本人は亡くなってはいたが、ライブハウスは健在だった。

この夜も白人バンドが生演奏をしていた。有名バンドではなかったのでバンド名は忘れたが、ほぼ満席の客たちは、酒を飲みながら手拍子足拍子で声援を送っていた。

かつてこの舞台で、コンドンその人が演奏していたかと思うと感慨もひとしおだった。壁には大きなコンドンの演奏写真とともに、仲間のミュージシャンたちとの写真も飾られていた。その壁ぎわに空席があったので座を占めた。ジャズに似合う飲み物はアルコール類であるが、肝炎でご法度。ジンジャーエールで我慢しながらライブ演奏を楽しんだ。

薄暗いハウス。七、八人のミュージシャンでいっぱいになるステージ。ライトアップされたジャズマンは軽快なリズム感でアドリブを展開する。心地良いトランペット、トロンボーン、クラリネットのメロディー陣と彼らを鼓舞するピアノ、ベース、ギター、ドラムスのリズム陣。いつもの癖で、リズムに合わせて足先を動かす。そして、過去の自分を振り返った。ここはニューヨークなのだ。そのニューヨークのエディ・コンドンズ・ハウスの一隅に座っているのだ。そのライブハウスでいま生演奏を聞いているのだ。こうした恩寵《おんちょう》を与えてくれるジャズ、不思議な縁を紡ぎ続けてくれるジャズという音楽に改めて心の底から感謝したのであった。

ニューヨーク滞在五日目の最終日は、ラクアディア空港から飛行機でワシントンＤ・Ｃへ向かった。朝七時四五分発という早い時間だった。この日は土曜日で、普段はビジネスマンで満席という機内はガラガラ、料金も土・日は半額だという。いわばニューヨークからワシントンD・Cへの通勤列車のように飛行機が使われているのだそうで、いかにもアメリカらしい。

ホワイトハウス、リンカーン記念堂、最高裁判所、そして議会議事堂などを見学した。この時のアメリカ大統領はロナルド・レーガン、この一か月後に第二三回オリンピックがロサンゼルスで開幕するという年だった。米・ソ冷戦時代の真っ只中で、レーガン大統領がいわゆる戦略防衛構想、SDIの研究と開発を指示したのは前年であった。このSDI構想が功を奏し、その後ソ連を崩壊に導くことになるのだが、アメリカがもっとも輝いていた時代でもあった。街々で行き交う白人も黒人も、自信に満ちあふれているように思えたものだ。

ところがあれからおよそ四〇年後、令和三年（二〇二一年）一月、あの時に見学した議会議事堂では、アメリカ史上前代未聞の大事件が勃発した。バイデン新大統領就任の直前、トランプ大統領の支持者と言われている者たちが議会議事堂を襲撃し、占拠したのである。暴徒化した背景には、トランプ大統領の政治生命を絶つ目的でデモ隊を扇動した過激派がいたとの情報もある。いずれにしてもアメリカ国内の分裂、その象徴的な事件が起こったのである。

世界最強の国アメリカの弱体化が始まりつつあるようで、全世界が固唾《かたず》を呑んで成り行きを見守っている。特に日本は、そのよって立つ安全保障すべてをアメリカに依存している。しかも経済大国は過去のこと、一体日本は今後どう国家を守ってゆくのか、その議論すら遅々として進まない。

さらに重大なことはその劣化するアメリカに対抗するかのような中国の台頭である。そしてさらに悪いのはその中国武漢発の新型コロナウイルスの世界的パンデミック（世界的大流行）である。日本はその最前線に立たされている国なのだ。

つくづく思うのは、世界のパワーバランスの大変化、その中で日本がどう対処するのか。令和元年の暮れから始まったこの新型コロナウイルスの世界的蔓延が提示しつつある文明社会そのもののあり方に対しても、日本をはじめ世界各国はその未来図を描けないでいる。確かなのは、日本そして世界の国々のパラダイムシフトが、いままさに始まろうとしていることである。この本を執筆し始めた令和元年にまったく予想もしなかったような大変動が次々に起きつつあることに気をもみながら、アメリカのツアーを回想している。そこに拍車をかけるようなロシアによるウクライナ侵攻。世界はさらに混迷を深めている。

さてワシントンD・Cからニューヨークのウォルドルフ・アストリア・ホテルに帰ったのは夕方五時半であった。ニューヨーク最後の夕食は、高校時代の友人の三浦君に案内された中華料理店で食べた餃子とチャーハンだった。一〇人も入れば満席という小さな油まみれの店だったが、実にうまかった。さすがニューヨーク暮らしの長い三浦君推薦の店である。三浦君に別れを告げホテルに帰ったのは夜一一時四五分、ホテルの電話から今度はラジオ番組『週刊ラガジン』に生リポートをした。ニューヨーク最後の五泊目、眠りについたのは深夜一時過ぎであった。

ツアー最後「思い出のサンフランシスコ」

ジョン・F・ケネディ空港からユナイテッド航空一七便で西海岸のワシントン州シアトルに向かった。さようならニューヨークである。アメリカ大陸を東から西へ横断、五時間半のフライトだ。同じ国でありながらニューヨークとは三時間もの時差がある。アメリカは実にでかい国なのである。シアトルは緑あふれる美しい街だ。人口六〇万人。バスで市内を見学。一戸建て住宅の広い庭には、なんとサツキの寄せ植えや松の木が植えられ、日本的風情が漂う庭園が多く見られた。ガイドの話によると、この街には日本の庭師が多く住んでいて、日本庭園を好むアメリカ人も多いのだそうだ。

ワシントン大学西方にあるチッテンデン水門だったと記憶しているが、海に注ぐ川にサケがウヨウヨ群れをなしていて驚いた。河川の環境保護に力を入れている証拠である。『千曲川にサケを再び』などというキャンペーンが長野県でもおこなわれたが、残念ながら十分な成果とはなっていない。

ホリデーイン・クラウンプラザホテルに投宿、三泊することになった。部屋は二七階、景色が抜群である。窓の正面には広大な太平洋に面した港が広がっている。その左方向は、赤いレンガ造りのビルが緑に囲まれ延々と建ち並び、はるか彼方には薄紫色の山々が連なっている。

シアトルの緯度は樺太と同じだそうだ。それを裏づけるかのようにさわやかな気候だった。二日目の昼食は海に面した屋外レストランでランチを食べた。何人かの白人たちは上半身裸で日光浴をしながら食事をしていた。それもそのはず、シアトルは降雨量が多く年間二〇〇日は雨降りだという。住民は太陽が恋しいのである。緑が美しいのは雨の恵みのせいなのだろう。

シアトル滞在三日目は雨だった。ここシアトルでも研修講義は毎日続けられた。真面目にノートする者もいたが、番組作りの具体的な話はほとんどなく退屈であった。参加した他局の現場担当のディレクターやパーソナリティーも同意見であった。

この日の午後はフリータイムとなり、餞別をもらった社員らのお土産を買った。

夕方、雨が止んだ。他局のディレクターやパーソナリティー四、五人と連れだって海辺のシーフードレストランへ出かけた。広大な太平洋に沈む夕陽を眺めながら、とびきり上等の巨大エビを食べた。これはうまかった。

アメリカ最後の訪問地はサンフランシスコ、早朝六時のモーニングコールでそそくさと朝食をすませた。ユナイテッド航空一五九便でシアトルからサンフランシスコに向かった。機内の窓からは、六月下旬というのに雪をいただいた山並みが続いている。コースト・レーンジ山脈であろうか。南へおよそ四〇〇キロ、午前一〇時四五分、サンフランシスコに到着し市内見学に行く。映画などで見たおなじみの風景が広がっている。とにかく坂の多い街だ。金門橋は残念ながら霧が立ち込めその姿を見ることができなかった。

港近くの土産店で七歳の息子に、生きているのかと見間違えるほど精巧にできているガラガラへビの置物を買った。とぐろを巻いて、いまにも飛びかかろうとする姿を陶器で作ったものだ。息子はへビ年。へビが好きで捕まえたへビを水槽で何匹も飼っていた。実は俺も小学校時代にへビを飼ったことがあり、その遺伝子が息子に受け継がれたのかもしれない。あの時のガラガラへビを、四五歳になった息子はいまも東京の自宅の部屋に飾っている。よほど気に入っているものとみえる。

六月二七日、この夜はアメリカ研修ツアー最後のディナーというので、全員が一堂に会して食事を楽しんだ。それも列車の客車を改造した奇妙なレストランがあるというので、ゾロゾロと一三人が列をなして乗り込んだ。客席を上手に利用し、そこにテーブルを設置したレストランだ。日本人にとってはゆったりとした座り心地で、窓も大きいのでサンフランシスコの坂道も遠望できた。

「今夜が最後の食事なので、アメリカらしいものを食べたいね」

同じボックス席の前に座った南海放送の吉村ディレクターが言った。

「ならば牛肉でしょう。ビーフステーキを食べましょう」

隣に座った北陸放送の坂田パーソナリティーがわが意を得たりと提案する。俺はメニューを素早く探索すると、これだという料理があったのでみんなにも薦めた。

「これ、いいよ。ビーフステーキ、ロブスター。牛肉にエビもついてる。せっかくのサンフランシスコなんだから、海の幸も一緒に食べるってもんじゃない」

そう言うと、同じテーブルの和歌山放送の野々村アナウンサーも賛同してくれた。

「そんなメニューもあるんだ。両方食べられるのは魅力的だよね。それにしましょう。きっとバカでかいものが出てくると思うけど、最後だから完食を目指してがんばるぞ！」

長いツアーの間で、番組作りに携わっている現場仲間が自然にグループを作るようになっていたのである。

「サンフランシスコではないけれど、『刑事コロンボ』は同じ西海岸のロサンゼルスが舞台だよね」

和歌山放送の野々村アナウンサーが言う。

「ピーター・フォーク、いい味を出してるよね。声優の小池朝雄さんの声がピッタリなんだよなあ」

北陸放送の坂田パーソナリティーが口をはさみ、俺たち四人はビーフステーキとロブスターを頬張りながらしばし『刑事コロンボ』談議となった。イタリア系のコロンボ刑事は、ワスプ（白人エリート層）でエスタブリッシュメント（特権階層）である金持ち階層の犯罪を見事に解決するお決まりのパターンだが、それが実に痛快なのだ。

アメリカ社会ではイタリア系、アイルランド系、ポーランド系、中国系などの民族社会が歴然と存在し、人種の坩堝《るつぼ》などとよく言われるが、実はそれぞれの民族が集合して暮らす、人種の野菜サラダ、人種のおでんとでも言った方が当たっている。

また、アメリカは、自由平等社会などと言われているが、黒人たちが選挙など白人と同じ公民権が認められたのは一九六〇年代半ばのことである。

その頃、このサンフランシスコを舞台にした映画『招かれざる客』が制作された。この作品が作られ始めた六七年時点で、アメリカの一七の州では驚くなかれ、異人種間での結婚は違法であった。この映画は黒人差別がいかに深刻なものであるか、口先だけの人種平等主義者の欺瞞《ぎまん》ぶりを見事に描いた作品である。

サンフランシスコで新聞社を経営する父（スペンサー・トレイシー）は、人種差別反対を紙面で訴え続けているリベラル派の代表的人物である。妻（キャサリン・ヘップバーン）との間には年頃の娘（キャサリン・ホートン）がいた。ある日娘は温厚な黒人の医師（シドニー・ポワチエ）を自宅に連れてきた。サンフランシスコの美しい海が一望に見渡せる豪華な邸宅である。父母はこの黒人医師が娘の選んだ婚約者だと紹介され、驚き狼狽《ろうばい》する。黒人医師は温厚で人格者でもあるのだが、父は娘の結婚相手が黒人であることにこだわりどうしても結婚に同意できない。日頃は人種平等を口にしているのだが、いざ自分がその当事者となると話は別なのだ。

この映画が作られて五〇年が過ぎたいまも、アメリカ国内では白人と黒人の対立による不幸な事件は後を絶たない。口先だけで人種平等や社会正義を声高に叫び、文化、性別、宗教などに基づく差別や偏見を正そうという、いわゆるポリティカル・コレクトネスを掲げる偽善者たちの行動は政治問題にもなっている。ＳＮＳなどの登場で、意見の異なる相手を誹謗中傷する度合いはますます高まり、そこに所得格差による社会の分断化も加わり、大国アメリカは難波船のごとく漂流し続けている。

世界でもっともアメリカ化が顕著な日本でも、ネット社会の拡大とともにポリティカル・コレクトネス問題は、極めて深刻になりつつある。アメリカを他山の石としなければ取り返しのつかないことになりかねない。

サンフランシスコを訪れた頃は、インターネットなどは想像すらできなかった。黒人差別はあったにせよ、アメリカ社会はまだまだ日本人にとっては魅力的な国であった。特にサンフランシスコは、太平洋をはさみ日本ともっとも近いアメリカの都市なのだ。テレビや映画の舞台としてもおなじみの街なのだ。太平洋の香りが漂うトレインレストランでの最後の晩餐なのである。

音楽番組を担当している南海放送の吉村ディレクターが言った。

「サンフランシスコで、アメリカのツアーも終わりだね。トニー・ベネットの『思い出のサンフランシスコ』を聞きたいね。武田さん」

「吉村さん、演奏でいいのはカウント・ベイシー楽団が、クインシー・ジョーンズの編曲でレコーディングしたビッグバンドものがゴキゲンなんですよ。『ジスタイム・バイ・ベイシー』というアルバムの中にこの曲があるんです。俺がドラマーで参加していたビッグバンドのレパートリーだったんですよ」

「そう言えば武田さん、社会人バンドのドラマーだって言ってたよね。『思い出のサンフランシスコ』

か。今夜でこのツアーも終わり、明日はこの曲のように、サンフランシスコよ、さようならになるんだね」

和歌山放送の野々村アナウンサーは妙に感傷的な口調で言った。完食宣言をした彼ではあったがビーフステーキとロブスターはやはり巨大過ぎた。食べ残しの肉が皿にある。結局彼は完食できなかった。残念ながら俺たち三人も肉を残した。「思い出のサンフランシスコ」の曲名を借りれば、全員が「I left my meat in San Francisco」となった次第、お粗末！

こうして一六日間にわたるアメリカ研修旅行は幕を閉じたのである。信越放送でラジオ局が新設されたその年に、アメリカツアーに推薦してくれた島田茂ラジオ局長に改めてお礼を言いたい。世界をリードしていたアメリカ、ジャズの本場アメリカ、そのアメリカの生の息吹を感じることができたことは、大きな財産になったのである。

なによりアメリカ各地の研修で知ったアメリカ放送業界の厳しさはいい勉強と刺激になった。実力と成果がともなわなければ、昇進はもとより給料も決して上がらないという競争社会。この過酷とも言えるアメリカの放送業界を肌で感じることができたことは、将来独立を目指す自分にとっては最大の成果であった。実力をつけ、ユニークな番組作りと個性豊かなパーソナリティーとなるよう精進せねばと改めて心に誓ったのであった。

第5部
悪戦苦闘の独立篇

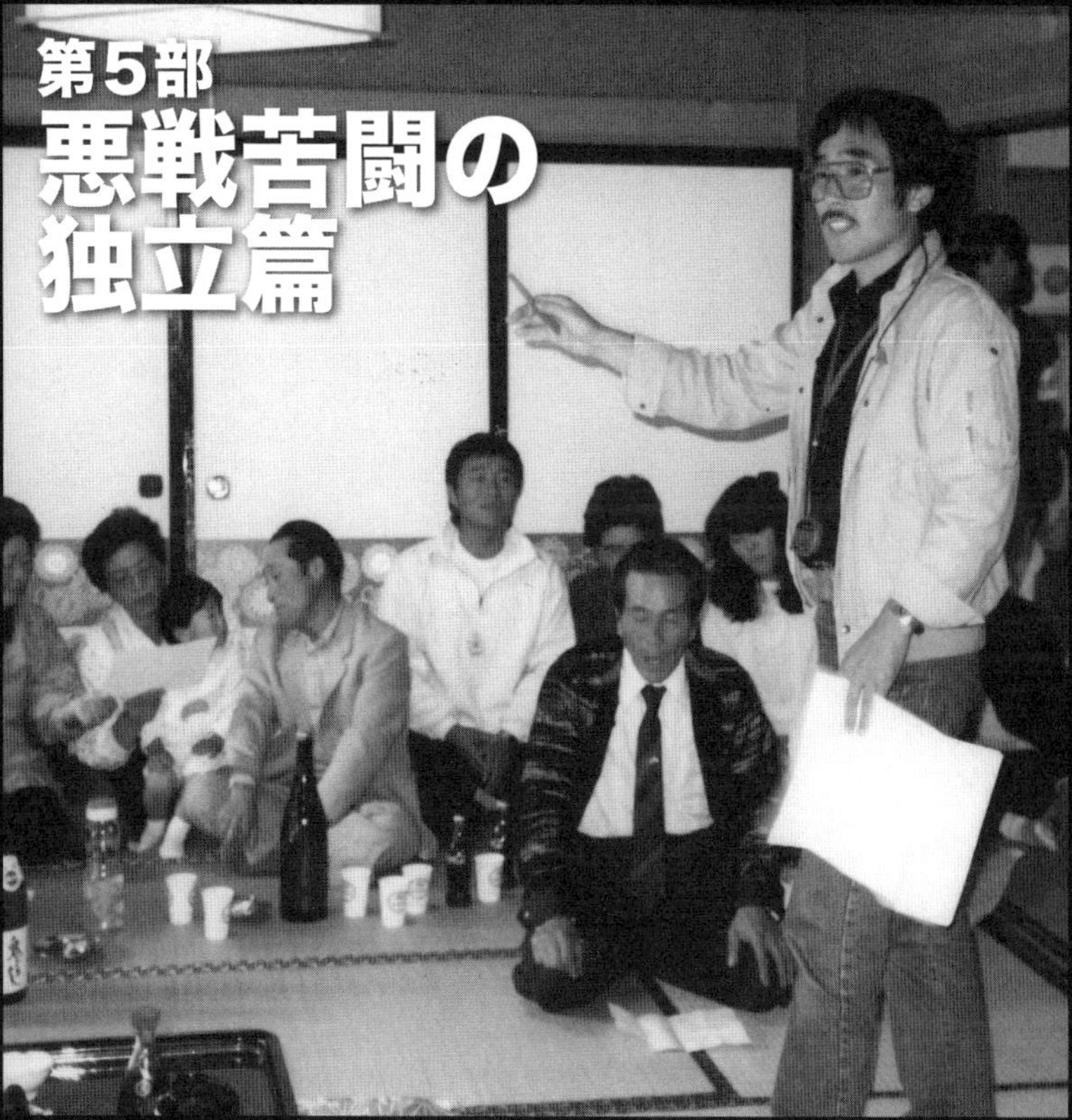

野麦峠入り口の旅館での川中美幸コンサートにて

1 「西洋音楽事始」ドレミが来た日

作曲家神津善行さんとの出会い

アメリカ放送業界の視察で痛感させられたのは、独立してこの業界で身を立てるには、広い視野とあらゆる番組に対応できる能力を養う必要がある、ということだった。そのため独立を目指して多様な番組作りに挑戦した。

ローカル局に就職した俺には都落ちしたという負い目のような意識が心に沈殿していた。いつかローカル局の意地を見せてやろうと常々思っていた。そんな自分にとって、民放祭の番組コンクールは実に良い機会だった。スポーツにたとえるならば、全国選手権大会のような場なのである。全国の民間放送をいくつかのブロックに分け、そのブロックの一位が優秀賞となり、全国大会に出品される。ブロック大会での優秀賞は、すなわち全国レベルで十分に通用する質の高い番組とお墨つきをもらったことになる。

つまり民放祭出品作品を作ることは、自分の作る番組の質が、全国的に見てどの程度のものであるのかも知ることができる目安でもあるのだ。一人よがり的な番組作りを反省する機会でもある。なによりローカル局の意地を見せるハレの場でもあるのだ。だからほぼ毎年のように挑戦し続けたのであった。

信越放送は在京キー局を除く関東、甲・信・越・静ブロックに入る。このブロックの一位が優秀賞として全国コンクールへ駒を進める。そこで在京キー局と全国ブロックで選ばれた優秀賞と競い合い、最優秀賞、全国一位を決めるのである。

番組にも娯楽色が強いものや社会派番組もある。そこでコンクールでは出品作品を報道部門、教養部門、娯楽部門、活動部門のどれかにエントリーし、それぞれの部門で一位を競うのである。その後、ワイド部門も新設された。

レギュラー番組をこなしながら民放祭出品番組を作るのはシンドイことであった。幸いにして三〇歳の時、初めて挑戦した報道部門で、なんと驚くなかれ自分の作品が全国一位、最優秀賞に輝いてしまったのである。『医者と瓢箪《ひょうたん》』という作品で、伊那谷阿智村の阿南病院院長の宇治正美さんを主人公に、地域医療に取り組む姿を人情味あふれるタッチで描いたラジオドキュメンタリーである。

まさかの最優秀賞にビックリ仰天した。が、もっと衝撃を受けたのは社の幹部たちだったろう。なにかとトラブルを起こす不良社員が、信越放送始まって以来の快挙である民放祭全国一位に輝いたのだから…。これに気をよくし、その後も毎年出品しては優秀賞をものにした。ニックの番組もそのひとつであった。

しかし、これからは守備範囲を広げ、しゃべりと番組制作のスキルアップを図らなければならないと思い始めていたちょうどその頃、ある有名人との出会いという思わぬ幸運に恵まれた。

音楽家の神津善行さんである。中学生の夏休み、戸隠キャンプに行く途中、バスがパンクするハプニングの時、思わず口ずさんだ「田舎のバス」を歌っていた中村メイコの旦那ということにも、奇妙な因縁を感じた。

アメリカから帰って約一か月後の八月五日、ニューポート・ジャズフェスティバル・イン斑尾の初ラジオ生中継を担当。一一日、一二日は飯綱セゾン・ジャズフェスティバルが開かれ、出演者のハンク・ジョーンズ、日野皓正・元彦兄弟、佐藤允彦らのインタビュー取材をするなど、夏はまさにジャズ漬けであった。

飯綱セゾン・ジャズフェスティバルの仕掛け人は信濃毎日新聞社の立岩久忠さん。とにかくジャズが大好きなだけでなく、演歌歌手の都はるみの大ファンでもある。自分も歌謡曲小僧だったので、その心境はよく理解でき、親しくお付き合いいただいていた。

立岩さんはどうしても聞きたいコンサートがあると、親類縁者の葬式と偽っては休日をとるという音楽好きでもあった。

飯綱セゾン・ジャズフェスティバルで日野兄弟と立岩さんと

「これまで何人親戚の人を死なせちゃったかなぁ。今度のコンサートの時は誰にしようか困ってるんだよ」

その立岩さん、早稲田大学の先輩で、大学生時代のある時期には俺が所属していたニューオルリンズ・ジャズ・クラブでドラムを叩いていたのであった。事実、松代町の社会人ビッグバンドのドラマーでもある。そう、ここでもまたまたジャズが取り持つ不思議な縁が存在しているのである。

飯綱セゾン・ジャズフェスティバルでは、監修補佐ということで俺も協力していた。大成功に終わったこの年の飯綱ジャズの最終日、会場で立岩さんに呼び止められた。

「いま、長野県とわが社で『さわやか信州キャンペーン』という企画をやってるんだけど、その関係で何人か東京からやってくるんだ。武田さん、会ってくれる？　佐久地方でも音楽イベントを企画していて、ラジオでもＰＲしてほしいんだって」

立岩さんの頼みとあらば断るわけにはいかない。

一週間後の八月一九日、日曜日の夜であった。長野市内のホテルへ出向いて会ったのが神津善行さんだったのである。テレビで拝見していた通りの気さくな人柄で、食事をしながら話は弾んだ。

神津家はもともと佐久平の出身で、郷土の佐久市で全国どこでも開催したことのないようなユニークな音楽フェスティバルを神津プロデューサーの手で開催したいということだった。たとえば、森繁久弥、美空ひばり、日野皓正らジャンルにこだわらず、超ビッグな本物の音楽を聴かせてくれるタレントが登場するイベントを考えていると言うのだ。

ジャズ界の大スター日野さんばかりでなく、芸能界の大御所中の大御所、森繁さん、そして日本歌謡界の女王、ひばりさんのステージが信州で実現したら、これは超豪華なイベントになるに違いない。神津さんの話を聞きながらワクワクしてきた。神津さんの夫人である中村メイ子さんは美空ひばりさんと大の仲良しで、深いお付き合いをしているという話もしてくれた。イベントが具体化したら、喜んでPR活動に力を入れると約束したのは言うまでもない。

神津さんは先祖の故郷である信州でのコンサートによほど期待しているらしかった。その神津さん、「そもそも信州人は…」と、これまでまったく知らずにいた信州人と音楽のかかわりについて話題を投げかけてきたのである。

「日本の音楽文化の礎を築いたのは信州人なんだよ。武田さん、西洋音楽、ドレミファソラシドを初めて日本に導入したのは信州人だということを知ってる?」

これまで思ってもいなかった質問だった。大学時代に、ジャズはミュージシャンの経歴やら成り立ちやらを勉強した。が、幼い頃からラジオでよく聴き口ずさんでいた唱歌や歌謡曲については、身近で日常的過ぎるため、その由来や起源について考えたことなど一度とてなかった。

「西洋音楽の導入がいつ誰の手によっておこなわれたかなんて考えたことなかったです。確かにドレミの音階は、西洋のものですよね。中学時代は音楽の授業があって、音階についてだとか、バッハヤベートーベンの作った有名な曲は教えてもらったけれど、西洋の音階がどうやって日本に入ってきたなんて教えてもらったのかなあ。信州人がかかわっていたなんてまったく知りませんでした。どこの誰だったんですか？」

「そうなんだよ。信州人でありながら、ほとんどの信州人は知らないんだよ。伊那の高遠藩の藩士だった伊沢修二という人が、明治の初めにアメリカに留学して音楽教育というものに目覚めて、日本に導入したんですよ。武田さんもジャズの名曲を口ずさんだり、カラオケで歌謡曲を歌ったりするでしょ。伊沢修二さんがいたからこそ、日本人もドレミの音階で音楽を楽しむことができるようになったんだよ」

　不覚であった。ジャズについてはあれほどこだわって調べもしたが、歌謡曲小僧を自認していた自分が、西洋音楽についてなんら疑問を持たずにいたことに強い衝撃を受けた。それと同時に、その西洋音楽を日本に紹介し普及したのが信州人の伊沢修二なる人物であることを知らずにいた自分を恥じた。灯台もと暗し、とはまさにこのことである。恥を忍んでその席で神津さんにお願いした。

「神津さん、伊沢修二なる人物についてラジオ番組を作る時は、ご協力いただけますか。長野県の人たちに番組を通して彼のことを知らしめたいんです。下調べや伊沢関連の取材もしますが、神津さんにラジオに出演していただいて、伊沢さんの功績を音楽家としての立場で、熱く語っていただきたいんです。お願いします」

神津さんも快諾してくれた。

実はこの神津さんとの出会いからである、伊沢修二ばかりでなく、近代を築いた信州人をテーマにしたシリーズで番組を作ろうと決意したのは。

そして、この五年後、ラジオ番組『武田徹のつれづれ散歩道』を立ち上げ、「近代青春グラフティー」なるコーナーで明治以降、日本の近代を拓いた人物をシリーズで放送することになるのである。

神津さんが意欲を燃やしていたジャンルを超えた佐久音楽祭が、駒場公園で開催されたのは昭和六三年（一九八八）八月二一日であった。

あの美空ひばりがステージに立って見事なパフォーマンスを披露したのである。この後、ディナーショーに一度出演はしたが、美空ひばり最後の大舞台はこの信州でおこなわれた佐久音楽祭だったのである。当日、残念ながらラジオ生番組放送のため会場には行けなかった。この佐久音楽祭の一〇か月後、昭和の歌姫、美空ひばりは天に召されたのであった。佐久音楽祭はこの年から回を重ね、一三年間にわたって開かれている。

さて、伊沢修二である。ラジオ番組を実現させるためには、放送枠を確保しなければならない。幸いなことに翌年は、SBCラジオ三五周年記念の年にあたっていた。この記念特番で、信州が輩出した偉大なる人物にスポットを当てた特別番組を企画しようとひそかに計画を立てたのである。帰米直後、神津さんとの出会いで知った伊沢修二から発想したアイデアであった。

大災害と大事故で進まない取材

運よくＳＢＣラジオ三五周年記念特別番組のチーフディレクターを仰せつかったのは昭和六〇年（一九八五）の春。この年の秋、二日間にわたっておこなわれることが決まった。温めていた構想を実現する時が来たのである。題して『ＳＢＣラジオまつり三五周年記念 大発見信州』である。

メインは伊沢修二であるがほかの人物にもスポットを当てた。信州で挙兵し短期間ではあったが将軍に任じられた木曽義仲、江戸時代の力士雷電為右衛門、江戸末期から明治にかけて上野動物園設立などにもかかわり、日本の殖産興業に尽力した田中芳男、明治から昭和初期にかけ女子教育に情熱をかけ共立女子大学を創立、政治家鳩山一郎の母でもあった鳩山春子らであった。伊沢修二以外の人物は、「おもしろ信州偉人伝」と題して、わかりやすくユーモラスなラジオドラマ形式にして紹介した。

伊沢修二は事前取材を綿密におこない、生放送当日は神津さんはもちろん、明治時代に歌われていた曲も披露。彼の業績を語れる人たちもスタジオに招き、たっぷり時間をかけ、様々な角度から伊沢修二なる人物を掘り下げた。というのは、この時の伊沢修二にかかわる生放送をコンパクトにまとめ、その後の民放祭教養部門に出品しようと目論んでいたからである。俺の常套手段である一石二鳥をここでも狙ったという次第。

オンエア四か月前の七月二日、まずは神津善行さんのスケジュールを確保するため上京、キャピトル東急ホテルで会った。

梅雨の真っ只中で、この日は東京も雨だった。前年に神津さんの話で知った伊沢修二を取り上げ、ラジオ番組にすることを告げた。

「それは良かった。きっとおもしろい番組になるよ。伊沢修二はアメリカ留学をした時に初めて西洋音楽を知り、日本の近代化にはぜひとも音楽教育が欠かせないと思ったんでしょうな。そこが偉いところだよね、音楽に目をつけたというのは。実は、わが神津家の神津専三郎という男も伊沢修二のアメリカ留学仲間で、伊沢の音楽教育の手助けをしたんですよ。伊沢はいまの東京芸術大学の前身、東京音楽学校の初代校長に就任したんだけど、その後、専三郎も校長を務めることになったんだよ」

どうりで伊沢について詳しいわけである。善行さんの血の中にも、伊沢と協力して音楽教育に情熱を注いだ専三郎の遺伝子が脈々と受け継がれているのである。

「武田さん、東京芸術大学に行くと、伊沢のことをよく知っている人がいるはずだから、取材するとおもしろいエピソードが聞けると思うよ」

神津さんはこのミーティングでラジオ出演を快諾してくれた。

ところが、取材に動き始めようとした同じ七月の二六日、信越放送の目と鼻の先にある長野市湯谷団地で大規模な土砂崩れが発生、民家五〇軒が被害を受け、老人施設の松寿荘では五人が死亡、二一人が行方不明という大惨事が発生した。われらラジオ制作部員も報道記者として現場リポートや、特番報道番組の生放送などで伊沢修二の取材どころではなくなった。

災害報道をこなす中で、八月一日からはニューポート・ジャズフェスティバル・イン・斑尾が始まった。斑尾高原に出かけてミュージシャンやジョージ・ウェインのインタビュー取材、八月三日には午後三時から二時間にわたって、斑尾高原の客席に設けられた特設ステージでラジオ実況生放送を担当した。五日にこのフェスティバルが終了、すると今度は一〇日から長野市の飯綱高原で飯綱セゾン・ジャズフェスティバルが二日間の日程でスタート、こちらも取材やら監修補佐なる立場で現場におもむき、目の回るような多忙さであった。

大災害に続く二大ジャズイベントも終わり、やれやれ一息と思っていた矢先のこと。八月一二日にはまたまた大事故が発生したのである。日本の航空史上最悪の被害となった日航ジャンボ機の墜落事故である。この日は久々の休日で、小学三年生の息子を連れて家族で直江津へ海水浴をして楽しんだ。帰路の道路が混雑しており三時間半もかかってようやく帰宅したのであった。夕食を食べ始めたその時だ、突然ラジオ部長から電話があった。

「日航ジャンボ機が北佐久地方に墜落したという一報が入ったので、とりあえず現場へ向かってほしい」

マスコミに働く者の宿命である。夕食もとらずにラジオカーで対策本部が設けられているという北相木村役場へ向かった。が、情報が入り乱れて事故現場がわからぬまま、天竜寺の駐車場で車中泊することになったのだった。

翌朝、日航機は群馬県の御巣鷹山に墜落したことが判明、長野県エリアの事故でないのでわれらは帰社したのである。

こうした災害やイベント、事故にかかわりながらも、レギュラー番組である『スタートいちばん』のディレクターや、『マンデー・ジャズ・ナイト』『らんらんサタデー今が聞きごろ』のパーソナリティーなど、デイリーの番組をこなさざるをえない超超多忙な夏となったのである。

読者の方にもマスコミ関係の仕事も結構キツイこと、おわかりいただけると思う。

音楽教育の開拓者、伊沢修二はドラマーだった！

伊沢修二の取材は秋風が吹き始めた九月になってからようやく始まった。

九日、伊沢修二が生まれた伊那市高遠に、彼の業績を詳しく調べた郷土史家、伊藤昇さんがおられることを知り訪ねた。さわやかな秋の日差しが気持ち良かった。

伊藤さんのお宅は桜で有名な高遠城址公園のすぐ脇にあった。桜が満開の頃は花に埋もれ、自宅に居ながらにして花見を楽しんでいるという伊藤さんは八〇歳。大変お元気で年齢をまったく感じさせず、伊沢の取材に喜んで協力すると約束してくれた。

「伊沢の生家が残ってるんですよ。歩いて二〜三分の場所ですから行ってみましょう」

居間で茶をいただいてから案内してもらった。

最速、録音器を作動し収録を始めた。

「あの石屋根の家が伊沢の生まれた家です。高遠の町で保存しているんです。木造で壁も土壁のままで、いかにも下級武士の家というたたずまいですね」

引き戸を開けて中に入ると小さな土間がある。

部屋は三つあるだけ。それも板敷きのままの粗末なものである。

「高遠の冬は寒いですよ。氷点下一二度ぐらいになりますからね。修二は少年時代から勉強好きで、こんな環境の中でもたくましく成長していったんでしょうね」

伊藤さんはわがことのように伊沢修二のことをご存じであった。

伊沢が貧乏士族の長男として生まれたのが嘉永四年（一八五一）、アメリカのペリーが浦賀へ来航する二年前のことである。

藩校の進徳館で学び文武両道教育を叩き込まれて一六歳で上京。時代が変わった明治三年（一八七〇）、高遠藩の貢進生《こうしんせい》として大学南校に入学、新時代のエリートとして二二歳で新設された文部省に出仕し、なんと二三歳で愛知県の師範学校長に任ぜられたのである。学校教育の黎明期、修二は『教授真法』なるものを著し、幼児の遊戯唱歌の教育を試みている。もちろんまだ音楽教育などない時代である。

そして翌明治八年、アメリカの教育事情を調べるためアメリカ留学を命じられるのである。この時、修二とともに渡米したのが、神津善行さんの一族、神津専三郎であった。

明治一一年、三年間にわたるアメリカ留学から帰国。教育界に大きな実績を残すのであるが、特に音楽教育に果たした役割は大きい。初代の東京音楽学校長となり、アメリカで音楽教育の重要さを教授してくれたルーサー・メーソンの来日を期に、明治一四年『小学唱歌』を出版、日本で本格的な西洋音階、ド、レ、ミ、ファ、ソ、ラ、シ、ドによる音楽教育がスタートすることになったのであった。伊藤さんから、こうした伊沢についての基本的な経歴を教えていただいた。

この日はほかにも仕事があり、長居はできないと告げると、伊藤さんは残念そうに言った。

「もう一度ゆっくり高遠へ来ませんか。ほかにも伊沢関係の資料がありますから案内しますよ」

その言葉に甘えることにし、同じ月の九月三〇日、再び伊藤さん宅を訪れた。

伊藤さんは自宅の書斎に案内してくれた。その蔵書の多さに圧倒された。歴史関係の本がビッシリ。

「武田さん、高遠は歴史の町なんですよ。特に戦国時代、武田信玄の五男である若き城主の仁科五郎盛信は、織田方の一万の大軍を相手に大奮戦したんです。その城跡がいまは桜で有名な高遠城址公園になってるのはご存じでしょう。高遠の人たちは武田信玄贔屓《びいき》の人が多いんですよ。その信玄と同じ姓の武田さんに、高遠出身の偉人、伊沢修二の取材を依頼されるなんて奇妙な縁ですね」

人生の大先輩に言われて、うれしかった。肝炎で禁酒中の身とあって、もっぱら戦国時代の英傑である、信玄、信長、秀吉、家康らの本を読みあさっていた時なので話も弾んだ。織田の軍勢に攻められた高遠城址公園や、織田軍が飯田市の開善寺から奪って、陣鐘として戦いの時に打ち鳴らしたという梵鐘がある桂泉院を案内していただいた。

奇妙な縁と言えば、この一四年後から始まった信越放送のテレビ番組『ＳＢＣニュース・ウィークリー』（日曜日午前放送）のキャスターを中澤佳子アナウンサーとともに担当したが、彼女の嫁ぎ先がなんと伊藤さんに案内された桂泉院。俺はその仲人を務めることになったのだから、人の縁はどうつながるのか人知では計りしれない。

さて、伊沢修二のことである。桂泉院山門からかつての城下町を一望しながら伊藤さんが言った。

「伊沢は楽器も演奏したんですよ。高遠藩の藩校だった進徳館で寮長になった伊沢は鼓笛隊で、鼓手を務めたんですよ」

えっ！　まさか!!　ホントなの？　驚いた。

「伊藤さん、鼓手と言えば、いまで言うドラマーですよね。実は、大学時代からドラムを叩いてるんです」

伊沢はドラマーの大、大先輩とわかって、伊沢修二への興味はますます深まった。

俺がドラマーだと知って伊藤さんもビックリ。

「そりゃ奇遇ですね。同じドラマーとは。伊沢はなかなかの風流人というか、好奇心旺盛なんでしょうね、三味線も弾いたようなんです。その三味線が上伊那郷土館に展示されていますので行きましょう」

太鼓を叩いて三味線も奏でる、江戸末期に生まれた伊沢修二という男に、奇妙な親近感さえ覚えてきた。

なるほど、伊沢が弾いた三味線があった。どんな曲を弾いたかまではわかっていないようだった。

ここでの大きな収穫は、アメリカ留学から帰国後、留学中に知り合い音楽教育を啓発されたメーソンからの英文書簡が多数保存されていることだった。伊沢とメーソンの間には、信頼というより師弟関係が芽生えていたことをうかがわせるメーソンの手紙がいくつもあった。自らがおこなっている音楽教育に賛同し、遠い異国の日本でそれを導入しようとしている伊沢に対し、メーソンは感謝さえしていると思われる内容もあった。二人がかなり頻繁に書簡のやりとりをしていたことが事実として裏づけられた。

伊沢の強い依頼で、メーソンは来日することになるのだが、これは伊沢への師としての証しでもあったのだろう。

メーソンの英語で書かれた手紙の文面を読み、ペンのタッチや紙の質などの様子をリポート、持参したデンスケと呼ばれる大きく重いプロ仕様の録音器に収録した。ジャズフェスティバルで勉強した英語がここでも役立った。このリポートは後の番組で使用することになる。

伊藤さんにこの年一一月に予定している『SBCラジオまつり三五周年記念　大発見信州』の生放送への出演も依頼して別れたのであった。

一〇月一五日、ラジオまつりの半月ほど前、伊沢が初代学長を務めた東京音楽学校、現在の東京芸術大学へ向かった。神津善行さんのアドバイス通りメーソンから贈られた日本初上陸のピアノがあることが判明、そのピアノの音をぜひとも収録したいと思ったからである。

東京芸術大学は上野の森にある。目指すピアノは三階にあるという。校舎三階の窓から俯瞰《ふかん》する景色は、樫《かし》の大木が鬱蒼《うっそう》と続き、まるで樹海の中の建物にいるようである。森林県信州といえども、都市部でこれほど緑あふれるところはない。信州は都市部の緑が極めて貧弱であることを改めて感じた。美を求めて芸術家を目指す学生諸君にとっては最高の環境といっていい。

校舎三階に資料館があり、そのピアノも大切に保存されていた。まるで倉庫にあるような巨大な鉄の引き戸をガラガラガラと開けると、フロアいっぱいに骨董品のような貫禄たっぷりの様々な楽器類がところ狭しと並んでいる。

案内役の東京芸術大学音楽研究センターの森節子さんがまず、昔なつかしいオルガンを指さした。

「これが伊沢修二の命令で作られたオルガンです。『東京文部省音楽取調所 日本製造人』と書かれています。これが明治一四年に作られた日本で初めてのオルガンなんです」

鍵盤は白い部分が黄色に変色している。音は健在のようなので、同行してくれた東京芸術大学音楽センターの橋本すみ子さんに「庭の千草」を弾いてもらい、その音を収録した。ペダルを足で踏みながら演奏するベビーオルガン型で、音程もしっかりしていた。現在のヤマハ楽器はこの試作オルガンを製作したことがきっかけで、楽器製造会社になったという。そのオルガン製作のモデルになったのは、メーソンが日本に持ち込んだ本邦第一号のピアノなのである。

そのピアノは資料館のさらに奥に鎮座ましましていた。スタンド型ピアノで、やはり白鍵盤は変色しているが、古武士のような風格がある。当時の日本では、このピアノと同じピアノを作るだけの技術がなかったのだろうか、あるいは製作するには金額が高過ぎたので学校教育用には向かなかったのであろうか、日本はこのピアノをもとに作ったオルガンで音楽教育を実践したのである。

俺の小学校時代も教室の黒板の横にはオルガンがあった。小学一年生の時、生まれて初めて伴奏つきで歌を歌ったのは、担任教師によるペダル踏み式のオルガン伴奏であった。それらのオルガンの生みの親が、メーソンがアメリカから日本に持ち込んだこのピアノなのである。

その音色はいかに？　それがまた、いい音なのである。明治一三年（一八八〇）、メーソンとともに来日したこのピアノ、なんと一〇五年後のこの時も、澄んだ音が芸大資料館中に響き渡ったのである。橋本さんにこのピアノで「かぞえ唄」を弾いてもらい録音した。そして森節子さんにも生番組出演を依頼した。

明治の唱歌教育を再現して番組生放送

こうして迎えた昭和六〇年（一九八五）一一月二日、三日の両日、『ＳＢＣラジオまつり三五周年記念 大発見信州』が放送された。二日間でおよそ二〇時間にも及ぶ生放送であった。随時クイズが出題され、またリスナーからの便りをなるべく多く反映させようと、大きな会議室に五〇台の電話を設置し、アルバイトの主婦らに電話受け付けを依頼した。

伊沢修二の番組は「ドレミが来た日 伊沢修二の西洋音楽事始」と題し、初日の二日午前の二時間にわたって生放送された。

ゲストは神津善行さん、郷土史家の伊藤昇さん、東京芸術大学の森節子さんら三人、司会進行、取材リポートは俺が務めた。さらに特別ゲストとして、長野市湯谷小学校合唱部の子どもたちに出演してもらい、明治時代に伊沢がおこなった音楽の授業をスタジオで再現したのである。番組冒頭、東京芸術大学の資料室で弾いてもらった日本初登場のピアノの音を聞いてもらった。

「音程はしっかりしてますよ。いまのピアノより陽気な響きですね。というのは現在のピアノは厚い木で作られているからです」

神津さんが言うと森さんが発言する。

「このピアノは明治一三年（一八八〇）、後にも話しますが、アメリカのメーソンさん愛用のピアノを本人が来日した時に日本に持ってきたものなんです」

「そのメーソンさんを日本に招いたのが、わが信州高遠出身の伊沢修二なんですよ」

伊藤さんが誇らしげに言葉を添えた。

「いま、ラジオをお聴きの皆さんで、カラオケを楽しんでおられる方も多いでしょう。クラシックを聴く方も多いでしょう。それもこれも伊沢修二さんがおられたからなんです。要するに、ドレミ、西洋音楽はそもそも長野県のものなんでございますよ」

この神津さんの言葉でスタジオに笑いがあふれ、いい感じで番組が始まった。実は前日夜、長野市のワシントンホテルのレストランで、三人の初顔合わせを兼ねて夕食会を催したのである。ゲストの出演者が、気がねなく本音でしゃべれる雰囲気作りをするのも、ディレクター、パーソナリティーのもっとも大切な仕事なのだ。

伊沢が高遠藩の貧しい下級武士の家に生まれたことなど、取材リポートの様子を交えて紹介、それを受け、伊藤さんが文明開化の大号令が発せられた東京へ出た伊沢が、英語を学ぶためにジョン万次郎（中浜万次郎）の門を叩いて個人教授を受けたこと、二三歳で愛知県師範学校長に任ぜられたことなどを語った。

すると森さんが加えて、この時に伊沢は、「蝶々」の歌詞を作り、メロディーはいまのものとは違うわらべ歌風に歌いながら遊戯を子どもたちに教えたことを語る。神津さんは当時の日本の音楽状況を説明し、宮中の雅楽や寺院の声明《しょうみょう》、労働歌としての民謡などしかなかった時代だったと加える。

生放送はいい感じで進行、いよいよ伊沢のアメリカ留学へと話題が展開する。

明治八年、伊沢は北京号で横浜港を出発、同じ信州人で佐久平出身の神津専三郎も乗船。アメリカで伊沢が入学したのはマサチューセッツ州のブリッジウォートル師範学校。成績は常にクラスで中以上を占めていたことを述べた伊藤さんが、さらにうれしいことを言う。

「当時アメリカでは大統領選挙が迫っていて、一九代の大統領となるヘイズの応援に加わり、伊沢は小太鼓を担当し現地の学生とともに『進軍鼓曲』という曲を演奏したそうです。伊沢の演奏が素晴らしくて、楽譜通りにピタッと終わり、大きな拍手をもらったそうですよ」

スタジオで進行役をしながらこの話を聞いて、ますます伊沢修二が好きになってしまった。だってそうだろう。アジア極東の小国日本から来た男が、打楽器でアメリカの学生と音楽のコラボレーションをし、完璧なパフォーマンスを披露したのだからスゴイ！ この頃、太鼓つまりドラムなどのリズム楽器が重要なポジションを占めるジャズという新しい音楽が、マサチューセッツ州から遠く離れた同じアメリカのニューオリンズでまさに誕生し始めていた。そのアメリカでリズム楽器を演奏した日本人の第一号はなんと信州人の伊沢修二だったのである。

「当時アメリカではフォスターの『スワニーリバー』などがよく歌われていたと思いますが、小太鼓の名手伊沢も、おそらくメロディーは正確には歌えなかったことでしょう」

神津さんが言うと、森さんがうなずいた。

「そうなんです。校長のボイデンさんが音楽は特別に免除しましょうと伊沢に言ったところ、それでは面目が立たないと、ボストンにいた音楽教師メーソンを訪ね、唱歌や音譜を練習し、西洋音階を基礎から学んだんです」

鼓笛隊で鼓手を務めた経験のある伊沢だけに、音楽の重要さがわかっていたのだろう。メーソンが教室で、クラス全員が見える黒板にドレミファソラシドと音譜が書かれた「音楽掛け図」を使い、児童全員がそれを見ながら胸を張って一緒に声を出して歌う姿を目にした伊沢は思ったそうだ。

「これだ！　いま日本の児童に必要なものは。胸を張って歌うことで、健康面でも効果がある」

タイミングよくメーソンは、東洋人にもこの音楽教育をやってみたいと考えていた、その時に伊沢に出会ったのだという。まさに運命的な出会いと言うべきであろう。

伊沢はメーソンから「ボートソング」というスペイン民謡のメロディーを教わった。そのメロディーに、伊沢がかつて詞を作り、子どもの遊戯に使っていた「蝶々」の歌詞を当てると、ピッタリ合致したのであった。伊沢は手を打って喜んだことであろう。

いま、われわれが小さい頃から口ずさんでいる「蝶々」、小学校入学前に俺が公民館で見た黒澤明監督の映画『野良犬』で犯人逮捕の時に子どもたちが歌っていたあの「蝶々」は、伊沢とメーソンの出会いがあって誕生したのであった。遠い歴史のエピソードが身近なものに感じられる。

「ということは森さん、このメーソンとの出会いがきっかけで、伊沢修二は帰国後、メーソンを日本に招こうと思ったわけですね」

「そうなんです。三年後の明治一一年、二七歳で帰国した伊沢は翌年、音楽取調所設置意見書を発表し、文部省に働きかけて、国の予算でメーソンさんを日本に招くことにしたんです」

するとと伊藤さんがいかに伊沢がメーソンから影響を受けたか、その証拠を明らかにした。

「神津さん、森さん、実は伊沢はメーソンを日本に招請するために、何通もの手紙のやりとりをしているんです。メーソンからの手紙がいまも上伊那郷土館に保存されているんで、武田さんから紹介してもらいましょう」

伊藤さんに促され、メーソン書簡を取材した収録リポートを紹介した。続いて、東京芸術大学の資料室で取材した、メーソンが日本に持ち帰ったピアノをもとに試作したオルガンの音を聞いてもらった。薄暗い資料室で橋本さんが弾いてくれた「庭の千草」のなんともなつかしいオルガンのメロディーがスタジオに響いた。

いよいよ話は佳境に入っていく。

「いま、芸大に残っている伊沢の資料を見ますと、『庭の千草』や『アーニー・ローリー』『螢の光』といったスコットランド民謡などの旋律が日本人には合っていると伊沢は考えたようなんです。さらに、唱歌教育を取り入れる時の具体的な方法として、ボストンで学んだ音楽掛け図を用いること、音階をヒフミヨイムナニ、そして音名はハニホヘトイロハを用いることなどが書かれています」

森さんが言うと、神津さんがより理解しやすい例を出して説明した。

「『螢の光』にしても、ファとシは使っていない、いわゆるファ・シ抜き音階なんです。伊沢はファ・シ抜き音階でできた曲を注意深く選んだんですね。なぜファ・シ抜き音階が日本人向きだと伊沢が思ったのかには理由があるんです。日本人がよく歌っていた民謡は、ソラレミが多くファとシは使われなかった。それで『螢の光』のようなファとシを抜いたドレミソラの音階が歌いやすかったんです。『黒田節』もファとシは使ってませんね」

さらに神津さんは歌謡曲に与えた影響についても言及した。

「皆さんがよく歌う演歌と言われている楽曲も、ドレミソラ音階、つまりファ・シ抜き音階で作られているものが多いんですよ。たとえばサブちゃん、北島三郎さんがは〜るばる来たぜ、はこだて〜と歌う、あの『函館の女』もファ・シ抜きなんですよ。つまり、伊沢修二の功績は歌謡曲の底辺をも付随的に作ったということなんですね」

そうなのである。俺が歌謡曲小僧になり、いまも音楽を楽しむことができるのも伊沢のおかげなのだ。まさに伊沢さまさまである。

よく知られた演歌も話題になり生放送は盛り上がる。神津さんの話を聞きながら大きなメモ書きで、「『黒田節』と『函館の女』のレコード用意を」と記し、スタジオからガラス越しに見えるサブディレクターに指示を出す。話題になったこの二曲、聞きたいと思うのが人情である。レコード準備ができるまで、スタジオでどんな話で持たせるのか、このあたりが生放送の進行役のおもしろいところである。伊沢が唱歌教育に使用したオルガンに焦点を当てることにする。

「いま、日本初登場のオルガンで『庭の千草』を聞いてもらいました。このファ・シ抜き音階が演歌のルーツにもなったということですが、八〇歳になられる伊藤さん、小学校時代の音楽の授業には、楽器があったんですか」

「はい、私の子どもの頃は大正の初期でして、学校にはピアノがなくて、たった一台オルガンがあっただけでしたね。オルガンは本当に貴重な楽器でしたよ。『庭の千草』を聞いて遠い昔の子ども時代を思い出しました」

伊藤さんが言うと神津さんが続けた。

「メーソンがアメリカから持ってきたピアノからオルガンを作ったというその研究が非常に良かったわけで、その研究の結果が現在の楽器を作っているヤマハでありカワイであるわけですからね。私の子ども時代は昭和一ケタの時代で戦争もあり、ピアノは洋風の名前で良くないと言われましたが、オルガンの方は足を踏んで音を出すので、足の訓練になるから、まあいいかと言われてましたよ」

スタジオに笑いが起きた。

オルガンについては俺も思い出を語った。

「伊藤さんも神津さんも戦前世代、私は戦後世代で、昭和二〇年代の終わりに小学校入学でした。

担任の先生が足踏みオルガンで演奏してくれ、生まれて初めて伴奏つきで歌いましたよ。朝は『先生おはようございます。皆さんおはようございます』、帰る時は『先生さよなら、またあした。皆さん、さよなら、またあした』って。単純なメロディーでしたので、いまでもしっかり覚えてますよ」

オルガン談議中にレコードが用意され、「黒田節」と「函館の女」をリスナーに聞いてもらった。

番組も終盤、伊沢修二がおこなった明治時代の唱歌教育とは、どんな様子だったのか。それを味わってもらおうと、長野市湯谷小学校の合唱部の児童一〇人ほどに、明治時代の児童たちが歌った曲、「やまとなでしこ」「花さく春」の二曲を練習してもらっていた。音楽担当の唐沢先生の指導のもと、スタジオにオルガンを用意して、彼らに歌ってもらった。

変声期前の澄みきったさわやかな子どもたちの歌声がスタジオに響いた。子どもたちに歌った感想を聞いてみると、歌いづらかったという声が多かった。唐沢先生もそれに同調するかのように口を添えた。

「和音の作り方が変な感じがします。それで子どもたちは歌いづらかったと思うんです」

つまり、明治時代の作曲家は西洋音階に慣れておらず、スムーズな音の流れまで考えることができていなかったらしいのである。しかしその後、西洋音階で曲を作り歌うという試行錯誤の中で、作曲家も日本人好みの音階配列を生み出し、現在に至ったのだった。

番組の最後は神津さんの言葉で締めくくった。

「西洋音楽は織田信長の時代、宣教師のザビエルらが日本に紹介したことがあったようです。が、それ以後普及しなかったんです。その西洋音楽が、世界的に知られている音階なので、日本の子どもたちにも教えた方がいいのではないか、と考えたことが重要なんです。そのことを伊沢修二が徹底して実践した。その結果としていま、日本人もバッハにしろ、モーツァルトにしろ理解できるわけです。もしこれを中途半端にやったとしたら、日本の音楽は相当遅れたものになったことでしょう」

二時間の生放送はこうしてエンディングとなったのであった。

この生放送を録音し、編集して、一時間のドキュメンタリーとして番組コンクールに出品した。例の一石二鳥を狙ったのである。予想は当たった。民放祭ラジオ教養部門で優秀賞に輝くことができたのである。

川田正子の「童謡のつどい」

伊沢修二の番組は日本の音楽文化への関心に導いてくれた。ジャズ番組から唱歌、童謡、歌謡曲へと番組作りの間口を広げてくれたのである。子どもの頃に唱歌、童謡をラジオで聞き、歌謡曲小僧でもあったので、先祖帰りをしたようなものだった。

そこで伊沢の番組を作った翌年の昭和六一年（一九八六）、唱歌、童謡をメインにした番組作りに着手した。自分たち団塊世代の幼少期、童謡歌手の大スターと言えば、川田正子である。戦後の貧しい時代、子どもばかりでなく大人も彼女の歌に励まされ、未来を信じて生きてきたのであった。その彼女に恒例のイベント、ラジオまつりのゲストとして出演してもらい、スペシャル番組に仕上げようと企画したのであった。

秋本番の一〇月二一日、東京上野公園にあるレストラン精養軒でデートをしたのである。川田さんは一人で来られるという。もちろんこちらも一人だ。ワクワクした。なにせ幼少期からの憧れの大スターなのだ。

「川田さんのことは顔を拝見すればすぐにわかると思います。私は口ヒゲがありますので、それが目印です」

そう電話で伝えておいた。

客席全体が見えるよう、広いレストランの入り口付近の席で待った。が、それらしき女性はいない。この段階でハタと気がついた。俺がイメージしている川田さんは小学校入学前に雑誌で見た幼少期の彼女の姿なのだということを…。そう、あれから月日は巡り巡って三〇年も経っているのである。少女だった川田さんは年齢を重ね中年の域に達しているという事実を忘れていたのだ。

——ヤベェーなー。どうしよう？

そう思って立ち上がり、レストランの一番奥の窓際に視線を投げかけると、やや小太りで丸顔、目がパッチリした婦人がこちらに向かって手を振るではないか！

そして人目もはばからず叫んだのである。

「あなたが武田さん！　私はここよ、ここ！」

ヒゲ男はこのレストランに一人しかおらず、彼女は長年の舞台度胸がなせるワザなのか、すぐに俺を武田だと認識したのであった。慌てふためきながら衆人環視の中、彼女の席へと急いだ。

「すみません、気がつかずに。遠くにいたものですから…」

とは言ったものの、少女期の川田さんのイメージが強過ぎたため、本人だと認識できるまでに時間がかかった。

川田さんは思ったことをハキハキと口にするタイプで気持ちが良かった。

「こういうイベントは信州でこそやる意味があるのよ。だって信州は童謡や唱歌の宝庫でしょ。あたしもお世話になった大好きな土地ですもの」

高野辰之、中山晋平、草川信ら信州出身の作詞、作曲家の名前を次々にあげながら、彼らのおかげで歌うことができた、いまも歌手でいられるのは信州人に負うところが多いと言い、さらに具体的エピソードまで語ってくれるのである。

「松代出身の海沼實先生には小さい頃から、とてもお世話になったのよ。『みかんの花咲く丘』なんか、静岡県の伊東でイベントがあってＮＨＫラジオの生放送で歌うことになっていたのに、前の日に海沼先生と一緒に乗った列車の中でようやく作曲なさったの。伊東に着いたその日の夜、メロディーを覚えさせられ、翌日歌ったのよ」

昭和二一年八月二五日、川田さんが一二歳の時、ＮＨＫが東京と伊東町（現伊東市）の国民学校を結んだラジオの二元放送で初めて「みかんの花咲く丘」を歌った時のエピソードも語ってくれた。小学校入学前、箱型ラジオからよく流れていた「みかんの花咲く丘」に、こんな知られざるエピソードがあったのだ。

小さい頃から川田さんのファンだったので、話にすっかり魅せられ興味津々、次々に質問を浴びせるうちに、すっかり打ち解けたムードになった。

イベントがおこなわれたのはこの初デートの一〇日余り後の一一月二日。

ニューポート・ジャズ・フェスティバルでお世話になった斑尾高原のホテルを借りて「川田正子秋を唄う 童謡のつどい」と題し、ＳＢＣラジオまつりの一部として生放送でおこなわれた。司会は佐相明子アナウンサー、ゲストに長野市松代在住の作詞家、山上武夫さんをお迎えした。

「いやー、マーちゃん（川田さんのこと）お久しぶり。何年ぶりかなあー。お元気そうで」

「ご無沙汰してまして。先生こそお変わりなくて。今日は『お猿のかごや』をご一緒に歌えるというのでうれしくて、うれしくて」

「それがねえー、自分で詞を作ったのに、歌詞があやふやで、うまく歌えるかどうか心配なんですよ」

会場を埋めたお客さんともども、秋にちなんだ唱歌童謡を何曲か歌い、その曲にちなんだエピソードを二人に語ってもらったのである。

このイベントを通じ、またまたアイデアが浮かんできた。

川田さんが言うように信州は唱歌、童謡の作詞、作曲家をあまた輩出している。それもそのはず、伊沢修二こそ唱歌教育を日本に導入した信州人なのだから。信州生まれの彼らはもちろん、歌謡曲全盛時代の陰で埋もれた存在となっている全国の唱歌、童謡の作者を取材し、歌い継がれてきたおなじみの曲にまつわるエピソードをシリーズで放送しよう、と。

このアイデアはその後に『武田徹のつれづれ散歩道』で「唱歌のふるさと」なるコーナーで実現することになる。

ところで、川田正子さんとは、初デートとこのイベントですっかり懇意となり、以後長野県に訪れるたびに連絡をいただいた。

川田さんとの縁がもとで、「長野県唱歌と童謡を愛する会」の皆さんとも親しくなり、川田さんがゲストに招かれた定期演奏会では何回も司会担当を仰せつかった。さらに川田さんの専属ピアニスト、東京在住の松山邦子さんともお付き合いいただいていた。

その松山さんとも実に不思議な縁があった。平成二年（一九九〇）三月三日のことだ。『つれづれ散歩道』の「喫茶室」というコーナーで彼女をゲストに迎えて音楽談議をした。その後に珍事件が起きた。「近代青春グラフティー」というコーナーで新宿中村屋を経営した相馬愛蔵・黒光夫妻を話題にして放送をしていると、スタジオの窓ガラス越しに見学していた松山さんの瞳がにわかに輝き、驚きの表情をあらわにしたのである。

なにかあるなと思いながらも番組が終了。スタジオの外に出るやいなや彼女は弾んだ声で言う。

「いま新宿の中村屋の話題をしていましたよね。私、この秋にその中村屋、相馬家のお嫁さんになるんです。あまりのことにビックリしました」

驚いたのはこちらの方だ。こんなことがあるなんて！

彼女の結婚後、中村屋に招待され、ご馳走になったという、実に不思議でおいしい体験であった。

川田正子さんと

2　「おらも唄うせ！　しあわせ演歌」奈川村からの手紙

一通の手紙から川中美幸の番組作りへ

番組作りのネタ探しは、作り手にとって極めて重要な出発点である。常に好奇心を持っていなければいい題材は得られない。

司馬遼太郎いわく、「良き創造者は常に少年のような好奇心を持つ者である」。おもしろいネタはないか、ウの目タカの目で社会を見ることが肝心だ。時にはそんなネタが転がり込んでくることもある。

川田正子さんの番組を作っていた頃、歌謡曲をモチーフにした番組も模索していたのである。あまたいる歌謡曲歌手の中で、しゃべりがおもしろく、ユーモア精神に富んでいる歌手と言えば、川中美幸の右に出る者はいないだろう。テレビの歌謡ショーを見ていても、アナウンサーとの当意即妙な受け答えで、その場を沸かせる彼女の能力は抜群だ。

そんなキャラクターを買われてか、かつて焼酎メーカーがスポンサーの『川中美幸 人・歌・心』というラジオ番組のパーソナリティーに起用され、楽しいおしゃべりで人気があった。かく言う自分もこの番組のファンで、よく聴いたものだ。

川中美幸の歌は絶品だ。伸びのある声、耳心地いい声質で女心の機微をおおらかに歌う。彼女の歌声は空気に溶けて息を吸うようにスーッと胸に響く。そんな彼女の歌う曲は「幸せ演歌」というキャッチフレーズで売り出されていた。

昭和六一年（一九八六）八月上旬、ニューポート・ジャズフェスティバル・イン・斑尾のラジオ生中継が終わった頃、一通の手紙が自分宛てに届けられたのである。

「私は野麦峠のふもと、奈川村の勝山早百合と申します。お願いがあって手紙を書きました。私の村ではテレビで歌っているような歌手の演奏会はまったくありません。町にも遠いので本物の歌手を見たという村人も数えるほどしかいません。野麦峠を越えて嫁に来たおばあちゃんは、大の演歌ファンです。特に川中美幸さんの大ファンです。テレビを見ては、川中美幸さんに会いたい、生身の姿をこの目で見ながら歌を聞きたいと言っております。とても無理なお願いとは思いますが、おばあちゃんの夢がかなえられたら、こんなうれしいことはありません。おばあちゃんはとても苦労した人です。おばあちゃんが元気なうちに一生に一度の夢がかなえられたら…」

この手紙は当時の、南安曇郡奈川村（現在は松本市奈川）に住む勝山早百合さんからのものだった。八二歳になるおばあちゃん、ゆきさんの願いが切々と綴られていた。

この手紙を読んで即座に決断した。おばあちゃん思いの早百合さんが、これほどまでにお願いしてるんだ。さゆりさん、そしてゆきおばあちゃんのためにも、この夢をむげに断っちゃ、男がすたると任侠《にんきよう》映画の主人公にでもなったような気分で、二人の夢の実現に向けて企画に着手したのである。人気歌手の川中美幸が、まだ一度も有名歌手が訪れたことのない山奥の小さな村で、一人のファンのためにコンサートを開く。ならば同じ境遇の村人たちだって、このコンサートは非常に意義深いものになるに違いない。村人たちすべてを巻き込み、村始まって以来、前代未聞のカラオケ大会を催し、川中美幸だけでなく、村人にも歌を歌ってもらい一緒に楽しんでもらおう。その一部始終をドキュメンタリータッチのラジオ娯楽番組にして放送したら絶対におもしろいものになる。放送人の直感でそう思ったのだ。

そうと決まれば猪突《ちょとつ》猛進、番組化に向けて動き出した。まずは手紙の主である早百合さんに電話した。

「えっ！ 川中美幸さんを呼んでいただけるんですか‼ うれしいです。ありがとうございます」

「ちょっと待ってください。まだ決まったわけではないんですが、コンサートを開く場所や、村の人たちがどの程度協力してくださるのか、それを知りたいのです」

早百合さんへの電話取材は、ますます制作意欲をわき立たせた。それは、ゆきおばあちゃんは飛騨高山の出身で、大竹しのぶ主演で大ヒットした映画『あ、野麦峠』（昭和五四年制作）の舞台となった野麦峠を越えて奈川村の勝山家に嫁いだこと。その嫁いだ勝山家は、野麦峠のふもとで江戸時代から続く亀屋旅館を営んでいること。イベント会場は、亀屋旅館の八畳二間を開放、縁側と庭の空間を利用すれば多くの村人に楽しんでもらえること。村人の間ではカラオケが盛んで、出演者を応募すればたちまち一〇人ほどは集まること。人気歌手を招いてのイベントは村始まって以来なので奈川村としても間違いなく協力をしてくれること。こうしたことがわかったのである。

これだけ条件が整っていればイベントは確実に実行可能だ。それに、と心の中でニンマリと微笑んだ。亀屋旅館が野麦峠のふもとにあることが番組に大きなインパクトを与えるからだ。映画『あゝ野麦峠』は、女工は常に搾取され、工場側は悪というお決まりのプロパガンダ作品だが、野麦峠はこの映画で全国的に知られるようになっていた。野麦峠を越え、信州岡谷の製糸工場へ出稼ぎに行った飛騨高山の女工たちが信州で最初に泊まる宿が、今度イベントを催す亀山旅館なのだ。その旅館のゆきおばあちゃんは、女工たちと同郷の飛騨高山生まれだという。ゆきおばあちゃんは野麦峠越えをする女工たちの姿を幼いながらに覚えているというのだ。

胸は高鳴った。これはいい番組になるに違いない。

だが最大の難関が待ち受けている。果たして川中美幸その人が、奈川村の山深い山村に足を運び、村人を巻き込んだカラオケのコンサートに出演することを承諾してくれるかどうか。承諾してくれても、売れっ子歌手である、スケジュールがとれるかどうか。幸い、ギャランティー、出演料については上司は太っ腹だった。

「おもしろそうな企画じゃないか。出演料は武田君が交渉すればいい。なんとか実現できるようがんばってくれ」

番組はドキュメンタリー風に構成したいので、川中美幸事務所との電話交渉プロセスから収録することにした。

彼女の事務所に電話をしたのは、そろそろ秋の気配が漂い、赤とんぼが舞い始めた風景がスタジオから見渡せる頃だった。

「わかりました。おもしろそうな企画ですね。川中もそういうイベントは好きだと思いますよ。しかし、スケジュールが今年いっぱいぎっしり詰まってますんで…」

「雪深い山村ですので、雪が降る前にイベントを開きたいんですよ。川中さんにはご苦労おかけすることになりますが、東京から日帰りでも可能ですので、一日だけでもスケジュールがありませんかねぇ」

なんとか年が明ける前にイベントを開催したいので、受話器を握る手に力が入る。

「ちょっと待ってください、一日だけでいいんですか…。ならば一〇月九日が一日だけ空いてます。一〇月九日で大丈夫ですか?」

「もちろんです。じゃあ一〇月九日でお願いします」

——やったぜー!

心の中で快哉《かいさい》を叫んでいた。ちょうど奈川村は紅葉真っ盛りの頃だろう。テレビではないが、川中美幸も村人たちも、その自然の美しさに気分が高揚し弾んだ会話が交わされるであろう。

早速、この朗報を早百合さんに報告し、奈川村役場にも電話で協力をお願いした。

「そりゃ、素晴らしい！　川中美幸さんが奈川村にいらっしゃるんですか。カラオケ好きの村人もたくさんいるので盛り上がりますよ。村としてもできるだけの協力はいたしますので」

村の観光課が中心になって全面的にバックアップしてくれるというありがたい返答であった。村ではこのイベントのための担当者も決めてくれて大いに助かった。

カラオケ大会の出場者は、歌がうまい人ばかりでなく、個性が豊かで会場を沸かせてくれる人、奈川村ならではの職業やパーソナリティーを持った者など、バラエティー豊かな人材を選んでほしい旨を伝えた。こうした人材が揃えば、川中美幸との会話も弾み、笑いがこぼれ、会場全体が和やかムードにあふれる。その臨場感がラジオ番組にも生かされて、リスナーの共感を得るのである。

こうして迎えた本番当日、昭和六一年一〇月九日。奈川村は大快晴の日本晴れ。

夜半に霜が下り、朝方はかなり冷え込んだ。その寒さもなんのその、早朝何人かの奈川村の男衆たちはキノコ採りに山に分け入った。もちろん、川中美幸にキノコ汁を振る舞おうというのだ。一方、会場となる亀屋旅館では、女衆が村で採れたばかりのそばの実をわざわざ石臼で挽き、まさに手作りの新そばを味わってもらおうと張り切っている。自慢のわが家の味、いろいろな漬物を持参する者もいる。

亀屋旅館では、この日のために川中美幸が使う控えの間とトイレの改修工事を敢行。だが残念なことに間に合わず足場が組まれたままの箇所もある。

秋の暖かい陽光が、錦織りなす山々を照らし始めた頃、村役場のスピーカーが村中に響き渡った。

「こちらは広報奈川です。今日午後一時頃より、カラオケ大会が寄合渡の亀屋旅館において開催されます。ゲストに歌手の川中美幸さんもおいでになります。聞いてみたいと思う方は、おいでください」

一方この頃、川中美幸さんは東京の新宿から中央線で「あずさ」に乗り松本駅へ、そして松本電鉄上高地線に乗り換え、新島々駅に降り立っていた。駅前にはピッカピカの黒塗りの高級車が一台、そう、奈川村村長専用車が迎えに来ていたのである。

「おはようございます。川中美幸です。今日はよろしくお願いします。えっ！ この車、村長さんが乗る車なんですか？ すみません。なんだか、突然ＶＩＰになったみたい。アハハハハ」

この新島々駅から奈川村の会場までおよそ四〇分。

「うわぁー！ 紅葉がきれい。谷も深くてずいぶんと山奥なんですねぇー」

最初は大自然の美しさに感嘆の声を上げていたが、次第に口数が少なくなってきた川中美幸さん、曲がりくねった細い山道に酔ってしまったのだ。

その車酔いがひどくなる直前、車は奈川村集落の中心部に差しかかった。すると亀屋旅館に通じる道の両側にたくさんの村人たちが手を振りながら彼女の到来を待っている姿が目に入った。

「あれー、あんなにたくさんの人たちが…。どうりで村人の姿が見えないと思ったわ」

笑顔で車から降りた川中美幸さんは、村人たちの大きな拍手に迎えられ亀屋旅館に到着したのである。かくして、村人の一通の手紙から始まった、前代未聞のカラオケ大会が実現したのだ。

村始まって以来のカラオケ大会

「おらも唄うせ！ 幸せ演歌」

進行役の山越勝久アナウンサーの合図で、リハーサル通り、会場に集まった全員が高らかに叫んだ。「唄うせ」とはこの地方の方言で歌うぞという意味である。と同時に川中美幸さんのヒット曲「二輪草」の演奏バージョンが流れ、奈川村開闢《かいびゃく》以来、初の大カラオケ大会が始まったのである。

八畳二間の畳部屋の中央に置かれた電気ごたつには、この日を待ち望んでいたゆきおばあちゃんが、大ファンである川中美幸さんと並んでにこやかな笑顔で座っている。その畳部屋も縁側も、そして秋の柔らかな陽が差し込む庭も、人、人、人でいっぱいだ。山越アナウンサーが聞く。

「川中さん、奈川村の印象はいかがです？」

「紅葉がとってもきれいですね。控室のお部屋に入ったら、床の間に誰か黒い服を着て寝てるんです。驚いてよーく見たら熊の毛皮が敷いてあったんです。ハエはいるし、窓の外にはチョウはいるし、ガも飛んでるし、東京では見られない自然がいっぱいで、もう感動しちゃいましたよ。アハハハハ」

ユーモアたっぷりの美幸さんの挨拶で会場はリラックス。

部屋の壁に紅白の大きな布を張り付けただけのにわかステージで、奈川村きってののど自慢が登場し、ダンディー男、肝っ玉母ちゃんらが次々と歌を披露した。

牛五頭を飼って農業でがんばっているお母ちゃんは「夫婦船」を歌った。思わず美幸さんが声をかける。

「お母ちゃん、今日はパーマをかけてずいぶんとおめかしをしてますわね。村にパーマ屋さんってあるんですか?」

「はい、村に一軒だけあるんです。めったに行かないんだけど、今日は川中さんの前で歌うというんで、うんとこさ、おめかししたんです。川中さん、似合います?」

「えー、えー、とっても似合いますよ。歌も良かったわ。いままで歌手の方が一度もこの村に来なかったと聞いてますけど、どうしてもっと早く、私を呼んでくださらなかったんですか」

「だって、お金が高いって聞いてますもの」

「私そんなこと聞いてませんよ。アハハハハハ」

出演者はそれぞれ美幸さんと言葉を交わし、ご満悦。彼女の明るい快活なキャラクターで会場は笑い声に包まれた。

二四歳の農協職員の男性は「冬のリビエラ」を歌った。森進一と昌子の結婚式をテレビで見たという、ゆきおばあちゃんにいつも言われることがあるのだそうだ。

「われも早くいい嫁っ子見つけて、結婚しろ、そうおばあちゃんにせっつかれるんです。でも結婚となると…、そう簡単に決められませんよねえ、川中さん」

「あたしに聞かれても困っちゃうんですけど。若い娘さんは村にいるんです?」

「いえ、少ないもんでね。山のモノと同じで、早くとらなきゃダメだって」

会場は大爆笑。

「若い人にがんばってもらって、人口を増やしてもらってね。若い人たちも都会、都会に走らないで村をもっともっと発展させていただきたいですよね」

村人から大きな拍手が起こる。

歌と酒のどちらが好きかと問われれば酒、という男性が竜鉄也の「奥飛騨慕情」をしみじみと歌いきった。

明治三七年（一九〇四）、飛騨高山生まれというゆきおばあちゃんに美幸さんが質問した。

「おばあちゃんはいつこの亀屋さんに嫁がれたんですか？」

「大正一〇年（一九二一）、忘れもしない二月二二日でしたね。腰まで雪に浸《つ》かってね。いまでは雪かきもしてくれるんで車で簡単に越えられますけど、あの頃は野麦峠の途中の街道の宿で一泊して二日がかりでしたね」

「えっ！ 真冬に結婚式があったんですか？」

「あの頃はね、雪がない時は、野良仕事で忙しかったもんで、結

出場者に声援を送る川中美幸さんと武田

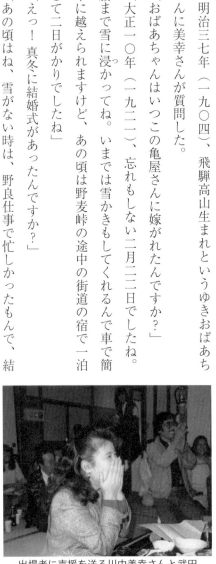

婚式はどれも一月から三月の間にしたもんです。もんぺを着て、わらじを履いて、雪をかき分けて野麦峠を越えたんです。岡谷の製糸工場へ出稼ぎに行った女工さんをよく見送ったもんですが、私も同じように手ぬぐいで手をつないで野麦峠を越えたんです。寒かったですよ」

「旦那さんのことは知ってたんです？」

「いいえ、知りませんよ。満一七歳の時でしたし、どんな人かまったく知らずに来たんですよ」

「旦那さんはいまお元気なんですか？」

「もう亡くなりました。ずいぶん前に」

「じゃあ、おばあちゃん、ご苦労されたんですね」

「ええ、ええ、苦労しました。旅館をなんとかしないといけないと思って、夢中で生きてきました。苦労し過ぎて意地が悪くなりました」

「そんなことはないですよ。おばあちゃん、優しい顔ですもの」

「いえ、いえ苦労して意地が悪くなりました。でも、今日こうして、川中美幸さんにお会いできて、こんなにうれしいことはありません。苦労しがいがあったというもんです。川中さん、そして村の皆さん、本当にありがとうございました」

二人の会話を聞き終わった会場から、期せずしておばあちゃんへのねぎらいの拍手が起こった。

「じゃあ、長い間ご苦労されたおばあちゃんに捧げます。私の歌『浪花灯《あか》り』をどうぞ」

情にもろい川中美幸さん、目がしらを熱くしながら心を込めて熱唱した。

最後は美幸さんと会場に集まった村人全員で、彼女の大ヒット曲「二人酒」を声高らかに歌った。このイベントのきっかけを作ってくれた勝山早百合さんも、裏方の調理場からゆきおばあちゃんの横に座り、合唱に参加した。その歌声は山深い奈川村へ通じる野麦峠を越え、ゆきおばあちゃんの故郷、飛騨高山へも響き渡ったに違いない。

翌昭和六二年正月、亀屋旅館を訪れた。ゆきおばあちゃんと早百合さんが、コンサートのあった畳部屋のこたつにあたり、カラオケのコンサートの写真を見ながら語り合っている。この二人の思い出や新年の抱負を取材したのだ。

「去年は川中美幸さんが来てくれ、本当にうれしかった。一生の宝物ができて、いい年だった」

「おばあちゃん、良かったね。また、今年も元気を出そう。いい年になりそうね」

暖かい部屋の障子を開けると、ガラス戸の外は真っ白な雪景色。亀屋旅館も奈川村も、そして野麦峠もすっぽりと雪に包まれていた。

一通の手紙から始まったこのユニークなイベント。川中美幸事務所との電話交渉からカラオケ大会、そして正月のゆきおばあちゃんと早百合さんの会話までを収録して、一本のラジオドキュメンタリー番組を作った。題して「おらも唄うせ！　幸せ演歌　野麦峠からの手紙」。この番組は、毎年おこなわれている民間放送の番組コンクール、民放祭ラジオ娯楽部門に出品され、優秀賞に輝いた。

3　ジャパンお金アル！　エイズ騒ぎが暴いた断面

松本で日本初のエイズ患者発覚

新型コロナウイルス禍は発生以来丸二年以上も経っているのに、終息の気配はない。世界中で猛威を振るっている。

コロナ禍で思い出すのはエイズである。いずれもウイルスによる病気だ。日本で初めてエイズ患者が発見された地域を覚えておられるだろうか。

昭和六一年（一九八六）一一月三日、松本市で働いていたフィリピン人ホステスが後天性免疫不全症候群、エイズに感染していることが発覚、このニュースは、第一号エイズ患者として全国に報道された。それとともに、松本市をはじめ全国で働いているホステスら、外国人女性がかなりの数になることも判明した。中には売春を強要されたり、不法就労を余儀なくされたりしている女性もいるという。

このニュースの第一報を聞いて、エイズのこともさることながら、彼女らはどのようなルートでフィリピンから日本の松本へ来たのか、現在どのような環境で働いているのか、さらには母国フィリピンからなぜ遠い異国の地へ働きに来ざるを得なかったのかをドキュメンタリーラジオ番組で放送し、多くの人に知ってほしいと取材に取りかかった。

長野市の歓楽街にもフィリピン女性が出稼ぎに来ており、中には男性客をともなって一夜を過ごさせるナイトスナックもあるという情報を得た。一人では危険なので上司と二人で出かけた。カフスボタンに小さなマイクのある録音機を持って、客を装い件《くだん》のナイトスナックに潜入した。六席ほどあるテーブルの一席に座り、内ポケットに隠し持った録音機のスイッチをオンにした。ビールとつまみを注文、しばらくすると五〇代とおぼしき店のマスターがやってきた。

「男二人とは寂しいですね。若い娘《こ》がいますのでどうです、斡旋しますから」

横に座ると、手に持ったフィリピン女性の写真を見せながら盛んに勧める。なるべく生々しい情報を収録するため、こちらも興味ありげな芝居をした。

それによると、二〇歳前後のフィリピン人女性が五人いて、一時間半で二万円。近くのモーテルで落ち合う手はずになっているとのこと。彼女たちは一五日間、このスナックで客をとり、その後は大阪に行くという。やはり売春がおこなわれていたのである。

いい音が収録できたので担当している『スタートいちばん』で後日放送した。もちろんスナックの店名は伏せての放送である。

ところがとんでもないリアクションが起こってしまったのである。放送直後、そのスナックに警察によるガサ入れがおこなわれたのだ。売春の事実はこのことでも証明された。そこまでは良かったが、この後、信越放送に一本の脅迫電話が入ったのである。交換手の話によると次のような脅し電話だという。

「朝の番組で放送されたため、スナックに手入れが入り、親分が逮捕されちまった。しゃべってた奴は武田とかいう男だ。この落とし前は必ずつけてやるからと、武田とかいう奴によーく伝えておけ」

この報告を聞いて、さすがにビビった。権堂町ではフィリピン女性の取材はできない。そればかりでなく、権堂町へ足を踏み入れるのもやばい。その後一年ほどは、権堂へ出かけるのを控えた。

が、実はすでにエイズ患者の出た松本で彼女らの実態に迫ろうと探りを入れていたのである。

間もなく、松本市のキャバレーでフィリピン人の女性バンドが出演している、という情報を得たので取材に向かった。自分でもバンド活動をしていたので、音楽を通して親しくなれれば、本音を聞き出すことができるのではないかと期待した。

クリスマスも近づいた一二月一六日の夕方、そのキャバレーで初めて彼女らに対面した。その夜の演奏のための音合わせ中であった。クリスマスが近いのでその話題で話の発端をつかんだ。

「日本、クリスマスないでしょ。だから寂しい。手紙毎日書く。クリスマスカードも書く」

一か月ほど前に来日したという彼女たち。それにしては日本語が上手だと思ったら、女性五人のうち四人はすでに何回か訪れているのだとか。一八歳から二四歳までの彼女たち、バンドで唯一の男性はドラマーのトミー、バンドのマネジャーも兼ねている。ラッキーだった。ドラマーなら楽器を通じて親しくなれる可能性が大いにある。

父親がいる女性は一人だけ、いずれも全員がフィリピンにいる母親と兄弟姉妹の家族に送金するために働いているのだ。

「エイズあったでしょう。客みんな聞く、エイズある？　フィリピン人恥ずかしい」

日本人男性客の露骨な言動に、彼女たちも困惑していると言った。

トミーは日本のフュージョングループ、カシオペアの大ファンなのだそうだ。できれば日本で彼らのコンサートを聴きたいが、就労ビザは半年間だけで、来年三月にはフィリピンに帰国しなければならず、コンサートに行くのは難しいかもしれないと言う。

彼の話を聞いて即座にひらめいた。フィリピンの取材をしよう。彼の帰国後にフィリピンを訪ね、彼の案内でバンドメンバーの自宅にも足を運び、なぜ彼女らが出稼ぎに来ざるをえないのか、そして彼女らがどういうルートで来日するのかを現地で突きとめようと。

それには彼らとより親密になり、信頼関係を築かなければならない。年が明けた一月、トミーと松本駅で落ち合い、近くの食堂で天ぷらそばをご馳走した。店のテレビからは、フィリピンでマルコス大統領派の兵隊がクーデターを起こし、放送局を占拠した

フィリンピン人女性たちへのインタビュー

というニュースを伝えていた。フィリピンでは二月の国民投票を前に、政情不安が続いていた。そんな中、何者かに誘拐された日本人が人質になっている、いわゆる若王子事件も未解決のままであった。

三月に帰国するというトミーに、フィリピンでの取材協力を申し出て、了解してもらった。バンドの何人かが、雪の積もっている風景を見たいというので、節分の翌日の二月四日、わざわざ松本駅まで迎えに行き、信越放送の大型車に全員を乗せ、長野で放送局の見学に付き合い、善光寺や雪の積もった雲上殿を案内、北野屋ではそばを振る舞った。ミュージシャンなので中央通りのトーチクミュージックにも寄った。トミーにはカシオペアのカセットテープをプレゼントした。観光を一度もしたことがないという女性たちは大はしゃぎで喜んでくれた。翌月には帰国する彼らと、フィリピンでの再会を約束して長野駅まで送り、別れを告げたのであった。

大げさな表現かもしれないが、海を隔て国境を越えての信頼関係は、音楽という絆があれば、崩れることはないと信じていた。

治安状況最悪の中でフィリピン取材敢行

海外取材、それも若王子事件など未解決のままで、治安も悪く政情も不安定なフィリピンなのだ。社内では、系列局のＴＢＳに相談して、現地でも力を貸してもらったらどうかという上司からの意見もあった。が、きっぱり断った。ニューポート・ジャズフェスティバル・イン・斑尾で不愉快な思いをしているし、この程度の取材が自分の裁量でできないようなら、信越放送からの独立などおぼつかないと思ったからでもある。

バンドリーダーのトミーにも連絡しているし、旅行代理店で現地のガイドも頼んでいた。こういう取材は、当たって砕けろ精神が大事なのである。が、砕けてはならぬのだ。砕けずに出稼ぎフィリピン人女性を取材する術も、実は考えていた。フィリピンの日本大使館でも取材する予定なので、そこで日本への渡航ビザを申請する女性と、その家族のインタビューを、なにがなんでも実現しようと決めていたのである。

昭和六二年（一九八七）三月一五日午後一時四〇分、ＪＡＬ七四一便は無事にフィリピンのマニラ空港に到着した。録音を完璧にするため、技術部からラジオ制作部に移動になった同僚の戸谷正彦君にも同行してもらった。

空港ロビーにはガイド兼通訳として雇ったフレッドが、約束通りに待っていてくれた。彼はフィリピン人と日本人の二世で、現地の言葉であるタガログ語も英語も話せる優秀な男であった。

空港ビルから一歩外に出ると、刺すような南国の太陽と、車の排気ガスの強烈な悪臭が鼻孔を襲った。道路一本、金網で隔てられた広場には、何百人もの群集が、真夏の強い日差しを背にこちらを見つめている。バンドリーダーのトミーもその大群集の中にいるはずなのだが、なにしろ逆光ではあるし、人数が多過ぎて探し出すことができなかった。やむをえずマニラ随一の高級ホテルと言われているプラザホテルへ向かった。治安が悪いというのでこのホテルを予約したのだ。

翌日のスケジュールをガイドのフレッドに伝えて別れた。ホテルでくつろいでいるとトミーから電話が入り、ホテル入り口にまで来ていると言う。空港で待ってはいたが連絡がとれなかったのでホテルまで来てくれたのだ。彼は信頼に足る男だということが改めて確認でき安堵した。夕食を一緒に食べようと言うのでホテルを出ると、バンドメンバーの女性たちも全員元気な顔で迎えてくれた。彼女らが知っている、おいしいレストランで夕食となった。戸谷君もすっかりバンド仲間と親しくなり、幸先の良い滑り出しとなった。

翌日はマニラ市内のマカテ地区に住むジェインの家を訪れた。トミーの知り合いで、日本に滞在しダンサーとして働いた経験があるというので紹介してもらったのである。ガイドのフレッドにも同行してもらった。彼女は繁華街マカテ地区でも裏通りのエステリアという住宅街のアパートを借りていた。周りの家々に比べるとモルタル造りの立派な建物だ。

ジェーンは笑顔でわれわれをリビングルームに招いてくれた。お土産として買った日本傘が飾ってあり、ソニー製のビデオデッキも置かれている。日本語でインタビューすることができた。

「二四歳の時、日本行ったのが初めて。これまで四回行っている。手続き全部エージェントがしてくれる。飛行機代も泊まる金も、全部やってくれる」

彼女が言うには、日本でダンサーとして働く一か月のギャラは日本円にして九万円、母国フィリピンの三倍にもなるという。広島、名古屋、そしてすでに取材し、トミーと知り合った松本のナイトクラブでも仕事をしたことがあったと言う。ガイドのフレッドによると、ジェーンの暮らしぶりはフィリピン人の中では、中流の上だそうだ。二〇代の女性といえども、日本で働きさえすれば、家族数人を十分養えるだけの収入を得ることができるのだ。

聞きづらい質問にも答えてくれた。

「ワタシ、ダンサーでしょう。だからテーブルつくの苦手。でもオーナーの言うこと断る難しい。しつこい客、いる。でもテーブルだけ」

経済力にものをいわせ、彼女たちを強引に誘う日本の男性客たち。そして、契約外の接待までを強要し、客から金を巻き上げようとするクラブやレストランの経営者たちの姿が、彼女のインタビューからうかがえる。予想していたとはいえ、同じ日本人としていたたまれない気持ちになった。

二日後にジェーンはその日本へ五回目の出稼ぎに行くという。

この後フレッドの運転する車で、首都マニラから百数十キロ離れたオロンガポシティに向かった。

トミーのバンド仲間が何人か住んでいる場所だ。

マニラの目抜き通りに面したデパートや銀行、レストランでは、どこの出入り口もガードマンが銃で武装し警戒にあたっている。ガイドのフレッドが驚くわれらを見て言った。

「このところ政情不安で治安がますます悪くなってるんですよ。ご存じのように若王子事件も未解決でしょう。日本からの観光客は八〇パーセントも減少し、私の商売もさっぱりで、もう倒産寸前なんです」

これは彼の本音だった。

前年の昭和六一年、二〇年間フィリピンを支配し続けてきたマルコス政権が崩壊、大統領はアメリカに亡命した。政権を手にしたアキノ大統領だが、軍のクーデターなどの内紛にさらされており、政情不安がこの取材時にも続いていたのである。そんな中、三井物産マニラ支店長が極左ゲリラ組織「新人民軍」の一派に誘拐され、身代金を要求されたのが若王子事件である。われわれのフィリピン取材中も未解決のままだった。政情不安やこの事件が影響して、フィリピンを訪れる日本人は激減していたのである。

目指すオロンガポシティは、マニラ湾の西北から伸びるバターン半島のつけ根に位置する都市で、米軍が駐留する基地の街である。フレッドが言うには、マニラでもエイズ患者が話題になっており、これまでに二二人が判明、そのうちの二〇人がなんとオロンガポシティの患者だという。

エイズの話題になるとトミーの表情が曇り、松本市で受けた屈辱的な体験を語ってくれた。

「フィリピンの女性が働いているところへは、客が怖がって近寄ってこないんです。私の宿泊先でもトイレを使わせてくれないんです。やむなく街中のトイレにわざわざ行ったんです」

この取材から二五年後、今度は世界中がコロナ禍に見舞われている。日本ではコロナに感染した同じ日本人を差別するケースが後を絶たない。自分がすぐにでも感染する可能性があるにもかかわらずである。差別問題の深刻さは変わらない。

およそ二時間、車はオロンガポシティに入った。ガイドで身を立てているフレッドも初めてこの街を訪れたという。上半身裸の米兵が街を歩いている。街の様子を見たフレッドが言った。

「僕の父は沖縄出身で、何度も行ったことがあるんですが、ここも沖縄とよく似てます。米軍基地の街という感じが伝わってきますね」

車から降りると、時刻は四時半というのに軒を連ねている飲食街の一角から、すでにバンド演奏の音が漏れ聞こえてくる。レストランやバーはすべて米軍兵士向けの店である。ドアが開けられたディスコバーでは、女性ダンサーが裸体をくねらせ踊る姿も見える。トミーの先導で目指す取材先に向かった。

「この基地の街で稼ぐ仕事と言えば、ダンサーか皿洗い、それに米軍相手のホステスぐらいで、男性の仕事はほとんどないんです。ですから男はみんな、この街から出て行ってしまうんです」

トミーもその一人だという。

その家は歓楽街の裏通りにあった。表通りのケバケバしさとは対照的に、壁やトタン板がはがれた家々が密集し、狭い路地を裸足の子どもたちが走り回っていた。松本市でも働いたことのあるシンガー、メリーの住む家がその一角にあった。このあたりでは目立つ二階建ての家である。

「ハロー！　どうぞ家、入ってください。うれしい会えて」

メリーは明るい表情で迎えてくれた。居間に通され父親も取材に応じてくれた。

「お父さんでしょう、お母さん、それに弟二人。お父さん、お母さん、仕事ない。弟、勉強でしょう、仕事できない。だからワタシ働く」

メリーは一八歳でこの家族を支えなければならないのだ。父親は中東まで出稼ぎに行き、石油関係の仕事をしていたことがあったが、三年前に解雇されてしまったという。

日本で働く娘について、心配はないのか聞いてみた。タガログ語の交じった英語で応じてくれた。

「そりゃーいつも気にしてます、実の娘ですからね。日本のヤクザのことも耳にしますが、法に従っていれば巻き込まれることはないと思います」

実はメリーは、先月帰国したばかりなのだ。これまで三回日本を訪れ、シンガーとして仕事をしている。さらに四月にはまた訪日する予定だという。日本で働くには、半年間の期間を置かなければ、就労ビザは許可されないのである。メリーは明らかに法を犯していることになる。不法就労ビザをなにかしらのルートで手に入れては、日本で働いていることになる。

父親はこの事実を知らないのか、あるいは知っても知らないふりを装っているのか。大黒柱として働かざるをえないメリーとこの家族のことを思うと問い質す勇気はなかった。

居間には日本で買ってきたカラオケセットがあった。日本人の客に受けるようにと、日本で流行している歌謡曲を覚えるため、毎日歌っているのだという。

「日本語、歌、難しいでしょう。だから毎日練習ある。いま、練習ある歌、これ」

彼女が差し出したカラオケのカセットはなんと中島みゆきの「悪女」であった。不法就労の事実を知った直後だけに、この「悪女」という日本語文字が強烈なインパクトで目に突き刺さった。トミーは何事もなかったかのように言った。

「メリーの家、日本人来るの大変珍しい。歌のプレゼント、『悪女』歌う、喜ばれる」

メリーは笑顔でうなずくとマイクを手にして、カセットをデッキに入れて歌い出した。

「マリコの部屋へ電話をかけて、男と遊んでる芝居続けてきたけれど……」

よりによってこの場で「悪女」を歌うとは…。なんとも言えぬ感情に襲われた。

オロンガポシティからホテルに戻ったのは夜九時、ホテルから見渡すマニラ湾はすっかり闇の中に溶け込んでいた。

信州人の裏情報で闇ルート解明

連日いい天気が続いていた。三月といえどもフィリピンの日中の温度は三〇度を超える。まだ寒い時期の信州から来た身には応える。

出張中だが、朝の生放送『スタートいちばん』に電話でフィリピンのリポートを入れる。マニラ市街地の治安状況の悪さや、若王子事件未解決で、日本人観光客が減少したため観光ビジネスに深刻なダメージを与えていることなどを伝えた。

三日目の取材は日本大使館へ行った。ここで思ってもいない人物と出会い、彼が不法就労をするフィリピン人女性たちの裏で暗躍し、彼女らを食いものにして巨利をむさぼっている組織の実態を明かしてくれた。僥倖《ぎょうこう》とはまさにこのことであった。

日本大使館はマニラの中心街マカテ地区にある。午前中はビザの申請、午後はビザの発給などがおこなわれるというので正午過ぎに訪れた。この年からビザの発給は、本人が出頭し直接受け取るよう法律が変わったという。これもビザの不正発給を防ぐためなのだろう。

真夏の太陽が照りつける中、すでに一〇〇人以上の若い女性たちが列をなしていた。それら女性たちは、数人のグループごとにまとまり、そのグループには決まって日本人の男性が付き添っている。聞けば、日本人の保護者がいるとビザが下りやすいという。が、その身なりや態度からして、とても保護者とは思えぬ風体の男たちばかりなのである。

炎天下、順番を待っている彼女らを目当てにアイスクリームを売り歩く自転車の鈴の音が、リーン、リーンと耳に入ってくる。

録音機を肩にかけ、マイクを手にしていると、後方の列から一人の男性が近づいてきて日本語で声をかけてくるではないか。

「おたくら日本人でしょう。どこから来たの?」

まったく見知らぬ日本人である。

「長野からラジオの取材でやって来たんですけど…」

「えっ! 長野から!! 奇遇だなあ。私は飯田生まれだよ。ひょっとして、信越放送?」

なんという不思議な巡り合わせだろう。犬も歩けば棒どころか、金の延べ棒に当たる、といったところか。

「そういうことを知りたいのなら、僕は詳しく知ってますよ」

そして同郷のよしみから不正就労ビザのカラクリをそっと教えてくれたのである。早速マイクを向ける。

マニラのホテルでレストランを経営しているというこの男性によると、次のような手口が日常的におこなわれているのだそうだ。

ここに並んでいる女性たちすべてに裏で仕切っているプロモーターが存在している。ここでビザやパスポートを得るには、かなりの金額が必要なので、プロモーターなりエージェントがすべての準備をしてくれる。成田空港に送り込んだところで、彼女らのパスポートを取り上げ、それぞれ所定の地域へ送り込むシステムができあがっているという。

「たとえば日本で一〇〇万円あったら、一〇人連れていけるんだから。そして三〇万円で売ってごらんなさいよ。売るってのはおかしい表現だけど契約がそうなんだから。少なくとも三か月働かせる条件にしても、三か月三〇万円なら日本じゃどこの店でも簡単に出すでしょ。だったら一人一〇万円で連れていっても楽にペイしちゃうでしょ。大使館への申請は個人でも、裏で金を出しているのは、そういう彼らなんですよ。擬装結婚も最近多くなってきていて、あらゆる手を使ってやってるんだから」

この飯田出身の男性や、その後二日の取材を総合すると恐るべき実態が浮きぼりになった。

マニラ市内にはエージェント、プロダクションと呼ばれる斡旋屋が五〇〇近くもある。多くの場合、日本のヤクザが関係している。エージェントでは、日本に行きたいという女性のパスポートやビザの手続きを代行し、必要経費も彼らが支払う。前歴があったり、メリーのように六か月に満たないうちに日本へ行ったりする場合は、他人の名前を買って偽造のパスポートを作る。フィリピンの役人も不正を知りながら裏金次第で偽造パスポートの許可を出す。

フィリピンの斡旋屋は、これらの女性を一人五万円から一〇万円で日本のブローカーに売りつける。日本のブローカーは彼女たちをバーやキャバレーに紹介し、一人につき月一〇万円ほどを手数料として受け取る。一〇人なら一〇〇万円にもなる。彼女らの一か月のギャラは九万円ほどで、売春などをすれば当然取り分は増える。

フィリピンの平均サラリーマンの月給は、一万五〇〇〇円程度である。九万円の収入は、フィリピン人にとって、とてつもない額なのだ。フィリピン人出稼ぎ女性が、家族を養っていけるのもうなずける道理である。

一六世紀からスペインの植民地となったフィリピンには次のような格言があるという。

「スペイン人がフィリピンに残したものは混血児と袖の下である」

これがフィリピン人出稼ぎ女性の裏にある事実なのだ。

三月一九日、マニラ最後の日である。マニラ湾に面したプラザホテルには、ヤシの木に囲まれたプールもあったが、泳ぐ余裕などまったくなかった。バンドリーダーのトミーはフィアンセとともに空港まで見送りに来てくれた。松本で知り合った彼は約束を守り、全面的に協力してくれた。その彼も近く来日するという。もちろん擬名パスポートで。

ＪＡＬ七四二便で成田空港に向かった。何人かのフィリピン人女性が同乗していた。近くの席に、やはり出稼ぎとおぼしきフィリピン人女性二人がいたので声をかけた。

驚いたことに、二人は初めて日本で働くが行き先を知らないと言う。成田空港でエージェントの人が待っていて、その指図に従うのだと屈託ない表情で笑う。しかも、そのエージェントの人物とは会ったこともないし、名前さえも知らされていないのだ。一体どうやって彼女らは、わが身を預けるエージェントの人物と接することができるのか、不思議だった。

その答えは成田空港の入国ロビーで衝撃的な形で示された。俺と戸谷君は取材のため彼女らより早くロビーに出た。何人かのそれとおぼしき男たちが、彼女らがロビーに出てくるのを待ち構えていた。手に手に顔写真を持っている。そっと近づくとフィリピン女性たちの顔写真である。

早速、隠しマイクのスイッチをオンにし、その言動を収録した。

「出て来た、出て来た。あれかな？　名前が遠くて、読めねえなあ。どうやら違うらしい。その後ろの女じゃねえか」

彼女たちはそれぞれ、自分の名前を書いた三〇センチ四方の厚紙を首から胸に提げ、こちらにやってきたのである。家畜の売買でもあるまいに。世界中から日本へやってくる外国人のここは玄関口なのである。その成田国際空港ロビーで展開されている、この醜悪で残酷な風景に胸クソが悪くなった。日本の経済力にモノを言わせ守銭奴に成り下がった彼らと同じ日本人でいることが、恥ずかしかった。

前年一二月、松本で初めて会った女性バンドの宿泊先が脳裏に浮かんだ。三郷村の寒々とした山村農家の二階の和室一部屋が、彼女ら五人の共同宿舎であった。常夏の国フィリピンで育った彼女たちには、さぞ寒かろうにと不憫《ふびん》に思った。

幸い彼女たちはミュージシャンである。仲間が一緒に生活しているので愚痴も言えるし、悩みも相談できる。が、機内で見かけた何人かのフィリピン人女性はグループであっても二人か三人、おそらくホステスかダンサーであろう。離れ離れになる可能性が大きい。

日本でどんな未来が待ち受けているのだろうか。家族を支える彼女らに、幸あれと祈らずにはいられなかった。

第6部
人生気ままにつれづれ篇

コンボバンドを結成してドラムを楽しむ

1　『武田徹のつれづれ散歩道』誕生前夜

バブル景気と対極の番組を模索

昭和六一年（一九八六）から始まった未曾有《みぞう》の好景気で日本は沸きに沸いていた。金余りの日本企業は、アメリカなどの不動産を買いまくった。国内ではリゾート地が次々と開発され、これまで縁のなかったサラリーマンまでもがゴルフ熱に浮かされていた。多くの庶民が株に手を出し、一喜一憂した。いま振り返ると、日本列島全体が、マネーという享楽薬を飲まされたごとくに、浮かれに浮かれたバブル経済時代になっていた。

しかし、その好景気を支えたのは、われわれ庶民の強い労働意欲や、働き蜂と外国からバカにされても働くという勤労精神にあったのであろう。

日本人全員が働きに働いた。効率化を求め、無駄をなくし、目的地を目指して走りに走ったその結果としての経済大国だったのだ。ほとんどの人たちがシステムノートを持ち、一年先の予定をビッシリ書き込む。多忙なことが、優れた人物の証しでもあるかのような世相だった。

だからその対価として、ゴルフ場の会員券を手に入れ、わずかな休日を利用しゴルフに興じたり、小遣い銭で株を買ったりしてはウサを晴らしていた時代だったのかもしれぬ。

この頃の俺はと言えば、給料が増えるわけでもないのにレギュラー番組のほかに興味のあるネタが見つかると休日も返上して取材し、特別番組として放送した。好きなネタを好きなように作り上げることは、苦しい労働とはまったく思えず、むしろ楽しい作業であった。世に言うモーレツ社員であった。

モノ作りに従事するモーレツ社員のほとんどは、職人魂を持った者が多い。職人の生きがいは、いいものや気に入ったものを作ることにある。それを背後から押してくれたのが、好景気による潤沢な制作費だった。川中美幸の番組やフィリピンまで取材に行けたのも、その職人魂と制作費があったればこそである。

だが、馬車馬のごとく遮二無二働き続けることには断固反対である。いい仕事をするためには、よく休み、十分な休養とリラックスタイムが必要だからである。リラックスするためには、趣味も必要。好きな趣味は必ずいい仕事に反映するものなのである。

「モーレツからビューティフルへ」というキャッチフレーズが言われ始めたのもこの頃だった。そして「生涯学習」なるキャンペーンも始まり、信州各都市でもカルチャースクールが開講された。

モーレツ社員一辺倒で人生を終わらせるのはつまらない。好きな趣味や興味のあることを学び、かつ楽しもうではないかというムーブメントが新しい社会現象として現われたのである。これまでのように仕事の多忙さとレジャー産業に乗せられ刹那的に余暇や休日を過ごすのではなく、じっくり将来を見据えてこれまでできなかったこと、これからやりたいことをコツコツと勉強し、豊かな人生を送ろうではないか、そんな風潮が浸透し始めたのである。

そんな中、担当していた番組と言えば、ヒット曲を流し、クイズを出題し、それらのコーナーを楽しいおしゃべりでつなぐ、いわゆる娯楽番組であった。教養、報道色の強いネタは、特別番組で放送するため、フル回転で取材し、日々仕事に追われていたのである。

幸い慢性肝炎のおかげで酒は御法度、飲み会には付き合わぬ。その時間は好きな歴史小説や、興味ある時事問題を扱った雑誌などを読みあさっていた。

文化の中心東京から都落ちしたというトラウマも、番組コンクールで賞を獲得するたびに薄らぎ、この頃までにはすっかり雲散霧消していた。むしろ外国や県外への取材や旅行で、信州の良さを知るたびに、信州で仕事ができる喜びを感じるようになっていた。

年齢も四〇歳を過ぎ、ようやく世の中の表も裏もわかりかけてきた。そして内に秘めている独立への意志はますます強くなるばかりであった。

このあたりでじっくりと腰を据え、息長く長続きする番組はできないものかと考え始めていた。いずれは独立するのだ。信越放送から独立しても、そのまま継続できるようなラジオ番組を模索していたのである。

世の中はバブル経済と言われるほどの好景気、どことなく浮き足だった忙しさの中を人々は小走りに生きている時代にあって、天《あま》の邪鬼《じゃく》気分がまたまた頭をもたげた。ならばその世相の対極の番組を作ろうと考えた矢先のことであった。番組を統括するラジオ編成部が、土曜日午前の生ワイド番組を編成したいという。まさにグッドタイミングで、誰も志願しないので手を挙げた。

週末土曜日午前中なら、考え始めていた番組にピッタリだ。世間の多忙さをよそに、のんびりゆったり、リラックスして聞ける番組。季節の移り変わりを感じながら、文学や歴史や音楽、人々の暮らしについて、学校教育のようなおかたいムードでなく、おもしろく親しみやすい語り口調のトークワイド番組がいいのではないか。

これまで興味のあるネタは、一本の特別番組として作っていたが、ワイド番組なら音楽にしろ、歴史にしろ、文学にしろ、長期間のシリーズとして放送することができる。聴く者にとってもわかりやすく、よりインパクトがあるだろう。まさに渡りに船であった。

「視点は信州人」と番組タイトルに込めた思い

長野県内には知名度はないがそれぞれの分野で優れた人材がいるに違いない。それらの人たちをレギュラー出演者に起用し、長野県独自の視点を持って情報発信したらおもしろいのではないか。県内各地でカルチャー講座も始まり、生涯学習などのキャンペーンもおこなわれ始めているこの時期だ、新番組を通し県内独自のカルチャースターが生まれたら、実に愉快ではないか。番組出身のカルチャースターが講師を務めるようになったらそれこそ万歳ものだ。

新番組のアイデアが次々に浮かんできた。教養ネタを中心に、長野県在住の専門家に興味深く掘り下げ、わかりやすいトークで語ってもらう、これまでにまったくないワイドトーク番組を誕生させよう！これまでのワイド生放送は、娯楽中心で、東京の有名タレントを呼び、リクエストされた歌謡曲を何曲もかけ、クイズで景品をプレゼントするというパターンがほとんどであった。しかし、新番組はこれらの番組とはまったく違う、トーク中心の生ワイド番組である。

勝算はあった。C・W・ニコルさんと対談した『ニックの地球は友だち』でトーク番組は体験ずみだ。ニックも当時まったく無名だったが、トークの質と語り口調に魅力があれば、人々は耳を傾けてくれ、やがて人気者になる。ありふれたネタでも、ユニークな視点と語り口次第で、おもしろく、味わい深いものに変身するのだ。要は将来性のある人材を発掘し、インタビュアーである俺が、いかにその人材を生かすかがポイントなのである。インタビュアーの力量も大いに問われるのだ。

かくして、挑戦するにはもってこいのワイド生番組を企画、立案したのであった。

その番組が、あれから三十数年経ったいまも続いている『武田徹のつれづれ散歩道』である。

タイトルを「つれづれ散歩道」としたのには、深い理由がある。

「つれづれ」は学生時代に古典で勉強した『徒然草』から拝借した。

「つれづれなるままに、日くらし、硯にむかひて、心にうつりゆくよしなし事を、そこはかとなく書きつくれば、あやしうこそものぐるほしけれ」

序文の出だしの言葉だ。この番組のタイトルをなんにしようか思案していた頃、たまたま鎌倉へ旅をした。鎌倉の大仏殿を見学していた時である。鎌倉時代によくまあこんな仏像を作ったものだと思った瞬間、吉田兼好なる人物が鎌倉時代に書き残した『徒然草』を、高校生の国語授業で学び、暗記させられたことを思い出したのである。

「つれづれなるままに日くらし…、おっこれだ！」

「つれづれ」、この言葉は使えると思った。「つれづれなるままに」とは、「所在なさに任せて」という意味だ。時間を持て余している状態だ。あまりにも多忙過ぎる現代人、週末の午前中ぐらいは、所在なさに任せ、ゆとりを持つべきではないのかと思ったからである。

――「つれづれ」に続く言葉をどうしよう。そうだ、散歩道にしよう。俺自身、いま鎌倉の旅をしながら散歩を楽しんでいるじゃないか。

あの当時、ウオーキングやジョギングなどという言葉もなかった。これらの言葉は、団塊世代が高齢者になって健康に気を遣い始めてから言われるようになったものだ。当時散歩を楽しむ人などごく限られていた。なにしろ団塊世代が四〇代になったばかり、バリバリ働く年齢なのだから。団塊世代や熟年世代の働き盛りの者たちよ、週末ぐらいはつれづれなるままに、季節の移り変わりを愛でながら、散歩道を楽しむような気分で、ゆったりと番組を聴いてほしい、そんな願いを夕イトルの「つれづれ散歩道」に込めたのである。

鎌倉への旅が功を奏し、番組タイトルが決まった。つれづれなるままの鎌倉散歩が、いいタイトルの着想に至ったと言うべきか。まさに、つれづれなるままの散歩は脳活性化にも効果があるのだ。と、こう記すと、万事順調に運んだように思われるかもしれないが、なかなかどうして難産だったのである。なにしろ三時間ものトーク番組だ。何人かのゲストを迎えるとはいえ、一人で仕切るには荷が重過ぎる。そこで女性アナウンサーを一人起用したいと考えた。幸い番組内容に興味を持ち、ぜひともやってみたいというアナウンサーがいた。どの番組もそうなのだが、積極的に番組に向き合う者と仕事をする、というのがポリシーだ。特におしゃべり相手となるとなおさらだ。アナウンサーなら誰でもいいというわけにはいかないのである。そこで彼女の起用を強く求めたが、担当している番組との調整がつかず断念せざるを得なくなった。

こうなれば自分一人で三時間の生ワイドを仕切ろう、と覚悟を決めた。

上司との大激突事件とその顚末

ところが、である。超ヘビー級の大パンチ、想定外の大反撃を食らったのだ。

「武田君、重要な話があるのでカトレアに来てくれないか」

大きな権限を持つ報道制作局長の上司から、突然の呼び出しがかかったのである。出社して間もない午前一〇時過ぎであった。

カトレアは、旧信越放送社屋の北側、ＳＢＣ通り沿いにあった喫茶店で、社員もしばしば利用していた。呼び出しがある、それも社内でなく社外。しかもお偉い上司からなのである。本能的にいい話ではない、と直感した。しばしば叱責された不良社員の勘である。

カトレアで茶を飲む社員は誰もおらず、上司はこの時間を見計らったに違いない。店内の南端、窓越しにＳＢＣ通りが見渡せるボックスに、その上司は座っていた。ますます悪い予感がした。

コーヒーを注文すると、本題に入った。

「早速だが、この秋からスタート予定の土曜日午前の生ワイド番組についてだが…」

そらきた、予想通りだった。上司の口吻《こうふん》にトゲがある。

「企画案をいろいろ練っているようだね。聞くところによると、ディレクターも兼ねながら、しゃべりも担当するそうじゃないか」

「そうです。これまでのニックの番組にしろ、『スタートいちばん』にしろ、俺が企画内容を考え、社員にディレクター役をやってもらい、パーソナリティーとしてしゃべってますけど。そのことに問題があるんですか」

今度の生ワイドとて、人を押しのけてやろうとしているわけではない。誰も手を挙げないので名乗り出た、そのどこが悪いというのだ、そう思いながら応じた。すると意外な言葉を浴びせられた。

「自分が企画した番組で、自分がしゃべる、いわばディレクターとパーソナリティーを一人でやるというのは武田君、それはわがままというものじゃないかね」

絶句した。一人二役を一人分の給料でやっているのである。褒められこそすれ非難される筋合いはまったくないではないか。それをわがままとは、カチンときた。

「ラジオはパーソナリティーの時代ですよ。しゃべれる者が企画し、内容も組み立ててパーソナリティーを担当する、そのどこがわがままなんですか」

次第に腹が立ってきた。すると、しゃべり手にとっては致命的とも言える言葉で反撃されたのである。

「武田君、僕は君のしゃべりはもう聞きたくないんだよ」

ガーン！この言葉はしゃべり手にとって最大の侮辱である。

——そこまで言うか！アナウンサーでないので、自分なりきにしゃべりの訓練を続けているというのに…。

きまずい沈黙が続いた。俺も二の句が継げなかったのである。すると、こちらの心情などまったく気にかけずに上司は沈黙を破った。

「アナウンス部には何人も、君より先輩でベテランのしゃべり手がいるではないか。なぜそういう先輩を起用しないのだね？　たとえば…」

と具体的な名前を挙げたのである。

そういうことだったのかと合点がいった。この上司はアナウンス部出身の元アナウンサーだったことに気がついた。しゃべりのプロを自任するアナウンサーとしては、制作部員でちょいとしゃべりができるからといって、ワイド番組でしゃべることに腹が立っていたのだろう。アナウンス部の顔を立てようとしたのだろう。

が、時代は紋切り型できれいにしゃべる、いわゆるアナウンサー的しゃべりから、個性豊かに本音でしゃべるパーソナリティーへとラジオ番組は変わりつつあったのだ。

上司が名指ししたアナウンサーはベテランであることは間違いない。ニュース原稿やナレーションもそつなくこなす。だが、アドリブがうまいとは決して思えなかった。彼がリードし相手との対話を楽しみ、盛り上げるような放送を聞いたことがなかった。今度企画している生ワイドは、そのほとんどがゲストとの対話が中心のトーク番組なのだ。番組の台本三時間の原稿など毎週書けるわけがない。台本がない、だからおもしろくなる番組なのだ。

それに、音楽、歴史、文学と、これからやろうとしている内容に彼が興味を示すかどうかもわからない。さらに、その本人がこの番組をやりたいのかどうかもまったくわからないのである。

番組企画者としてはたとえベテランアナウンサーといえども、しゃべりを任せるわけにはいかないのである。

「というわけで、いくらベテランといえども、〇〇アナウンサーには無理なんです。本人が困るだけです。どうしてもと言うなら、ほかのディレクターを立ててほかの企画でやってください。俺はできませんから」

放送まで残り四か月、新企画でもいまなら十分に間に合う。しかし再三記すがこのワイド番組に手を挙げ、具体的な内容まで企画しつつあるのは自分のほかには誰もいない。となれば上司が俺を口説き落とすしかないのだ。あるいは上司は件《くだん》のアナウンサーとすでに新番組起用の話がついていたのかもしれない。それができないとなれば、面目丸つぶれになってしまうのかもしれない。

怒り口調でさらに迫ってきた。

「どうしてもダメなのか？」

「いまも言ったでしょう。ダメです」

「わかった。じゃあ、勝手にやりたまえ！」

日々のレギュラー番組をこなし、コンクール出品作品も作る多忙さの中で、新番組も考えている自分に対し、一言半句、ねぎらいの言葉もないこの上司に対し、不良社員の本能がメラメラと燃え上がってきたのであった。

「よーく、わかりましたよ。ならば勝手にやらしてもらいますよ！　そのかわり一切文句は言わないでください」

売り言葉に買い言葉とはよく言ったものだ。まさにこの時のこの言葉のやりとりがそうだった。上司も負けてはいない。捨てゼリフのように言って席を立った。

「君のしゃべる番組には、ディレクターとしての社員は、金輪際絶対につけないからな。そのつもりで勝手にやるがいい！」

その言葉が本心だったのかどうかは、いまもってわからないが、以後なんと退社するまでその通りになったのである。これホントの話なのと思うであろうが、事実は小説より奇なり。絶大なる権限を持つ上司と、まったくのペイペイ平社員との間で交わされた、これがホントの会話なのである。

絶対忘れることのできぬ喫茶店での出来事となった。

時に昭和六三年（一九八八）五月二〇日金曜日、五月晴れのさわやかな日とはうらはらの、雷のごとくバチバチと火花が散る、大激突事件だった。

初の外部ディレクター起用で番組スタート

新番組『武田徹のつれづれ散歩道』放送予定の一〇月まで、残すところ四か月と一〇日。上司との大激突事件によって、ディレクター役を社外からハンティングせざるを得なくなるというピンチに陥ってしまったのである。

放送局のディレクターとはどんな仕事をするのかあまり知られていないので記そう。

番組を企画、立案し、その番組にふさわしいアナウンサー、またはパーソナリティーを起用して、すべての責任を持って放送実施にあたる業務を担当する者、これがディレクターの仕事である。

具体例を示そう。放送日と放送時間帯が決まると、どの年齢層をターゲットにするのかをまず考える。そしてその年齢層のリスナーが親しみを持ってくれる番組の顔、つまりパーソナリティーの選定という重要な作業が始まる。

番組のタイトル名とテーマ曲を決める。番組の長さによっては、いくつかのコーナーを設け、それぞれのコーナー曲も決めなければならない。コーナーによってゲストがいる場合は、その手配もしなければならない。取材が必要な場合は、録音機材を持って収録し、テープを編集、コメントも考える。音楽コーナーでは選曲も担当する。しかも、各コーナーにスポンサーがつくよう魅力的なものに仕上げなければならない。

これらの内容をスムーズに進行するため、毎回台本を書く作業もこなさなければならない。そしてオンエアでのキュー出しである。

以上がディレクター業務の概略だ。

ディレクター業務からスタートし、自分のやりたい番組を立ち上げ、パーソナリティーを兼ね、いくつかの番組を経験してきたが、ディレクター役の人材を社外からスカウトするのは初めてであった。

放送局にはいまで言うフリーター、アルバイトの若者が何人か働いていた。目星をつけてその何人かにあたったのである。その中から選んだのが、小林茂紀ディレクターであった。

これまでSBCのラジオ番組には、外部からのディレクターは一人もいなかった。『つれづれ散歩道』はその第一号番組となったというわけだ。

小林ディレクターの仕事は、事前収録が必要な場合に、スタジオで録音作業を手伝ってもらうこと。そして本番当日、素材テープやレコードの準備などをしながら、技術担当であるSBC社員と協力し生放送をスムーズに進行することにあった。かくしてパーソナリティーである自分が放送ブースからディレクター、技術担当者にキューを出しながら番組を進行する独自のスタイルになったのである。小林ディレクターは九年間担当、ベテランの域に達し大いに助けられた。

次いで庄健治ディレクターが短期間務めてくれ、三代目は中島拓生ディレクターにお願いした。彼は東京のスタジオで働いた経験を持つ技術部門のプロフェッショナルである。貴重なアイデアも出してくれ、番組を盛り上げてくれた。

ＳＢＣ社員の上條剛正ディレクターが担当するようになったのは、この番組が始まってなんと二一年後のことであった。また平成七年（一九九五）一〇月からスタートした『中年ど真ン中』も、ＳＢＣ社員ではなくアクテックの福岡徳重さんに、ディレクター兼しゃべりをお願いすることにした。

なぜ武田はＳＢＣ社員をディレクターにしないで勝手に外部の者ばかりと番組作りをしているのか、と首をかしげる社員がおられたかもしれない。その勝手の理由を初めて本書で明かした次第である。

このように企画からパーソナリティー、ディレクター指名など、番組のお膳立てすべてをやらざるをえない状況は、しんどかったが決してマイナスにはならなかった。むしろプラスに働いたのであった。

というのは、ＳＢＣ退社後、独立してからは、どこの局で番組を立ち上げるにしろ、すべて自分一人で企画し、内容を詰め、テーマ曲を選び、構成まで考えなければ番組は成立しない。そのことを在職中に訓練させてくれたのはほかでもない、あの喫茶店カトレアでの事件がきっかけとなったのである。

あの時のあの上司のあの言葉。

「ディレクターとしての社員は、金輪際絶対につけないからな。そのつもりで勝手にやるがいい！」なんという上司だ、しばらくは正直そう思った。しかしである。あの事件がなかったなら、いまの自分はなかったに違いない。苦労は買ってでもやるものだという格言もある。「人間万事塞翁《さいおう》が馬」の格言を体験させてくれたのである。いまではあの上司に対し感謝の気持ちでいっぱいである。

話は前後するが、『つれづれ散歩道』のテーマソングについてである。番組全体のイメージが耳から伝わる楽曲を選ばなければならないとはすでに記した。

これまでにない、ゆったり、ほのぼのとするトーク番組なのだ。つれづれなるままに散歩道を楽しむような番組なのである。

まずクラリネットの音色が頭に浮かんだ。木管楽器の温かい、耳に心地いい音色がいい。散歩するテンポはフォービートだろう。フォービートと言えばジャズである。それもミディアムテンポがいい。

仲のいい夫婦が連れだって散歩するイメージをした。そうだ、クラリネット奏者の鈴木章治とベニー・グッドマン楽団のピーナッツ・ハッコーのデュオ、二本のクラリネットで演奏され、昭和三〇年代に大ヒットした「鈴懸《すずかけ》の径《みち》」がいい。この曲のタイトルにも径がついているではないか。こうしてタイトル曲も決まった。

記念すべき第一回放送は、昭和六三年（一九八八）一〇月八日土曜日、午前九時からであった（令和三年現在、午前八時スタート）。

オープニングのテーマ曲「鈴懸の径」が終わる。第一曲目に選んだのは、秋の季節に合わせ山口百恵の「秋桜」であった。放送しているSBCのGスタジオの南には庭が広がっている。その庭を眺める位置で、マイクの前に座り、しゃべりを続けた。アカマツやモミジの木が何本も植えられている。モミジの紅葉が始まっていた。コバルト色の深い青空を背に、何枚もの真っ赤な枝葉が朝日に照り映えていた。

その幹の周りでは、コスモスの花が何輪も秋風に身をゆだねるように、ゆったりと揺れ動いていた。

レギュラー陣の活躍で長寿番組へ

『つれづれ散歩道』がスタートして三か月後の正月、昭和六四年（一九八九）は終わり、一月八日から平成と元号が変わった。

平成時代はこの元号の意味するところとは真逆の、日本も世界も大変動の時代となった。平成元年（一九八九）に史上最高値を更新した東京株式市場の平均株価は、翌年初めから下落が続き、これと連動するように地価も下がりに下がり土地神話も終わりを告げた。いわゆるバブル経済の崩壊である。

不良債権問題がクローズアップされ、景気は悪化をたどった。日本経済は後に「失われた二〇年」と呼ばれる長期停滞に突入することになったのである。バブルに浮かれた世相にも終止符が打たれた。

バブル絶頂期にスタート、浮かれ過ぎずに、四季を愛でながらゆったりした暮らしをと提言した『つれづれ散歩道』だが、皮肉にもそのスタート直後にバブルがはじけて、多くの長野県民も番組の狙い通り、足元を見つめながらの生活に戻らざるを得なくなったのである。

日本経済の停滞にリンクするかのように、日本の国政も劣化、自民党の一党支配が終焉、次々と新内閣が登場するがいずれも短命に終わるという異常事態となった。

異常事態は国内ばかりではなかった。世界も大変動を迎えていた。平成時代が始まった四月、中国では首都北京を中心に全国各地で、若者たちによる民主化運動が起きていた。これに対し、中国共産党政権は戦車や正規軍部隊を派遣し、六月三日から四日にかけて、天安門広場周辺で抗議活動していた若者たちへの武力弾圧を始めたのである。戦車や機関銃を乱射し、死亡者数千人とも言われている。天安門事件である。

しかし、その真実は最高国家機密として、令和のいまでも封印されたままである。この事件は世界の自由主義諸国を震撼させ、中国とどう向き合ったらいいのか論議を呼んだ。経済制裁はあったものの、いずれ中国が豊かになれば、独裁政治はなくなり、自由主義諸国と価値観を共有するだろう、と楽観したのであった。

この楽観主義のもと、日本をはじめ多くの国々はその後も援助を惜しまなかった。その結果がどうだ。いまや世界第二位のＧＤＰを誇り、軍事力にモノを言わせ、国際法を無視する異形の大国に成長してしまったのである。

天安門事件以前から、共産党一党独裁の中国の危険性を見抜いていた政治家やジャーナリストが日本にもいた。中国への安易な援助に反対していたのである。現実を透徹《とうてつ》した目で見、判断する保守層を中心とするリアリストたちであった。ところが、日本もアメリカをはじめとする西欧諸国でも、多くのリベラリストたちは、中国という国の本質を見誤っていた。

あれから三〇年、令和時代になると中国はより巨大な覇権国家となった。アメリカの世界戦略は、対中国へとシフトせざるを得なくなってしまったのだ。その最前線に立たされているのが日本である。なんという国策の誤り。

それにしても、中国共産党政権は世界を欺く術をよく心得ていた。何十年にもわたって戦狼戦略をおくびにも出さず、いただくものは十分いただき、いただききると牙を向ける。それればかりではない。世界中を恐怖に巻き込んで、何千何万もの死者を出しているコロナ禍の発生源であるにもかかわらず、謝罪どころかこれを奇貨として、マスクやワクチン外交を展開し、よりいっそうの覇権を狙っているのである。誠にもって大国は腹黒いと言わざるをえない。

そして、その中国共産党の見本となっていたソビエト連邦が、消滅してしまうという大事件が続いて起きた。ゴルバチョフ共産党書記長は一党独裁を放棄、共産党は解体され、バルト三国やウクライナなど傘下の共和国が次々に独立し、超大国ソ連邦は一九九一年一二月、六九年の歴史に幕を下ろしたのであった。

戦後長い期間にわたった東西冷戦に勝利したアメリカはと言えば、その年の一月、クウェートに侵攻していたイラク軍を攻撃し湾岸戦争に突入した。アメリカ率いる多国籍軍はたちまちにしてイラク国内に進撃し、三月には冷戦終結後、最初の国際紛争に勝利したのであった。

かくのごとく平成時代の幕開けは、国内外ともに大変動期と重なったのである。

一方で平成三年、長野県民は大きな喜びに沸いていた。日本時間の六月一六日未明、イギリスのバーミンガムで開かれていた国際オリンピック委員会総会で、一九九八年の冬季五輪長野開催が決定されたのである。午前三時二九分、善光寺境内の特設大画面のテレビ中継で、「シティ・オブ・ナガノ」の声が発せられるや、集まった三〇〇〇人の市民からは、大歓声とともに喜びの大拍手がわき起こったのである。

この日は引き続き、午前一〇時から二時間、SBCラジオでも特別番組が組まれ、スタジオも活気に満ちあふれていた。バブル崩壊で意気消沈していた他県とはうらはらに、長野県はオリンピック開催という国際的ビッグイベントの大目標に向かって歩み出したのであった。

こうした平成時代の世相とともに歩み続けた『つれづれ散歩道』は、回を重ね、年を経るごとに知名度が上がり、各コーナーを担当するレギュラーメンバーも、当初の目論み通り番組内はもちろん、カルチャースターとしても活躍する場面が増えていった。

ファッション分野では岡正子さん。近代を築いた信州人を紹介する「近代青春グラフティー」コーナーの石川利江さん、そのコーナーを引き継ぎ、文学にスポットを当てた堀井正子さん。書を様々な角度から解説した川村龍洲さん。信州の動物や植物にスポットを当てる「信州季節ごよみ」コーナーを担当した浜栄一さんと長田健さん。そして四季の気象を解説してくれた伊藤硯陸さん。「歌謡曲解体新書」を担当した柿崎健一さん。「言葉への旅」の児玉美恵子さん。映画解説を担当した飯島力さん、小林免元さん。「信濃民話街道」で自らの創作民話を語ってくれた瓜生喬さん。俳句担当の湯本道生さん。郷土料理を紹介し全国に発信し続ける横山タカ子さん。「昭和今昔物語」でユニークな昭和論を展開してくれた村石保さん。リポーター、スタッフとしても活躍している塩入美雪さん。寄せられたレシピで料理を作ってくれる徳永志明子さん。そのほかにもゲスト出演してくださった多彩なメンバーが『つれづれ散歩道』の最初の一〇年間を支えてくださった。

その後も、魅力あふれるレギュラー陣が何人も番組に花を添えてくださっている。それら素敵な仲間たちを紹介したいのだが紙幅が尽きてしまうのでまたの機会に譲ることにする。

かくして『つれづれ散歩道』は、予想をはるかに超える長寿番組として、昭和末期から平成、そして令和に至る現在まで長野県民に親しまれ続けているのである。この場をお借りして関係者一堂に深く感謝したい。

2　長野冬季五輪を機に念願の独立

部長職辞退を社長に直訴

平成一〇年（一九九八）におこなわれた大イベントはなにかと問われれば、長野県民ならずとも多くの人は答えるであろう、「それは長野冬季五輪でしょう」と。長野県民にとって、この年は歴史に残る年となった。

そして俺にとって平成一〇年は、長い間の念願であった信越放送から独立を果たし、人生再出発の重要な転機となった記念すべき年であった。三〇代後半でサラリーマンからの独立を模索し始めてから十数年の歳月が流れていた。

独り立ちしても放送業界で食っていけるだけの実力を身につけるべく、自分なりきに努力してきた自負はあった。特にそれまでの数年はそのタイミングを計りつつ仕事をこなしていた。育ててくれた信越放送には義理がある。なるべく会社に迷惑をかけず、円満に退社したいと願っていた。それには平社員でいるに限る。管理職などになってしまえば、退社時にはその職責を埋めるべく人事異動がなされ、会社により多くの負担をかけることになる。平社員ならば、番組担当を変更するだけのことで、ラジオ制作部内だけですんでしまう。ところが、長野冬季五輪開催の三年前、ラジオ制作部長なる管理職を仰せつかってしまったのである。

将来は独立を考えていたので、部長昇進の辞令をもらった時はうれしいというより、こりゃ弱ったという気持ちの方が大きかった。それにはひとつ理由があった。部長昇進となった者は、現場仕事からは手を引くのが通例となっていたからである。パーソナリティーやディレクターの手腕こそが、独立後に生きてゆくための財産なのだから現場仕事を辞めるわけにはいかない。

そこで管理職をしながら、番組作りもやることにした。ところがこれは信越放送では前代未聞のことなのである。俗に言うプレイングマネジャーの第一号になり、またまた社内で物議をかもすことになった。しかし、幸いなことに副部長が承諾、協力してくれることになり実現したのであった。

部長昇進のことは別にうれしくも喜ばしいことでもなかったので、内示があっても、家内に知らせるのを忘れていた。ところが、新年度が始まった四月初め、家内に言われた。

「あなた部長になったんだって?!」

そうだった。家内に言ってなかったことに気がついた。

「よく知ってるじゃないか。誰から聞いたんだよ」

「ご近所の奥さんが、武田さんおめでとうって言うから、なんのことですかって聞いたの。そしたら、ご主人の部長昇進の記事を新聞で読んで知ったと言うの。それはありがとうって言っといたけど、本当なの?」

で、これこれこうなんだと説明した。

家内は独立を目指していることは知っていたし、現場人間を続けたいことも百も承知なので出世などには関心がない。

「世の奥さんって、よほど旦那さんの出世を気にしてるのね。驚いたわ」

われらは似た者夫婦、そう変人なのだ。

以来、ラジオ制作部長と現場仕事を兼務し続けたのである。

その後、トップが交代し塩沢鴻一社長となった。塩沢社長は就任挨拶の中で言った。

「会社のことで、意見があったら、どんなことでもいいから、僕のところに来て言ってほしい。そのために社長室のドアはいつでも開けておくようにするから」

これはいいことを聞いた、部長職についてかけ合ってみようと数日後、早速社長室に足を運んだ。

長野市吉田にあった旧信越放送の社屋は、受付からロビーに入ると、左右に粋な日本庭園があった。ロビー右側には枯れ山水の庭園、左側には竹林とキンモクセイ、ツツジなどが配置された緑あふれる空間が広がっていた。これらの庭園が好きで、三時のお茶時にはロビーで自動販売機のコーヒーを飲みながら、のんびり庭を眺めては仕事に精を出したものだ。その緑あふれる庭園、竹林に面した中二階の建物の窓は、大きな格子の和風障子で、孟宗竹との調和が見事な日本情緒を醸し出していた。こんな放送局は日本中どこを探してもないだろう。

その和風障子のある部屋が社長室であった。ロビーで茶を飲み、気合を入れて社長室に向かった。

「ラジオ制作部長の武田です。社長にお話があり、就任のご挨拶のお言葉に甘えて参りました」

もちろん、事前に社長秘書には連絡ずみである。

「おう、よく来たな。あんな挨拶をしたが、誰も来ん。君が最初だ。まあ、そこのソファに座れ」

ふっくらとしたソファに社長が身を沈めるのを見計らってから座った。

「社長！　制作部長という管理職を外してください。俺は番組に携わる現場をやりたくて放送局に入ったんです。部長になりたい者は大勢います。部長はそういう社員にやってもらってください」

こう口火を切って、担当している番組やら、関係しているイベントなどを例に出しながら、現場に専念した方が社のためになることを切々と訴えたのである。社長は社員名簿に目を落としながら言った。

「君は変わってるなあ。同期で最初に管理職を射止めたのだぞ。サラリーマンは昇進が一番の目標だろうに。君のような社員に初めて会ったよ」

「管理職で社内の何十人かを相手に仕事をするより、長野県民二〇〇万人の皆さんを相手に仕事をした方が、よほどやりがいがあるんです」

「なるほど、そういう考え方もあるなあ。わかった、話は聞いた。よく来てくれた」

諾否について社長はなにも言わなかったが、気持ちは理解してくれたようだった。

お礼を申し上げて別れ際に社長が言った言葉がうれしかった。

「君がパーソナリティーを務めている『つれづれ散歩道』を僕の家内はいつも聞いてるようだよ。これからもたびたび社長室に顔を出せよ」

「ありがとうございます。これからも聞いてくださるよう、奥さんによろしくお伝えください」

その『つれづれ散歩道』は一〇周年を迎えた頃だった。社長夫人もリスナーのお一人だと知り、社長との距離が一気に近づいたように感じた。

この頃、長野冬季五輪を控え、信越放送では万全の報道体制で臨むべく、社員の中途採用もおこなわれていた。こんな時に社を辞めたらそれこそ会社に大迷惑をかけてしまう。退職願提出はオリンピック終了後と決めた。

社長直訴により現場の専門職第一号に

平成一〇年（一九九八）二月七日、長野冬季五輪が華々しく開催された。世界各国から選手や観客が信州にやってきた。長野市の中央通り、長野駅周辺はたちまちにして国際色豊かな都市に変貌した。

日本選手は大活躍、ジャンプ競技やスピード・スケートなどでメダルラッシュが続いた。その結果金メダル五個、銀メダル一個、銅メダル四個という輝かしい成果を成し遂げ世紀のイベントは幕を閉じた。

このオリンピックから〝一国一校運動〟が初めて提唱され、子どもたちが世界に目を向けるいい機会となった。この運動はその後も絶えることなく引き継がれ、コロナ禍ではあったが令和三年（二〇二一）の夏の東京五輪にも受け継がれている。市民のボランティア活動が定着したのも、長野五輪の大きな収穫であった。

続いて三月五日、パラリンピックも開催され、観客動員数もこれまでの大会より大幅に増え、人々の関心も多いに高まった。

二つのイベントが終了、社内に落ち着きが戻った三月一六日、非常にありがたい辞令が交付されたのである。この日は月曜日、前日降った雪もすっかり解け、さわやかに晴れ上がった日であった。

信越放送の社屋、竹林庭園に面したあの社長室に管理職全員が緊張した面持ちで立ち並んでいる。

この日ばかりは俺も、背広姿ではないもののネクタイだけは締めて出席することにした。現場仕事をバリバリこなす者にとって、ネクタイほど窮屈なものはない。従っていつもノーネクタイ姿に徹していた。四月から新年度が始まる。それに先立つ、恒例の人事異動発令の日である。昇進を狙うサラリーマンにとっては、極めて重要なセレモニーなのである。

辞令交付は、どこの会社でもピリピリと緊張した中でおこなわれるのが常であろう。信越放送も同じである。型通りの厳粛な儀式が進む。いよいよ俺の番になった。社長が威厳に満ちた表情で言った。

「ラジオ局ラジオ制作部長を解き、ラジオ局次長待遇、エグゼクティヴ・プロデューサーを任ず」

信越放送ではこの四月から新たな体制の人事をおこない、これまでの管理職ラインに加え、現場のリーダーとも言うべきスペシャリストも管理職と同等の待遇にすることになり、俺がその第一号に選ばれたのだ。放送現場でいい番組を作りたいと思っている社員にとっては、実にありがたい人事制度がようやく導入されたのである。数日前、内示を受けた時に思った。

――あの時、社長室を訪れて、塩沢社長に部長職を解いてほしいと直訴したのは大正解だった。塩沢社長は現場の声を聞いて実行してくれたのだ。

だが初めて耳にしたエグゼクティヴ・プロデューサーという肩書、一体どんなことをする役職なのかさっぱりわからない。とっさに質問を発してしまった。

「社長！一体、俺はなにをしたらいいんですか?」

突然のことだったので、厳粛な場にもかかわらず、つい「俺は」と言ってしまった。ところが社長もまさかの質問に、つられてしまったのだろう、

「俺もなにをしてもらったらいいのかわからんのだよ。まあこれまでの通りに、君らしく現場で働いてもらう、それがエグゼクティヴ・プロデューサーってことだろう」

このハプニングで、一瞬にしてその場の緊張感がやわらぎ、笑い声がドッと社長室に満ちたのである。おそらく後にも先にも、辞令交付の社長室で笑いが起きたのは、この時だけの前代未聞の珍光景だったに違いない。

笑い声を耳にした瞬間、映画の一場面が浮かんできた。喜劇映画の人気シリーズ『釣りバカ日誌』で、ハマちゃんこと西田敏行演じる社員と、スーさんこと三國連太郎演じる社長が、重役連中がいる社長室でやりとりする場面である。映画好きな俺は不謹慎とは思いつつ、この連想に苦笑せざるを得なかったのである。

かくして現場専属となったのであった。長野冬季五輪の大イベントも終了した。管理職の肩書も外れた。いよいよ独立のタイミングがやってきたのである。

思えば三六歳の時だった。肝炎で二か月の入院中、情熱を注ぎ全力を傾けて放送してきたテレビ番組『ワン・ツー・オー・オー』の打ち切りが、なんの連絡も相談もないままに決められてしまった。この社の一方的な決定に大ショックを受け、独立を決意したのであった。以来、この業界で生

きていくために必要な能力を身につけるべく、様々な番組のディレクターやパーソナリティーを務め、すでに一五年もの歳月が過ぎていた。

「石橋を叩いて渡る」という格言がある。用心の上に用心を重ねて物事にあたるという意味だ。フリーになるといっても拙速は避けたかった。しかし、石橋を叩き過ぎて、橋を叩き割ってしまったらもとも子もない。また渡るのを躊躇《ちゅうちょ》し過ぎて年齢を重ね、渡る元気がなくなったらどうしようもない。この時すでに五一歳になっていた。辞めるタイミングはこの年しかないと思った。

長野冬季五輪も終わり、管理職からも解放された。退職しフリーになり、担当している番組の継続をもしも信越放送が承諾してくれるならば、制作現場にもまったく迷惑をかけずにすむ、そう考えての決断であった。四月からの番組担当などはすでに決定している。ここで辞めたら迷惑がかかる。次の番組改編は一〇月である。

重大な人生の決断が迫ろうとしていた。

サラリーマンが会社を辞める、というのは家庭にも重大な影響を与える。これまで保証されていた月々の給料がなくなるのである。フリーになったとて、次の仕事が確実にあるかどうかは未定なのだから。俺にも一抹の不安はあったが、家内もかなりのプレッシャーがあったことだろう。一人息子の無我が、早稲田大学に入学し、東京での下宿生活も始まり、これまで以上に家計が圧迫される、ちょうどその年であった。

しかし、家内は偉かった。愚痴ひとつ言わない。かえって鼓舞してくれた。

「あなたがこうすると決めたら、誰がなんと言おうがそれを押し通す。二五年間も一緒にいれば、よーくわかってるわよ。全面的に協力するから、第二の人生、一緒に楽しみましょうよ」

泣かせるではないか。こんなことを言われたら、夫としてはあらゆる努力を惜しまず、独立後の収入を得るべく奮闘せずにはおられない。

放送業界では番組改編時の四月または一〇月に番組が終了したり、新番組がスタートしたりする場合は、ワンクール、つまり三か月前には、局側はタレントに、タレントは局側に予告するという暗黙の了解があった。社員ではあるが、担当番組は何本か持っているので、一〇月退社となると、六月中には退社願を会社に提示しなければならない。幸運なことに、信越放送では大きな機構改革を実施し、七月からはラジオ局とテレビ局を併合することになったのである。その準備のために局内の部屋割りも変わり、社内の机やら荷物やらの移動が六月から始まっていた。

退社については、『つれづれ散歩道』の社外ディレクターら、ごく一部の関係者だけには打ち明けていた。社内には極秘で通していたが、そろそろ退社のための身辺整理をしなければと考えていただけにこの機構改革は実に好都合、大っぴらに整理ができた。

社外でも信頼できる広告代理店の社長、さらにはほかの放送局の重役らにも接触を開始して、独立後の仕事探しに着手していたのである。

巻き紙にて退職願提出

決断の日がやってきた。六月二二日の夜であった。『つれづれ散歩道』が満一〇年終了の九月いっぱいをもって退社する旨の退職願を書いた。九月二五日が誕生日で、五二歳を迎える区切りの良い月なのだ。

家内が書道を趣味にしているので、和紙の巻き紙に黒々と筆字でしたためてもらった。人生という舞台の大きな区切りである。ならばなるべく劇的に盛り上げたいのが人情である。

翌二三日、ついに退職願を提出するに至った。出社後、朝一番で直接塩沢社長に届けようと思ったが、ここは直属の上司であるK局長の面目を立てるべく局長に提出した。

「なに？ 退社願だと?! 武田君一体どういうことなんだ？」

青天の霹靂《へきれき》といったような表情で、明らかにビックリ仰天といった感じだった。

実はこの一年間、社の命令でK局長が中心となり検討している重大案件があった。ラジオ媒体をテレビ媒体から引き離して、別個の独立した企業体として経営が可能かどうかを、様々な角度から探っていたのである。俺もその検討委員の一人として、番組作りやイベントで超多忙な中、月に三、四回の会合に出席し、膨大な時間をかけ調査したのであった。その結果、ラジオ単独でも企業として成り立つのではないかとの結論に達した、と俺は理解していた。が、結果は真逆でラジオ局とテレビ局は併合することになったのである。なぜそうなったのか、その間のいきさつについては、まったく知らされることなく決定された。

さらに今回の機構改革にともなう人事異動で、もっともラジオ局独立に熱心だったK局長は、ラジオとはまったく関係のない部署に異動が決定されたのである。その異動も、公に発表されるまでK局長には知らされていなかった。さすがに腹が立ったので、ラジオ局解散直前に開かれた全体会議の席上で挙手をして怒りをブチまけた。

「ラジオを一番愛し、情熱を傾けてこの一年間、検討委員会の長としてご苦労されたK局長が、ラジオから去ってしまう。しかも、その人事がK局長にまったく知らされていないとは何事か。こんな理不尽なことに断固として抗議したい」

サラリーマン社会にありがちなこういう事態は理解していた。一方でそんな集団からは去りたい、というのも独立への大きな動機だった。が、これではK局長が気の毒ではないか。

そのK局長、退社願に驚いた様子だったが、独立への決意を述べると俺の生き方を理解してくれた。

「わかった。早速、社長にお伝えしよう。一緒に行って武田君からもよく説明してもらいたい」

通常だと、退職願を預かり、専務らほかの重役にも伝えてから社長と面談するのかと思っていた。しかし、K局長も今回の一連の動きには思うところがあったのだろう、即二人で社長室に向かうことになった。

「退職願だって?! 現場専門のエグゼクティヴ・プロデューサーが気に入らんのかね」

社長も大変驚いた様子で聞いた。

「いや、そういうことではないんです。わがままと思われることは百も承知ですが、俺の生き方として、こういう結論を出しましたのでご理解ください」

ここでも、独立への思いを社長に伝えたのである。

「そうか、そこまで考えているんなら、やむをえんな。だがいま君が担当している番組は一〇月以降も続けてくれるんだろうな」

ここで番組の話題が挙がろうとは思わなかった。ありがたい塩沢社長の言葉だった。前年の一二月に一〇周年突入の記念パーティーをおこなった『つれづれ散歩道』が、一〇月以降も継続することが決まったも同然となった。そうであれば『つれづれ散歩道』を軸に、フリーの立場をフルに発揮して、講演やイベントの司会、ジャズ演奏を精力的にこなし、楽しみながら第二の人生を歩める。退職後の方向性がかなり明確に見えてきた。

塩沢社長はこの席で、退職願の件は、K局長とその後任のS局長だけに留めておくようにと念を押した。社長室を出て席に戻ると、すぐに机上の電話が鳴った。塩沢社長からであった。

「今週の土曜日、君の『つれづれ散歩道』の放送が終わった後、一緒に食事をしよう。うまいうなぎを食わせる店があるんだ。新任のS局長も一緒に呼ぶつもりだ。なんとか都合をつけてくれないか」

願ってもないことだ。七月の土用丑の日を待つことなしにうなぎを食えるとは。

うなぎ会食で退職後の朗報

六月二七日、『つれづれ散歩道』三時間の生放送が正午に終わり、塩沢社長、七月から新任するS局長とともに社長専用車に乗り、そのうなぎ店に向かった。長野市松代町の田園地帯にポツンと一軒家があり、ここがうなぎ店だという。うなぎ通には超有名な店だとは社長の弁であった。

梅雨の最中ではあったがこの日はいい天気で、気温もかなり高かった。しかし、この農家風の畳の部屋には開け放たれた障子から、稲田を吹き抜ける心地いい風が通り抜け、実に涼しかった。

上等なうな重を食べながら、社長はS局長にハッキリと言った。

「武田君はこの九月いっぱいで退社したいとのことだが、『つれづれ散歩道』は続行してもらう。ほかの番組やイベントでも、武田君を多いに生かしてやってほしい」

S局長は社内でも有名なワンマンタイプの男だが、目上の者に対しては滑稽なほど従順であった。この日もS局長は、丁寧過ぎる言葉づかいで社長に接していた。そのS局長に、社長はハッキリと俺の今後の処遇について述べてくれた。驚くとともに実にありがたかった。

「どうだ、ここのうなぎはうまいだろう。知る人ぞ知るうなぎ店なんだ。食べながらでいい、こんな機会だから武田君、これまで勤めてきて社に対する意見もあるだろう。遠慮なく聞かせてくれ」

常に社長然として威厳に満ちたイメージだった塩沢社長が、これから退社するという一社員に、ここまで胸襟《きょうきん》を開いてくれるとは思ってもみなかった。

そこで日頃から信越放送でもっとも生かしきれていない、もったいないと思っているソフトについて率直に話した。それは信越放送のニュースソフトである。本社報道部と、県内各支局、松本局、諏訪局、飯田局の報道部員が携わって放送している夕方六時台の『ＳＢＣニュースワイド』にかかわることである。総勢何人かは正確には知らないが、毎日五〇人近い人材がかかわり、月曜日から金曜日の夕方、毎日とはいえ三〇分のニュース番組一本の放送だけでは、費用対効果を考えた場合いかがなものか、あまりにももったいないではないか。しかも、夕方六時台では、働き盛りのサラリーマンや自治体の職員らは見ることができない。これでは多くの人材を投入して作ったソフトが、十分生かされているとは思えない。平日の夕方に見ることができない県民のためにも、日曜日に一週間のニュースをまとめて、コメンテーターらも加えて新たな切り口で放送する必要があるのではないか。以上のことを、率直に進言したのである。

「なるほど。確かにニュースソフトが生かしきれていないなあ。これはいいことを聞いた。ありがとう」

塩沢社長はなにか期するところがあったらしい。

かつて報道部の問題社員だったのに、日頃感じていたことを社のトップである社長に直々に進言できたことがうれしかった。この時、社長に語ったアイデアが、退社した翌年の四月から新番組として結実することになるのだが、その報道番組のアンカーを担当することになったのである。日曜日午前放送の生番組「ＳＢＣニュースウィークリー」である。が、これは後のこと。

「どうだ、武田君、ここのうなぎは絶品だろう。退職願を筆字で書いた奥さんにも食べてもらおうと思って、お土産用にも作ってもらった。奥さんも喜ぶぞ」

なんとありがたい社長の気づかい。

ところで書道については後日譚《ごじつたん》がある。

塩沢社長は書についての造詣が深く、社の幹部も何人か加わり、書道教室に通っているという話は聞いていた。退社してから何か月か経ったある日のことだった。番組の準備のために出社すると塩沢社長からお呼びがあった。例によって社長室にうかがった。大きなソファの前の机に硯《すずり》がひとつ置かれている。

「まあかけたまえ。どうだ、この硯、いい硯だろう。偶然手に入ったんだ」

家内が書道をやっていたのでいくつか硯は持っていたが、硯の良し悪しはわからない。社長が太鼓判を押すぐらいだから、きっといいものなのだろう。硯を眺めていると、

「君にこの硯をプレゼントするから、君も僕らと一緒に書道をやらんかね」

と言うではないか。退職願を家内に筆で書いてもらったことが、こうした展開になろうとは…。

「社長にそこまで言われて、断るのも失礼とは思いますが、書道をやることに興味がないので、いただくわけにはいきません。それに、今後書道をやるにしても、ご一緒するわけにはいきません」

「なぜだね。君の知ってる会社の連中も一緒にやってる書道教室なんだぞ」

不思議そうに社長が言う。

「だから嫌なんです。皆さん俺の先輩で、上司だった人もいるんですよ。趣味の世界でまたまた気を遣うなんて真っ平ごめんですよ」

「ずいぶんハッキリものを言うじゃないか。じゃあ、やむをえんな、この件は。君も書道に興味があると思ったんだが仕方がない」

こうして一件落着となったというエピソード。

退職の日は『つれづれ散歩道』放送満一〇年が終わった平成一〇年（一九九八）九月二六日の翌々日、五二歳の誕生の三日後、九月二八日であった。

この世に生を受け大学卒業まで、両親の世話になった時代を第一の人生とすれば、信越放送に入社し数々の問題で迷惑をかけながらも、放送現場で鍛えられた時代は第二の人生、そして両親からも会社という組織からも離脱し、すべての生活を自分自身の才覚で切り盛りする時代は、第三の人生と言えるかもしれない。

三六歳の時、情熱のすべてをかけて番組制作にあたっていたテレビ生ワイド番組が、肝炎で二か月入院中に、なんの相談もなしに終了を決められ、以来独立を決意して一六年の歳月が過ぎていた。臥薪嘗胆《がしんしょうたん》などと言えばかっこ良過ぎるのだが、独立してから第三の人生を豊かに楽しく生きるための術を、ひそかに磨き続けることができた信越放送には、心の底から感謝している。

遊び心と学び心の「つれづれ遊学舎」設立

独立してからも安定した仕事を続けるためには、会社を立ち上げることが必要であった。そこで有限会社を起業することにした。会社といっても社員は俺と家内の二人だけ。社長と副社長というわけだ。その副社長である家内は、独立に関する様々なことに諸手を挙げて賛成してくれ、実にありがたく心強い存在であった。

彼女は結婚前に金融関係の企業で働いていたが、結婚して退職、子育てをしながら趣味の書道を生かし、近所の子どもたちを集めて書道教室を開いていた。さらに心理カウンセラーの資格も取得し、自宅でクライアントを相手にカウンセラーもしていた。

いよいよ独立する段になり、家内に退職願を筆字で巻き紙に書いてもらったことはすでに記した。その時彼女が言った言葉だ。

「フリーになるってことは、タレント活動をするってことでしょう。ならば金銭の交渉をするマネジャーが必要になるわね。その役は私に任せてちょうだい。またまた新しい分野に挑戦できるってわけよね。副社長兼マネジャーなんて、かっこいいじゃない」

誠に意気軒高そのもの、言いながらスラスラと退職願の筆を走らせたのである。

退職が迫る中、家内と会社の名称をどうしようか相談した。

「放送関係の会社はほとんど横文字だろ。だからカタカナ名はよそう。番組制作も、しゃべりも遊び心を持ってやりたいんだ。しかも仕事をこなしながら新しいことを学べたら最高だね。遊び心と学び心を両立、どうだい〝遊学舎〟ってのは？」

「遊学なんて言葉、最近聞かなくなって久しいわね。なんか古くて新しいって感じでいいんじゃない。それで、遊学舎の上にあなたのやってる『つれづれ散歩道』のつれづれをつけたらどう？　もう一〇年間も続いてる番組でしょ。〝つれづれ遊学舎〟、ゴロもいいじゃない」

こうして社名は、つれづれ遊学舎と決まったのである。

ほかに社員もいないので時には茶を飲みながら、時には食事をしながらの社長、副社長の重役会議が続いた。なんの気がねも必要ない二人なので、すべて物事はスムーズに運ぶ。わざわざオフィスを借りる必要もない。ファクシミリ機能のついた電話が一台あるだけの台所が、つれづれ遊学舎の事務所となったのである。

そうは言っても、一応会社組織になったのだから、社是のようなものを決めておこうということになった。フリーとなり、仕事にあたる上での心構えである。今度は居間で丹精込めた和風庭園を眺め、コーヒーを飲みながらの重役会議で決議した。なるべく簡潔な言葉で、しかも数少ないユニークなものにしようと選んだ社是が三つ。

「一期一会」「薄利多売」「自社完結」である。

まずは「一期一会」。ご存じのように、茶道でよく使われる言葉である。ひとつの出会いを大切にして、悔いのないように茶を点てる心構えを言った語だ。企業に勤める社員なら、よほどの大失敗をやらかさぬ限りクビになったり、給料がなくなったりすることはない。ところがフリーの身では、レギュラー番組のパーソナリティーであれ、講演であれ、シンポジウムのコーディネーターであれ、相手に気に入られなかったら次のお呼びはない。

従って毎回、毎回すべてに全力を傾けて、誠実に仕事をこなすことが次につながる唯一の道ということになる。まさに「一期一会」であるから、全力投球できる仕事で、社名のように遊び心と学び心を持って無理なくできる企画を提案し、受ける仕事も興味がわき、学びにつながるものを選ぶことにした。それ以外のオファーは丁重に辞退した。

事実ある放送局から、月曜日から金曜日まで帯でのテレビのニュースキャスターの誘いがあったがお断りした。週五日間、毎日同じ番組で全力を傾けてしゃべり続ける自信がなかったからである。また、月～金でしばられてしまったら、生活にゆとりがなくなり、趣味のジャズ演奏や旅行もままならない。これでは遊び心で学ぶ遊学舎の看板が泣くし、なんのために会社を辞めたのかわからなくなってしまうからでもあった。

次の社是「薄利多売」は家内が提案した。

それを聞きとっさに俺は口走った。

「そりゃーねえだろう。主に仕事をするのは俺だよ。安売りなんぞは、真っ平ごめんだね」

「なにも安売りするって意味じゃなくて、欲をかくと結局はイメージに傷がついて損をすると思うの。それに環境問題にしろ、親子関係にしろ、会社に気がねなく自由に講演し、なるべく多くの人たちに情報を発信したくてフリーになったんでしょう。だったらよりお手頃な講演料で、回数を増やした方がより多くの人たちに有意義な情報を提供できるじゃない。そういう意味なの。そのためにも、丈夫で長生きしましょうよ。私も努力して、身体にいい食事作りを心がけるようにするから」

理屈は間違っていない。副社長である家内の発言も無視できず、社是となった次第。マネジャーである彼女が料金交渉するので、すべてを任せることにした。

ある日、講演依頼の電話があり、家内の応対が耳に入ってきた。

「ありがとうございます。でも講演料はそんなにいりません。その半分で十分です。そのかわり、講演内容が良かったらまた呼んでください。武田もお伝えしたいことがたくさんあるからと申しておりますから…」

おいおい、本当に薄利多売を実行に移しているではないか。もったいない、と思ったが結局この戦略は正しかった。

ある金融機関では、県下各地にあるほとんどの支店から講演依頼が舞い込み、十数回にわたってお話しさせてもらった。欲をかかねば結局は得をする、ということが事実を持って証明されたのである。

三つ目の社是は、「自社完結」である。

マニュファクチャーという言葉を、教科書で学んだことであろう。工場制手工業のことである。労働者たちが一工場で協業と分業を同時におこない、製品を作り出す、初期の工業生産の形態である。これを「つれづれ遊学舎」でやろうというわけだ。製品を作るのではないが、番組にしろ、講演や演奏会にしろ、他人にオファーするのではなく、できることは学びながらでも社員二人だけでこなす。つまり自社で完結させることを目指す。時には二人で協業し、時には分業し、楽しみながらマニュファクチャー的企業にしようという意図である。

実際、家内はマネジャーばかりでなく、朗読やフリートークにも挑戦し、ステージやラジオ番組にも出演することになるのである。

かくして五〇代にして「つれづれ遊学舎」を設立、三つの社是を柱に、これまでの人生とはまったく異次元である第三の人生を歩み始めたのであった。

つれづれ遊学舎の２人で生放送中

あれからおよそ二五年、四半世紀の歳月が過ぎ去った。

いま、人生は一〇〇年時代に突入した。俺たち団塊世代が自然の中で遊び回っていた頃、人生五〇年と言われていた。誠にもって隔世の感がある。隠居生活、余生などという言葉も死語になりつつある。生涯現役という言葉が現実味を帯びてきた。

しかし、企業労働者には必ず定年退職が待っている。年々延長される傾向にあるとはいえ、いつかは退職せざるをえない。だがフリーの身である俺は、オファーがある限り仕事を続けることができる。

令和三年（二〇二一）九月二五日をもって後期高齢者に突入した。遊び心と学び心を持ちながら、できるところまで歩み続けようと決意している。

ありがたいことに独立後の第三の人生は、俺と家内の二人三脚による珍道中となり、さらに分野も広がり刺激的なものになっている。

その珍道中ぶりをご披露できる機会があったら、また筆を握り記したいと思っている。

読者諸兄諸姉、その日が来るまでどうぞご健勝でありますよう心からお祈り申し上げる。


〈完〉

コロナ禍に思う――あとがき

平成、令和時代の子どもたちにとってテレビ、スマートフォンなどの映像文化は日常生活そのものである。コンサートで音楽に接するばかりでなく、歌やダンスで舞台に出演する子どもも多い。映像も音楽も、毎日の食事と同じように生活の一部となっている。だからいまの子どもたちは音感もいいし、リズム感も抜群だ。そのうえ食べ物にも事欠かず豊食の中で生きている。

しかし、と思うのである。与えられた過剰な便利さの中で育てられる子どもたちについてである。いまを生きる子どもたちと俺たちが子ども時代の決定的な違いは、豊かな自然の中で自由自在に飛び回り、自分たちで道具を工夫して作ったり、ルールを決めたりして集団で群れ、遊ぶ体験の有無である。

多くの若い親や、学校の先生もいわゆる「子どもは風の子」を体験したことがまったくないのである。

少子化が声高に叫ばれる昨今、まるで腫れ物に触るような扱いを受け、すべて大人の監視下で行動させられる子どもたちを見るにつけ、実に気の毒に思う。大人の目などまったく気にせず、自由自在、天真爛漫《てんしんらんまん》に森や河原で遊び回る子どもたちはすっかり姿を消してしまった。

そんな中、令和元年（二〇一九）一二月に発生した中国武漢発の新型コロナウイルスが世界中に広がり、日本の子どもたちにも大きな影を落としている。
「集団生活が必要な子どもたちは、遠隔授業やステイホームを強いられ非常に気の毒である」との声があふれ、学校の先生や子どもたちの両親からも「毎日が大変だ。休日など家にいると息が詰まりそうになる」などマイナスイメージの声が頻頻《ひんぴん》と聞こえてくる。

コロナ禍は当分続く。ならば覚悟を決めるしかないではないか。コロナ禍のマイナスをどうプラスに転じたら良いのか。このコロナ禍を、子どもにとってプラスに転じるにはどうしたら良いのか、こうした視点が必要なのだが、教育関係者や、識者と言われている偉い先生方からもほとんど聞こえてこないのはどうしたわけだろうか。

このコロナ禍、子どもたちを森や山や河川などの大自然の中で思い切り遊ばせる絶好のチャンスではないか、などと思うのだが…。

そんな矢先に「霊長類研究の先駆け　河合雅雄さん死去」の新聞の活字が目に飛び込んできた。ニホンザルなどの霊長類の研究で先駆的な役割を果たした京都大学名誉教授の訃報である。河合さんの子ども時代は病との闘いの連続だったようで、小学三年生の時には小児結核、旧制中学時代には胸膜炎、京大を卒業するまで満足に学校に通えたのは二年間ほどだったという。そんな河合さんを強力に支えた体験があった。

自然の中での体験である。兵庫県丹波篠山市で生まれた彼は、自宅で馬やニワトリをはじめ、カジカガエル、カナヘビなどを飼育し、昆虫採集や川での魚捕りが大好きだったという。子どもの頃、近所の人から動物園長と呼ばれていたそうで、このことが後に動物学を志す原点となったというのだ。

アフリカのフィールドワーク中には、日本人では初めてという風土病に二回も襲われている。が、見事にそれを克服している。それればかりではない。河合は九七歳の大往生を遂げたのである。前日まで奥さんと一緒に買い物に出かけていたというから驚きである。

実はこの本を執筆中、河合を主人公にした少年時代の映画『森の学校』が再上映された。彼の著作『少年動物誌』をもとに平成一四年（二〇〇二）に作られた映画である。

主演は令和二年七月に自殺した三浦春馬。昭和一〇年代の少年を生き生きと演じており、非常に好感が持てる。そんな彼の元気な姿を見たいというファンが声を上げ、一八年後再上映になったのだという。

映画の舞台は河合さんが生まれ育った丹波篠山。四方を山で囲まれた城下町をわが物顔で群れ遊ぶ子どもたち。町では悪戯《いたずら》をしては叱られ、森や川では昆虫や魚を捕まえるなどして遊びに明け暮れる子どもたち。そのガキ大将は雅雄（三浦春馬）。父（篠田三郎）は町の歯科医。雅雄は男ばかりの六人兄弟の三男坊だ。わんぱくなのだが時々発熱しては、しばしば学校を休むため勉強についていけない。

そんな彼の心を癒やしてくれるのが篠山の自然なのだ。母（神崎愛）はオルガンを弾き、父とともに雅雄らの成長を温かく見守っている。動物や昆虫が好きな雅雄たちは、自宅の庭に動物園を造ろうと、様々な生き物を集めてくる。登場する生き物は、アオダイショウ、ヘラブナ、モグラ、ヒバリ、アメンボ、カタツムリ、メダカ、オニヤンマなど四〇種類。またまた映画の話題になってしまったがこれらの生き物たちや、雅雄たちの姿を見て、俺は自分の子ども時代を彷彿《ほうふつ》とさせられたのであった。

団塊世代が子ども時代を送った昭和二〇年代から三〇年代は、映画で描かれた昭和一〇年代と同じような自然環境が残されていて、子どもたちは生き物たちとともに暮らしていた。年齢差の異なる子どもたちが一団となって遊ぶ中で、上級生が下級生の面倒を見るなど自然に子ども社会が形成されていたものだ。

時にはほかの子ども集団と争うこともあり、喧嘩の仕方も身についた。大人たちもそんな子どもたちをいい距離感で見つめ、悪戯が過ぎると、どの子どもであっても叱ったものだ。俺などは学校の先生ばかりでなく、地域の大人たちからもしばしば叱られたものだ。

子どもたちを取り巻く豊かな自然、そして大人たちとの適度な交流、団塊世代の子ども時代は、戦後の貧しさはあったものの、実に恵まれた環境の中で育てられたと改めて思う次第だが、いかがなものであろうか。

モノの豊か過ぎるいまの時代、有り余る食べ物におしゃれな服装。少子化なるがゆえの大人たちの過干渉にスマホ漬けの日常生活。ガキ大将やわんぱく小僧、天真爛漫《てんしんらんまん》な風の子が姿を消して久しくなった昨今、俺たち団塊世代の子ども時代を振り返ると、そこには、コロナ禍の閉塞社会でいまを生きざるをえないという子どもたちへの貴重な教訓が見えてくるのである。子どもたちがたくましく生き抜く力、それは大自然の中で育まれる体験にこそあるのではないか。

実は俺も、映画好きな歌謡曲小僧ではあったが、大自然の中で遊び回った動物好きのわんぱく小僧でもあったのだ。

＊　＊

過去の記憶をまさぐるようにここまで書いてきたが、紙幅が尽きてしまった。

一冊の本としては、これ以上は長過ぎるとの出版社からのお達しがあった。

断捨離をしようと思いつき本棚の整理から手をつけ、古い何冊もの日記帳を発見したのが発端で書き進めてきたこの本、断捨離どころではなく、次々と過去の記憶が呼び覚まされてくる。

記憶とは奇妙なものである。打ち出の小槌《こづち》のようだ。日記帳に記された文章がきっかけとなり、その思い出をたどってゆくと、心の奥にひっそりと眠っていた様々なことどもが芋蔓《いもづる》式に次々とよみがえってくるのである。すっかり忘れていた過去の体験が、過去の出会いが、過去の出来事が、闇の彼方から明るい光のもとへ引っぱり出されるように次々と浮かび上がってくるのである。

で、あれも書こう、これも書こうと書き進めた結果がこのザマである。

しなのき書房の林佳孝さんに問うた。

「こんな調子で書き進めてもいいの?」

林さんは鷹揚にうなずいた。

「とにかく書き進めてください。最後に整理するとなんとかなりますから…」

モノの断捨離も難しいが、記憶の断捨離もなかなか難しいものだと、改めて悟った次第。

そもそも自分史を本にしようなどという発想はまったくなかった。SBCラジオで放送していた『武田徹の日曜音楽夢工房』で、俺の音楽体験をその音楽とともに紹介するコーナー『タケさんの音楽人生よもやま噺』を放送していた頃、局のロビーで林さんと顔を合わせたのがきっかけとなろうとは。

「よう林さん! 久しぶりだねえ、お元気」

近況を語り合っている中で出たのが、『タケさんの音楽人生よもやま噺』だった。

本にするつもりなどまったくなかったが、林さんは出版社の社長である。話のついでに聞いてみた。

「あのコーナー、活字にしたら、皆さん読んでくれるかねえ」

「ラジオでも反響があるんだから、本にしたら皆さん喜ぶんじゃないですか」

俺も乗りやすいタイプだ。本のプロがそう言ってくれるので、ややその気になった。

「林さんのしなのき書房で出版してくれるかねえ」

すると林さんは意外なことを口にした。

「本にするならうちのような小さな出版社でなく、大々的に紙面でPRをしてくれる新聞社から出版される方が本は売れますよ。ラジオのパーソナリティーは名前もよく知られているから、新聞社でも力を入れて後押しをしてくれますよ」

林さんは正直者だ。失礼ながらバカがつくほどの正直者だ。だが俺もバカがつくほどの変わりもの、変人だ。林さんのその正直ぶりに感動、心動かされて決意した。

「林さん、しなのき書房さんから俺の本を出版させてくださいよ。気合を入れて書くからさ」

かくして原稿に着手し始めたのが、中国の武漢で新型コロナウイルスが発生し始めた令和元年一二月であった。

翌年、新型コロナウイルスは世界中に蔓延、日本でも緊急事態宣言が発令されるなどして、コンサート、講演も中止、自宅滞在時間が圧倒的に増えた。いわゆるステイホーム時間だ。

この豊富な時間が、記憶に打ち出の小槌《こづち》のような効果を与えてくれたというわけだ。

そもそもこの本のきっかけとなった番組、『武田徹の日曜音楽夢工房』は、令和三年三月いっぱいで、二一年六か月続き終了となった。まだまだ音楽人生を語り続けようと思っていただけに、この本の出版はまさに渡りに船であった。結果、かくも長き文章となってしまった。

ところで現在、日本は超長寿国となり、人生一〇〇年時代に突入。俺が高校生だった昭和三九年（一九六四）にわずか一五〇人ほどだった高齢者は、なんと八万人を超えるほどに膨れ上がっている。還暦、古希などを迎えても屁でもない元気老人、いや元気現役人間が多数おられる。

還暦を機に新しいことを始めようとハーモニカを習った。六〇の手習いである。メロディーはもちろん、リズムをつけ演奏もできるハーモニカの魅力に取りつかれた。

もう七〇も過ぎたし、持ち運びも大変なドラムは止めて、ハーモニカ一本にしよう。そう思い始めた矢先であった。ジャズの大先輩で長年お付き合いいただいている千曲市のピアニスト、唐沢淑郎さんがなんと卒寿コンサートを主催、その司会とドラムを依頼されたのである。九〇歳の唐さんとのコラボを七〇代半ばの自分がお断りするわけにはいかない。

令和三年五月一六日、コンサートは上山田文化会館で満席の観客の中でおこなわれた。唐さんの若々しいピアノ演奏にドラムでリズムを刻んでいると、天の声が聞こえてきた。

「汝はまだ七〇代ではないか。中学生以来、あれほど憧れて

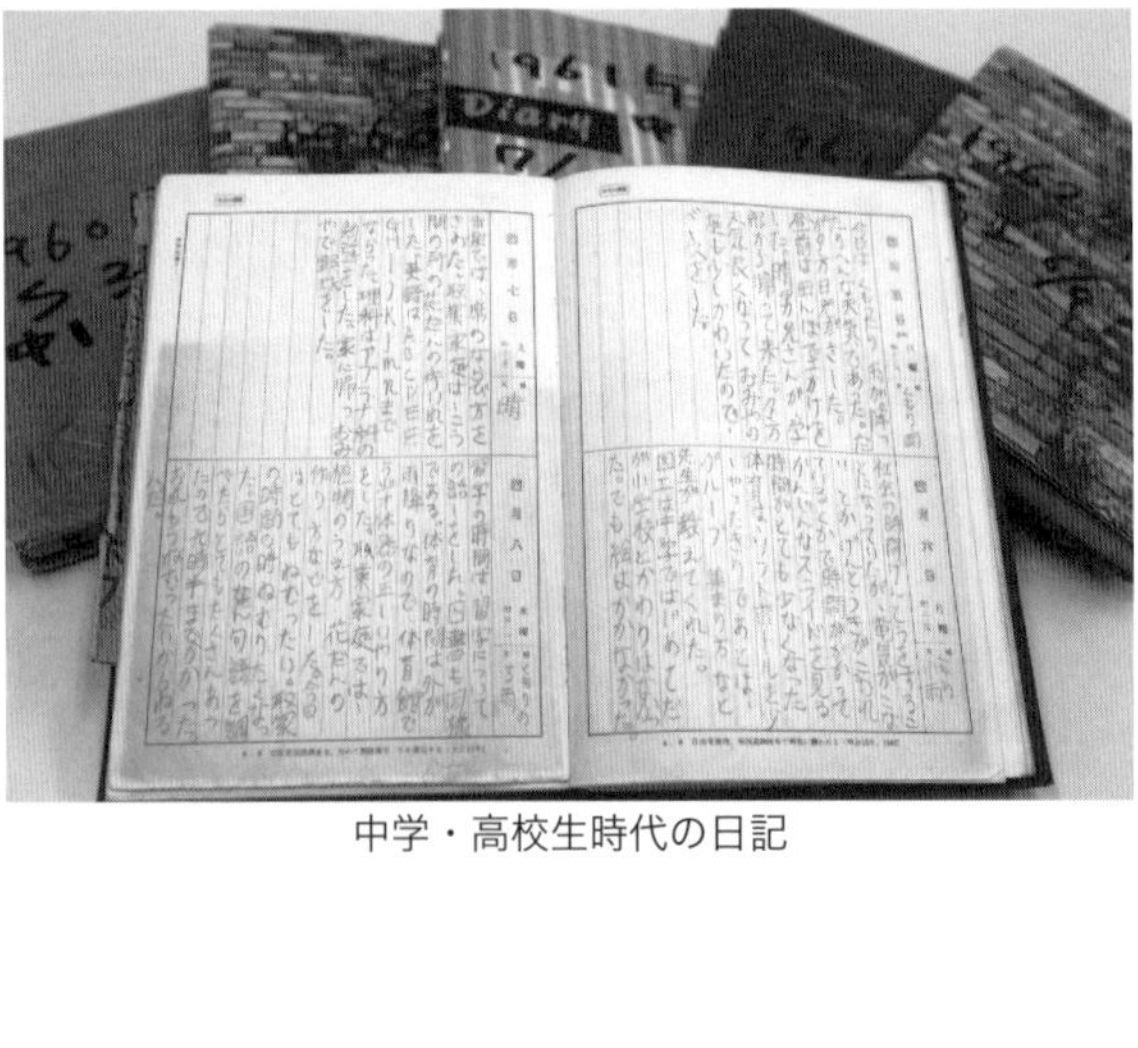

中学・高校生時代の日記

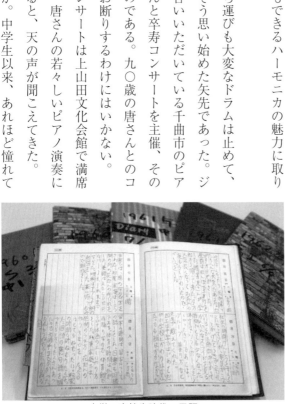

いたドラマーを、年齢を理由に軽々しく止めようとは何事か！　唐沢大先輩を見習わんか!!」
かくして後期高齢者突入を機に、気分も新たにまたまたドラム演奏を楽しもうと思った次第である。読者諸君、人生は一〇〇年時代、生ある限り、たった一度の人生を大いに謳歌しようではありませんか。

コロナ禍のステイホームをもっけの幸いとばかり、日記帳をめくりめくりしながら過去に思いを巡らせ、幼少期からサラリーマン独立までを書き記した。日記帳に書かれているエピソードは正確なものではあるが、そのほかのものも綴った。あるいは記憶が前後しているものもあるかもしれないが、そこはご容赦いただきたい。

読書離れが言われて久しい中、最後まで駄文に辛抱強くお付き合いくださり、誠にありがとうございます。

独立してからの一徹人生は、「つれづれ遊学舎」のモットーである「一期一会」「薄利多売」「自社完結」を引っ提げての夫婦による二人三脚で珍道中の真っ只中。人生一〇〇年時代、機会があったらまた筆を…などと妄想している次第。いかがなりますことやら。

令和四年弥生　居間にて春光あふれる庭を愛でながら

武田 徹（たけだ とおる）

昭和21年、長野市に生まれ。長野高校、早稲田大学を卒業後、信越放送（SBC）に入社。報道部記者を経て、ラジオを中心にディレクターやプロデューサーを務める。平成10年に「つれづれ遊学舎」を設立して独立、現在はラジオパーソナリティー、フリーキャスターとして活躍。

主な出演番組は、「武田徹のつれづれ散歩道」「武田徹の『言葉はちから』」（いずれもSBCラジオ）、「武田徹のラジオ熟年倶楽部」（FMぜんこうじ）など。主な著書に、『信州つれづれ紀行』（郷土出版社）、『痛快・父子血風録』（共著・オフィスエム）、『流行歌つれづれトーク』（共著・信濃毎日新聞社）などがある。

武田徹つれづれ一徹人生

2022年4月15日　初版発行

著　者　武田　徹
発行者　林　佳孝
発行所　株式会社しなのき書房
〒381-2206 長野県長野市青木島町綱島490-1
TEL026-284-7007 FAX026-284-7779
印刷製本　大日本法令印刷株式会社

ISBN 978-4-903002-73-6